Adda-Nari M. Alves

Professora titular de Língua Espanhola, na PUC-RS
Professora titular de Lingüística e Língua Espanhola, no Centro Educacional La Salle de Ensino Superior, em Canoas-RS
Professora Coordenadora de Língua Espanhola, na Universidade Regional Integral, em Frederico Westphalen-RS
Professora Coordenadora de Língua Espanhola, na ACADEPOL - Academia de Polícia Civil de Porto Alegre

Angélica Mello

Professora de Língua Espanhola, na rede estadual do Rio Grande do Sul
Consultora para elaboração dos Parâmetros Curriculares para o Ensino de Língua Espanhola
Doutora em Filologia Românica, pela Universidad Nacional de la República - Montevidéu
Professora de Língua Espanhola, de Língua Portuguesa e de Filologia Românica, na PUC-RS, de 1985 a 1997

mucho

Español para brasileños

Volume Único

1ª edição

EDITORA MODERNA

COORDENAÇÃO EDITORIAL: Véra Regina Maselli e Daisy Pereira Daniel
COORDENAÇÃO DA REVISÃO: Estevam Vieira Lédo Jr.
REVISÃO: Iraci Miyuki Kishi
GERÊNCIA DE PRODUÇÃO GRÁFICA: Wilson Teodoro Garcia
EDIÇÃO DE ARTE e PROJETO GRÁFICO: Elizabeth Kamazuka Santos
CAPA: Luiz Fernando Rubio
ICONOGRAFIA: Fotos CID
PESQUISA ICONOGRÁFICA: Vera Lúcia da Silva Barrionuevo
As imagens identificadas com a sigla CID foram fornecidas pelo Centro de Informação e Documentação da Editora Moderna.
ILUSTRAÇÕES: Claudio Attílio, Dalcio Machado, Girotto e Fernandes, Orlando Pedroso, Villa
DIAGRAMAÇÃO E EDITORAÇÃO ELETRÔNICA: Grapho Editoração
CARTOGRAFIA: Anderson Andrade Pimentel
TRATAMENTO DE IMAGENS: Evaldo de Almeida
SAÍDA DE FILMES: Grapho Editoração
COORDENAÇÃO DO PCP: Fernando Dalto Degan
IMPRESSÃO E ACABAMENTO: Gráfica Ave Maria

Dados Internacionais de Catalogação na Publicação (CIP)
(Câmara Brasileira do Livro, SP, Brasil)

Alves, Adda-Nari M.
Mucho: español para brasileños/Adda-Nari M. Alves, Angélica Mello. — São Paulo : Moderna, 2000.

1. Español - Estudo e ensino - Brasileiros
I. Alves, Angélica Mello. II. Título.

00-0874 CDD-468.2469

Índices para catálogo sistemático:
1. Espanhol para estrangeiros : Português 468.2469

ISBN 85-16-02628-0 (LA)
ISBN 85-16-02717-1 (LP)

EDITORA MODERNA LTDA.
Rua Padre Adelino, 758 - Belenzinho
São Paulo - SP - Brasil - CEP 03303-904
Vendas e Atendimento: Tel. (0_ _11) 6090-1500
Fax (0_ _11) 6090-1501
www.moderna.com.br
2003

Impresso no Brasil

1 3 5 7 9 10 8 6 4 2

PRESENTACIÓN

Nuestro propósito en la elaboración de esta obra educacional es que el estudio del español resulte placentero y que capacite al alumno hacer inferencias a partir de lo leído y aprendido para comprender, leer, hablar y escribir, con estrategias creativas y actividades dinámicas y variadas que auxilien la enseñanza del profesor y el aprendizaje del alumno, utilizando la lengua de Cervantes.

Aspiramos a que la metodología aquí planteada — que incorpora estrategias creativas y actividades dinámicas y variadas —, auxilie la enseñanza del profesor y el aprendizaje del alumno.

Mucho es un intento de enseñar con novedad, humor y alegría, respetando el perfil del estudiante brasileño de nivel medio y conquistando, así, la atención de alumnos y profesores.

Conscientes de la grandiosa labor del profesor en su camino de sueños y esperanzas, le dedicamos esta obra.

Al alumno, en su búsqueda de ascensión, le dedicamos las palabras del escritor uruguayo José Pedro Varela: "El conocimiento y uso del lenguaje oral nos da el poder de expresar con corrección y precisión nuestras ideas. El conocimiento y uso del lenguaye escrito nos da las artes de la lectura y de la escritura".

Las autoras

A mi madre Adelina Menezes; a mi profesor Elvo Clemente (PUCRS) e a mi marido Juarez Alves, por su cariño.

Adda

A Guido, Miguel, Zoé, Onédison, Zaida, Tasso, Patrícia, Clara Fernanda, Leonel, Juarez de León y, en especial, a Willians Barros va dedicado este trabajo.

Angélica

Un agradecimiento muy especial al equipo Moderna, gente muy macanuda y que VALE MUCHO.

ÍNDICE DE CONTENIDOS

9. El estudio y la vida, 191	• La clase • El patio	Curiosidad sobre la universidad más antigua de Europa	• Adverbios en -**mente** • Heterosemánticos • Heterogenéricos • Heterotónicos	• Describir a una persona en lo físico • Describir a una persona en su modo de ser • Expresar cambios físicos • Expresar diferencias de edad • Saludar a otros • Expresar el caráter de una persona	• Estudiar vale oro, 192 • Mi padre, Manuel Toro, 193 • Los libros: herramientas de los universitarios, 210
10. Vida sana, 215	Alimentos	¿Es dañina la carne de cerdo? Aspectos culturales de Argentina	• Preposición • Empleo especial de la preposición • Interrogativos • Heterotónicos • Heterogenéricos	• Interesarse por alguien • Pedir opinión/responder • Expresar acción terminada • Expresar acción no terminada • Expresar acción no empezada • Expresar obligación impersonal • Expresar obligación personal • Negar • No dar importancia • Ausencia de obligación/necesidad	• Cómo detectar y evitar intoxicaciones alimentarias, 216 • Entrevista con una mosca, A. Díaz-Cañabate, 218 • La música, Eduardo Galeano, 218 • El despertador, Elena Martín, 228 • La canción del oro, Rubén Darío, 228 • Cómo comprar con garantía..., 234
11. Oficios en la sociedad, 239	Herramientas y útiles	Idiomas en peligro	• Verbos de Irregularidad Propia • Indefinidos	• Expresar sentimientos • Informarse	• Los serenos nocturnos de antaño, 240 • Memoria electrónica, Mario Benedetti, 242 • La comedia del mundo, Cervantes, 257 • Toda una vida dejando huellas, 260
12. Planeta sorpresivo, 265	Ecología	• ¿Por qué son doce los meses del año y por qué llevan esos nombres? • Aspectos culturales de Uruguay	• Verbos irregulares en Potencial Simple • Imperfecto de Subjuntivo • Verbos irregulares	• Clima • Simpatía • Antipatía • Odio • Compasión • Irritación • Satisfacción • Insatisfacción • Buen humor • Mal humor	• Clima y ambiente, 266 • Mancha de humedad, Juana de Ibarbourou, 267
13. Cambios y modales, 287	La casa	¿Por qué son distintas las copas?	• Imperativo • Imperativo en la 2as pers. • Imperativo con verbos reflexivos • Diminutivos	• Decisión • Éxito • Resignación • Seguridad • Hipótesis • Extrañeza • Autorización/prohibición • Fastidio	• ¿Por qué comemos así?, 288 • Carta canta, Ricardo Palma, 290 • Modales para ocasiones festivas, 305
14. La moda y nuestra vida, 311	Vestuario	• Curiosidades sobre el modo de abotonar las prendas de vestir • Aspectos culturales de Chile	• Empleo del Fut. Imperf. de Subj. • Adverbios • Aumentativos y despectivos • Aumentativos y diminutivos (sentido afectivo y despectivo)	• Compartir/solicitar opinión • Dar razón parcial a otros • Expresar acuerdo/desacuerdo • Tranquilizar • Argumentos en favor o en contra de una idea	• La gente y la moda, 312 • Argumento del Quijote, F. E. Gutiérrez, 315 • Don Quijote de La Mancha, Cervantes, 315 • El arte de adivinar, 328
15. Descubriendo caminos, 335	Transportes	El tapeo	• Verbos irregulares por cambio de vocales • Modos adverbiales	• Sobre una noticia/hecho: contar • Dar la fuente de información • Sobre una noticia/hecho: reaccionar • Hablar de la programación de la televisión • Aconsejar/sugerir • Buscar acciones • Felicitar • Opinar	• La Rioja: un paraíso en Europa, 336 • Marianela, B. Pérez Galdós, 337 • En vacaciones ¿nos vamos de campamento?, 358

NOSOTROS 1

CID

© SIPA PRESS/KEYSTONE

CID

Triste cosa es no tener amigos, pero asaz más triste debe ser no tener enemigos, porque quien enemigos no tenga, señal de que no tiene: ni talento que haga sombra, ni valor que le teman, ni honra que le murmuren, ni bienes que le codicien, ni cosa buena que le envidien.

Baltasar Gracián (1601-1658), polígrafo español.

La fuerza del grupo

La etología, ciencia que estudia el comportamiento animal, ha contemplado el fenómeno del grupo. Según ella, cualquier animal, incluido el hombre, posee estímulos biológicos, es decir, instintos relacionados con la reproducción, el cuidado de los hijos, la defensa contra los agresores y, para satisfacerlos, recurre a la colaboración con otros. Las comunidades de homínidos estaban formadas por 15 ó 20 individuos y, para coordinar mejor los esfuerzos, se establecía enseguida una escala jerárquica: la guía del grupo se confiaba a los individuos más agresivos, más hábiles en la caza y más fuertes físicamente. Hoy la situación ha cambiado un poco.

A lo largo de nuestra vida pertenecemos a distintos grupos. Unos son primarios, como la familia, y otros secundarios, que nacen para alcanzar un fin concreto; por ejemplo, un grupo de trabajo. Cuando termina su cometido, se deshacen y entre sus miembros no tiene que existir un vínculo afectivo. En ambos tipos de grupos hay reglas, y no se pueden infringir así como así. Incluso en los secundarios, la fidelidad al grupo debe respetarse en mayor medida. Imaginemos a alguien que va a la peluquería: sería estúpido que diera por finalizada su relación con ese grupo, antes, por ejemplo, de que lo peinaran.

Según el psicólogo Eric Bern, los chicos elaboran antes de los seis años su forma de agruparse, eligen una manera de relacionarse a semejanza de la que ven en su casa y la respetan toda la vida.

Los jóvenes tienen también una fuerte necesidad del grupo. Los adolescentes encuentran en los miembros de su *barra* un espejo de sí mismos y un lugar donde afirmarse. No se reúnen para un fin preciso, como los adultos, sino para tratar de explicarse a sí mismos. Suelen estar muy cohesionados pues, en el fondo, sus normas son muy estrictas, y se reflejan en la ropa y en el lenguaje. El problema surge cuando no tienen capacidad crítica. El grupo de hinchas ultras a menudo reúne personalidades desequilibradas, que no consiguen insertarse en la vida colectiva, pero dentro de su grupo se dan fuerza unos a otros. Si en el grupo hay un líder fuerte, no le será muy difícil impulsar a los demás a la violencia.

Los grupos poseen elementos que lo conforman según los individuos que de él hacen parte. Así, cada cual tendrá un rol específico cuando en presencia de los demás miembros. Además del liderazgo (rol de jefe oficial), hay otras tareas fácilmente identificables entre los componentes del grupo: el iniciador, el buscainformación, el buscaopinión, el elaborador, el coordinador, el orientador, el evaluador crítico, el motivador, el procedimientos y el memoria del grupo.

Entre los roles de mantenimiento, usted mismo puede elegir el que mejor le vaya. Son: el que da moral, el armonizador, el compromisario, el abrepuertas, el yo ideal, el seguidor, el observador/comentador.

Los roles individuales provienen de la personalidad de cada uno. La fuerza del grupo no se usa ya para la supervivencia de la especie, sino para que funcionen los negocios.

DIE, Amelia. *Muy Interesante*, ago. 1997, nº 142. Adaptado.

Interpretación del texto

1. Identifica el asunto del texto.
2. El texto que has leído está dividido en partes a las que llamamos párrafos. Cada párrafo trata del asunto presentado, pero bajo un enfoque distinto. ¿Qué enfoques se han abordado en cada párrafo?
3. ¿Qué papel crees que juega la familia en la formación de los grupos?
4. ¿Qué diferencia presenta el texto entre las reuniones entre niños y las de adolescentes y de adultos? ¿Concuerdas con esa visión? Explícalo.
5. ¿A qué se encuentra condicionado el papel de liderazgo en un grupo?
6. Define los roles propuestos en el penúltimo párrafo del texto (el que da moral, el armonizador, el compromisario, el abrepuertas, el yo ideal, el seguidor, el observador/comentador).
7. De los roles propuestos en el sexto párrafo, ¿en cuál de ellos te ves reflejado y por qué?
8. En tu opinión, ¿por qué la fuerza del grupo ya no sirve más para la protección de la especie cuando se trata de seres humanos? ¿A qué se debe ese cambio?

Actividad

✓ Relaciona los siguientes sentimientos a los pensamientos abajo:

gratitud	paciencia
perseverancia	amor
confianza	optimismo
cooperación	alegría
altruismo	humildad

1. Observa si hay alguien que necesita tu ayuda y haz lo que puedas.
2. Abre tu corazón a las personas, a las plantas, a toda la naturaleza y serás retribuido.
3. Date cuenta de lo que recibiste y agradécelo con el corazón.
4. Hay un tiempo para todo. Dale tiempo al tiempo.
5. Afirma tu valor, pero sin exigir reconocimiento.
6. Haz aquello que dijiste que ibas a hacer.
7. Juega más con las situaciones de la vida. No la tomes siempre tan en serio.
8. No desistas ante la primera dificultad. Cálmate. Respira. Prosigue.
9. Atiende a las necesidades de los demás como si fuesen las tuyas.
10. Contempla lo que hay de bello y de bueno en las personas. El beneficio será mutuo.

ALFABETO

El alfabeto español se compone de 27 letras. Te lo presentamos a través del alfabeto de los sustantivos en el recuadro.

Amor	Justicia	Respeto
Bondad	Kantismo	Solidaridad
Cariño	Lealtad	Ternura
Dedicación	Moderación	Urbanidad
Educación	Notabilidad	Valentía
Felicidad	Ñañería	Wagnerismo
Generosidad	Organización	Xenofobia
Honestidad	Paciencia	Yoga
Inteligencia	Quebranto	Zorrería

EJERCICIO

✓ Las palabras del recuadro del alfabeto son sustantivos abstractos. Transformándolas en cualidades, es decir, adjetivos calificativos, ¿cómo serían?

PORTALENGUA

FOTOS: CID

Saludos

Hola. ¿Qué tal?
Buenos días.
Buenas tardes.
Buenas noches.
Buenas.
Mucho gusto.
Encantado(a).
¿Cómo te/le va?
¿Qué tal?
(Muy) Bien.
Estupendo.
Fenómeno.

Información

Me llamo... Soy... Soy de...
¿Cómo se llama Ud.?
¿Cómo te llamas?
¿De dónde eres/es tú/usted?
¿(Tú) Eres...? ¿Ud. es...?

FOTOS: CID

Despedida

Adiós.
Adiós. Hasta luego. / mañana. / pronto. / siempre.
¡Chau!

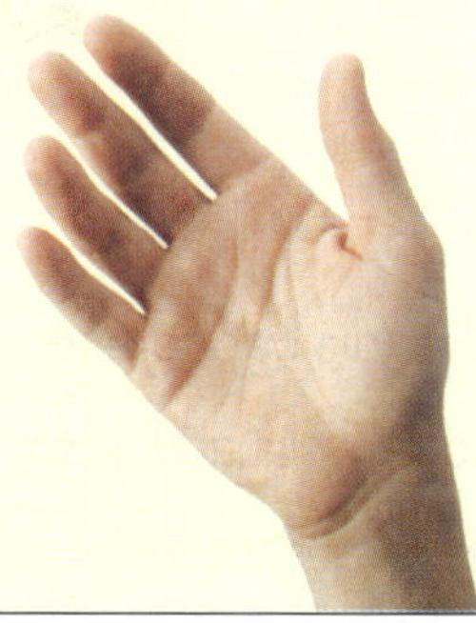

ComunicHABLE

✓ Escucha los diálogos y léelos.

DIÁLOGO 1. Presentación (diálogo informal)

Soledad: ¡Hola!

Ernesto: ¡Hola! ¿Qué tal?

Soledad: Muy bien. ¿Cómo te llamas?

Ernesto: Soy Ernesto. ¿Y tú? ¿Cómo te llamas y de dónde eres?

Soledad: Soy Soledad. Soy de Valparaíso, pero ahora vivo aquí. ¿Y tú?

Ernesto: Soy de aquí mismo. Soy santiaguino. Pero, ¿qué haces? ¿Estudias o trabajas?

Soledad: Por la mañana voy a estudiar en este colegio y por la tarde trabajaré en la biblioteca.

Ernesto: ¡Qué bien! Vamos a ser compañeros de escuela.

Soledad: ¡Bárbaro! ¿Me esperas para la comida?

Ernesto: ¡Por supuesto! ¿Al mediodía, entonces?

Soledad: ¡Sí, sí! Me ha gustado mucho conocerte. ¡Chau!

Ernesto: Encantado, Soledad. ¡Chau!

DIÁLOGO 2. Solicitud (diálogo formal)

La madre busca al director de la escuela.

Profª Núñez: Buenas tardes, señor director. ¿Permiso?

Director: Pase, pase, profesora Núñez. ¿En qué puedo servirla?

Profª Núñez: ¿Tendría Ud. unos minutos?

Director: Estoy a sus órdenes. Dispongo de media hora.

Profª Núñez: Gracias, señor director. Seré breve. Mi hijo estudia aquí por la mañana y tiene gimnasia los lunes, martes y jueves por la tarde. Fue invitado a participar del equipo de baloncesto del colegio, cuyo entrenamiento ocurre los lunes, miércoles y viernes.

Director: Sí. Y ¿en qué puedo ayudarla?

Profª Núñez: Si Ud. lo autoriza, mi hijo haría gimnasia con el grupo de los martes, jueves y sábados y, así, podría formar parte del equipo del baloncesto.

Director: ¡Por supuesto! Esté tranquila que mañana atenderé su pedido.

Profª Núñez: Gracias, señor director. Muchas gracias. ¿Permiso? ¡Adiós!

Director: Merecido, profesora. ¡Qué le vaya bien!

ACTIVIDADES

1. Siguiendo los modelos anteriores, escribe un diálogo formal y otro informal.

2. Relaciona las columnas.

a) ¡Hola, Carlos!	( ) ¡Hola! Soy Daniel.
b) Te presento a Paula.	( ) Mucho gusto, señora.
c) Ésta es mi madre.	( ) Precioso.
d) ¿Cómo le va, señor Fuentes?	( ) ¡Paco! ¡Qué bueno verte!
e) Gracias por su atención.	( ) Bien, gracias, ¿y tú?
f) Soy Dolores, ¿y tú?	( ) Usted lo merece.
g) ¿Cómo fue el paseo?	( ) Encantado.

INTERJECCIONES

- Son palabras con que expresamos el impacto que nos causan las múltiples emociones. Van acompañadas por los signos de exclamación y comúnmente son breves. Su significado depende de la situación en que aparecen y/o del contexto.

- Son *propias* cuando desempeñan específicamente esta función: ¡Ay! ¡Viva! ¡Bah! ¡Ih! ¡Caramba! ¡Zaz! ¡Ajá! ¡Oh! ¡Huy! ¡Ole! ¡Puff! ¡Plaf! ¡Hola!

- Son *impropias* cuando sustantivos, adjetivos, verbos y adverbios funcionan como interjección: ¡Hombre! ¡Auxilio! ¡Fuego! ¡Corre! ¡Dale! ¡Atrás! ¡Adelante! ¡Arriba! ¡Toma! ¡Bravo! ¡Precioso! ¡Fatal! ¡Bien! ¡Vale! ¡Salta! ¡Ven! ¡No! ¡Dios!

En español las exclamaciones e interrogaciones vienen precedidas y seguidas de sus respectivos puntos. En las frases interrogativas sólo el elemento que interroga lleva los puntos, pudiendo ser la oración o una parte. Ejemplos:
¿Cuándo llegaste de viaje?
Cuando llegaste de viaje ¿ya estaba lloviendo?
Te espero mañana en mi cumpleaños, ¿sí?

ACTIVIDADES

1. Vuelve a los diálogos 1 y 2, señala las interjecciones e intenta agregarles algunas más.
2. Elabora pequeños diálogos en los cuales emplearás interjecciones.

Modelos:
— ¡Ay! ¡Dios mío! ¡Qué hambre tengo!
— ¿Qué esperas? ¡Corre! A comer, hijito.

— ¡Hola! ¿Cómo estaba la fiesta?
— ¡Hombre! ¡Preciosa! Inolvidable.

LENGUACURIOSA

Interjecciones peculiares de Hispanoamérica

¡Añunuy!	¡Qué lindo! (Ecuador)
¡Arrarráy!	De frío. (Ecuador)
¡Akakáw!	De dolor. (Perú)
¡Aij! (= ¡áij!)	¡Ay! usada exclusivamente por mujeres. (Bolivia)
¡Ampe!	¡Por favor! ¡Se lo ruego! (aimara)
¡Chaucito!	Disminutivo de ¡chau! (Argentina)
¡Cosa!	Exclamación familiar ¡Muy bien!: “¿Qué le pareció la función? ¡Cosa!” (Bolivia)
¡Jajay!	Exclamación de burla. (aimara)
¡Equerecuá!	Exclamación que expresa conformidad, aprobación plena. (Cuba)
¡Chusta!	Para imponer silencio. (Bolivia)

AL DICCIONARIO

✓ A continuación, te proponemos un desafío para el cual deberás contar con el auxilio del diccionario y del glosario al final del libro. La tarea consiste en elegir cualidades y defectos. Si logras que la cualidad y el defecto empezando con la misma letra sean a la vez antónimos, ganarás 5 puntos. Si, al revés, el antónimo para la cualidad o defecto lo escribes empezando con una letra distinta, ganarás tan sólo 2 puntos. Ej.: **A**mabilidad (cualidad); **A**varicia (defecto).

ESTAMPALABRAS

Acciones que indican sentimientos y estados de ánimo

regañar

felicitar

pelearse

hacer las paces

besar

abrazar

acariciar

saludar

llorar

reír

disimular

vencer

regalar

despedirse

alegrarse

entristecerse

desanimar

odiar

impacientarse

acusar

Lectura

La literatura es creación y comunicación. Creación porque es un trabajo intelectual que tiene su origen en la vida del hombre y su mundo social, cultural y natural. Comunicación porque nos enseña, nos muestra, nos comunica algo, no sólo la literatura, pero también la música, escultura, pintura y otras.

En la literatura toda palabra tiene una intención comunicativa que permite la realización artística, sea en el plano denotativo o connotativo.

Tanto en la literatura como en cualquier otra manifestación artística, hay los que se sobresalen, adquieren la "inmortalidad" y sirven de modelo a los demás. Y cada pueblo, cada país tiene sus mayores representantes.

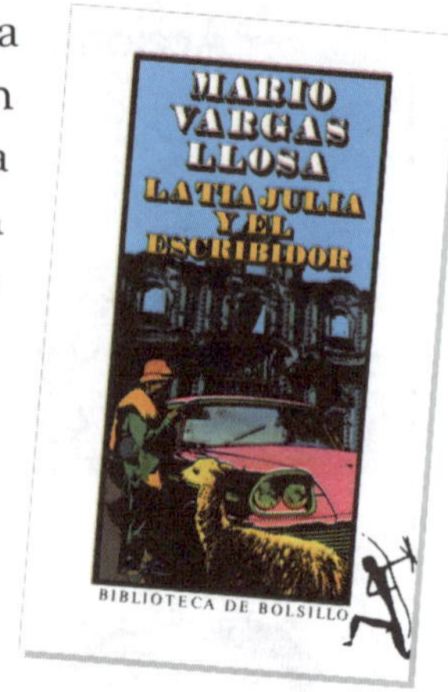

La historia que leerás a continuación origínase en Bélgica y está presente en la tradición de distintos países: en Rusia con el título "La receta del soldado"; en México, "La ollita mágica" y en Argentina en "la anécdota de Perurimá a través de la versión de Velmiro Ayala Gauna, quien retoma el tema — basándose en la información de su padre, Ramón Ayala Gauna —, y lo recrea en *La comida milagrosa*".

La *denotación* es el sentido de las palabras en sí, mientras la *connotación* es el sentido que las palabras alcanzan de acuerdo a la intención del autor, dependiendo del contexto o del grupo social.

La piedra de hacer sopa

Érase un soldado que volvía de la guerra. Llegó a un pueblo, un día en que frío soplaba el viento, el cielo era plomizo y el pobre soldado tenía hambre. Se detuvo ante una casa de las afueras y pidió algo para comer.

— No tenemos ni para nosotros mismos — le volvieron a decir.

— ¿Tenéis acaso una gran olla? — preguntó el soldado.

— Sí, tenemos un gran caldero de hierro.

—¿Tenéis un poco de agua? — siguió preguntando.

— Sí, de eso hay mucho — le contestaron.

— Llenad el caldero de agua y ponedlo en el fuego — dijo el soldado —, pues yo tengo una piedra para hacer sopa.

— ¿Una piedra para hacer sopa? — preguntaron —. ¿Qué es eso?

— Pues es una piedra con que se hace sopa — explicó el soldado. Todos se reunieron en su torno para ver la maravilla.

La dueña de casa llenó la gran olla con agua y la colgó sobre el fuego. El soldado sacó una piedra de su bolsillo. Una piedra que no parecía muy diferente de las que uno puede recoger en la calle, y la arrojó a la olla.

— Ahora, dejadla que hierva — dijo. De modo que todos se sentaron a esperar que el agua hirviera —. ¿Podría darme un poquito de sal? — dijo el soldado.

— Por supuesto — dijo la mujer, y sacó la sal de un tarro. El soldado tomó un puñado lleno y lo puso dentro de la olla, ya que ésta era grande. Todos se sentaron de nuevo a esperar.

— Unas pocas zanahorias no vendrían mal en esta sopa — dijo el soldado con añoranza.

— Oh, si es por eso, tenemos algunas — dijo la mujer, y sacándolas de abajo de un banquillo, donde el soldado las había visto, se las entregó. De modo que pusieron las zanahorias en el caldero. Y mientras éstas hervían, el soldado les contaba las aventuras que había corrido.

— Unas pocas patatas vendrían muy bien, ¿no les parece? — dijo en eso el soldado —. Espesarían un poquito la sopa.

— Tenemos algunas papas — dijo la hija mayor de la familia —. Las traeré. — De modo que pelaron las papas y las pusieron en la olla y siguieron esperando que ésta hirviera.

— Corre a la casa de al lado y pídele al vecino una cebolla — dijo el granjero a su hijo menor. El chico así lo hizo y volvió con tres cebollas. Mientras todos esperaban, siguieron contando chistes y narrando historias.

— ... Y no he probado repollo desde que partí de la casa de mi madre — decía el soldado.

— Corre a la huerta y arranca un repollo — dijo la madre. Y una niñita salió corriendo y volvió con un repollo, que agregaron al caldo.

— No tardará mucho — dijo el soldado.

— Sólo un poquito más — dijo la mujer, revolviendo el caldo con un gran cucharón.

En ese momento llegó el hijo mayor de la familia. Había salido de caza y traía dos conejos.

— ¡Justo lo que necesitamos para darle el toque final! — exclamó el soldado, y fue cosa de pocos minutos que los conejos estuvieran limpios y cortados dentro de la olla.

— ¡Hum! — dijo el cazador, que tenía hambre —. ¡Huele a muy buena sopa!

— El viajero ha traído una piedra — le explicó el granjero a su hijo — y está preparando una sopa con ella.

Por fin la sopa estuvo lista, y a todos supo muy bien. Hubo suficiente para todos: el soldado y el granjero y su mujer, la hija y el hijo mayor, la niñita y el niñito.

— Es una sopa maravillosa — dijo el granjero.

— Lo es — dijo el soldado — y siempre os dará el mismo resultado si utilizáis la receta que os he dado hoy.

De modo que terminaron la sopa. Y cuando el soldado se despidió, le regaló a la dueña de la casa la piedra para pagarle su hospitalidad. La buena mujer se lo agradeció muchísimo.

— No es nada — dijo el soldado, y se fue de la casa sin su piedra.

Pero, por fortuna, encontró otra justo antes de entrar al pueblo siguiente.

Autor anónimo. *Tradiciones literarias. Cuentos. Antología.* Buenos Aires, Ediciones Colihue, 1993.

COMPRENSIÓN DEL TEXTO

1. Debate con tus compañeros sobre lo siguiente:
   a) ¿Qué magia tiene la piedra?
   b) ¿Qué representa en la vida real la piedra?
   c) ¿Qué tipo de persona representan el soldado y la familia?
   d) Explica el último párrafo del texto.
2. ¿Qué sentimientos predominan en el texto? Localiza los cinco que te parezcan los principales.
3. ¿Era costumbre del soldado pedir comida en las casas? ¿Fue todo premeditado? ¿Cómo lo sabes?
4. ¿Qué lección de vida se puede sacar del cuento?
5. En tu opinión, ¿por qué las personas ayudaron al soldado a preparar la sopa?
6. Utiliza cinco adjetivos para clasificar al soldado y cinco para los familiares.
7. Retoma el cuento desde "En ese momento llegó el hijo mayor de la familia", y dale un final totalmente distinto.

PIÉNSALO

El éxito en la vida consiste en seguir siempre adelante.

Samuel Johnson (1709-1784), literato inglés.

PRESENTE DE INDICATIVO

	Estar	Ser	Vivir	Trabajar	Tener
Yo	estoy	soy	vivo	trabajo	tengo
Tú	estás	eres	vives	trabajas	tienes
Él/Ella	está	es	vive	trabaja	tiene
Usted	está	es	vive	trabaja	tiene
Nosotros(as)	estamos	somos	vivimos	trabajamos	tenemos
Vosotros(as)	estáis	sois	vivís	trabajáis	tenéis
Ellos/Ellas	están	son	viven	trabajan	tienen
Ustedes	están	son	viven	trabajan	tienen

EJERCICIO

✓ Completa las siguientes oraciones con los verbos del recuadro.

1. Te __________ muy grata porque me __________ ayudando y __________ muchas ganas de aprender a hacer todo tan bien como tú.

2. Vosotras __________ mucho pero __________ con confort, __________ buena casa y __________ amigas de todos.

3. Ustedes __________ poco tiempo porque __________ mucho, sin embargo __________ independientes y __________ progresando.

4. Papá y yo __________ tristes porque tú no __________ con nosotros y __________ tanto, pero __________ siempre en nuestro corazón y __________ un gran orgullo para toda la familia.

5. __________ dos hermanas: la una __________ , mientras la otra __________ estudiando; __________ en armonía y __________ sueños para el futuro.

6. (Yo) __________ tu amiga, pero no __________ de acuerdo con el modo como __________, pues no __________ y tus padres no __________ con tranquilidad.

7. Nosotras __________ felices porque __________ buen trabajo y __________ estudiando, mientras ellos __________ mucho y __________ mal.

8. Mis hermanos __________ felices porque __________ buen trabajo y __________ estudiando, mientras vosotros __________ mucho y __________ mal.

9. (Yo) __________ salud, __________ joven, __________ preparando mi futuro, por eso __________ y __________ alegre.

10. (Ellos/Ustedes) __________ salud, __________ jóvenes, __________ preparando su futuro, por eso __________ y __________ alegres.

COMERCIO RARO

Refórmanse cabezas: aliviamos tristezas y desilusiones de amor, sustituimos angustias, envidia, celos y odio por lo que Ud. quiera. Oficina de los Milagros, calle de las Ilusiones con Esperanza.

VERBO GUSTAR (PRESENTE DE INDICATIVO)

¿a quién/ a quiénes?	a mí (yo)	a ti (tú)	a él a ella	a usted	a nosotros (as)	a vosotros (as)	a ellos a ellas	a ustedes
una cosa	me gusta	te gusta	le gusta	le gusta	nos gusta	os gusta	les gusta	les gusta
varias cosas	me gustan	te gustan	le gustan	le gustan	nos gustan	os gustan	les gustan	les gustan

EJERCICIO

✓ Según el sentido, completa las frases con el *verbo gustar*. Observa la cantidad de cosas de las que se gusta y a quién/quiénes se refiere.

1. ___A mí me gusta___ ir al parque contigo, pero hoy no puedo.
2. A todos ___les gusta___ salir de vacaciones.
3. A mi hermana ___le gustan___ los chocolates, las gaseosas, las galletas rellenas y los chicles.
4. No ___nos gusta___ a nosotros el frío intenso.
5. A vosotras ___os gusta___ la música romántica.
6. A mi amigo Paco y a mí ___nos gusta___ los partidos de fútbol.
7. A los alumnos de esta clase de español ___les gusta___ muchísimo cantar tangos.
8. No (a mí) ___me gusta___ escuchar la radio por la mañana.
9. Los viajes en avión ___les gustan___ a los niños pequeños.
10. De todos los colores, los que más ___le gustan___ a mi novia son el verde y el azul.
11. Tengo una voz terrible y por ello no ___me gusta___ cantar en público.
12. Tienes un pulóver blanco que (a ti) ___te gusta___ lucirlo en días de fiesta.
13. Mis padres viven en una ciudad muy tranquila y que a ellos ___les gusta___ bastante.
14. Creo que a mis compañeros de clase ___les gusta___ hablar todo en español.
15. A José Antonio, a Manolo y a ti ___os gustan___ siempre que posible las películas de acción.

JUEGUITO

Mensaje cifrado

Para poder descifrar este mensaje, debes tener en cuenta que a cada letra corresponde la inmediata anterior o posterior, según el orden del alfabeto. Ello no implica que la correspondencia sea siempre igual, sino que puede alterarse, según el caso. Para ayudarte, puedes consultar el alfabeto que aparece a la página 10.

D	M	P	T	F	B	B	Q	F	D	D	C	D	H	E	D	B	R
G	B	B	F	T	V	X	B	T	K	B	T	B	I	D	Ñ	B	T

RECANTO

✓ Escucha y completa la letra de la música.

Perfidia

Alberto Domínguez

Nadie comprende lo que sufro yo.
Canto, pues ya no puedo sollozar.
Solo temblando de ansiedad estoy.
Todos me miran y se van.
______________, mujer, ______________
Si puedes tú con Dios ______________,
Pregúntale si yo alguna ______________
Te he ______________ de adorar.
______________ al mar, al mar, al mar
______________ de mi ______________,
Las veces que me ha visto ______________
La ______________ de tu amor.
Te he buscado por doquiera que ______________
Y no te puedo ______________.
¿ Para qué quiero otros ______________
Si tus labios no me quieren ______________ besar?
Y tú quién sabe por dónde andarás
Quién sabe qué aventuras ______________
Qué ______________ estás de mí.

Paráfrasis es la explicación de un texto para ilustrarlo o hacerlo más claro, conservándose las ideas originales.

✓ Con la ayuda de tu profesor y en grupo, haz tu paráfrasis de la música que has escuchado, observando bien el contenido de la letra.

Cómo lograr un buen aspecto

Si quieres ascender en la escala profesional, debes dejar de comportarte como una persona miedosa. De ti depende que te tengan en cuenta.

La clave para el éxito puede estar en hacer que los demás te presten atención.

Aquí te presentamos diez maneras de conseguirlo:

1. Detallar tus habilidades. Hacer que se enteren de tus capacidades especiales, tus logros y éxitos en trabajos anteriores.
2. Ofrecerte para realizar ciertas tareas o proyectos. Esto es algo que todos saben que deben hacer, pero pocos hacen en realidad.
3. Demostrar al jefe que puedes encargarte de más cosas, haciendo más trabajos del que tienes asignado.
4. Hablar menos, hacer más.
5. Utilizar afortunados encuentros para tu campaña de autopromoción y hacerte notar. Contar alguna novedad, comentar algo de tu trabajo o hacer un comentario agradable.

CID

6. Organizar actividades con compañeros de trabajo, buscando intereses comunes, haciendo relaciones públicas, mostrando tus habilidades de comunicación.
7. Participar en las actividades extralaborales de tu empresa. Con ello te conocerán mejor y serás advertido por más personas.
8. Buscar perfeccionarte en tu área de trabajo.
9. Si trabajas horas extras, hacer (sutilmente) que otros se enteren, pero nunca anunciarlo abiertamente ni quejarte.
10. Documentarte. Guardar todas las cartas y los memos de felicitaciones que recibas; resultarán una gran ayuda cuando vayas a pedir un ascenso.

Si haces todo eso con naturalidad y solicitud, sin exageraciones y evidente premeditación, seguramente tendrás mucho éxito y merecido.

Páginas Cómplices de El País. Uruguay, 1994.

ACTIVIDAD

✓ Elabora una lista con diez modos para *perder* un trabajo. Toma como punto de partida el texto anterior, pero sin olvidar el objetivo de este ejercicio.

VENTANITA

Extrañas costumbres

- Las indias de ciertas tribus de Guayana, al final de un largo viaje o al acabarse una pesada faena a lo largo de un día, se hacen cortes en las piernas hasta que les brote sangre. Eso es para que salga el cansancio con la sangre.
- Los indios del río Paraná, en momentos de dolor ante la muerte de un ser amado, se cortan un dedo. Esta automutilación simboliza el sufrimiento por la irreparable pérdida y el sacrificio es una ofrenda a los dioses y ayuda al espíritu del muerto.

Escritura en miniatura

- En la India, Surendra Apharya escribió los discursos del Primer Ministro Nehru — 10.056 caracteres (letras) dentro de una estampilla postal que mide 19,69 mm por 17,82 mm. También escribió 1.749 caracteres — nombres de varios países, pueblos y regiones — sobre un grano de arroz.
- Chang Shi Qi, de China, escribió 308 caracteres — Dios te bendiga 28 veces — sobre un pelo humano de 2 cm de largo. ¿No te parece fantástico?

HUMOR

Huevo podrido

A Oscar Wilde una joven poetisa le hace llegar un ejemplar de su nuevo libro para que le dé su opinión. Éste, a los pocos días, se lo devuelve acompañado de una crítica un tanto irónica. La mujer, algo molesta, le dice:
—Usted no lo leyó. ¡Por la mitad le dejé hojas pegadas y siguen igual!
—Señorita, para saber si un huevo está podrido no necesito comerlo entero.

Al diccionario

✓ Te sugerimos elaborar tu glosario. En él apuntarás las palabras que más utilices o que te han llamado la atención en algún momento durante tus lecturas o charlas. Deberás tenerlo siempre contigo para facilitar tu trabajo con el idioma español. De vez en cuando deberás compararlo con los de tus compañeros para agregar algún vocablo más.

ADIVINANZAS

1. Estoy en el sol, estoy en el río y
   cuando camino voy contigo.
2. Para unos soy muy corto;
   para otros, regular;
   para los tristes, muy largo;
   para Dios la eternidad.
3. El fuego me tiene miedo,
   las plantas me quieren tener,
   limpio todo lo que toco
   y me toman cuando tienen sed.
4. Tengo hojas sin ser árbol,
   te hablo sin tener voz,
   si me abres no me quejo,
   adivina quién soy yo.

LA RAZA HUMANA 2

FOTOS: CID

Cualquier cosa que no te gustaría que te hicieran, no se la hagas a otro.

Hillel Ha-Babli, 30 a.C.

El cuerpo en cifras

El organismo humano es una sorprendente unidad. Cada una de las partes actúa en función de las demás y, al mismo tiempo, no cesa de morir y renacer. Como todo ser viviente, también nuestro cuerpo se caracteriza por un proceso de autorrenovación constante, de permanente intercambio de materia y energía en su interior y con el medio que lo rodea. Mientras millones de nuestras células se desintegran a cada día, otro tanto resurge para que la energía que nos mueve no cese.

El ritmo de la vida encuentra su medida en cada cuerpo, en los hábitos cotidianos de cada individuo. Hay un promedio en lo que toca a las cifras que dan cuenta de la constante transformación orgánica a la que estamos sometidos.

Pero hay que tener en cuenta que apartarse de esos promedios no implica necesariamente una situación de enfermedad. Los números no lo dicen todo, pero dan una medida de las cosas. En este caso están las complejas funciones de un organismo que habitualmente trabaja sin perturbarnos demasiado, sin decirnos cuándo aumenta o disminuye, por ejemplo, el crecimiento de sus cabellos o la formación de sus plaquetas sanguíneas.

Semejante autonomía de funcionamiento nos permite volcar nuestra atención en otras cosas; sobre todo en esa totalidad que se nos presenta cada vez más atrayente. Hay que saber siempre más sobre el cuerpo que nos sostiene.

1. *El pelo*. 3 millones a lo largo de la vida. Cada uno de los cabellos vive 4 años; entre 100.000 y 150.000 cubren la cabeza. En el curso de la vida, 3 millones en total. En toda la existencia nos hacemos cortar unos 9 metros de cabellera.
2. *La piel*. Más de 1,5 m^2 de extensión. Su peso está entre 2 y 3 kilos en total. Transmite al cerebro una sensación dolorosa en 9 décimas de segundo, otra táctil en 12 centésimas, y una sensación térmica en 0,16 segundo.
3. *El corazón*. 3.000 millones de latidos. El ritmo cardíaco promedio es de 75 pulsaciones por minuto.
4. *Orina y materia fecal*. Metros cúbicos y toneladas de desechos. La orina excretada por los riñones es de alrededor de 1 litro y medio por día, unos 540 por año. Los excrementos expulsados diariamente (150 gramos) alcanzan, en una vida, las 4 toneladas.
5. *Las células*. Una renovación constante. El cuerpo está formado por 200.000 millones de células. De ellas, unas 200 millones se renuevan en forma permanente. Las que forman el intestino no viven más de 5 días. A cada minuto se reemplaza 1.000.000 de ellas, de modo que producimos un nuevo tubo digestivo cada 4 días.

Conozca Más. 1995, nº 79.
Adaptado.

COMPRENSIÓN E INTERPRETACIÓN DEL TEXTO

1. ¿Por qué se afirma que el cuerpo humano es una “sorprendente unidad”?
2. ¿Cómo se procesa el ciclo vital del cuerpo humano?
3. ¿Qué papel juegan los hábitos individuales en la vida del ser humano?

4. "Los promedios numéricos dan cuenta de la transformación orgánica del cuerpo humano." ¿Qué ocurre, en tu opinión, cuando el organismo se aparta de dichos promedios?
5. ¿Sabes qué ocurre con el cuerpo humano tras la muerte? ¿Hay órganos o elementos que siguen creciendo?
6. ¿Qué transformación general ocurre tras la muerte?
7. ¿Cuánto tiempo tarda para descomponerse el cuerpo?
8. ¿Qué partes se deshacen antes?
9. ¿Hay partes que no se deshacen con el paso del tiempo? ¿Por qué? Debes preguntar lo que no sepas a tu profesor de Biología.

VENTANITA

- Desde las más remotas épocas les ha gustado a los humanos adornarse. Además de los adornos en sus orejas, su nariz y sus labios, en algunas tribus indias sudamericanas, existe la costumbre de perforarse las mejillas, atravesándolas con punzones que en su parte superior están adornadas con plumas de brillante colorido. Esta costumbre persiste en África e islas oceánicas.

FOTOS: CID

- En época no muy remota, las mujeres civilizadas se incrustaban diamantes en los dientes para realzar el brillo de su sonrisa y para ostentar su riqueza.
- En algunas tribus de América Central sus habitantes se afilan los dientes, como puntas de alfiler, asegurando que esto evita su caída. Quizá la razón sea que los restos de comida, que al fermentar estropean el esmalte, no pueden alojarse entre ellos.
- El peinado es otra costumbre entre los pueblos. Algunos resultan tan fantásticos y complicados que los mantienen por tiempo indeterminado. Entre las tribus teso y turkana de Uganda, en África, el hijo mayor hereda el pelo de su difunto padre y lo une al suyo, mezclando con sangre y excremento de vaca.

AL DICCIONARIO

Un niño muy raro

Una noche, después de haber hecho los deberes, leí un libro en que un bandolero iba por un camino de abedules. Yo no sabía qué eran abedules pero suponía que fueran plantas. Había dejado de leer porque tenía mucho sueño, pero iba para la cama con la palabra *abedules* en los labios. Después de acostado pensaba en cómo habrían hecho para ponerles nombres a las cosas. No sabía si les habrían buscado nombres para después acordarse de ellas cuando no estuvieran presentes, o si les habrían tenido que adivinar los nombres que ellas tendrían antes de que las conocieran. También pudiera haber sido que las gentes de antes ya tuvieran nombres pensados y después los repartieran entre las cosas. Si fuera así yo le hubiera puesto el nombre de abedules a las caricias que hicieran a un brazo blanco: "abe" sería la parte abultada del brazo y los "dules" serían los dedos que lo acariciaban. Entonces prendí la luz, saqué de la cartera el cuaderno y el lápiz y escribí: "Yo quiero hacerle abedules a mi maestra". Después saqué la goma, borré y apagué la luz. Al otro día la maestra arrugaba las cejas sobre algo que yo había escrito; y era porque la frase que yo había compuesto la noche anterior no estaba bien borrada; entonces ella leía al mismo tiempo que preguntaba: "¿Yo quiero hacerle qué a mi maestra?" Luchó un rato para sacarme la palabra *abedules*; pero cuando quiso saber por qué la había puesto me empaqué y ella tuvo que desistir. Entonces dijo: "¡Qué niño más raro éste!"

HERNÁNDEZ, Felisberto. *Tierras de la memoria.*

Abedul [bétula]. *Betula pubescens Ehrt*. Árbol perteneciente a la familia de las Betuláceas, en el género Betula, es muy común en los parques de la Península Ibérica como árbol de adorno. Es una planta invasora de los lugares quemados, desforestados, y de los prados abandonados.
J. Fernandez Ruiz. http://www.geocities.com/RainForest/Vines/7299/abedul.htm. Adaptado.

Felisberto Hernández (1902-1964). Escritor y músico uruguayo. Innovador en las letras hispanoamericanas en modalidades de autobiografía, de metaficción y de escritura palimpsesto. Autor de Por los tiempos de Clemente Colling, Tierras de la memoria (inacabada), El caballo perdido.

ACTIVIDADES

1. Pon atención en las definiciones abajo e intenta dar un nombre a las cosas presentadas. Consulta tu diccionario a fin de averiguar de qué palabra se trata en realidad.
   a) Instrumento compuesto de dos hojas de acero, a modo de cuchillas de un solo filo, trabadas por un eje alrededor del cual pueden girar, para cortar lo que se pone entre ellas.
   b) Representación topográfica de la Tierra o de una parte de ella en una superficie plana.
   c) Parte superior de un edificio, que lo cubre y cierra, o de cualquiera de las estancias que lo componen.
   d) Vasija redonda, voluminosa y con asas, que sirve para guisar.
   e) Abertura que se hace o deja en la pared de un edificio para dar luz y ventilación.

2. Tu trabajo ahora será construir definiciones para los siguientes términos que fueron inventados. Oriéntate por el sonido de cada palabra.
   a) Bescaloy
   b) Sarmitola
   c) Vemeragui
   d) Plejoballo
   e) Escomite
   f) Limpichoncho

HUMOR

Dudas de un niño

Un niño le pregunta a su padre en la maternidad:
—¿Cuánto cuesta un kilo de niño?
—Los niños no se compran, salvo raras excepciones —responde el padre.
—¿Y por qué entonces los pesan a todos? —pregunta el niño.

INFO/INTERDISCIPLINAS

✓ Utilizando el *Paintbrush* y luego transfiriendo la información al lenguaje html, debes dibujar un cuerpo humano y luego abrir *links* de información con datos sobre las situaciones abajo. Dichas informaciones deberán ser investigadas con antelación junto a libros de Biología o a personal competente. Buscar, también, más informaciones sobre crecimiento y descenso de elementos que componen el cuerpo humano para agregarlo luego al dibujo creado.

1. Velocidad del flujo sanguíneo en hombres y mujeres adultos, niños, ancianos y jóvenes.
2. Parpadeos por minuto.
3. Vibración de las "cuerdas vocales" durante la ejecución de un canto.
4. Velocidad de un estornudo.
5. Cantidad promedia de hipos durante una crisis.

LECTURA

El poeta expresa, a través de palabras, la belleza, la emoción y los sentimientos que percibe en las cosas.

Un *poema* es una composición escrita en versos que, agrupados, forman estrofas y van a conformar el texto poético.

Las estrofas pueden estar estructuradas en base de versos de igual número de sílabas o combinadas con otros de diferente métrica, en forma armónica; pero también pueden constituirse por versos de métrica irregular, el versolibrismo, y las estrofas, que tampoco tienen regularidad de versos en su conformación, se denominan variables.

La rima consiste en la repetición de sonido en el final de dos o más versos o atendiendo a otras formas. Contemporáneamente, el verso libre sólo tiene en cuenta el ritmo interior y puede dispensar la rima.

Así la vida es hoy

Antonio Fernández Spencer

He amanecido. ¡Qué raro estar vivo otra vez!
Se lo pregunto con ternura a mi mesa de trabajo.
Ella no sabe de nada. ¿Estoy vivo, por qué?
Y es raro sentir el hueso que te besa un poco
bajo mis fuertes labios de varón.

¡Qué raro tengo el mismo peso de otros días amargos!
El camino es muy largo y la vida muy corta.
Ella no sabe de nada. ¡La pobre vida a golpes va pasando!

Me enamoré una vez; en el bolsillo tuve su retrato
lleno de primavera y de jamás.

Todos los días me asomo a la ventana
y veo que la vida está muy bella, que es imposible estar
en otra primavera. Al sur daré mi corazón;
será alondra cada gota de sangre de su voz.
Está tranquilo. Calla bajo el sol.

He amanecido. ¡Qué raro que mis ojos
vean, llenos de amanecer que estoy ya vivo!

La primavera, ¿dónde está?
Tal vez la tenga en el retrato aquél
lleno de tiempo. Así la vida es hoy...

In LAUQUE, José María Gómez. *Antología de la poesía hispanoamericana*. Madrid, Ed. y Distr. Alba S.A., 1989.

Antonio Fernández Spencer nació en la República Dominicana en 1923. Es autor de *Vendaval interior* (1944), *Bajo la luz del día* (1953) y *Diario del mundo* (1959), entre otros. Su obra refleja un fuerte sentimiento de angustia vital, señalado por el cotidiano relleno de desamor, soledad o muerte.

ACTIVIDADES

1. Lee atentamente el poema y enseguida haz lo que se te pide.
   a) Da el sentido denotativo y el sentido connotativo de: amargos, primavera (verso 10), ventana, alondra, amanecer y primavera.
   b) Da las sensaciones táctiles, visuales y auditivas presentes en el texto.
   c) ¿Cuál es el tema del poema?
   d) Destaca del poema trozos que se refieran a: espacio; tiempo; movimiento; dudas del personaje; sus revelaciones, sus sentimientos y la causa de su dolor.
2. ¿A quién se refiere el tercer verso de la primera estrofa?
3. ¿Cómo explicas?
   a) Guardaba la foto en el bolsillo.
   b) Preguntó a la mesa con ternura.
   c) La pregunta: ¿Estoy vivo, por qué?
   d) El primer verso de la segunda estrofa.
   e) La última estrofa.
   f) La comparación de cada gota de sangre a la alondra.
   g) La causa de su dolor.
4. Haz la paráfrasis de "Así la vida es hoy".
5. Oralmente, haz tu comentario sobre la poesía.
6. El texto habla en primavera. Observa el recuadro. Luego escribe una frase a cada mes del año. Vea el modelo al lado.

> Modelo:
> Enero es el primer mes del año.
> En septiembre conmemoramos nuestra independencia.

	 Verano	 Otoño	 Invierno	 Primavera
BRASIL	Diciembre Enero Febrero	Marzo Abril Mayo	Junio Julio Agosto	Septiembre Octubre Noviembre
ESPAÑA	Junio Julio Agosto	Septiembre Octubre Noviembre	Diciembre Enero Febrero	Marzo Abril Mayo

¡Fíjate!

Hoy es lunes, ayer fue domingo y mañana será martes.
Hoy es miércoles, ayer fue martes y mañana será jueves.
Hoy es viernes, ayer fue jueves y mañana será sábado.

✓ Ahora completa los días de la semana: domingo, ______________ , ______________ , ______________ , ______________ , ______________ y sábado.

LOS ARTÍCULOS

Los artículos pueden ser determinantes e indeterminantes.
Los determinantes son: EL, LA, LOS, LAS, LO.
Los indeterminantes son: UN, UNA, UNOS, UNAS.

	Singular	Plural
Masculino	EL(UN) amigo	LOS(UNOS) amigos
Femenino	LA(UNA) flor	LAS(UNAS) flores
	EL agua/EL hada	LAS(UNAS) aguas/LAS(UNAS) hadas
Neutro	LO bueno(a)	LO buenos(as)

Ejemplos:

Todos buscan EL amor y LA fortuna.

LAS flores y LOS pájaros me encantan.

Muchas veces, en la vida LO bueno es LO más difícil y LO malo es LO más fácil.

Empleo:

El masculino EL se emplea junto a sustantivos femeninos iniciados por A o HA tónica, con excepción de *la hache* y *la a*.

El neutro no marca género ni número. Se lo emplea junto a adjetivos no acompañados de sustantivos, sustantivándolos.

Ejemplos:

El agua fresca reanima el cuerpo y el alma buena reanima el espíritu.

No sabes lo linda que estaba la fiesta y lo encantadoras que son las hijas de Silvia.

También se lo emplea — premeditadamente — en lugar de EL para dar un sentido despectivo a la persona o cosa a que se refiere.

Ejemplo:

Aquél es mi ex novio con LO cual sufrí mucho.

LO aquí quiere decir que su novio no era una persona, pero una cosa; era insignificante.

EJERCICIO

✓ Completa las frases siguientes con el artículo que convenga, según el sentido y el uso.

1. _____ silencio es _____ de _____ artes más grandes de _____ conversación. (William Hazlitt, 1778-1830, crítico y literato británico)
2. _____ pluma es _____ lengua de _____ mente. (Cervantes, 1547-1616, escritor español)
3. En _____ proceso de la escritura, _____ imaginación y _____ memoria se confunden. (Adelaide García Morales, 1937, escritora española)
4. _____ amor es tan sólo _____ posada en _____ mitad del camino de _____ vida. (J.S.Chocano, 1875-1934, poeta peruano)
5. _____ mejor salsa para _____ comida es _____ hambre. (Sócrates, 470-399 a.C., filósofo griego)
6. _____ hombre es _____ péndulo entre _____ sonrisa y _____ llanto. (Lord Byron, 1788-1824, escritor romántico británico)
7. _____ beso es _____ forma de diálogo. (George Sand, 1804-1876, escritora francesa)
8. _____ más duro de _____ tumba es _____ olvido. (anónimo)
9. _____ amor es _____ único que no tiene lógica. (anónimo)
10. Me asusta _____ muy fácil, me estimula _____ difícil, me emociona _____ justo y me rejubilo con _____ grandioso. (anónimo)
11. _____ razón es _____ alma y _____ reina de todas _____ cosas. (Cicerón, 106-43 a.C.)
12. Dios ama _____ limpio. (El Corán, libro sagrado y fundamento de la religión mahometana)
13. _____ mío es mejor que _____ nuestro. (Benjamin Franklin, 1706-1790, político, físico y escritor estadounidense)
14. _____ verdad es clara como _____ agua. (refranero español)
15. _____ mejor maestro, _____ tiempo; _____ mejor escuela, _____ experiencia. (anónimo)

LENGUACURIOSA

Palabras curiosas del vocabulario hispanoamericano

Patamóvil	Los pies como medio de transporte. (Cochabamba)
A queso	A pie: Viajaremos a São Paulo a queso. (Bolivia)
Caído	Imbécil: Nuestro jefe es un caído. (Bolivia)
Lapo *m.*	Bofetada. (Argentina, México, Chile)
Rubio(a)	Eufemismo por negro. (Bolivia)
Chiricaya	Dulce de leche y huevo. (Honduras)
Chuva *s.f.*	Mono de Sudamérica.
Nochero	Vigilante nocturno. (Chile y Uruguay)
Pelarse	Huir precipitadamente. (México)
Suco *s.m.*	Terreno fangoso. (Chile, Bolivia y Venezuela)

RECANTO

✓ Escucha, completa y canta.

India

J.A.Flores, M.O.Guerrero

India bella ________________ de diosa y pantera
________________ desnuda que habita el Guaira
Arisca romanza curvó sus caderas
Copiando un ________________ de azul Paraná

De su tribu la flor
Montaraz Guayaquí
Eva arisca de amor
Del Edén Guaraní

Bravea en las sienes su ________________ de plumas
Su lengua es ________________ panal de Iruzú
Collar de ________________ de tigres y pumas
Enjoya la musa de Ibitiruzú

La silvestre mujer
Que la selva es su ________________
También sabe querer
También sabe ________________.

PIÉNSALO

Recorrer podemos todo el mundo en busca de la belleza, pero si no la llevamos con nosotros nunca la encontraremos.

Ralph W. Emerson
(1803-1882),
poeta estadounidense.

ACTIVIDAD

✓ En dos momentos, describe a la india, física y psicológicamente.

COMERCIO RARO

Cambio vejez por juventud, desilusión por esperanza. Doy a cambio riqueza y experiencia. Cartas, enviarlas a *ADIÓS*, Puerta del Cielo — Infinito.

USO DE Y - E

E: antes de palabras que empiezan por I - HI.
Y: en los demás casos.

Ejemplo:
Cultos E incultos, vencedores Y vencidos tienen, a veces, iguales temores.

EJERCICIO

✓ Completa las frases con Y o E, según convenga.

1. Muchas veces mentira ____ ingenio se confunden ____ nos confunden.
2. La cortesía no cuesta nada ____ gana mucho.
3. Promete poco ____ cumple mucho.
4. Sabios ____ ignorantes cometen, a veces, los mismos errores.
5. Gratitud ____ injusticia jamás andan juntas.
6. De músico, poeta ____ loco todos tenemos un poco.
7. Todo pasa ____ todo queda.
8. Comercio ____ industria se interdependen.
9. Seamos misericordiosos ____ a la vez justos.
10. La violencia es un retroceso ____ insulto al progreso.
11. Con tiempo ____ trabajo se consigue lo que la fuerza ____ el afán persiguen.
12. La verdad es poderosa ____ prevalecerá.
13. Geografía ____ Historia andan juntas.
14. Historia ____ Geografía andan juntas.
15. Tú ____ yo podemos hacer el mundo.

PORTALENGUA

Agradecer y contestar

Gracias. Muchas/Muchísimas gracias. Te/Le agradezco. Se lo agradezco.
De nada. No hay de qué. A sus/tus órdenes.

Pedir y dar opinión/información

¿Qué te/le parece...?
¿Me puede...?
¿Cuál es...?
¿Dónde puedo/hay/encuentro...?
Por favor... ¿cómo es/quién es/dónde...?
Creo que.../pienso que.../supongo que.../estoy seguro de que...
Sí/No/Casi nada/Sin duda/Por supuesto/Un poco/Muy poco/Nunca.
Está en/cerca de/al lado de/frente a...

Pedir y dar el precio

¿Cuánto vale/cuesta/es...?
¿Por cuánto sale...?
Vale/Es/Cuesta...

Invitar, aceptar, rechazar

¿Te gustaría...? ¿No quieres...? ¿Te interesaría...? ¿Vamos a...?	Encantado. Me gustaría (mucho). No es mala idea/Es muy buena idea. Tengo/Tendré mucho gusto.

Preguntar/contestar – El día y la fecha

¿Qué día es hoy? ¿Qué es hoy?	Hoy es lunes./Hoy es siete de junio.
¿A qué estamos hoy? ¿A cuántos estamos (hoy)?	Estamos a veinte de enero.

ComunicHABLE

✓ Escucha, completa y lee.

DIÁLOGO 1. Informándose

Niño: Buenos días, señor. ¿En qué puedo __________ ?

Hombre: Perdón, ¿ __________ está la catedral?

Niño: Al final de esta calle, señor.

Hombre: Gracias, chico. Adiós.

Niño: ¡Qué le vaya bien, señor!

DIÁLOGO 2. Invitación → CONVITE

Sonia: Ana, ¿vamos a dar un paseo en el parque?

Ana: No puedo, Sonia. Perdón. Tengo que estudiar para la prueba. ¿Y mañana?

Sonia: ¡Bárbaro! ¿A qué hora?

Ana: Por la tarde. ¿Qué te parece?

Sonia: De acuerdo. Vengo a eso de las quince horas. ¡Chau!

Ana: Te espero. ¡Chau, Sonia!

ACTIVIDAD

✓ Ordena el diálogo.

(3) ¿Tienes algún problema?
(4) Voy a retrasarme una hora o más.
(2) Soy yo, papá.
(7) Y ¿qué le digo a Rubén?
(1) Diga.
(8) Dile que cuando llegue le telefoneo.
(5) ¿Qué pasa, Carolina? Habla, ¡por Dios!
(12) Sí, papá. No te preocupes.
(11) Bueno, que no te detengan mucho. Cúidate, ¿sí?
(9) Y ¿por qué todo eso?
(10) Después explico. Ahora no puedo.
(6) Cálmate, papito. Estoy bien. No ha sido nada conmigo.

Selectividad

(Universidade de Caxias do Sul-RS)

CID

A las nueve del día de la partida no se sabía a qué hora llegaría el convoy. Una pequeña muchedumbre se apechugaba junto a la reja que cierra el acceso a los andenes. Casi con exactitud la reja se abrió y allí, a punta de hombro y codo, se pudo entrar en los vagones. El tren salió con un retraso de dos horas.

En un rasgo financieramente suicida tomé un camarote con lo cual hice, en condiciones harto lujosas, las 31 horas de viaje. Ahora bien, con eso y todo: el agua del lavatorio se cortó a medio camino; una de las sábanas estaba mugrienta; la durísima cama ardía tanto como la parrilla de un mártir; la puerta no tenía cerrojo y unas troneras abiertas en la parte inferior anulaban casi toda privacidad; el baño no andaba; las puertas al exterior estaban todas abiertas y en medio del traqueteo era necesario agarrarse con gran cuidado para no salir disparado.

1. A afirmação correta, de acordo com o sentido do texto, é:

a) Uma pequena multidão esperava junto ao portão de acesso à estação.
b) A duríssima cama ardia como uma fogueira de mártir.
c) O trem costumava atrasar-se até duas horas.
d) O barulho do trem anulava toda privacidade dos passageiros.
e) As acomodações do camarote não condiziam com o preço cobrado.

2. De acordo com o segundo parágrafo, não apresenta conotação negativa a palavra:

a) Agua.
b) Sábanas.
c) Parrilla.
d) Baño.
e) Puertas.

3. A palavra do texto que tem o sentido conotativo oposto ao denotativo é

a) Exactitud.
b) Retraso.
c) Suicida.
d) Harto.
e) Ardía.

Jueguito

✓ Piensa un poco y luego contesta de acuerdo con las pistas que se te dan.

Tres amigos: un alto, un bajo y un gordo tienen diferentes temperamentos: uno es amargo, otro es alegre y el otro triste. Se sabe que al alto no se le ve triste; al gordo se le ve alegre. ¿Quién es quién?

Es imprescindible aprender a diferenciar a la ANOREXIA NERVIOSA y a la BULIMIA de otras patologías alimentarias

SIGNOS VISIBLES CARACTERÍSTICOS DE LA

Bulimia

NERVIOSA

Conductas patológicas

- Preocupación constante acerca de la comida. (Tema de conversación: "Peso", "Calorías", "Comida", "Dieta").
- Atracones, forma de comer compulsiva, comer a escondidas.
- Constatar la falta de alimentos de nuestra despensa o heladera.
- Miedo de engordar.
- Evitar el hecho de ir a restaurantes o a fiestas y reuniones donde se vea socialmente obligado a comer.
- Visitas al baño después de comer.
- Vómitos autoprovocados, abuso de laxantes y/o diuréticos. Uso de medicamentos adelgazantes.
- Regímenes rigurosos y rígidos.
- Abuso de edulcorantes (conducta adictiva).

Signos fisiológicos

- Engrosamiento de las glándulas del cuello.
- Pequeñas roturas vasculares en mejillas y debajo de los ojos.
- Garganta irritada.
- Fatiga y dolores musculares.
- Inexplicable pérdida de piezas dentarias.
- Oscilaciones en el peso (5 a 10 kg en más o en menos).

Cambio de actitudes

- Cambio de carácter (incluye depresión, tristeza, sentimientos de culpa y odio a sí mismo).
- Severa autocrítica.
- Necesidad de recibir la aprobación de los demás respecto a su persona.
- Cambios en la autoestima en relación con el peso corporal.

SIGNOS VISIBLES CARACTERÍSTICOS DE LA

Anorexia

NERVIOSA

Conductas patológicas

- Conducta alimentaria restrictiva (baja ingesta de comida) o dietas severas.
- Rituales con la comida como el conteo de calorías, desmenuzar la comida en pequeñísimas porciones, preparar comida para terceros y rehusarse a comerla, etc.
- Intenso temor a engordar. Mantener el peso corporal por debajo de los valores normales.
- Temor a verse obligado a comer en determinadas circunstancias (fiestas, reuniones sociales, etc.).
- Hiperactividad (exceso de gimnasia y/o deportes).
- Esconder el cuerpo mediante el uso de ropa muy holgada. Negarse a usar traje de baño.
- En ocasiones, ingestas compulsivas (atracones). Uso de laxantes o diuréticos para eliminar lo ingerido.
- Abuso de edulcorantes (conducta adictiva).

Signos fisiológicos

- Pérdida de peso (a menudo en un período de tiempo corto).
- Falta de menstruación sin causa fisiológica conocida.
- Palidez, excesiva sensibilidad al frío.
- Debilidad y mareo.

Cambio de actitudes

- Cambio de carácter (irritabilidad, ira).
- Inseguridad acerca de las propias capacidades.
- Sentimiento de culpa y autodesprecio por el hecho de haber comido o por haber dejado de hacerlo.
- Aislamiento social.

NO OLVIDEMOS QUE UN DIAGNÓSTICO CORRECTO... ... ES EL PRIMER PASO HACIA LA SALUD

ALUBA - Asociación de lucha contra bulimia y anorexia, Montevideo.

ACTIVIDAD

✓ Organiza una tabla en la que escribirás los aspectos comunes y distintos de la bulimia y de la anorexia, con base en el texto que has leído. Luego, compáralo con los apuntes de tus compañeros y discútelo en grupo, partiendo de los siguientes puntos:

a) enfermedad con mayor grado de daños físicos y psicológicos;
b) conductas patológicas más evidentes cuando en grupo;
c) signos fisiológicos menos evidentes;
d) probabilidad de muerte en menor período de tiempo;
e) consejos o actitudes para controlar y sanar las dos enfermedades (bajo el punto de vista del enfermo, del médico y del grupo al que pertenece el paciente);
f) infórmate y trae a clase nombres de personas famosas que sufrieron o sufren de una de las dos enfermedades.

REPASÁNDOLO

✓ Completa las frases con los verbos *estar*, *ser*, *tener* y *gustar* en presente de indicativo.

1. (Yo) ______________ buenos libros y ______________ leerlos cuando ______________ libre.
2. ______________ mucho trabajo, pero también ______________ bailar. ¿ ______________ (tú) dispuesto a acompañarnos? ______________ nuestro invitado.
3. A él ______________ los deportes y ______________ muy buen tenista.
4. No sé por qué (ustedes) ______________ preocupados, pues Ana ______________ responsable, ______________ grandes amigos y, si ______________ ir de paseo con ellos, ¿cuál ______________ el problema?
5. ______________ estudiante y ______________ lenguas, pero no ______________ la Geografía y cuando tengo un rato libre estoy divirtiéndome.

ESTAMPALABRAS

Las partes del cuerpo

la planta del pie
la nuca
el cuello
la mano
la muñeca
el hombro
la espalda
la nalga
los dedos
el antebrazo
el brazo
el codo
la axila
el pecho
el tórax
la cintura
la cadera
la ingle
el muslo
la pantorrilla
la rodilla
la pierna
el tobillo
el talón
el pie
los dedos
CID

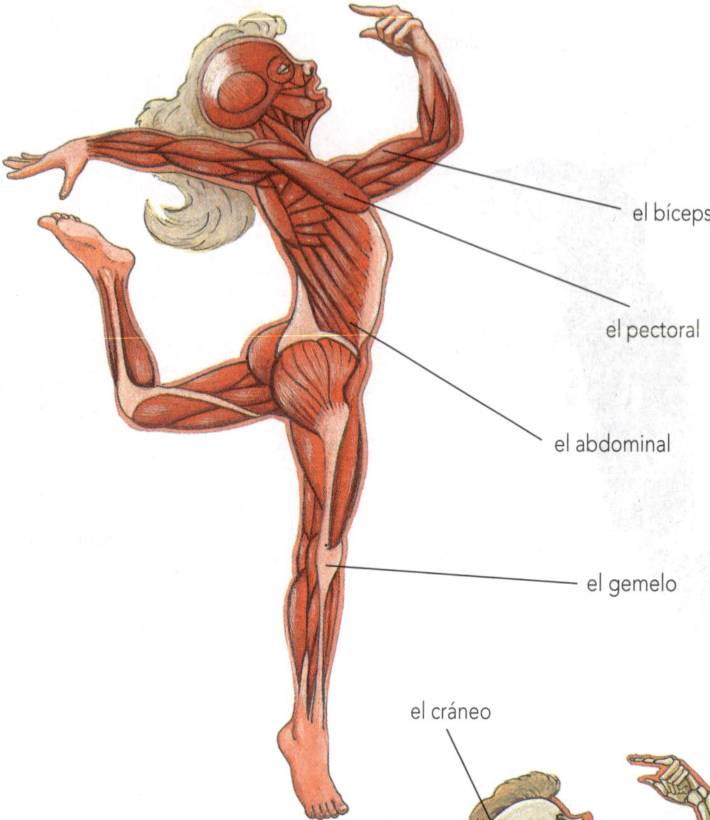
el bíceps
el pectoral
el abdominal
el gemelo

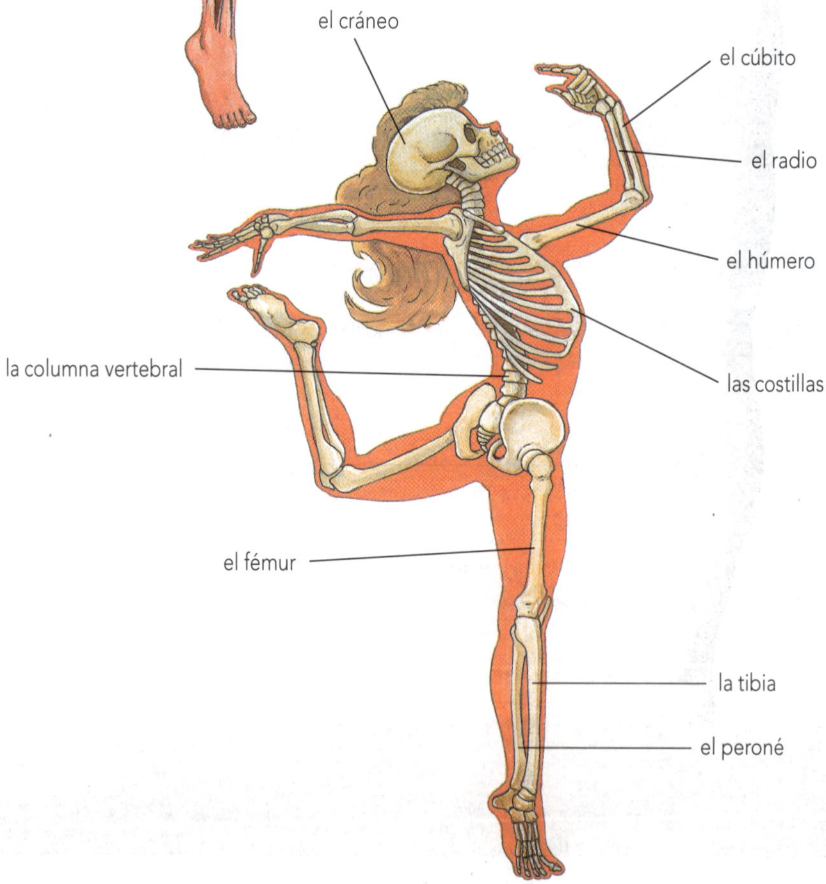
el cráneo
el cúbito
el radio
el húmero
las costillas
la columna vertebral
el fémur
la tibia
el peroné

CAMINOS 3

FOTOS: CID

Como el suelo, por más rico que sea no puede dar fruto si no se cultiva, la mente sin cultivo tampoco puede producir.

Séneca (4 a.C. - 65 d.C.), filósofo y dramaturgo hispanorromano.

Adorables insoportables

Existen cientos de comportamientos y actitudes personales que hacen muy difícil o imposible la convivencia en pareja. Veamos hoy algunos de los "personajes" insufribles más frecuentes.

Los sabelotodo. Son moralistas que nos dictan cátedra sobre cómo debemos vestirnos, caminar, anudar la bolsa de la basura, pensar, tomar el sol, saludar a los familiares y mil una cosas más que ellos saben *muy bien* cómo hacer. Su actitud frente a nosotros (humilde e imperfecta pareja, que tiene la suerte de compartir su vida con él o con ella) es la siguiente: "Yo estoy a un nivel de conocimiento y conciencia más elevado que tú, infeliz mortal. Yo te voy a indicar el camino correcto en la vida sin cobrarte un solo peso, porque te amo".

Los inelogiadores. Son los que nunca nos elogian por nada. Jamás nos dicen: "Qué bien que lo hiciste, mi amor. Me encanta cómo cocinas. Hiciste un buen trabajo hoy. Me gustó que me dijeras que me quieres. Me gustó que me hicieras mimos. Qué linda que estás. Me encanta tu sonrisa, etc.". Ellos dan por sentado que algo bien hecho es lo normal, lo esperable, lo mínimo que podemos hacer. Por eso en ningún momento nos alienta cuando hacemos algo bien. Estos seres piensan que elogiarnos es una especie de pecado mortal imperdonable. Seguramente suponen que nos podemos llegar a mal acostumbrar.

Los hipocondríacos. Siempre están enfermos o por lo menos les duele una parte del cuerpo. Y si por esas casualidades un día equis, está todo bien, suponen que es porque se están por enfermar de algo terrible, incurable. Son unos tiranos que nos manipulan con sus supuestas dolencias para que hagamos esto y dejemos de hacer aquello otro. Como nunca están completamente sanos (porque o están enfermos, o están saliendo de una enfermedad, o están entrando en otra), nos mantienen siempre en vilo, obedientes a sus "requerimientos" y "necesidades".

Los supercelosos. Tienen celos hasta de su mamá y del novio/a que usted tuvo en la escuela cuando tenía seis años. Se hacen "historias" todo el tiempo con personas que usted ni sabía que existían. En cualquier momento, sin razón aparente, irrumpen y sorprenden al "enemigo" con un minucioso interrogatorio tipo Gestapo. Insisten en pasarlo a buscar a todos lados donde usted va. Pueden imaginarse un romance con su tío, o que usted tiene algo con su hermana. Y si lo asusta ver su propia sangre, jamás, jamás le mencione al ex o a la ex.

Los pobrecito de mí. Son los mejores expertos en producir culpas. Para eso utilizarán hábilmente el sentirse heridos, el llanto y su supuesta debilidad. A través de la culpa que nos generan, evitan responsabilidades y nos controlan. El mensaje que nos dan es: Tú eres tan especial, tan capaz, tan fuerte, tienes tanta energía y yo soy tan débil, tan frágil, tan poca cosa que *tienes* que ayudarme y tolerarme. En general suelen ser muy posesivos y terminan "exprimiéndonos" con todas sus demandas exageradas de aprobación, apoyo, tolerancia, ayuda, etc.

Los sádicos. Nos tratan mal y mal. Nos dicen que no nos quieren, que no servimos para nada, que siempre hacemos todo mal, que ahora se dan cuenta que nunca nos quisieron, que el ex o la ex era mejor que usted, que la relación está enferma, que ya no se puede hacer nada, y finalmente que nos quieren dejar. Cuando estos sádicos nos ven deshechos, sufriendo, destrozados, ahí nos dicen: "¿Pero por qué te pones así? No estés triste. Si yo te quiero, mi amor."

Los insoportables profesionales. Son un compendio multiplicado por veinte de todos los tipos de insoportables juntos. No huya de ellos, a veces tienen muchas cualidades positivas y todo lo que necesitan es un poco de amor, comprensión y tolerancia. Y de todos modos le aseguro que nunca va a encontrar una persona perfecta. Más vale un insoportable profesional amado que una persona "intachable" por la cual no sentimos nada.

Si usted cree que está por fuera de todas estas categorías de adorables insoportables y supone que no le corresponde ninguna de ellas, atrévase a preguntarle a su pareja, va a ver lo que contesta. Si igual sigue insistiendo en que nunca hace nada de esto, es porque es un mentiroso crónico.

Si piensa que tiene un poquito de cada una de estas categorías de Adorables Insufribles y a veces es de una manera y a veces de otra, no se preocupe, eso lo único que significa es que usted es normal, como todo el mundo, ni más ni menos.

El País. Uruguay, 23 ago. 1998.

COMPRENSIÓN E INTERPRETACIÓN DEL TEXTO

1. Aclara las siguientes expresiones presentes en el texto:
   a) personajes insufribles;
   b) dictar cátedra;
   c) un día equis;
   d) mantener siempre en vilo;
   e) interrogatorio tipo Gestapo.
2. ¿En qué se basa la clasificación de uno de los elementos de la pareja presentada en el texto?
3. ¿Qué puntos en común existen entre los tipos allí descriptos?
4. En tu opinión, ¿cuál de las clasificaciones resulta la de peor o de más difícil convivencia? Justifica tu opinión.
5. ¿Por qué aconseja el texto a que no huyamos de los "insoportables profesionales"?
6. ¿Qué otras clasificaciones se podrían agregar a las contenidas en el texto?
7. ¿Te incluirías en algún rango de los tratados en el texto? ¿Por qué?
8. ¿Has conocido a alguna persona que se encaja en las características planteadas? Cuéntalo al grupo.

Lenguacuriosa

Las fobias más comunes, y no tanto

Aclufobia	Miedo a la oscuridad
Acrofobia	Miedo a las alturas
Agorafobia	Miedo a los espacios grandes
Ailurofobia	Miedo a los gatos
Aracnofobia	Miedo a las arañas
Barafobia	Miedo a la fuerza de gravedad
Cinofobia	Miedo a los perros
Claustrofobia	Miedo a los espacios cerrados
Clinofobia	Miedo a irse a la cama
Decidofobia	Miedo a tomar decisiones
Dendrofobia	Miedo a los árboles
Domatofobia	Miedo al confinamiento en una casa
Entomofobia	Miedo a los insectos
Eremofobia	Miedo a la soledad
Ergofobia	Miedo al trabajo
Esciofobia	Miedo a las sombras
Estasilofobia	Miedo a estar quieto
Fengofobia	Miedo a la luz diurna
Ginofobia	Miedo a las mujeres
Oclofobia	Miedo a las multitudes
Ombrofobia	Miedo a la lluvia
Pedifobia	Miedo a los niños
Pirofobia	Miedo al fuego
Pteronofobia	Miedo a las plumas
Quenofobia	Miedo a las habitaciones vacías
Tatofobia	Miedo a ser enterrado vivo

AL DICCIONARIO

1. Empleando el sufijo *-fobia*, que significa *miedo* o *temor a*, construye una lista de 10 palabras, distintas de la lista anterior, en la que inventarás nuevas categorías de miedos o temores. Puedes auxiliarte del diccionario.

> Modelo:
> fruta + fobia = frutofobia (miedo o temor a frutas)

2. Busca en el diccionario la palabra que indica el nombre que se le da a la persona que padece de los siguientes miedos o fobias:

a) Aerofobia (miedo a volar)
b) Hemafobia (miedo a la sangre)
c) Ailurofobia (miedo a los gatos)
d) Escalofobia (miedo a los colegios)
e) Hidrofobia (miedo al agua)
f) Eremofobia (miedo a la soledad)
g) Astrapefobia (miedo a los relámpagos)
h) Anemofobia (miedo a los vientos)
i) Neofobia (miedo a lo nuevo)
j) Zoofobia (miedo a los animales)

HUMOR

Tomando precauciones

La madre le dice a su hijo Tomasito:
— Esta tarde vendrán algunos parientes a tomar el té y mientras ellos estén y tengas necesidad de ir al retrete, quiero que te acerques y me digas en voz baja: "Mamá, quiero hacer un pequeño paseo".
En la tarde, mientras las visitas estaban tomando el té, se acerca Tomasito a su madre y le dice:
— Mamá, me hice un pequeño paseo en los pantalones.

LECTURA

El *género narrativo*, o épico, proyecta sentimientos colectivos, a través de una narración, es decir, por el acto de referir un suceso e implicando tres elementos básicos: un acontecimiento que se narra, un público a quien se narra y un narrador que es intermediario entre ambos.

Veremos, a continuación, el texto que es el comienzo del capítulo tres de la novela *Viaje a la Alcarria*, del escritor español Camilo José Cela.

© GABRIEL PIKO/GAMMA-KEYSTONE

Camilo José Cela nació en Iria Flavia (Galicia, España), en 1916. Es el gran escritor español del siglo XX. En su obra destacan novelas y libros de viajes. En 1989 recibió el Premio Nobel de Literatura. Su obra maestra es *La familia de Pascual Duarte*, uno de los libros de lengua española más leídos en el siglo XX.

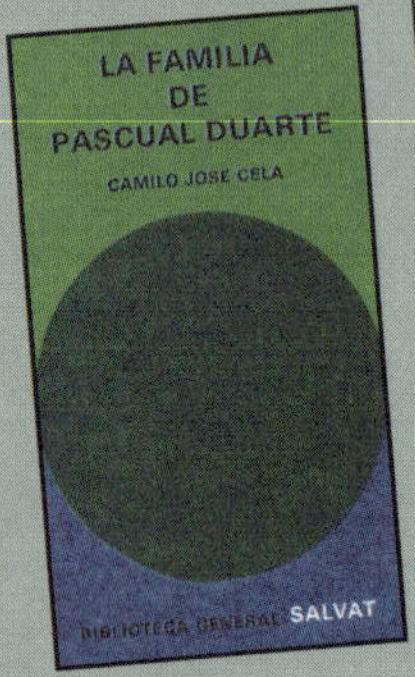

Capítulo 3

El viajero, de Guadalajara sale a pie por la carretera general de Zaragoza, al lado del río. Es el mediodía, y un sol de justicia cae a plomo, sobre el camino. El viajero anda por la cuneta, sobre la tierra; el asfalto es duro y caliente, y estropea los pies. A la salida de la ciudad el viajero pasa por un merendero que tiene un nombre sugeridor, lleno de resonancias; por un merendero que se llama "Los misterios del Tánger". Antes ha entrado en la verdulería a comprar unos tomates.

— ¿Me da tres cuartos de tomates?

— ¿Eh?

La verdulera es sorda como una tapia.

— ¡Que si me da tres cuartos de tomates!

La verdulera no se mueve, parece una verdulera sumida en profundas cavilaciones.

— Están verdes.

— No importa; son para ensalada.

— ¿Eh?

— ¡Que me da igual!

La verdulera piensa, probablemente, que su deber es no despachar tomates verdes.

— ¿Va usted a Zaragoza, por una promesa?

— No, señora.

— ¿Eh?

— ¡Que no!

— Pues antes iban muchos a Zaragoza; llevaban también el equipaje colgado.

— Antes sí, señora. ¿Me da tres cuartos de tomates?

El viajero no puede gritar más fuerte de lo que hace.

Tiene la garganta seca; por un tomate hubiera dado un duro. La puerta de la verdulería está llena de niños de todos los pelos, de todos los tamaños; de niños que no hablan, que no se mueven, que miran fijamente, como los gatos, sin pestañear.

Un niño pelirrojo, con la cara llena de pecas, advierte al viajero:

— Es sorda.

— Ya lo veo, hijo.

El niño sonríe.

— ¿Va usted a Zaragoza de promesa?

— No, querubín; no voy a Zaragoza. ¿Tú sabes dónde puedo comprar tres cuartos de tomates?

— Sí, señor; venga conmigo.

El viajero, con veinte o venticinco niños detrás, sale en busca de tomates. Algunos niños corren unos pasitos para ver bien al viajero, para ir siempre a su lado. Otros se van aburriendo y se van quedando por el camino. Una mujer, desde la puerta de una casa, pregunta en bajo a los niños: "¿Qué quiere?" Y el niño de la pelambrera roja contesta, complacido: "Nada; vamos buscando tomates". La mujer no se conforma, vuelve a la carga: "¿Van a Zaragoza?" Y el niño se vuelve y contesta seco, casi con indignación: "No. ¿Es que por aquí no se va más que a Zaragoza?"

CELA, Camilo José. *Viaje a la Alcarria*. Madrid, 1948.

ACTIVIDADES

1. Busca en el texto las palabras cuyo significado se sigue.
   a) Establecimiento donde sirven comidas y bebidas.
   b) Satisfecho, encantado, contento.
   c) Mancha pequeña y de color pardo en la cutis.
   d) Pared hecha con tierra amasada y apisonada en una horma.
   e) Sonido producido por repercusión de otro.
   f) Verticalmente.
   g) Juicio infundado o poco meditado.
   h) Que tiene el pelo rojo.
   i) Zanja a los lados de un camino para recibir las aguas llovedizas.
   j) Sitio donde se procesa la caída de los pelos del cuero.
   k) Moneda que vale cinco pesetas.
   l) Espíritu celeste de la primera hierarquía.
2. Dales a estos personajes tres adjetivos a cada uno, según lo que el texto revela.
   a) viajero
   b) verdulera
   c) niño
   d) niños
3. ¿Cuáles son las actitudes de la verdulera, presentadas en el texto, con relación a su sordera?
4. ¿Por qué el viajero quería tanto los tomates? Y ¿por qué no otra fruta?
5. ¿Qué se puede deducir de la frase que al final del texto dice el niño?
6. Describe una verdulería/frutería/merendero de tu barrio.
7. ¿Qué te ha llamado más la atención en el texto y por qué?
8. Compara tu barrio al lugar descrito en el texto, señalando los aspectos comunes y distintos de los dos.
9. Imagínate que, después de las últimas palabras del texto, la acción prosigue y tiene un final inesperado. ¿Cómo lo harías?
10. El lenguaje literario emplea recursos que son también del habla popular. Es el caso de la comparación que recae sobre el adjetivo *tapia*: “La verdulera es sorda como una tapia”. ¿Cómo lo decimos en portugués? Completa estas expresiones, en español, basándote en lo que ya hayas oído en tu lengua materna.
    a) rápido como ______________
    b) bello como ______________
    c) puro como ______________
    d) sabroso como ______________
    e) grande como ______________
    f) azul como ______________
    g) feo como ______________
    h) perfumado como ______________
    i) helado como ______________
    j) lento como ______________

11. Elige tres adjetivos para los siguientes sustantivos del texto:

a) carretera
b) tomates
c) puerta
d) gato
e) casa
f) promesa
g) tapia
h) pies
i) niños
j) equipaje

Jueguito

Descubre las ocho palabras que se esconden en los bloques que forman el esquema. Para ello deberás utilizar los grupos de dos letras que se encuentran en la parte inferior, teniendo en cuenta que todos ellos deben utilizarse sólo en una oportunidad y que el tema propuesto es la *medicina*.

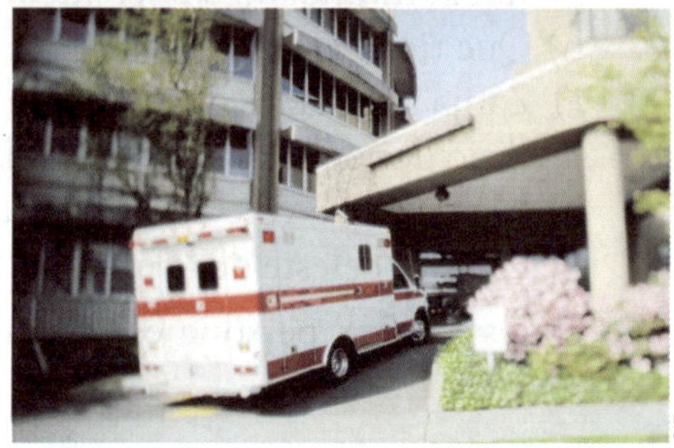

CID

TE	[ ]	OM	[ ]	RO

AN	[ ]	TE	[ ]	CO

[ ]	AL	[ ]	SI	[ ]

QU	[ ]	OF	[ ]	OS

EN	[ ]	RM	[ ]	AS

[ ]	SP	[ ]	AL	[ ]

AM	[ ]	LA	[ ]	IA

EM	[ ]	GE	[ ]	IA

RM	IT	AN	CO	ET	ER
HO	ES	AN	SI	FE	ER
ES	NC	NC	BU	GE	IR

VENTANITA

El lento colapso del cuerpo

Una de las manifestaciones de la senectud es el deterioro progresivo de los sistemas fisiológicos. A continuación destacamos los órganos más afectados en la última etapa de la vida.

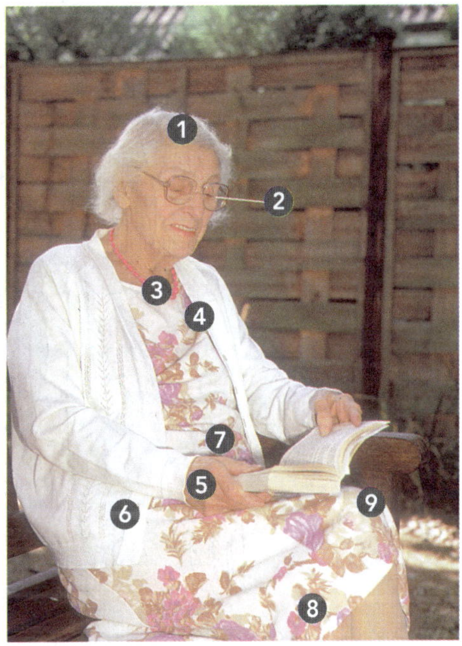

CID

1. El cerebro se encoge. Las neuronas del tálamo, la corteza y el cerebro anterior se atrofian. En la amígdala, se forman depósitos de la proteína llamada amiloide.
2. Se pierde visión y capacidad de enfoque del ojo.
3. Decrece la respuesta inmunológica ante las infecciones.
4. Desciende la capacidad funcional del corazón (el bombeo de sangre se reduce en un tercio), los pulmones (el volumen torácico se reduce a la mitad) y los riñones (éstos filtran la mitad de sangre).
5. Disminuye la sensibilidad del cuerpo para reaccionar a los cambios climáticos.
6. Aumenta notablemente el almacenamiento de grasa.
7. Desciende la capacidad sexual. La fertilidad también se apaga.
8. Las arterias y venas se endurecen (arterioesclerosis).
9. Se debilitan las articulaciones de los huesos.

Muy Interesante, febr. 1996, nº 124.

COMERCIO RARO

Vendo bicicleta sin ruedas, ideal para ejercicios en alta velocidad en el parque, para control de la presión arterial, nivel del colesterol y aumento de la musculatura de piernas y brazos. Tratar con Raquítico, Club de los Ciclistas, Capital.

DÓNDE IMPACTA EL CIGARRILLO

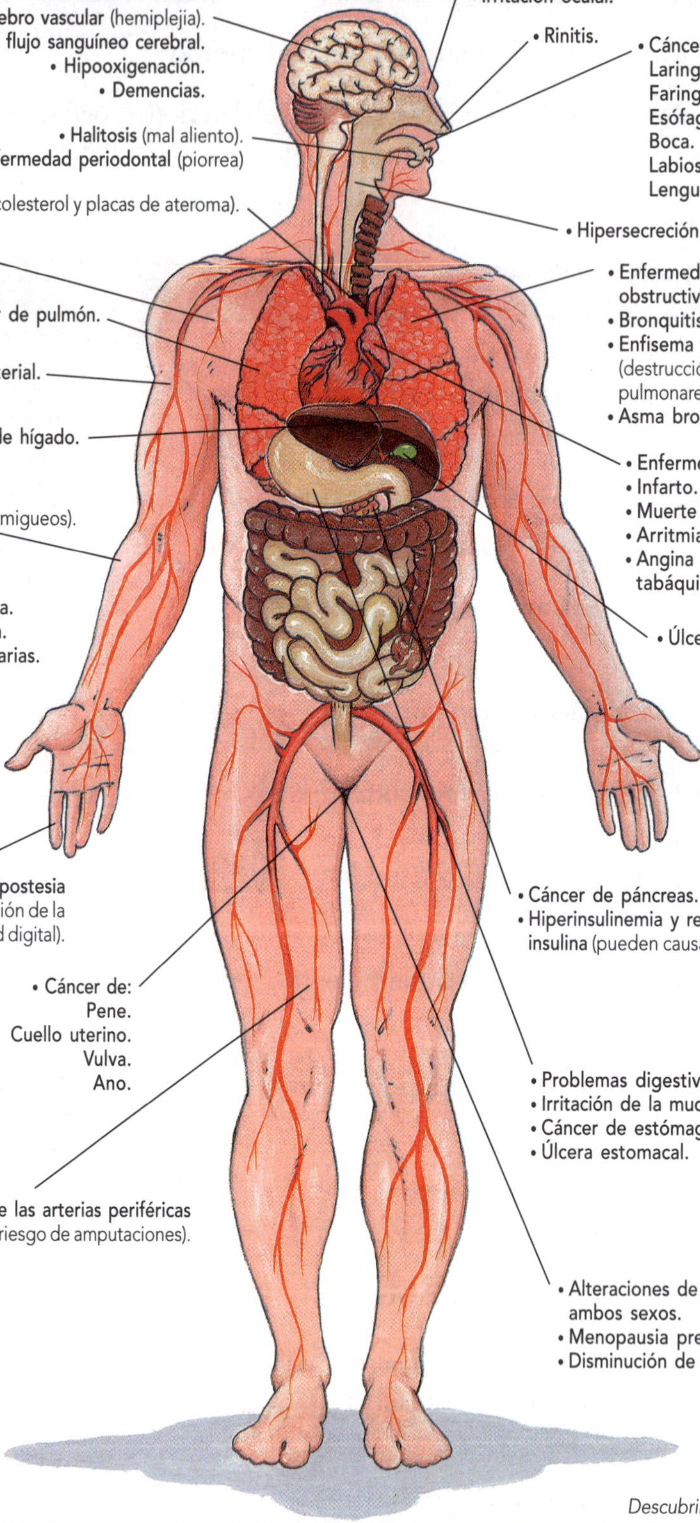

Descubrir, nº 60, julio 1996.

COMPRENSIÓN E INTERPRETACIÓN DEL TEXTO

1. Apunta los órganos afectados por el uso abusivo del cigarrillo, conforme la información contenida en la lámina.
   a) Cabeza.
   b) Tórax.
   c) Abdomen.
   d) Miembros superiores.
   e) Miembros inferiores.
2. Enumera, de acuerdo con la información del texto, las enfermedades que impactan los sistemas abajo. Da el nombre del órgano y de la enfermedad.
   a) Sistema respiratorio.
   b) Sistema circulatorio.
   c) Sistema digestivo.
   d) Sistema reproductor.
3. A partir de las informaciones presentadas en el texto, compara las situaciones abajo y di cuál es la probable consecuencia del uso regular del cigarrillo o de su no utilización en cada caso.
   a) Capacidad respiratoria de dos personas que practican deporte.
   b) Proceso digestivo de dos personas adultas.
   c) Embarazo o gestación en mujeres jóvenes.
   d) Fertilidad en hombres jóvenes.
4. En tu opinión, ¿qué ocurre en términos más amplios cuando un órgano se ve impactado por el uso masivo del cigarrillo?

INTERDISCIPLINAS

- *Geografia.* Infórmate sobre las áreas de cultivo del tabaco en cada continente y compara con las utilizadas para la producción de alimentos. ¿Qué concluyes?

  ¿En qué regiones del mundo es más grande el consumo del cigarrillo? ¿A qué atribuyes eso?

  ¿Qué capa socioeconómica consume más cigarrillo?

  ¿Cómo funciona la legislación que regula el plantío y el consumo del tabaco en los países que lo producen?
- *Historia.* Investiga sobre el papel del tabaco a lo largo de la historia, su uso primitivo y su uso actual y di si ha cambiado a través de los tiempos.
- *Química.* Analiza la composición de los distintos tipos de cigarrillos y establece la diferencia entre ellos, considerando la cantidad de nicotina y alquitrán presentes en cada marca. ¿Hay realmente ventajas en el consumo de cigarrillos con bajo nivel de nicotina y alquitrán? ¿Qué papel juega el filtro en los cigarrillos? ¿Qué residuos dejan esos dos elementos en el organismo humano tras el largo consumo del cigarrillo?

PORTALENGUA

Salud: preguntar/contestar/desear

¿Le/Te encuentra(s) bien?
¿Está(s) bien?
¿Qué te/le pasa?
Me duele(n)...
Tengo fiebre/dolor de.../en...
Me he roto/cortado...
Me siento bien/mal/mejor/peor...
Qué se/te ponga(s) mejor/bien.
Qué se/te recupere(s) pronto.

Ofrecer algo/contestar

¿Te/Le apetece...?/¿Quieres?
Sí, gracias/por favor.
No, gracias.

En las comidas

Buen apetito./Que aproveche/disfrute.
A tu/su salud/Brindemos por.../Chin chin.

Preguntar/contestar cantidades

¿Cuántos(as)... tiene(s)?
Tengo/Tiene(n)...

Preguntar/pedir en un restaurante

¿Qué va a tomar?
Yo quiero...
Para mí/nosotros...
¿Por favor, me/nos trae...?

De compras

A: ¿Qué desea? ¿Qué le pongo?
B: Un paquete de...
A: ¿Algo más?
B: ¿Cómo están...?
A: ...pesos/pesetas/dólares.

Al teléfono

A: ¿Diga?/¡Diga!/¡Hola!/¿Quién habla?
B: ¿Está Jorge?
A: ¿De parte de quién?
B: Un momento, ahora se pone.
No, no está.
Se ha equivocado. No es aquí.
En este momento no puede ponerse. Está...

ESTAMPALABRAS

Estados de ánimo

INFO

✓ Utilizando la red telemática, investiga sobre el comportamiento del adolescente fumante en diferentes países, partiendo de los siguientes parámetros:

1. Edad en que empieza a fumar.
2. Motivos que lo han impulsado a consumir regularmente el cigarrillo.
3. Interferencias de la publicidad, del grupo de amigos y de la familia en el consumo o no del cigarrillo.
4. Tasa de mortalidad de fumantes activos y pasivos por faja etaria.
5. Penetración del cigarrillo en distintos grupos sociales.
6. Elección de investigaciones disponibles en la Internet sobre el tema para posterior debate en clase.

ACTIVIDADES

1. Elabora folletos explicativos ilustrados sobre las consecuencias del uso del cigarrillo en el organismo humano.
2. Haz viñetas, tiritas o cómics satirizando el consumo del cigarrillo.

RECANTO

✓ Escucha y completa la letra de la música.

Burbujas de amor

Juan Luis Guerra

____________ un corazón
Mutilado de ____________ y de ____________.
Tengo un corazón que madruga dondequiera.
¡Ay!
Y este corazón
Se ____________ de impaciencia
Ante tu voz,
Pobre corazón
Que no ____________ su cordura.
Quisiera ser un ____________
Para tocar mi ____________
Y hacer burbujas de amor por dondequiera
Pasar ____________ en vela
____________ en ti.
Quisiera ser un pez
Para bordar de corales tu cintura
Y hacer siluetas de amor ____________
Saciar esta locura
Mojado en ti.
Canta, corazón,
Con un ansia ____________.
____________, ____________,
No te ____________ de amargura.
Y este corazón
Se desnuda de impaciencia
Ante tu voz,
Pobre corazón
Que no atrapa su ____________.

____

Para tocar mi nariz en tu ________________

Y hacer __________________________ por dondequiera

_______________ la noche en vela

Mojado en ti.
Una noche.
Para fundirnos hasta el fin,
Cara a cara,

____________________________,

Y vivir

____

Mojado en ti.

ACTIVIDADES

1. ¿A qué se relaciona corazón en el poema?
2. Enumera las acciones relacionadas al corazón.
3. ¿Para qué quería ser un pez?
4. ¿Por qué palabra se podría sustituir "burbujas", manteniendo el lenguaje connotativo?

JUEGUITO VERBAL

Primer momento: identifica los verbos del texto de Camilo José Cela, página 48, que están en *presente* y en *pretérito imperfecto de Indicativo*. Cada verbo cierto vale un punto.

Segundo momento: Pasa los verbos del *presente* al *imperfecto* y viceversa. De nuevo, vale un punto cada verbo. Al final ganará el que haga mayor número de puntos.

EL ACENTO

Observa las siguientes palabras y describe qué tienen en común cuanto a la sílaba tónica: general – ciudad – mujer – también – está – detrás – indignación. ¿Y cuanto a la tilde?

✓ Completa la regla: Las palabras ____________ van acentuadas cuando acaban en ____________ o _____. Ej.: café – guaraní – encantó – tabú – volverá – lección – compás.

EJERCICIOS

1. En las siguientes frases, acentúa las palabras referentes a la regla estudiada, desde que lo necesiten.

   a) No quiero cafe, prefiero comer melon o ananas.

   b) Este callejon es muy antiguo, pero tiene valor histórico.

   c) Papa sufre del corazon y tiene tambien problema de obesidad y presion alta. Su alimentacion es muy controlada.

   d) Despues que Sebastian viajo al Peru, la casa es una desolacion.

   e) Hicimos una seleccion para lograr una mejor muestra de la mujer de distintas capas sociales.

   f) Vivi casi veintitres años en Berlin, aprendi el aleman y estudie la música de Beethoven.

   g) Algun día sabras cuán fenomenal es ayudar a los carenciados.

   h) La tribu guarani vivio en Sudamérica.

   i) Le suplico al profesor Nicolas, director de la escuela, que le diera una nueva oportunidad porque estuvo enfermo.

   j) Ven aca, pues te pedi que me dieras tu direccion y otros datos que la secretaría de la escuela necesita.

2. Considerando que todas son palabras agudas, acentúa las que lo necesiten.

comedor	reconoci	anden
telefoneo	niñez	estudie
sucedio	quizas	avergonzo
parlanchin	enverdecer	montaras
feligres	excursion	ferrocarril
reloj	capaz	montañes
Tarzan	tulipan	montaraz
producid	potencial	invalidez
terquedad	plenitud	multitud

PIÉNSALO

Una espina de experiencia vale más que un bosque de advertencia.

Robert Lowell (1917-1977), economista estadounidense.

LOS NÚMEROS CARDINALES

0	cero	40	cuarenta
1	uno	41	cuarenta y uno
2	dos	50	cincuenta
3	tres	60	sesenta
4	cuatro	70	setenta
5	cinco	80	ochenta
6	seis	90	noventa
7	siete	100	cien/ciento
8	ocho	101	ciento uno
9	nueve	129	ciento veintinueve
10	diez	158	ciento cincuenta y ocho
11	once	200	doscientos
12	doce	300	trescientos
13	trece	400	cuatrocientos
14	catorce	500	quinientos
15	quince	600	seiscientos
16	dieciséis	700	setecientos
17	diecisiete	800	ochocientos
18	dieciocho	900	novecientos
19	diecinueve	1.000	mil
20	veinte	2.000	dos mil
21	veintiún/veintiuno	10.000	diez mil
22	veintidós	100.000	cien mil
23	veintitrés	1.000.000	un millón
24	veinticuatro	10.000.000	diez millones
25	veinticinco	100.000.000	cien millones
26	veintiséis	1.000.000.000	mil millones
27	veintisiete	10.000.000.000	diez mil millones
28	veintiocho	100.000.000.000	cien mil millones
29	veintinueve	1.000.000.000.000	un billón
30	treinta	1.000.000.000.000.000	mil billones
31	treinta y uno	1.000.000.000.000.000.000	un trillón

¡Fíjate!

- De 1 a 30 todos los números se escriben con una sola palabra.
- Sólo se usa Y entre la unidad y la decena, desde que una u otra no sean cero.

MILLÓN				MILLAR (mil)				UNIDAD SIMPLE			
CENTENA	DECENA	Y	UNIDAD	CENTENA	DECENA	Y	UNIDAD	CENTENA	DECENA	Y	UNIDAD
							1	9	9	y	9
					3	y	4	0	8	y	7
	4	y	1	0	8	y	7	5	6	y	1
3	6	y	7	5	4		0	7	0		8

Sobre los NÚMEROS

- Señalar que sólo se usa la conjunción **Y** entre la decena y la unidad, desde que una u otra no sean cero. Ej.: 53.407 = cincuenta **Y** tres mil cuatrocientos siete; 102.622 = ciento dos mil seiscientos veintidós; 793.342 = setecientos noventa **Y** tres mil trescientos cuarenta **Y** dos.
- UNO, sea simple o forme parte de un cardinal compuesto (veintiuno, ciento uno), pierde la **O** final delante del sustantivo masculino, aunque entre el numeral y el sustantivo se interponga un adjetivo. Ej.: UN hombre con pereza es UN reloj sin cuerda. UN buen libro es UN gran amigo.
- CIENTO pierde la sílaba final delante de sustantivo masculino o femenino, aunque entre el numeral y el sustantivo se interponga un calificativo. Ej.: Una sola risa borra CIEN lágrimas.
- Los cardinales BILLÓN, TRILLÓN, CUATRILLÓN, etc. no equivalen al "bilhão", "trilhão", "quatrilhão". El "bilhão" español es *mil millones*; el "trilhão" es *el billón*; el "quatrilhão" es *mil billones*.

mil	trillones	mil	billones	mil	millones	mil	unidades

18.037.456.862.401.654.999 = dieciocho trillones treinta y siete mil cuatrocientos cincuenta y seis billones ochocientos sesenta y dos mil cuatrocientos un millones seiscientos cincuenta y cuatro mil novecientos noventa y nueve.

ACTIVIDADES

1. Para ejercitar los números, lee y relee hasta interpretar con naturalidad el siguiente diálogo.

La magia

Al salir de casa Jorge encuentra a su amigo y vecino Luís.

Luís: ¡Jorge! ¡Jorge!

Jorge: ¡Hola, Luis! ¿Yyyyyy...?

Luís: ¿A dónde vas?

Jorge: Pues al cole. Voy a estudiar Matemáticas con un grupo. Tendremos prueba mañana.

Luís: ¿Matemáticas? ¿Puedo proponerte un problema mágico?

Jorge: ¿Mágico? ¿Cómo así? Acláramelo.

Luís: Voy a mostrarte cómo soy mágico. A ver... Piensa en la edad de una persona.

Jorge: Bueno, la edad de mi madre.

Luís: También voy a adivinar la cantidad de dinero que llevas contigo. Debe ser un número de dos cifras. ¿Listo?

Jorge: Sí.

Luís: ¡Atención! Multiplica la edad de tu madre por 2; añádele 5; multiplica por 50; quítale 365; añádele los reales que llevas contigo (de 10 a 90); añádele 115. ¿Qué número tienes?

Jorge: 3.922.

Luís: Tu madre tiene 39 años y llevas contigo 22 reales. ¿Correcto?

Jorge: ¡Fenomenal! ¿Cómo lo haces? Quiero saber. ¡Por favor, enséñame!

Luís: He pensado en la edad de mi abuelo, 62, y tengo conmigo 18 reales.

Jorge: ¿Cómo lo hago?

Luís: Fíjate bien: 62 por 2 = 124;
124 + 5 = 129;
129 por 50 = 6.450;
6.450 – 365 = 6.085;
6.085 + 18 = 6.103;
6.103 + 115 = 6.218.

Del número final, las dos primeras cifras son la edad, 62, y las dos últimas, 18, son los reales que llevo conmigo. ¿Está claro?

Jorge: ¡Genial! ¡De maravilla! Voy a aplicarlo a los de mi grupo. ¡Gracias! ¡Gracias, de verdad!

Luís: ¡Chau! Después me cuentas tu éxito como mágico, ¿vale?

Jorge: ¡Por supuesto! ¡Vale! ¡Chau!

HUMOR

Número equivocado

Un joven visita a un médico y le dice:

— Vengo a verlo porque me duelen los miles.

El médico extrañado le responde:

— ¿Cómo los miles? Debe ser las sienes.

— Tienes razón, doctor, ya me parecía que era un número muy alto — dice el joven.

2. Escribe con palabras los siguientes números:

a) 630
b) 1.492
c) 37.463
d) 308.925
e) 123.765
f) 44.555.777
g) 916.781.433
h) 2.987.654.321
i) 12.234.456.678
j) 975.864.753.642
k) 8.258.137.369.532
l) 7.008.504.003.703.129

APÓCOPES DE NUMERALES Y ADJETIVOS

- Los numerales *primero* y *tercero*, sean simples o formen parte de un ordinal compuesto, pierden la vocal final O delante de sustantivo masculino singular, aunque un calificativo se interponga entre el numeral y el sustantivo. La apócope de *tercero* es facultativa, pero es muy usada. Ej.: El *primer* amigo, el *primer* inolvidable amigo; el *tercer/tercero* año de vida, el *tercer/tercero* lejano año de vida.
- *Ninguno* y *alguno* pierden la O final delante de sustantivo masculino singular. Ej.: *Ningún* libro me sirvió. *Ninguno* de esos libros me sirvió.
- Los adjetivos *bueno* y *malo* pierden la O final delante de sustantivo masculino singular, pero conservan su forma cuando se interpone otro adjetivo precedido de coma. Ej.: *Buen* ejemplo, ejemplo *bueno*. *Mal* caballero, caballero *malo*. Un *malo*, imperdonable procedimiento, un *bueno*, admirable trabajo.
- El adjetivo *grande* tiene la apócope de la sílaba final facultativa delante de sustantivo singular masculino o femenino. Ej.: *Gran* casa o *grande* casa; *gran* profesor o *grande* profesor. Predomina el uso de la apócope.
- *Santo* pierde la última sílaba cuando se antepone a los nombres propios de los santos, con excepción de Santo Tomás, Santo Tomé, Santo Domingo y Santo Toribio.

EJERCICIO

✓ Apocopa o no la palabra entre paréntesis.

1. Quien tiene un ____________ libro, tiene un amigo ____________ . (malo – malo)
2. ____________ libro te agradará como éste. (ninguno)
3. ____________ Antonio y ____________ Andrés son muy populares entre el pueblo. (santo – santo)
4. Si antes teníamos menos de ____________ libros, ahora tenemos bien más de ____________ . (ciento – ciento)
5. No hemos encontrado el perro en ____________ lugar. (ninguno)
6. ____________ de ellos sabe dónde guardaste los cuadros. (ninguno)
7. ____________ de casa no hace milagro. (santo)
8. Tener un ____________ amigo es un ____________ premio. (bueno – grande)
9. La casa no es muy ____________ pero tiene confort de un ____________ palacio. (grande – grande)
10. Mi ____________ día de clase fue justo el ____________ en tener tantos nuevos amigos. (primero – primero)
11. Pablo cursa el ____________ año de derecho. (tercero)
12. En su ____________ año de estudio no hablaba inglés, pero ahora en el ____________ año ya tiene muy ____________ dominio. (primero – tercero – bueno)
13. Fue su ____________ fiesta y la ____________ experiencia con baile nocturno. (primera – grande – primera)
14. En Brasil ____________ Tomás es más conocido que ____________ Toribio, pero mucho menos que ____________ Juan.

CONTRACCIÓN DEL ARTÍCULO

¡Fíjate!

Vengo *del* colegio y ya voy *al* gimnasio.
Vengo de los colegios y ya voy a los gimnasios.

Vengo de la iglesia y voy a la biblioteca.
Vengo de las escuelas y voy a las librerías.

Como has concluido, el español tiene tan sólo dos contracciones del artículo: DEL y AL.

EJERCICIO

✓ Completa los pensamientos abajo con artículos y contracciones que convengan al sentido.

1. _____ virtud es _____ centinela _____ corazón. (Helen Keller, 1880-1968, estadounidense.)
2. _____ dieta _____ enfermo enriquece _____ bolsa _____ médico. (anónimo)
3. _____ puntualidad es _____ cortesía _____ reyes. (Luís XVII, rey de Francia.)
4. _____ fuego prueba _____ oro, _____ miseria _____ hombres valientes. (Séneca)
5. _____ miedo siempre surge _____ ignorancia. (Emerson)
6. _____ poder humano se parece _____ divino cuando _____ misericordia produce justicia. (Shakespeare, 1564-1616, poeta y autor dramático inglés.)
7. _____ modestia es _____ conciencia _____ cuerpo. (Balzac, 1799-1850, novelista francés.)
8. En _____ cárceles, _____ que más preocupaciones tiene es _____ director. (Bernard Shaw, 1856-1950, autor dramático y ensayista irlandés.)
9. _____ libro es _____ salvavidas de _____ soledad. (Ramón Gómez de la Serna, 1888-1963, literato español.)
10. _____ pompa de _____ entierros interesa más a _____ vanidad de _____ vivos que a _____ memoria de _____ muertos. (La Rochefoucauld, 1613-1680, moralista y militar francés.)

USO DE O – U – Ó

Dentro de 3 **Ó** 4 días estaré volviendo de mi viaje.
Dentro de siete **U** ocho días el trabajo estará listo.
Dentro de seis **O** siete días volveremos a vernos.

Observando las frases arriba, podrás concluir que se usa la **Ó** solamente si viene entre cifras, la **U**, antes de palabras que empiezan con **O** o **Ho** y la **O**, en los demás casos.

✓ Elabora frases, empleando dichos conectivos.

IMPERFECTO DE INDICATIVO

Ser	era	eras	era	éramos	erais	eran
Estar	estaba	estabas	estaba	estábamos	estabais	estaban
Tener	tenía	tenías	tenía	teníamos	teníais	tenían
Vivir	vivía	vivías	vivía	vivíamos	vivíais	vivían
Trabajar	trabajaba	trabajabas	trabajaba	trabajábamos	trabajabais	trabajaban

SELECTIVIDAD

(Universidade de Caxias do Sul-RS)

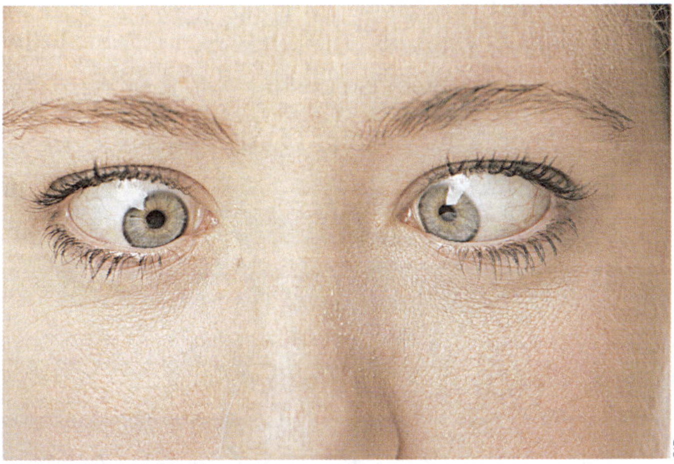
CID

No se sabe cómo, pero hay una serie de creencias populares y con la fe cada vez mayor del pueblo. Veamos algunas. Una dice que si uno pone los ojos bizcos adrede y viene un viento fuerte que le da en la cara, se queda bizco para siempre. Nadie piensa en eso todo el tiempo. Se sabe y listo. Surge la discusión cuando uno, por bromear, pone los ojos bizcos. Inmediatamente un guardián de su salud lo reprende. Otra creencia dice que uno no debe quitarse una cana que al otro día salen siete y así progresivamente hasta que se queda un abuelito. También se dice que los comensales deben dejar parar dos horas después de atiborrarse, antes de tirarse a la pileta, para no arriesgarse a un calambre de estómago, seguramente mortal. Tras los hechos se suscita la discusión. Siempre se forman tres bancos: los en favor, los en contra y los neutros. Los últimos dicen que es todo una pavada. Los otros refuerzan con ejemplos o dicen que es una necedad.

Finalmente, cuando no se zanjan diferencias, prevalece la sabiduría popular, o sea, descreer creyendo.

1. A idéia central do texto é:

a) Prevalece a sabedoria popular, quando não se estabelecem diferenças entre a ciência e a fé.
b) As crendices populares não têm mais tanta fé do povo.
c) As superstições populares surgem sem explicação e base científica.
d) As crendices populares sempre têm os que são a favor, contra ou indiferentes.
e) Acredita-se, sem discussão e sem compreender, na sabedoria popular.

2. Todas as afirmações abaixo estão de acordo com o texto, *exceto*:

a) Si uno se pone los ojos bizcos, podrá quedarse así para siempre, si le da un viento en la cara.
b) Si uno se le arranca una cana, al otro día le salen siete hasta quedarse un abuelito.
c) Nunca se debe uno tirarse a una pileta después de atiborrarse.
d) La sabiduría popular prevalece siempre, conque no se zanjan diferencias.
e) Atiborrarse, ponerse los ojos bizcos o arrancarse las canas pueden traer malas consecuencias.

3. En el texto el autor * las creencias populares.

a) rechaza la fe en
b) alaba el valor de
c) acepta la veracidad de
d) comenta las reacciones sobre
e) divulga los pros y contras de

4. A palavra "cana" (linha 15) significa:

a) cabelo branco
b) espinha
c) verruga
d) cravo
e) sinal

ComunicHABLE

✓ Escucha los diálogos dos veces y complétalos. Lee con entonación y ritmo adecuados.

DIÁLOGO 1. El compañero

Tomás: ¡Hola! Es de ____________ de Renato?

Padre: Sí. ¿Quién habla?

Tomás: Soy Tomás, su ____________ de ____________ . Quería saber cómo se encuentra él.

Padre: Soy su padre. Gracias por tu interés. Mi hijo está un poquito mejor. Tiene todavía un poco de fiebre y mucha tos.

Tomás: Dígale que le mando abrazos y que se recupere pronto.

Padre: Gracias. Se lo diré.

Tomás: Adiós, señor.

Padre: Adiós, Tomás. ¡Qué te vaya bien!

Tomás: Gracias. Adiós.

DIÁLOGO 2. Clases perdidas

Madre: ¡Diga!

Diego: ¿Está Renato?

Madre: ¿De parte de quién?

Diego: Soy Diego, su compañero de clase.

Madre: Un momento que ahora se pone.

Diego: Dígale que me telefonee. Quiero hablarle sobre las clases que él ha perdido.

Madre: Gracias, Diego. Se lo diré.

Diego: Sí, señora. Gracias. Adiós.

ACTIVIDAD EN GRUPOS

✓ Consulta al Portalengua y elabora, en grupos, diálogos con nuevas situaciones.

REPASÁNDOLO

✓ En el texto, completa los espacios según la indicación abajo.

a) Artículos determinantes.
b) Artículos indeterminantes.
c) Contracciones.
d) Conjunciones E –Y.

El conteo más rápido

Jerjes fue (b) _____ rey de Persia que reinó desde (a) _____ año 485 a.C. hasta (a) _____ año 465 a.C.

Cierta vez, Jerjes reunió a sus soldados para contarlos.

Veamos como hizo. Comenzó reuniendo 10.000 hombres en (b) _____ lugar (d) _____ cuando éstos estuvieron (a) _____ más apretados posible, trazó (b) _____ línea alrededor de este agrupamiento. Luego ordenó que (a) _____ soldados se retiraran (d) _____ hizo construir (b) _____ pared sobre (a) _____ línea, hasta (a) _____ altura (c) _____ vientre de (b) _____ persona. (b) _____ vez terminada, hizo entrar a otro grupo de soldados en (a) _____ espacio cercado, pidiéndoles que también se apretujaran (a) _____ más posible. Luego hizo salir a este grupo (d) _____ entrar a otro, (d) _____ así sucesivamente, hasta que todos sus soldados hubieran entrado una vez (c) _____ espacio cercado. (c) _____ terminar, habían entrado (d) _____ salido 170 grupos de soldados, con (a) _____ cual Jerjes pudo saber que en su ejército había 170 X 10.000 soldados, o sea, 1.700.000 soldados.

GASO, María. *Páginas Inquietas*, Montevideo, Buenos Libros-Rosgal S.A., 1991.

LA FAMILIA 4

FOTOS: CID

La familia, mi amigo, es la base fundamental de la sociedad.

Camilo Castelo Branco (1825-1890), literato português.

Permitir o prohibir, ésa es la cuestión

¿Usted permite que su hija de 16 años veranee con amigos? ¿Es correcto que un chico de 4 años elija qué ropa va a ponerse? ¿A qué edad se puede dejar que los adolescentes vayan a las discotecas?

Los permisos que la sociedad pautaba rígidamente hasta hace unos años por edad y sexo (a los 13 los pantalones largos; a los 15 los tacos; a los 18 la llave y el cigarrillo) han cambiado al punto que hoy son materia de acuerdos y decisiones que los papás toman no sin antes consultar con otros padres, amigos y libros. Los peligros de un fin de siglo convulsionado acrecientan los temores, aunque sepamos que es la independencia gradual y oportuna la que favorece la autonomía responsable de los chicos.

Descartadas las rigideces de la crianza de los hijos, esa tarea es hoy un trabajo estresante, ya que implica tomar constantemente decisiones. Sin embargo, hay pautas que pueden orientar y que se basan en características generales de los chicos, según su edad, que cada papá tendrá que adaptar a su hijo y a los valores y principios familiares. Según algunos psicólogos, cada uno de esos permisos conlleva charlas previas y posteriores a la nueva experiencia, demostraciones prácticas, ensayos, ejemplos, posibles riesgos, prevenciones, evaluaciones, etc.

Una de las mayores preocupaciones de los padres, al momento de dar un permiso, es la influencia que terceros no muy confiables puedan tener sobre las decisiones y actitudes de los hijos. Los especialistas sostienen que la única posibilidad que existe para prevenir problemas es hablar con ellos de los peligros y no pintarles para nada un mundo maravilloso. Lo ideal es que los hijos sean seguros y que tengan una confianza relativa en los demás, pero nunca ciega. Además, es de suma importancia que conozcan los recursos que poseen los que desean aprovecharse de la credulidad e inocencia de los chicos.

Máxima. Argentina, abril 1995.
Adaptado.

Comprensión e interpretación del texto

1. ¿Qué dice el texto sobre la libertad de los hijos de hoy día?
2. ¿Cómo deben proceder los padres para que sus hijos estén bien orientados para vivir de modo independiente y seguro?
3. ¿Qué papel juega el "permiso" en la formación de la personalidad del hijo?
4. ¿A qué se debe el temor que presentan los padres respecto a la influencia de terceros en la educación de sus hijos? ¿Crees que ese miedo es verdadero?
5. Identifica la idea básica contenida en cada párrafo del texto. Si posible, haz un esquema con las informaciones presentadas en ellos.

6. A continuación te damos 4 situaciones en las que se ven los padres a la hora de educar a sus hijos. Pensando como un papá o mamá, da ejemplos de situaciones concretas en que se desarrollan los objetivos planteados por ellos, proponiendo "acción prevista", "permisos" y "controles" para que tus "hijos" se sientan a la vez confiantes y seguros de lo que van a hacer. Considera la edad propuesta en cada etapa.

a) (3 a 5 años). Objetivo planteado: Estimular la participación.
b) (6 a 10 años). Objetivo planteado: Crear el sentido de la responsabilidad.
c) (11 a 14 años). Objetivo planteado: Establecer pautas claras.
d) (15 a 18 años). Objetivo planteado: Mantener abierta la comunicación.

VENTANITA

- Una joven brasileña de la tribu impurina, para casarse, obtiene primero el consentimiento matrimonial; después, un determinado día, huye de casa sabiendo que su prometido la persigue. Cuando éste la alcanza se consideran ya marido y mujer.
- Al sur de Madagascar viven las tribus antandroy, de hermosos ejemplares de color cobrizo, que consideran la novia más valiosa aquella que tiene hijos, sea o no viuda. Éso se justifica fácilmente dada la esterilidad de sus mujeres, cosa que aún no ha sido claramente explicada por las autoridades médicas. Así, pues, una novia que se dirija al altar de la misión con un niño en brazos y otro que se agarra vacilante a sus faldas, es una magnífica adquisición.
- Los Wataveta, de África, pagan por una esposa una vaca, un toro, siete cabras y seis jarras de cerveza. La familia de la novia acude a la casa del novio y durante seis días se suceden las fiestas. Al final, el toro y la vaca son llevados a la casa de la novia. Los novios pasan la luna de miel en casa de los padres de él, durante un mes, solos completamente. Durante ese tiempo, la novia no debe abandonar la casa bajo ningún pretexto. Una vez terminado el plazo las madres de los recién casados cortan madera para construirles su nuevo hogar.
- En Italia arrojan en los novios confetti y en Francia semillas de cáñamo y trigo.

CID

- También ahora se observan costumbres y supersticiones entre las novias civilizadas. Las desposadas americanas deben llevar algo nuevo y algo viejo, algo prestado y algo azul.

¿Por qué son tan difíciles de romper estos lazos entre los tiempos antiguos y los modernos? ¿Qué razón nos une a esas viejas supersticiones? Es difícil la respuesta. Quizá el hábito de tribu, tan reverente con lo viejo, nos impele a conservar vivas esas antiguas costumbres. Tal vez el miedo nos aferra a ellas, miedo del futuro y hasta del incierto presente que amenaza nuestra vida y nuestra felicidad.

VERRIL, A. Hyatt. *Costumbres y creencias raras*. Barcelona, Ediciones Destino, 1958.

HUMOR

— A ver, Manuel, ¿cuál es una cosa muy rápida?
— El pensamiento, señorita.
— Muy bien, Manuel. A ver, José, ¿qué otra cosa es muy rápida?
— La luz, señorita.
— Señorita — dice Pedrito —, yo sé una cosa que es más rápida que la luz y que el pensamiento.
— ¿Qué cosa, Pedrito?
— La diarrea, señorita.
— ¿Por qué la diarrea?
— Porque uno no alcanza a pensar ni a prender la luz y ya se hizo caca.

PORTALENGUA

Profesión

¿Qué hace(s)?/¿A qué se/te dedica(s)?
¿En qué trabaja(s)?
¿Cuál es tu/su profesión? Soy albañil.

Expresar sentimientos

Alegría: ¡Qué bien/suerte/bárbaro/alegría/genial!
Interés: Me interesa(n)/atrae(n)/gusta(n).
Desinterés: No me gusta/importa/interesa/atrae...
Sorpresa: ¡No me diga(s)!
Preferencia: Prefiero... a/al...
Me gusta(n) más...
Me quedo con...
Vergüenza: Tengo/me da vergüenza...
Aburrimiento: ¡Qué rollo! ¡Qué lata! ¡Qué fastidio!
Indiferencia: Me da lo mismo.
Placer: ¡Qué a gusto estoy!
¡Qué bien se está aquí!

Sentimientos varios

(Esto) Me dejó (muy)
Estoy muy/bastante
Me siento muy/bastante

triste	encantado	desilusionado
aburrido	contento	preocupado
satisfecho	decepcionado	tranquilo
admirado	avergonzado	miedoso
enojado	confiante	aliviado
orgulloso	inseguro	desconfiado

Pedir/dar información sobre lugar

Por favor/Perdón, ¿dónde está...?
Está en/cerca de/al lado de/a... km de...
¿Hay algún(a)...?
¿Hay un/uno...?

¿Dónde puedo encontrar...?
¿A qué distancia está...?
Está a... km/metros/cuadras de...
Puede(s) ir...

ComunicHABLE

✓ Escucha los diálogos dos veces y complétalos. Léelos con entonación y ritmo adecuados.

DIÁLOGO 1. El empleo

Actor: Buenos días. Vine por el empleo.

Señora: ¿Qué hace Ud.?

Actor: Soy actor.

Señora: ¡Ah! Sí. ¿Tiene Ud. práctica ?

Actor: Sí. Por supuesto. Aquí está mi curriculum.

Señora: ¿Ha trabajado Ud. en piezas de distintos estilos? No sé si me entiende.

Actor: Creo que sí. He trabajado en obras clásicas, tragedias, comedias e incluso en teatro moderno.

Señora: Muy bueno. Me parece que Ud. nos va a servir. Pase mañana por la tarde, a eso de las quince horas. ¿Está bien?

Actor: Sí. Gracias. Volveré mañana. Adiós, señora.

Señora: Hasta mañana, joven. ¡Qué le vaya bien!

DIÁLOGO 2. La farmacia

Senõra: Perdón, chico. ¿__Dónde__ puedo encontrar una farmacia?

Chico: Aquí __cerca__, señora. Siga por esta calle dos __cuadras__, gire a la derecha. La farmacia está en la primera esquina, __a mano izquierda__.

Señora: __Gracias niño__

Chico: Qué le vaya bien, señora.

SELECTIVIDAD

(Centro Universitário La Salle/Canoas - RS)

CID

Resulta extraño pensar que el mar, la arena, el sol, el césped y el plenilunio, obras de la naturaleza, son la irrealidad y todo lo construido por los hombres — las ciudades, la acera rota, la calzada peligrosa y el cimiento insustituible — son la realidad de nuestra vida. Sin embargo, es así para el habitante apresado en ella por deberes y trabajo. La consecuencia fatal de ese cambio de valores es la creciente melancolía, como síntoma de ideas depresivas.

Es difícil determinarse la transición entre una melancolía normal y una patológica, pero lo que la define es la incapacidad de salirse de esos estados emocionales, quedándose uno atrapado y entrampado en la tristeza.

Antes, ser melancólico era casi un halago. En tiempos pasados ello se puso de moda. La melancolía era buscada en la literatura, en la música. Era catarsis. La señora con síndrome de sábado a la noche, en bata, comiendo papas fritas y escuchando un bolero pegajoso que le iba invadiendo la habitación y el alma, sentíase en éxtasis. Pero ese sentimiento no era patológico ni destructivo.

Oh, melancolía, ¡cuánta felicidad se sacrificaba en tu nombre y a cuántos acosas y derrocas hoy día!

1. La idea central del texto está contenida en la alternativa
   a) El arte como forma de catarsis.
   b) El hombre enfrentando los cambios de valores.
   c) La incapacidad humana de dominar sus emociones.
   d) La melancolía como condición de vida.
   e) La melancolía en el hombre de ayer y de hoy.

2. El texto presenta una directa relación entre
   a) felicidad (linha 19) y naturaleza (linha 3).
   b) catarsis (linha 16) y valores (linha 10).
   c) incapacidad (linha 13) y tristeza (linha 14).
   d) realidad (linha 6) y melancolía (linha 19).
   e) irrealidad (linha 3) y sentimiento (linha 18).

3. A incapacidade de sair desses estados emocionais deixa as pessoas * tristeza.

a) atrapalhadas e à beira da
b) agarradas e enredadas na
c) abaladas e atingidas pela
d) aviltadas e derrotadas pela
e) acabrunhadas e próximas da

4. Como obra da natureza, o texto cita, em ordem, o mar, a areia, o sol,

a) a relva e a lua cheia.
b) o bosque e o cometa.
c) o cipreste e a nuvem.
d) o carvalho e a neblina.
e) o cipó e a selva.

5. * alma melancólica puede curarse con * cariño que es * hada milagrosa y * más importante * hombres.

a) La – el – la – el – para los
b) El – el – el – lo – a los
c) El – lo – la – lo – en los
d) La – lo – el – el – de los
e) La – el – el – lo – para los

ESTAMPALABRAS

Una familia

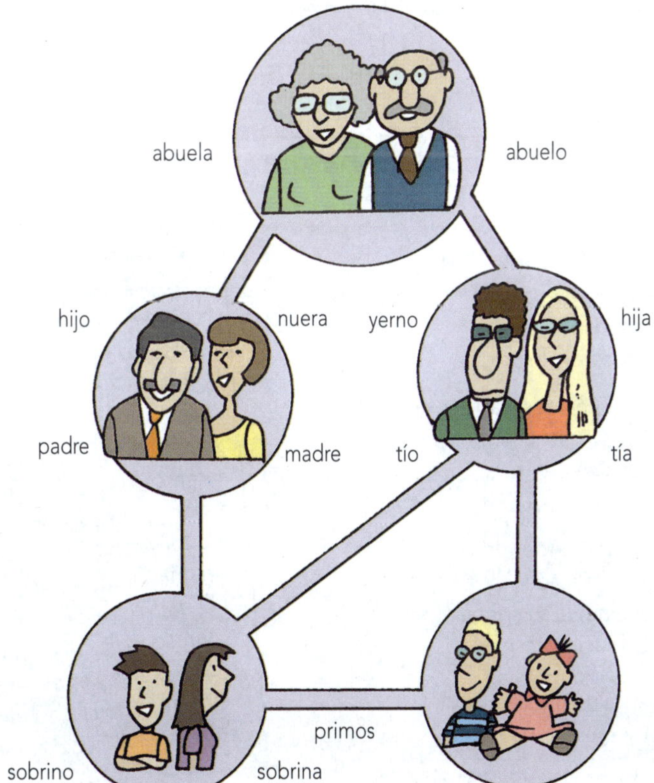

LECTURA

1. Poesía

Juan Ramón Jiménez

Vino, primero, pura,
vestida de inocencia;
y la amé como un niño.

Luego se fue vistiendo
de no sé qué ropajes;
y la fui odiando, sin saberlo.

Llegó a ser una reina
fastuosa de tesoros...
¡Qué iracundia de hiel y sin sentido!

Mas se fue desnudando.
Y yo le sonreía.
Se quedó con la túnica
de su inocencia antigua.
Creí de nuevo en ella.

Y se quitó la túnica,
y apareció desnuda toda...
¡Oh, pasión de mi vida, poesía
desnuda, mía para siempre!

Panorama de la literatura española contemporánea.
"Eternidades", 1916–1917. 2. ed. Madrid, Ediciones Guadarrama, 1961.

Juan Ramón Jiménez (1881–1958). Poeta y escritor español. Poeta de finos matices, de ritmo y color depurados. Premio Nobel de Literatura de 1956. Entre sus libros en prosa figura *Platero y yo*, obra maestra e impar de la literatura mundial.

Obra de Vásquez Díaz.

2. Cántico doloroso al cubo de la basura

Rafael Morales

Tu curva humilde, forma silenciosa,
le pone un triste anillo a la basura.
En ti se hizo redonda la ternura,
se hizo redonda, suave y dolorosa.

Cada cosa que encierras, cada cosa
tuvo esplendor, acaso hasta hermosura.
Aquí de una naranja se aventura
su delicada cinta leve y rosa.

Aquí una manzana verde y fría
un resto llora zumo delicado
entre un polvo que nubla su agonía.
Oh, viejo cubo sucio y respingado,
desde tu corazón la pena envía
El llanto de lo humilde y lo olvidado.

Panorama de la literatura española.
"Canción sobre el asfalto", 1954, cit.

Rafael Morales (1919), Talavera de la Reina, España. Con su publicación *Canción sobre el asfalto*, en 1954, obtiene el Premio Nacional de Poesía. Sus libros se caracterizan por la unidad de tono y tema. Sus temas lo singularizan, principalmente en la citada publicación, en la cual objetos humildes merecen un soneto. El mundo de dolor y la humildad llevan las preferencias de Morales y es en él donde hallará la poesía honda, incluso a la que habla del amor.

ACTIVIDADES

1. Busca en el diccionario el significado de las palabras:

Poema 1

a) Ropajes.
b) Fastuosa.
c) Iracundia.

Poema 2

a) Cubo.
b) Basura.
c) Anillo.
d) Hermosura.
e) Cinta.
f) Zumo.
g) Polvo.
h) Nubla.

PIÉNSALO

Muchas personas se pierden las pequeñas alegrías mientras aguardan la gran felicidad.

Pearl S. Buck (1892-1973), novelista estadounidense.

2. Haz el estudio comparativo de los dos poemas cuanto a:

a) tema.
b) personaje central.
c) comparación hecha con el personaje central.
d) lenguaje usado / recurso.
e) objetivo del poeta.

3. Haz la paráfrasis de cada poema.

4. Inspirado en el segundo poema y con el modelo del lenguaje alegórico del primero, haz un poema a un objeto que te haya llamado la atención y que lo quieras valorar. Te damos un modelo.

Modelo:
Poema-canción
Cuando llueve me dan no sé qué, las estatuas.
Nunca pueden salir en pareja, con paraguas,
Y se quedan como en penitencia, solitarias,
Señalando la fatalidad, en las plazas.
No se ríen porque no tuvieron nunca infancia.

María Elena Walsh

5. Transcribe el poema 1 con su acción en el presente y el poema 2 en el pasado.

ACENTUACIÓN – REGLAS BÁSICAS

	Características	Acentuadas cuando	Ejemplos
1. AGUDAS	última sílaba tónica	acaban en vocal, N o S	acción – tabú – olvidé – conviví – emoción – compás
2. GRAVES	penúltima sílaba tónica	acaban en consonantes, menos N y S	huésped – joven – álbum mártir – útil – crisis
3. ESDRÚJULAS y SOBRESDRÚJULAS	antepenúltima sílaba tónica	todas son acentuadas	ómnibus – máquina – dinámico – dígamelo

EJERCICIO

✓ Pon en los paréntesis abajo el número de la regla de acentuación adecuado para cada caso y, si necesario, acentúa las palabras que siguen.

1. camion ( )
2. piramide ( )
3. pasaporte ( )
4. cesped ( )
5. consules ( )
6. volcan ( )
7. halcones ( )
8. virgen ( )
9. cespedes ( )
10. parlanchin ( )
11. portatil ( )
12. alfiler ( )
13. relojes ( )
14. portatiles ( )
15. motin ( )
16. virgenes ( )
17. interes ( )
18. intereses ( )
19. imagen ( )
20. albumes ( )

COMERCIO RARO

Cambio freezer por dos pingüinos que se rehusan a salir de allí. Tras recibir los pingüinos, aún doy propina. Tratar: calle del Sol, sin número.

NÚMERO DEL NOMBRE

Características	Regla	Ejemplos
1. Nombre acabado en -E acentuada o en vocales átonas	añade -S	parque – parques casa – casas café – cafés
2. Y, consonantes (menos -S), vocal acentuada (menos -E)	añade -ES	ley – leyes ciudad – ciudades mártir – mártires joven – jóvenes baúl – baúles tabú – tabúes bajá – bajaes rondó – rondoes rubí – rubíes
3. Consonante -S (excepto monosílabos y agudos) y -X	no varía	la dosis – las dosis el análisis – los análisis el tórax – los tórax
4. Consonante -S, monosílabos o palabras agudas, excepto las acabadas en -E.	añade -ES	mes – meses país – países feligrés – feligreses
5. -Z – cambia la -Z por -C	añade -ES	precoz – precoces aprendiz – aprendices
6. Forma no determinada	variada	lord – lores frac – fraques flamen – flámines régimen – regímenes carácter – caracteres

EJERCICIO

✓ Escribe en plural las expresiones:

1. La cruz de la catedral.
2. La mamá del rey.
3. El álbum del marqués.
4. La oración del sacristán.
5. El joven del túnel.
6. La virtud del senador.
7. El maniquí y su perfil.
8. El jabalí, el jaguar y el león del circo.
9. El sofá y el sillón junto a la pared.
10. El jardín con clavel, jazmín, alhelí y otra variedad de flor.
11. El ombú y otro árbol del parque.
12. El reloj del rajá.
13. La crisis de todo el mes.
14. El vaivén del hindú en el jardín.
15. El capataz en la cárcel.

El PVC nos invade

CID

Si hiciéramos caso a un ecologista militante que nos atormentara todos los días con los males del PVC, tendríamos que cambiar mucho nuestros hábitos de vida. Desde que suena el despertador hasta acostarnos, vivimos rodeados de policloruro de vinilo, el nombre científico de un material que se ha convertido en imprescindible en la sociedad actual, pero que puede ser dañino para la salud, según los científicos.

La recomendación es la de que dejemos de lado todo aquello que está hecho con ese material. Pero a la mayoría de la gente le resulta difícil lograrlo: las botellas de aceite y agua, los juguetes de los niños, los plásticos para envolver alimentos, el envase de la mantequilla, la manguera del jardín, los cubos de basura, las ventanas... y así una lista casi interminable. Tendríamos prácticamente que hacer una casa nueva.

Para los ecologistas, la existencia del PVC genera un número excesivo de problemas en la naturaleza y los seres humanos. Los bajos costes de este plástico organoclorado no contemplan su tremenda repercusión ambiental. El peligro del PVC abarca todo su ciclo de vida útil, tanto en el proceso de producción, como durante su vida útil, pero sobre todo es a la hora de su eliminación como residuo cuando los riesgos se suceden, amenazando la atmósfera, el medio acuático y el suelo.

Una de las características de los productos derivados del cloro, como el PVC, es su estabilidad, mostrando una tenaz resistencia a incorporarse a los ciclos de la naturaleza. A esta persistencia se le añade su alta toxicidad para los seres vivos. Los daños se centran, especialmente, en los sistemas inmunitario, reproductor, endocrino y nervioso, además de una amplia variedad de cánceres, tanto en animales como en los seres humanos, debido no sólo al cloro, pero a una cantidad de aditivos tóxicos, imprescindibles para que el PVC se convierta en producto de consumo: ftalatos, metales pesados (zinc, cadmio, plomo, estaño, bario).

Pero los industriales no reconocen los efectos nocivos de la producción del PVC o sus negativos efectos como desecho, denunciado por los ecologistas. Mientras tanto, seguimos en medio a la oferta masiva de productos a base de PVC. ¿Hasta cuándo?

Cambio 16, España, nº 1395, 24 ago.1998. Adaptado.

COMPRENSIÓN E INTERPRETACIÓN DEL TEXTO

1. Tras leer el texto, justifica el título.
2. ¿Por qué nos resulta difícil vivir sin el PVC en nuestro cotidiano, según el texto? ¿Cómo lo demuestras?
3. ¿En qué se basa el peligro de la utilización del PVC en la esfera doméstica y ambiental?
4. Por tratarse de un texto informativo y argumentativo a la vez, se nota una posición clara respecto a la utilización del PVC en los hogares. ¿Qué posición es ésa y cómo la podemos constatar en la lectura? Toma elementos del texto para justificarlo.
5. Pese a los daños y riesgos denunciados, el PVC sigue largamente empleado en la industria de artefactos domésticos. ¿Por qué eso ocurre?
6. En tu opinión, ¿qué podríamos hacer para disminuir el impacto del PVC en nuestra vida?

GÉNERO DEL NOMBRE

Formación del femenino

1. **Con terminaciones.** Palabras acabadas en O y E cambian dichas vocales en A: alumno > alumna; estudiante > estudianta. Palabras acabadas en consonante reciben una A: profesor > profesora.

2. **Con palabras distintas.**

Masculino			Femenino		
hombre	padre	yerno	mujer	madre	nuera
toro	caballo		vaca	yegua	

3. **Determinado por el artículo.**

Masculino	Femenino
el oculista	la oculista
el pacifista	la pacifista
el artista	la artista
el testigo	la testigo
el analista	la analista

4. Determinado por *macho/hembra* (epicenos).

Masculino	Femenino
el pez macho la hiena macho	el pez hembra la hiena hembra

5. Con ciertas terminaciones.

	Masculino	Femenino
en-ESA	abad	abadesa
en-ISA	poeta	poetisa
en-INA	héroe	heroína
en-TRIZ	actor	actriz

EJERCICIO

✓ Señala si las palabras son masculinas o femeninas.

	M	F		M	F		M	F
oasis			albañil			mantón		
hacha			interés			clavel		
colegial			violín			lombriz		
pañal			lección			semblante		
zángano			talón			muelle		
timbre			alcalde			nostalgias		
niebla			lumbre			balcón		
mano			hambre			invención		
cárcel			estoque			nube		
marfil			encaje			estación		

INTERDISCIPLINAS

Biología / Química / Física. Abajo encontrarás contextos en los que se emplea el PVC. Busca identificar los elementos en que se lo emplea actualmente. Luego, presenta alternativas para la sustitución del PVC en dichos contextos.

Modelo:

Envases y embalajes	Material eléctrico	Automóvil	Mobiliario
botellas rígidas	____________	____________	____________

Construcción de casas	Juguetes	Vestuario	Uso sanitario	Artículo de oficina
____________	____________	____________	____________	____________

Historia. Investiga y di al grupo cómo eran las cosas antes de la utilización del PVC en la vida doméstica y en el trabajo del hombre.

JUEGUITO

Lee el siguiente texto y da la respuesta adecuada. Puedes emplear esquemas o dibujos para hacerlo.

¿Quién se sienta en qué lugar?

Isaura organizó una comida a la que asistieron nueve amigas. A la hora de pasar a la mesa, Lolis e Irene se sentaron cada una al lado de Teresa, pues querían conversar con ella.

Isaura le cedió la cabecera a Irma, pues esta última deseaba estar lo más lejos posible de Marcela.

Gloria, que se sentó justo enfrente de Teresa, no pudo charlar con Irma, ya que Ana, quien se encontraba a su derecha, se interponía entre ellas.

Sofía se sentó junto a Irene y, finalmente, Isaura se colocó junto a Gloria e invitó a Blanca para acompañarla a su lado.

GIRANDO EL PASO

Señala en el mapa el nombre de los países de lengua española, sus capitales y su población.

INFO

Con el auxilio del *composer de Netscape*, elabora una página en Internet en la que hablas de tu familia. Construye tu árbol genealógico. Para tanto, puedes utilizar fotos.

VERBOS DE IRREGULARIDAD COMÚN

1ª Conjugación

VERBOS EN -AR CON DIPTONGACIÓN			VERBOS EN -AR CON DIPTONGACIÓN		
1) E > IE 1ª, 2ª, 3ª personas de singular 3ª persona de plural			**2) O > UE 1ª, 2ª, 3ª personas de singular 3ª persona de plural**		
pensar	yo	p**ie**nso	contar	yo	c**ue**nto
acertar	tú	p**ie**nsas	acordar	tú	c**ue**ntas
atravesar	él/ella	p**ie**nsa	acostar	él/ella	c**ue**nta
calentar	usted	p**ie**nsa	colgar	usted	c**ue**nta
comenzar	*nosotros*	*pensamos*	costar	*nosotros*	*contamos*
despertar	*vosotros*	*pensáis*	demostrar	*vosotros*	*contáis*
empezar	ellos/ellas	p**ie**nsan	mostrar	ellos/ellas	c**ue**ntan
encerrar	ustedes	p**ie**nsan	recordar	ustedes	c**ue**ntan
gobernar			rogar		
negar			sonar		
sentar			volar		

2ª Conjugación

VERBOS EN -ER CON DIPTONGACIÓN			VERBOS EN -ER CON DIPTONGACIÓN		
1) E > IE 1ª, 2ª, 3ª personas de singular 3ª persona de plural			**2) O > UE 1ª, 2ª, 3ª personas de singular 3ª persona de plural**		
querer	yo	qu**ie**ro	volver	yo	v**ue**lvo
defender	tú	qu**ie**res	doler	tú	v**ue**lves
encender	él/ella	qu**ie**re	devolver	él/ella	v**ue**lve
perder	usted	qu**ie**re	envolver	usted	v**ue**lve
tender	*nosotros*	*queremos*	morder	*nosotros*	*volvemos*
atender	*vosotros*	*queréis*	poder	*vosotros*	*volvéis*
extender	ellos/ellas	qu**ie**ren	mover	ellos/ellas	v**ue**lven
verter	ustedes	qu**ie**ren	moler	ustedes	v**ue**lven

3ª Conjugación

VERBOS EN -IR CON DIPTONGACIÓN			VERBOS EN -IR CON DIPTONGACIÓN		
2) E > IE 1ª, 2ª, 3ª personas de singular 3ª persona de plural			**3) O > UE 1ª, 2ª, 3ª personas de singular 3ª persona de plural**		
advertir	yo	adv**ie**rto	dormir	yo	d**ue**rmo
divertir	tú	adv**ie**rtes	morir	tú	d**ue**rmes
consentir	él/ella	adv**ie**rte		él/ella	d**ue**rme
preferir	usted	adv**ie**rte		usted	d**ue**rme
sentir	*nosotros*	*advertimos*		*nosotros*	*dormimos*
mentir	*vosotros*	*advertís*		*vosotros*	*dormís*
herir	ellos/ellas	adv**ie**rten		ellos/ellas	d**ue**rmen
convertir	ustedes	adv**ie**rten		ustedes	d**ue**rmen

EJERCICIO

✓ Completa las preguntas que siguen y contesta libremente, pero de manera completa, empleando los verbos entre paréntesis en *presente de indicativo*.

1. ¿ Se (acordar) ____________ bien Ricardo de la hora de la clase de español? ____________
2. ¿Qué (almorzar) ____________ tú generalmente? ____________
3. ¿Para qué (sonar) ____________ el timbre del despertador? ____________
4. ¿(Costar) ____________ mucho un auto importado? ____________
5. ¿Hay algún mamífero que (volar) ____________ ? ____________
6. ¿(Aprobar) ____________ tus padres que fumes? ____________
7. ¿(Temblar) ____________ mucho Isabel y Paco cuando están nerviosos? ____________
8. ¿Le (sentar) ____________ bien a usted la sopa de porotos? ____________

9. ¿(Concordar) ________________ ustedes con el resultado del partido de anoche? ________________

10. ¿(Pensar – vosotros) ________________ que el monasterio es la única salvación para Pablo? ________________

11. ¿Cómo (calentar – tú) ________________ tus manos en invierno? ________________

12. ¿Con qué (soñar) ________________ Miguel y Guido cuando (dormir) ________________? ________________

13. ¿(Entender – tú) ________________ los verbos de esta prueba? ________________

14. ¿(Poder – tú) ________________ prestarme tus apuntes de clase? ________________

15. ¿Cuándo (volver) ________________ Mariana de su viaje a Cuba? ________________

16. ¿(Morder) ________________ mucho los cachorros de perro? ________________

17. ¿Cómo se (sentir) ________________ el que no estudió para esta prueba? ________________

18. ¿Se (dormir) ________________ Paula mientras asiste a las clases? ________________

19. ¿(Preferir) ________________ que yo te diga toda la verdad? ________________

20. ¿(Soler – tú) ________________ comer pasta con frecuencia? ________________

REPASÁNDOLO

✓ Copia de los dos poemas estudiados las palabras agudas y esdrújulas.

AL DICCIONARIO

1. Busca el origen de las siguientes palabras:

padre	madre	hermano	amigo	colega

2. Ahora compara las formas en español con las del portugués y di en qué aspectos son semejantes en esos dos idiomas.

LENGUACURIOSA

Forman parte del *vocabulario cubano* corriente las palabras abajo.

Plaza de La Revolución.

FOTOS: JÚLIO ASSIS SIMÕES

Amarillo	Cobarde: Aquel hombre es un tipo amarillo.
Caballo	Amigo: ¿Cómo estás, caballo?
Curralo	Trabajo: Voy pa'l curralo.
Embori	Delator: Ten cuidado con aquél, que es embori.
Facho	Robo: El facho fue al amanecer.
Fardo	Pantalón: ¿Cuánto te costó el fardo?
Fuca	Pistola: La fuca desapareció.
Gao	Casa, domicilio: El gao se me está cayendo.
Güiro	Fiesta: Esta noche tenemos un güiro en mi casa.
Jama	Comida, sustento: La jama ya está fría.
Lima	Camisa: Hoy me estrené la lima nueva, la de manga larga.
Macri	Hombre blanco: Ese macri no es de aquí.
Monada	Policía, autoridad: La monada está revuelta.
Nébole	Amigo, compañero: ¡Hace cuánto no te veo, nébole!
Pasta	Dinero: Ya trajeron la pasta.
Pincha	Trabajo, faena: Está muy dura esta pincha.
Pura(o)	Madre(padre): Voy a visitar a mi pura.
¡Qué bolá!	¿Cómo estás? ¿Cómo te va?: Lucía, ¡qué bola!
Quemar el tenis	Ir a la carrera: Ahí viene Ana quemando el tenis.
Romperse	Morir: Mi vecino se rompió.
Tacle	Engaño, embuste: Con tacles no me vas a convencer.
Tembana	Mujer de edad madura: La tembana está muy conservada.
Teque	Discurso, explicación prolongada y exasperante: No me vengas con teques, chico.
Yira	Dinero: Estoy sin yira.

Consideraciones acerca del vocabulario cubano. Leonardo Depestre Catony. La Habana, Cuba, Editorial de Ciencias Sociales, 1985.

A DIARIO 5

FOTOS: CID

Un amigo puede compararse como la obra maestra de la naturaleza.

Ralph W. Emerson (1803-1882), poeta estadounidense.

Las ocho actitudes que enloquecen a su pareja

1. Espere cobrar algún día todo el sacrificio y abnegación que puso en la relación de pareja.
   Lleve minuciosamente todas las cuentas y explote cada vez que sienta que después de todo el esfuerzo que le costó, la recompensa no llega a su debido tiempo y lugar.
   Sacrifíquese al máximo y écheselo en cara hasta dormido.
2. Constantemente dedíquese a probar y demostrar que su manera de pensar y actuar en la vida es la más correcta.
   Considere que es imposible equivocarse y haga cualquier cosa (incluso cosas sucias) para demostrar que usted y sólo usted es quien tiene la razón. Esté siempre a la defensiva y no escuche nuevas informaciones.
3. Tenga muy en cuenta todos los aspectos negativos de su pareja y exagérelos al máximo.
   Por ejemplo, si él es muy trabajador, pero malo con los elogios, atáquelo por ahí. Dígale todos los días que es un insensible y un nada demostrativo, igual que el padre.
4. Tenga una lista de reglas inflexibles sobre como *debe* actuar su pareja ante cada situación.
   Actúe con él o ella como si sus reglas personales fueran discutibles y lógicas.
   Oblíguelo a comportarse de la manera correcta, adopte la posición de un juez inflexible.
5. Culpabilice a su pareja, hágala responsable por todos sus sufrimientos en esta vida.
   Si está triste porque llueve, la culpa la tiene su marido porque no la sabe entretener. Si engordó seguro que la culpa la tiene ella que hace comidas tan ricas. Si se pelea con su mamá la culpa la tiene él que la invitó a pasar el día.
6. Perciba todas las cosas en su pareja de manera extremista, sin términos medios.
   Vea la relación o como excelente o como terrible, nunca distinga los diferentes matices posibles.
   Viva en el paraíso o en el infierno, pero nunca en la tierra.
   En definitiva, nunca vea a su pareja como lo que es: un ser humano con virtudes y defectos.
7. Si su pareja en algún momento hace algo malo, suponga obsesivamente que esto va a ocurrir una y otra vez.
   Por ejemplo: si alguna vez su pareja se separó transitoriamente de usted (aún cuando ahora estén juntos) piense obsesivamente que en cualquier momento lo va a volver a hacer, pero esta vez en forma definitiva.
8. Siempre suponga que su pareja cambiará para "adaptarse" a usted, si la presiona lo suficiente.
   Obligue tenazmente, como si su felicidad dependiera exclusivamente de que él o ella cambie para adaptarse a sus caprichos y gustos personales.

EKROTH, Gustavo. *El País*, Uruguay, 2 ago. 1998.

COMPRENSIÓN E INTERPRETACIÓN DEL TEXTO

1. Abajo encontrarás sugerencias más positivas para intentar solucionar los problemas planteados por el texto. Lee con atención las alternativas posibles y pon el número correspondiente al enunciado del texto.

   (3) Si ocurre alguna desgracia, un inconveniente o cualquier desastre natural con su pareja, evite pensar obsesivamente que eso se va a convertir en un hábito. Muy generalmente las profecías negativas se autorrealizan.

   (5) Recuerde que lo más importante en la relación es el sentimiento que los une y lo menos importante es saber cuál de los dos tiene la razón.

   (2) Perciba su relación de una manera objetiva, equilibrada, sin irse a los extremos, o todo bueno o todo malo. Sepa discriminar los distintos matices; en la vida en pareja las cosas nunca son blancas o negras.

   (1) En todo momento realce, valore y tenga en cuenta cada uno de los aspectos positivos de su compañero en la vida. Préstele lo mínimo posible de atención a los ocasionales "fallos" de su pareja.

   (4) Acepte a su pareja tal cual es. No intente cambiarla ni reformarla (ya está demasiado grande para eso).

   (6) Si da algo y ama, no espere nada a cambio, salvo el placer de poder dar la felicidad a la persona que quiere.

   (7) Hágase cargo de sus propios errores y decida corregirlos. Olvídese de culpabilizar a su pareja, eso no arreglará absolutamente nada y empeorará todo.

   (8) No tenga prejuicios y parcialidad acerca de como debe actuar su pareja ante cada situación. Reconozca que su compañero en la vida es un ser único, libre e independiente, que mal o bien tiene sus propias maneras de ver al mundo. Sea respetuoso y reverente frente a sus gustos, preferencias, actitudes y filosofía de vida.

2. El texto se presenta todo en 3ª persona de singular. Observa atentamente las órdenes y consejos ofrecidos y pásalos ahora a la 2ª persona de singular. Para eso, consulta la tabla con los verbos en imperativo de esta unidad.

PRÁCTICA DE ESCRITURA

✓ Elige una de las opciones abajo y redacta tú también "ocho actitudes" capaces de poner completamente locas a esas personas:

a) padre;
b) madre;
c) hermanos;
d) amigos;
e) vecinos;
f) compañeros de clase;
g) profesores;
h) tú mismo.

PRÁCTICA ORAL

✓ Tras escuchar lo que han escrito tus compañeros de clase sobre "las ocho actitudes" enloquecedoras, da tu solución para cada caso.

LECTURA

En la *narración* importa al narrador considerar los siguientes aspectos:

El *escenario*, donde sucede la acción, sea real o imaginaria.

Los *hechos*, que se desarrollan.

El *asunto*, que define el motivo central, sucedido o inventado.

El *tiempo* en que ocurren los hechos.

Los *personajes*, que ejecutan la trama.

El *narrador*, que es la persona que cuenta la historia.

La relación entre esos elementos forma la *acción*, eje del género narrativo, la marcha o el desarrollo de la narración.

La *trama* es la parte central del relato. En ella se suceden hechos y aventuras que se relacionan y complican a medida que avanza la narración.

El hálito del dolor

Y sucedió — me contaba Luís — que una noche, una de esas maravillosas noches estivales de España, a fuerza de mirar y remirar los astros desde mi balcón y meter mi alma entre ellos, como si dijéramos, tuve un pequeño éxtasis (...)

Y soñé — o aconteció — (vaya usted a saberlo) que un ángel, amigo mío, porque suelo tener amistades aladas, vino a verme, invisible para los demás; y, movido de mi poderosa sed de vuelo, de mi invencible curiosidad estelar, me ofreció el brazo, que yo me apresuré a aceptar, y se lanzó conmigo al vacío, como acontece o debe acontecer en algunos poemas.

Yo, estupefacto al principio, con vértigo de la altura, que poco a poco fue desapareciendo, quedé encantado después: como que el espectáculo que fue ofreciéndose a nuestra vista no era para menos.

Veíamos el ángel y yo girar la Tierra a nuestros pies, y nos divertía sobremanera la alternativa de luz y de sombra a que la rotación iba sometiendo a las diversas zonas.

Las naciones, hormigueantes de hombres atareados en fruslerías ridículas u ocupados en destruirse y aniquilarse, iban con graduación suavísima, debida a la atmósfera, recibiendo el diario baño misericordioso y tibio de sol.

En torno de nosotros, chispeantes millares de estrellas.

Arriba, abajo, delante, detrás, adonde quiera que volviese yo la mirada, el lejano esplendor de los astros me salía al paso.

Las nebulosas, con la incomparable tenuidad de su fulgor pálido, servían como de fondo al espectáculo supremo y como tela dorada al estuche de pedrería estelar.

Al volver mis ojos a nuestro planeta, del que nos hallábamos tan cerca, pude advertir que algo indescriptible se desprendía lenta, pero continuamente, de su orbe.

Era como un vapor sutil, como un humillo delicado y leve, como una imponderable

REPRODUÇÃO

Amado Nervo (1870–1919) nació en Tepic, Nayarit, México. Escribió crónicas, novelas, cuentos y ensayos. Es uno de los poetas mexicanos más destacados. Su poesía revela preocupación por la fugacidad de la existencia y el misterio de la muerte. Ese modernista publicó *Perlas negras, Serenidad* y *Cuentos y crónicas*, del que sacamos el presente texto.

nébula, como una bruma vaga, como un hálito apenas perceptible, que el planeta fuese dejando en el espacio, a medida que efectuaba su traslación en torno del sol.

Y aquella bruma, aquella niebla ingrávida, al exhalarse de la Tierra, al atravesar su atmósfera, era opaca: mas, en cuanto salía al espacio, se volvía luminosa, con una luminosidad fosforescente y nacarada, de belleza indecible.

Los diversos jirones de la casi inmaterial emanación, en cuanto se desprendían de las capas atmosféricas, iban aproximándose los unos a los otros, y soldábanse al fin en el espacio, formando una gasa trémula que parecía hecha de la sustancia misma del ensueño.

Esta gasa, con ondulación graciosa, de un ritmo lleno de majestad, se alejaba, se alejaba en el infinito, sin dejar de soldarse a las nuevas emanaciones del planeta, de modo que parecía como un gigantesco chal en que hubiera estado envuelto el mundo, y del que ahora fuese desenvolviéndose en fuerza de su rotación.

El remate de la cauda se perdía en el éter, como el apéndice de un cometa que no tuviese límites, como lucífero huso de oro, enrarecido, casi inconsciente, de una extraña luz zodiacal; como escala mística, tendida entre la Tierra y un punto del infinito.

Maravillado permanecí en contemplación, no sé cuánto tiempo, y al fin pregunté al ángel la naturaleza y origen de lo que veía.

— Es el hálito del dolor humano — me contestó sencillamente —. Ya lo ves, se exhala perenne de todas las almas; surge opaco, espeso..., luego va sutilizándose; tórnase luminoso, asciende, asciende...

— ¿Hasta dónde?

— Hasta el núcleo mismo del universo.

— ¿Y para qué?

... Por la cara del ángel pasó cierta expresión de misterio.

— Es una sustancia prodigiosa — respondió —, de la que Dios se sirve para cosas muy grandes... Él la condensa y la plasma para fines arcanos y eternos.

No me atreví a preguntar más, y el ángel y yo nos alejamos silenciosamente.

NERVO, Amado. "Cuentos y crónicas". *Educación media básica - Español.* México, Secretaría de Educación Pública, 1991.

Comprensión e interpretación del texto

1. Haz tus consideraciones sobre los personajes del cuento.
2. ¿ Cómo describe el texto al universo?
3. Justifica el título del cuento. ¿Qué otro título le darías?
4. ¿Qué sentimientos se percibe en Luís? Justifícalos.
5. ¿Cuál es el mensaje del texto?
6. Haz un resumen del cuento.

7. Haz tu dibujo ilustrando el cuento.

8. Busca en el diccionario el significado de las siguientes palabras y elabora frases con ellas.

balcón	humillo	huso
fruslerías	bruma	sutilizar
chispeantes	ingrávida	arcanos
hallarse	jirones	chal
advertir	capas	

COMERCIO RARO

Busco a una mujer joven y bonita para relacionamiento serio y duradero. Soy un anciano muy pobre, pero muy rico de sueños y cariño. Soñador, calle de los Suspiros, 100.

PARADIGMA DE LOS VERBOS REGULARES

1ª Conjugación

	MODO INDICATIVO				MODO IMPERATIVO	
	Presente	Indefinido	Imperfecto	Futuro	Afirmativo	Negativo
AM	-o	-é	-aba	-aré	—	—
	-as	-aste	-abas	-arás	-a	(no) -es
	-a	-ó	-aba	-ará	-e	-e
	-amos	-amos	-ábamos	-aremos	-emos	-emos
	-áis	-asteis	-abais	-aréis	-ad	-éis
	-an	-aron	-aban	-arán	-en	-en

	MODO SUBJUNTIVO				MODO POTENCIAL	GERUNDIO
	Presente	Imperf. I	Imperf. II	Futuro	Simple	
AM	-e	-ara	-ase	-are	-aría	am**ando**
	-es	-aras	-ases	-ares	-arías	
	-e	-ara	-ase	-are	-aría	PARTICIPIO
	-emos	-áramos	-ásemos	-áremos	-aríamos	
	-éis	-arais	-aseis	-areis	-aríais	am**ado**
	-en	-aran	-asen	-aren	-arían	

EJERCICIOS

1. Sigue el modelo:

> Cantar una canción. (tú)
> Cantaste, cantas y cantarás una canción.

a) Caminar mucho. (nosotros)
b) Mirar el cielo. (yo)
c) Preguntar sobre la lección. (ella)
d) Realizar la tarea. (vosotros)
e) Practicar gimnasia. (ella y yo)
f) Expresar su opinión. (ustedes)
g) Viajar en barco. (ellos)
h) Hablar con Manuel. (Ana y yo)
i) Narrar el hecho. (Marta y Ruy)
j) Guardar la ropa. (usted)
k) Olvidar este mal. (mi madre)
l) Plantar maíz. (tu padre)
m) Lavar la cortina. (tú)
n) Alegrarse con la noticia. (mi madre)
ñ) Limpiar la casa. (vosotras)

2. Con las frases del ejercicio 1, sigue el modelo.

> Cantar una canción. (tú) Alegrarse.
> Cantando una canción, te alegrarás.

a) Adelgazar.
b) Inspirarse.
c) Comprenderla.
d) Descansar.
e) Alegrarse.
f) Sentirse bien.
g) Distraerse.
h) Informarse.
i) Ayudar a los amigos.
j) Conservarla.
k) Calmarse.
l) Ganar dinero.
m) Ocuparse.
n) Animarse.
ñ) Cansarse.

3. Con las mismas frases del ejercicio 1, sigue el modelo.

> Cantar una canción. (tú)
> Es necesario que cantes una canción. Si fuera posible, cantarías una canción.

RECANTO

✓ Escucha, completa y canta.

Entre la línea del bien y la línea del mal

Donato y Estéfano

Entre la línea del bien y la línea del mal
Entre la línea del bien y la línea del mal

Desde hoy voy a ________________ en toda dirección,
En mi destino ________________ una predicción:
________________ los astros ________________
Que ________________ pronto tú.

Entre la línea del bien y la línea del mal
Ando ________________ tu luz desde la oscuridad.
Entre la línea del bien y la línea del mal
Hay un espacio vacío que tu ________________ .

Escándalo en mis sentidos, hay revolución:
Tú más yo, tú qué multiplicación,
Fuego ________________ de provocación
Y en mis memorias, Tú.

Entre la línea del bien y la línea del mal...

Cruzar el puente de tu encanto
Ésa es la química que ________________ este amor.

________________ días llevo sin ver
Las cartas que ________________ en el tarot.
Los ángeles y arcángeles ________________ ver
Que en tu boca se ________________ mi salvación.

En los ________________ egipcios, en la caja oculta de Pandora,
En el misterioso Machu Picchu, ya se ________________ nuestra historia
Entre la línea del bien y la línea del mal...

HUMOR

Fama de un escritor

— ¿Por qué es famoso Miguel de Cervantes? — pregunta el profesor a uno de sus alumnos durante una clase.
— Por su buena memoria — responde el alumno. — Porque el otro día vi grabado en un monumento a Cervantes un letrero que decía: "A la memoria de Cervantes".

Dolor

— Ese dolor que tiene en la pierna, señora, no es nada. Es por la edad...
— ¡Pero, doctor! ¡La otra tiene la misma edad y no me duele!

2ª Conjugación

	MODO INDICATIVO				MODO IMPERATIVO	
	Presente	Indefinido	Imperfecto	Futuro	Afirmativo	Negativo
TEM	-o	-í	-ía	-eré	—	—
	-es	-iste	-ías	-erás	-e	(no) -as
	-e	-ió	-ía	-erá	-a	-a
	-emos	-imos	-íamos	-eremos	-amos	-amos
	-éis	-isteis	-íais	-eréis	-ed	-áis
	-en	-ieron	-ían	-erán	-an	-an

	MODO SUBJUNTIVO				MODO POTENCIAL	GERUNDIO
	Presente	Imperf. I	Imperf. II	Futuro	Simple	
TEM	-a	-iera	-iese	-iere	-ería	tem**iendo**
	-as	-ieras	-ieses	-ieres	-erías	
	-a	-iera	-iese	-iere	-ería	**PARTICIPIO**
	-amos	-iéramos	-iésemos	-iéremos	-eríamos	
	-áis	-ierais	-ieseis	-iereis	-eríais	tem**ido**
	-an	-ieran	-iesen	-ieren	-erían	

3ª Conjugación

	MODO INDICATIVO				MODO IMPERATIVO	
	Presente	Indefinido	Imperfecto	Futuro	Afirmativo	Negativo
PART	-o	-í	-ía	-iré	—	—
	-es	-iste	-ías	-irás	-e	(no) -as
	-e	-ió	-ía	-irá	-a	-a
	-imos	-imos	-íamos	-iremos	-amos	-amos
	-ís	-isteis	-íais	-iréis	-id	-áis
	-en	-ieron	-ían	-irán	-an	-an

	MODO SUBJUNTIVO				MODO POTENCIAL	GERUNDIO
	Presente	**Imperf. I**	**Imperf. II**	**Futuro**	**Simple**	
	-a	-iera	-iese	-iere	-iría	part**iendo**
	-as	-ieras	-ieses	-ieres	-irías	
PART	-a	-iera	-iese	-iere	-iría	**PARTICIPIO**
	-amos	-iéramos	-iésemos	-iéremos	-iríamos	
	-áis	-ierais	-ieseis	-iereis	-iríais	part**ido**
	-an	-ieran	-iesen	-ieren	-irían	

PORTALENGUA

FOTOS: CID

Información personal

¿Cómo se/te llama(s)? Me llamo...
¿Qué edad tiene(s)? Tengo... años.
¿Dónde vive(s)? Vivo en Brasilia/...
¿Qué hace(s)? Soy azafata/...
¿Con quién(es) vive(s)? Vivo con mis padres/...
¿Cuál (es) tu/su dirección? (Es) Calle Esperanza, ...
¿Dónde trabaja(s)? (Trabajo) en Aerolíneas Argentinas/...
¿(Cuál es) tu/su estado civil? Soy soltera/casada/viuda/...
¿Practica(s) algún deporte? Hago gimnasia y juego voleibol.
¿Qué (no) te/le gusta hacer? Me gusta (mucho) caminar/bailar/...
¿Qué hace(s) los sábados/domingos...? Camino/descanso/voy a...
¿A qué hora se/te levanta(s)? Me levanto a las...

Desear algo a alguien

- Acogida oficial:

  Bienvenido a...
  Te/Le damos la bienvenida...
  ¡Feliz día/cumpleaños/aniversario/navidad/año nuevo! ¡Felices navidades/fiestas/pascuas!
  Muchas felicidades.

- **En un viaje:**

  (Que tenga/tengas) Buen viaje.

- **Hacer algo difícil (exámenes...):**

  (Le/te deseo) (Que tenga/tengas) (mucha) suerte.
  Que la suerte te/le acompañe.

- **Alguien ha tenido suerte:**

  Felicidades.
  (Mi sincera) Enhorabuena.

- **En desgracias, fracasos, contratiempos, enfermedades:**

  Que se/te recupere(s) / se/te ponga(s) bien (muy) pronto.
  Cúidese. Cúidate.
  Esto pasará (muy) pronto.

- **En las comidas:**

  Buen apetito
  A tu/su salud/Brindemos por.../
  Chin, chin...

- **Ir a dormir:**

  Buenas noches./Hasta mañana./
  Felices sueños.

- **Despedirse:**

  Adiós/Que vuelva(s) (muy) pronto.
  Espero verlo/verte (muy) pronto.
  Hasta luego/pronto/otro día.

ComunicHABLE

✓ Escucha el diálogo y escribe las palabras que faltan. Escucha nuevamente. ¿Todo correcto? ¡Enhorabuena!

DIÁLOGO: Encuentro casual

María: ¡Dios mío! ¡No puedo creer! ¿Eres Cristina?

Cristina: Sí. ¡María! ¡No puede ser! ¡ ______________ tiempo!

María: Sí. Éramos ______________ inseparables en nuestro tiempo de ______________ secundarias.

Cristina: Y ya se han pasado doce años.

María: ¿Qué has hecho todo ese tiempo? ¿ ______________ no nos hemos visto más?

Cristina: ¿No te acuerdas? Mi padre recibió una propuesta para ______________ en Salvador. Y así me fui a vivir en Bahía.

María: Después de largos años y tantos ______________ pasados, no me acordaba. ¿Por qué nunca me escribiste?

Cristina: ¿Y cómo lo haría? No sabía tu ______________.

María: Verdad. Ni yo la tuya. Pero… bueno, aquí estamos. ¿Qué has hecho? ¿Dónde vives? ¿Y ese niño lindo que está contigo?

Cristina: ¡Cuántas preguntas! Bien, soy arquitecta, he casado hace once años y este ______________ es mi hijo Pedro. Tiene siete años. Tengo también una niña, Valeria, de cinco años. ¿Y tú? ______________ de ti.

María: A ver… En São Paulo estudié Biología y, fue cuando conocí a un estudiante chileno. Nos casamos hace siete años. Tengo dos niñas, una de cinco y otra de tres años. Mi marido y yo trabajamos en la Secretaría de Agricultura.

Cristina: ¿Y qué haces aquí?

María: Vine de paseo. Pues a rever a parientes y a viejos amigos.

Cristina: Tienes que pasar una tarde ______________. Y no me digas que no, ¿eh?

María: Sí. Sí. Con ______________ gusto te visitaré. Y estás invitada a visitarme en São Paulo. Y tú, Pedrito, vendrás con tu ______________ a jugar con mis hijas, ¿sí?

Pedro: ¡Bárbaro! Nos ______________ a la casa de tu amiga, ¿no, mami?

Cristina: Sí, mi amor, por supuesto.

Pedro: ¿Y viajaremos en avión, mami?

Cristina: Sí, ______________. ¿Por qué?

Pedro: ¡Uau! ¡Qué bueno! Me gusta mucho viajar en avión.

Cristina: María, ven a visitarnos mañana, a la hora que te sea mejor. Trae a tus hijas. Mi dirección es calle Castro Alves, 531. Te espero.

María: No perderé por nada esta oportunidad. ¿A las quince está bien?

Cristina: ¡Perfecto! Será una tarde preciosa, mi querida amiga.

María: Gracias, querida Cris. Mañana, entonces. Chau, Pedrito.

Pedro: Chau. Trae a tus hijas, ¿sí? Vamos a ______________ mucho.

María: Por supuesto. Chau.

Cristina y Pedro: Chau. Hasta mañana.

Actividades

1. Elabora pequeños diálogos, empleando los contenidos del Portalengua.
2. Subraya en el texto "El hálito del dolor" los posesivos y los demostrativos.

PIÉNSALO

Dos hombres miran a través de la misma reja, el uno mira el lodo y el otro las estrellas.

Frederick Langbridge, escritor inglés contemporáneo.

Estampalabras

Los verbos

ver la televisión

escribir

leer

correr

bajar

mirar

dormir

entrar

salir

caerse

tirar

empujar

dibujar

hablar

escuchar

reír

ir de compras

estudiar

encontrar

bailar

cantar

pensar

coger

construir

ayudar

saltar

marcharse

llegar

esperar

llevar

abrir

cerrar

andar

SELECTIVIDAD

(Centro Universitário La Salle/Canoas-RS)

ALBERTO ESTEVES/REUTERS-PRESSLINK

Son muchos los pueblos que tienen la tradición del fuego, basada en antiguas costumbres. En Valencia se lleva a cabo el 19 de marzo uno de los mayores espectáculos pirotécnicos del mundo: las Fallas, monumentales y complejas esculturas de madera y cartón, monigotes construidos con ingenio y destreza por laboriosos escultores, pintores, artesanos y dibujadores. Son figuras que se mueven a la risa o el esperpento, como desahogo plebeyo ante situaciones o sucesos políticos, culturales, sociales que rodean a personajes o cosas.

La tradición arranca de tiempos inmemoriales, de los carpinteros quemar a la medianoche de la festividad de San José, su patrón, todos los trastos y saldos que estorbaban. Entre esos objetos se encontraba una especie de percha de cuyos brazos colgaban candiles para alumbrarse en la temporada de invierno, que se los desechaba también porque al aproximarse la primavera, la luz del día era más larga o porque resultaba más cómodo volverlos a construir que guardarlos hasta el año siguiente. Muchos les hacían grabados o colocaban sombrero y ropa en desuso, dando origen así, con el paso del tiempo, al deslumbrante arte fallero, expresión más auténtica y profunda del alma de la ciudad.

1. A alternativa *incorreta*, de acordo com o texto, é

a) As "fallas" são monumentos de madeira queimados à meia-noite do dia da festa de São José.

b) As "fallas" tiveram origem em antigos costumes de carpinteiros que homenageavam seu santo padroeiro.

c) Através das "fallas" se faz alusão a acontecimentos políticos, sociais e culturais.

d) Os carpinteiros usavam como lareira as sobras de madeira para aquecimento no inverno.

e) Monumentais e artísticas esculturas de madeira transformaram-se em fogueiras na festa do padroeiro de Valência.

2. Entre esses objetos havia uma espécie de * com "braços".

a) prateleira
b) armário
c) poltrona
d) biombo
e) cabide

3. A palavra do texto que tem um sentido de grotesco, feio, ridículo, mal-acabado é

a) trastos.
b) monigotes.
c) desuso.
d) saldos.
e) desahogo.

4. * más lindo * arte fallero es * costumbre de la quema y * gigantescas que son las hogueras.

a) El – a la – el – las
b) La – en la – la – los
c) El – del – el – tan
d) Lo – de la – el – como
e) Lo – del – la – lo

5. Visitamos a Valencia y a sus fallas en

a) mil novecientos y ochenta cuatro.
b) mil novecientos y ochenta y uno.
c) mil novecientos ochenta y dos.
d) mil novecientos ochenta tres.
e) mil y novecientos y ochenta.

6. Arte * ingenio son la tónica de las fallas, con las espectaculares esculturas * hogueras.

a) y – u
b) e – o
c) y – y
d) y – o
e) e – u

REPASÁNDOLO

✓ Escribe, por extenso, los números.

28 es considerado un número perfecto, porque es la suma de sus divisores.

34 presidentes el Brasil tuvo, de Deodoro da Fonseca hasta Fernando Henrique (1995-2002).

ÓLEO DE AUTRAN/MUSEU DO EXÉRCITO, RJ

8.848 m de altura tiene el pico más alto del mundo, el Everest.

CID

16 lunas tiene el planeta Júpiter.

CID

264 papas tuvo la Iglesia Católica desde **1523**.

CID

–89,2 °C es la temperatura más baja de la Tierra, en Vostok, Antártida.

CID

✓ **Fíjate en estas cifras. Escríbelas con letras y léelas.**

206 huesos componen el esqueleto humano.

CID

2001 es el año en que empieza el siglo **21** y no el año **2000**.

ROGÉRIO REIS/PULSAR

3,5 toneladas puede pesar un hipopótamo.

CID

1914 es el año del principio de la Primera Guerra Mundial, que terminó en **1918**.

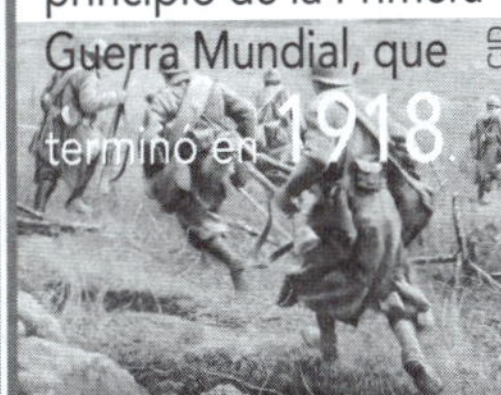

CID

2.796 es el número de lenguas que existen en el mundo.

CID

La Biblia fue traducida en **275** idiomas y el Viejo y el Nuevo Testamentos están traducidos en **1.710**.

CID

6.850 es el número de olores distintos que la nariz puede percibir.

CID

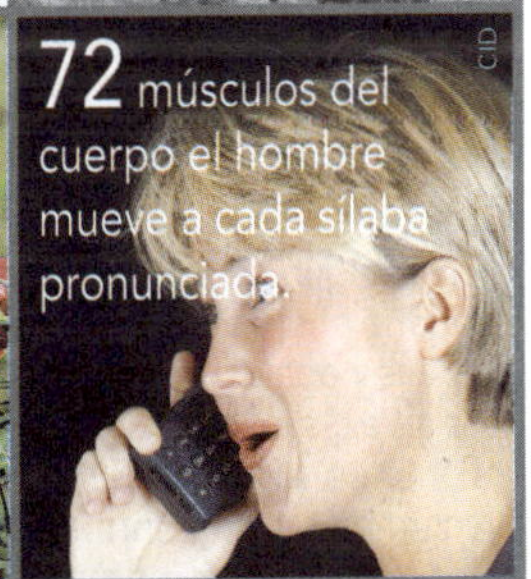

72 músculos del cuerpo el hombre mueve a cada sílaba pronunciada.

CID

De **120** a **150** mil pelos en la cabeza tiene una persona normalmente.

CID

8.511.966,3 km² es el área total de Brasil.

13.700 es el número de islas que forman a Indonesia.

CID

753 es el año en que fue creado el primer calendario por Rómulo.

HORÓSCOPO

✓ Lee con atención las informaciones abajo y encontrarás a tu pareja ideal.

Amor entre signos

Escorpio/Escorpio: Es un chico/una chica super-positivo/positiva y muy emprendedor/emprendedora. Le gustan las cosas rápidas y bien hechas. Detesta la mediocridad y eso te ayudará a mejorar en la escuela y en todos los sentidos. ♥♥♥	**Escorpio/Tauro:** ¡Click!, se escuchará cuando sus miradas se crucen. Un amor de película es lo que te espera con el chavo/la chava de Tauro. La relación será de esas donde puedes adivinar lo que está pensando con sólo ver su mirada o por como mueve la boca. Toma mucho aire porque no dejarás de suspirar ni un minuto. ♥♥♥♥
Escorpio/Sagitario: El chavo/la chava de Sagitario es el/la más independiente. Eso a ti no te late nada porque eres un poco celosa/celoso. La confianza será la clave de tu éxito con este niño/esta niña. Aunque te encante tienes que dejarlo/dejarla ser libre para que la relación funcione. ♥♥	**Escorpio/Géminis:** Acción es lo que encontrarás con este niño/esta niña. Te encanta que siempre haya cosas nuevas para hacer y descubrir. A él/a ella le fascina que seas una chava/un chavo prendida/prendido y que no pierdas detalle de nada. La libertad es sumamente importante para este chavo/esta chava, así que deberás soltarle la rienda de vez en cuando. ♥♥♥♥
Escorpio/Capricornio: El niño/la niña de Capricornio es más terco/terca que una cabra y eso a ti te molesta, ¡te desespera! Tu carácter es demasiado fuerte para este chavo/esta chava y cuando quieras algo, tendrás que empujarlo/empujarla y arrastrarlo/arrastrarla hasta que tome una decisión. ¿Estás dispuesta/dispuesto a cargar con él/con ella? ♥	**Escorpio/Cáncer:** Este chavo/esta chava es de lo más tranquilo/tranquila del mundo y eso es justo lo que te atrae. Toda la pila que traes y tu carácter tan fuerte se verán bien recibidos por el chico/la chica de Cáncer. Ojo, no se trata de un bulto al que puedes maltratar, es decir, este niño/esta niña aguanta tu carácter, pero sin perder ni un gramo de respeto entre los dos. ♥♥♥♥
Escorpio/Acuario: El chavo/la chava de Acuario es impredecible y siempre se preocupa por los demás. Es muy reservado/reservada y eso al principio te sacará de onda. Pero ya que entra en confianza, es de los/las que no puede dejar de hablar. Aprende a compartirlo/compartirla, por supuesto que no con otra chava/otro chavo, sino con la gente que te rodea y aguántate los celos. ♥♥♥	**Escorpio/Leo:** A este gatito/a esta gatita tienes que tratarlo/tratarla con cuidado. Un rasguño puede convertirlo/convertirla en león. Este chavo/esta chava requiere toda tu atención. Le encanta que seas la más cariñosa/el más cariñoso, que lo/la mimes y lo/la consientas. Este niño/esta niña es muy noble y sabe como corresponder a quien lo/la quiere. ♥♥♥
Escorpio/Piscis: Tienen muchas cosas en común. Les gusta divertirse con sus amigos y a la vez buscan pasar algún tiempo solos/solas. La única nube que taparía el sol... ¡adivinaste!, los celos. No soportas que te haga el menor reclamo, pero eso sí, cuando es al revés, el pobre/la pobre no puede ni balbucear. Ponte en sus zapatos y comprende que los celos, con medida, son normales y todos tienen derecho a expresar lo que sienten. Échale ganas y mucha cabeza, no te arrepentirás. ♥♥♥	**Escorpio/Virgo:** Con este chavo/esta chava te sacaste la lotería. Los dos se admiran muchísimo. A él lo vuelven loco las chavas inteligentes y decididas/a ella la vuelven loca los chavos inteligentes y decididos, mientras que a ti te fascinan los chavos sinceros y críticos/las chavas sinceras y críticas. ¡Felicidades!, y échale muchas ganas. ♥♥♥♥
Escorpio/Aries: Los dos tienen un carácter super-fuerte, o sea, que se pelean por ver quién puede más. Sin embargo, librarán la batalla si se frenan un poco. Deberán tener mucho cuidado a la hora del pleito: cero gritos, prohibidos los sombrerazos y de plano, si están muy enojados, elijan el famoso "mañana nos vemos", o "te hablo al rato". La disposición hará que este noviazgo no se pierda en un cajón. ♥♥	**Escorpio/Libra:** Deja de buscar, porque con el niño/la niña de Libra encontrarás el tesoro del arca perdida. La relación con él/ella será de equipo. Le encanta que lo/la celes, respeta tus decisiones y antes de empezar cualquier pelea, trata de averiguar la causa. Con este chavo/esta chava las cosas no tendrán complicaciones y tendrán una relación de "pelos". ♥♥♥♥

Actividades

1. Busca en el diccionario las palabras desconocidas.

2. Averigua con tu profesor el sentido de las expresiones abajo y apúntalas:

   a) Ser más terco que una cabra.
   b) Sacar de onda.
   c) Entrar en confianza.
   d) La nube que taparía el sol.
   e) Ponerse en los zapatos de alguien.
   f) Echar ganas.
   g) (Tener) mucha cabeza.
   h) Librar la batalla.
   i) Hablarle a alguien al rato.
   j) No perderse algo en un cajón.
   k) Ser un amor de película.
   l) Tomar aire.
   m) Ser/estar prendido.
   n) No perderse detalle.
   ñ) Soltar la rienda.
   o) Traer/tener pilas.
   p) Consentir a alguien.
   q) Sacarse la lotería.
   r) Tener una relación de pelos.
   s) Latir algo a alguien.

3. Di en qué contextos la unión de las personas de Escorpio se muestra más favorable. Justifica tu respuesta con base en lo que has leído.

4. Ahora haz lo contrario de la actividad 3 y apunta los casos en que las personas de Escorpio se encuentran con más problemas para mantener su relación amorosa. No te olvides de justificarlo.

5. ¿Qué significan los corazones que aparecen al final de cada descripción?

Práctica de escritura

✓ Haz tus pronósticos, partiendo de tu signo y confrontándolo con otros dos del zodiaco. Puedes auxiliarte de las informaciones contenidas en el texto.

Práctica oral

✓ Di al grupo qué cosas más te gustan y las que menos te gustan en las personas en general. Puedes partir de las características presentes en la tabla anterior.

ACTIVIDAD

✓ A continuación te damos otras informaciones sobre los signos del zodiaco. Pon atención en lo que debes hacer en cada caso, según convenga. Observa los datos y completa la tabla.

SIGNOS	Cómo conquistarle	Cómo conservarle	Cómo dejarle
ARIES 	Ser muy popular, estar en la cresta de la ola. Se fijará en ti, se quedará totalmente deslumbrado/ deslumbrada.	Estar guapo/guapa, contactar su mente y sus intereses.	Estar desconectado, al borde de todo, sin interesarte por las novedades.
TAURO 	Estar siempre bello/ bella, inteligente y con estilo.		Mostrarse ajeno/ajena a los intereses de su pareja.
GÉMINIS 	Hacer deporte, gimnasia.	Practicar deportes y cuidar siempre de la forma física.	
CÁNCER 		Estar muy atento/atenta a sus gustos y serle muy compañero/compañera.	Decirle todo sin cualquier cuidado, de modo objetivo y directo.
LEO 		No hay que hacer nada. Basta darle tiempo para que tome sus decisiones y poner atención en todo lo que hace él/ella.	Dialogar con muchos argumentos. No hacer las cosas sin un motivo muy fuerte.
VIRGO 	Hablarle sobre cosas interesantes y a la vez sencillas. Ser un tipo especial, único.	Mantener el sentimiento romántico y, por otra parte, muy realista de las cosas.	

LIBRA 	Darle total libertad, pero sin perderlo de vista.	Mantener una relación basada en la confianza.	
ESCORPIO 	Unirse a su círculo de amistades y adaptarse a su mundo de proyectos y de sueños.	Compartir sus ilusiones, sus gustos, su mundo.	
SAGITARIO 	Dejarse rendir por sus encantos. Demostrarse seducido/seducida por su personalidad magnética.		
CAPRICORNIO 	Compartir la vida cada día y ver al mundo bajo objetivos muy claros.		
ACUARIO 			Dejarlo solo con sus amigos, no hacerle caso.
PISCIS 		Darle seguridad. Lo mejor es tener una relación tranquila, rutinaria, poder ir a los mismos sitios.	

POSESIVOS Y DEMOSTRATIVOS

Observa

Este libro es tuyo.
Éste es tu libro.

Hay algunas cosas a considerar:

1º) Palabras que dan idea de pose, el poseedor. Son los *posesivos*.
2º) Palabras que dan idea de mostrar, indicar. Son los *demostrativos*.
3º) El distinto uso de posesivos (mi – mío) y de demostrativos (este – éste).

POSESIVOS

1. Objetos poseídos	**Cantidad ⇓ / ⇒**	**Uno**	**Varios**
2. Poseedores	**Uno**	1ª persona: mi, mío(a) 2ª persona: tu, tuyo(a) 3ª persona: su, suyo(a)	mis, míos(as) tus, tuyos(as) sus, suyos(as)
	Varios	1ª persona: nuestro(a) 2ª persona: vuestro(a) 3ª persona: suyo(a)	nuestros(as) vuestros(as) suyos(as)
3. Uso: Mi(s), Tu(s), Su(s) - antes del nombre. Mío(a)(s), Tuyo(a)(s), Suyo(a)(s) después del nombre o solo.			

Ejemplo: Como somos amigos, MI casa es TUYA y TU casa es MÍA; la familia MÍA será TU familia y la familia TUYA será MI familia.

DEMOSTRATIVOS

Género	**Singular**	**Plural**	**Lugar que senãlan**
Masculino Femenino Neutro	este esta esto	estos estas esto	cerca del que habla
Masculino Femenino Neutro	ese esa eso	esos esas eso	cerca del que escucha
Masculino Femenino Neutro	aquel aquella aquello	aquellos aquellas aquello	lejos del que habla y del que escucha

¡Fíjate!

Cuando el demostrativo no acompaña el sustantivo, es pronombre y **siempre** viene acentuado, excepto antes de la palabra *que*.

Los neutros **nunca** vienen acentuados porque son siempre pronombres.

Ejemplos:

EJERCICIOS

1. Relaciona las columnas, incluyendo los posesivos adecuados. Podrás formar hasta más de 50 frases.

	(meu-s)	monumento	(meu-s)		inolvidable(s)
El	(minha-s)	sentimientos	(minha-s)	es	preparado(a)(s)
La	(teu-s)	padre	(teu-s)	son	mucho(a)(s)
Los	(tua-s)	propuestas	(tua-s)	está	precioso(a)(s)
Las	(seu-s)	casa	(seu-s)	están	aburrido(a)(s)
	(sua-s)	jóvenes	(sua-s)		noble(s)
		compromisos			simpático(a)(s)

2. Completa las frases con el posesivo que viene entre paréntesis, en español.

a) ______ escuela está frente a la casa de ______ abuela. (sua – tua)
b) La casa ______ es cerca del banco donde trabaja ______ padrino. (tua – meu)
c) ¿Tareas? Las ______ están listas, ¿y las ______ ? (minhas – tuas)
d) ______ hijo y el ______ son grandes amigos, ¿verdad? (teu – meu)
e) Profesora, ______ libro es más completo que el ______ . (seu – nosso)
f) Podemos reunirnos en la casa ______ y asistir a la película que ______ profesor nos ha prestado. (minha – nosso)
g) ¡Qué coincidencia! ______ vestido, ______ blusa y el chaleco ______ tienen el mismo color. (teu – minha – seu)
h) La plaza de ______ barrio está con todos ______ árboles floridos. (vosso – suas)
i) Mario ahorra parte del sueldo ______ para gastarlo en las vacaciones ______ y de ______ hermanos. (seu – suas – seus)
j) Siempre ahorro una parte del sueldo ______ para gastarlo en ______ vacaciones. (meu – minhas)
k) Señores profesores, estamos a ______ disposición para mostraros ______ escuela, con todos ______ recursos. (vossa – nossa – seus)
l) ______ aparato de televisión y ______ ordenador no funcionan. (meu – seu)
m) ¡Dios ______ ¡ ______ padre y el ______ están hablando con ______ profesora. ¿Qué será? (meu – meu – teu – nossa)
n) Dijo Dios a ______ pueblo: Honra a ______ padre y a ______ madre para merecer ______ cariño. (seu – teu – tua – seu)
ñ) Quiero a ______ familia más que a ______ vida y a ______ sueños. (minha – minha – meus)

3. Pon el acento en los demostrativos que lo necesiten.

a) Prefiero esa pulsera a *aquella*.
b) ¿Son *estos* los pantalones que has comprado?
c) Estas fotos no las he visto aún, pero *aquellas*, sí.
d) ¿Vives en ese edificio? No, en *aquel* de la esquina.
e) No, *ese* no es mi texto, ni *aquel*, pero *este*.
f) Esta redacción y aquel libro son míos.
g) ¿Es *esa* tu vecina? Sí, esta señora es mi vecina.
h) ¿Esta librería es buena? Sí, esta librería es de las mejores.
i) ¿Quieres que te preste este bolso o *aquel*? No, quiero *este* aquí.
j) ¿Te vas en ese autobús? No, este autobús no me sirve, pero *aquel*, sí.

Ventanita

Ecuatorianos dan nombres insólitos a sus hijos

Quito. Los padres de la familia de las clases populares de Ecuador tienden a bautizar a sus hijos con nombres "raros" y extranjeros, ante lo cual el Registro Civil nacional tuvo que flexibilizar la inscripción de los niños, informó el diario quiteño *El Comercio*.

Agregó que los nombres viajan con la historia y con la moda y que, por ejemplo, cuando murió la cantante Selena cientos de niñas ecuatorianas pasaron a llamarse así, como también Diana, en honor a la fallecida Lady Di.

El periódico dijo que el Mundial de fútbol de Francia–98 es la actual fuente de inspiración y que al Registro Civil ya llegaban los Ronaldo, Raí, Dunga, Romario (...) (todos jugadores de la selección de Brasil).

Relató que entre los nombres que llevan algunos ecuatorianos figuran marcas de cigarrillos como Camel y Marlboro y de instituciones nacionales como Autoridad Portuaria, mientras que un padre pretendió poner "Danquimes" a su vástago en homenaje a la empresa Danquímica donde trabaja.

Anotó que los nombres de pareja son comunes en Ecuador como Germán y Germania pero que éstos llegan ahora al 'Ana' y 'Ano', apareciendo también otros tan raros como "Bienvenido Útero", "Aquilescastro", "Land Rover", "Puente Vacacional", "Cine Continuo", "Niña de mis ojos" y "Semen de los dioses".

"Aquí no hay que admirarse de nada, cada padre o madre bautiza a sus hijos con el nombre de moda", señaló Iván Vásquez, jefe del departamento de Inscripciones tardías del Registro Civil en Quito.

El País, Uruguay, 26 jun. 1998.

Lenguacuriosa

Palabras curiosas del vocabulario hispanoamericano

Abarrajo	Caída, tropezón. (Perú)
Aboyado	Sin trabajo ni recursos, "en la calle". (Cuba)
Achonado	Indiscreto. (México)
Acompañamiento	Conjunto de masitas, emparedados, etc., que se sirve con el té, café o chocolate. (Colombia)
Afanar	Ganar dinero. (América Central)
Africochar	Matar. (República Dominicana)
Afujías	Aprietos, apuros. (Colombia)

Alacrán	Persona maldicente, infamadora. (Argentina)
Alafia	Verbosidad, abundancia de palabras en la elocución. (Honduras)
Alcances	Calumnias. (Guatemala)
Aliblanca	Pereza. (Colombia)
Alicate	Socio. (Puerto Rico)
Alzadora	Niñera. (Bolivia)
Apaco	El diablo. (norte de Argentina)
Aparato	Fantasma, visión. (Colombia y Cuba)
Aporcar	Confundir, avergonzar. (Guatemala)
Armado	Adinerado. (México)
Arnaco	Trasto viejo. (Colombia)
Arrastrapanza	Coche de alquiler desvencijado. (Cuba)
Asisito	Chiquito, solo, sin compañía. (Salta, en Argentina)
Asnear	Hacer tonterías. (Chile)
Atado	Paquete de cigarrillos. (Argentina)
Aumento	Posdata de una carta. (Guatemala y México)
Avenida	Noticia, novedad. (Cuba)
Aventurero	Granos y frutos que se producen fuera de la estación. (Cuba y México)

AL DICCIONARIO/INFO/INTERDISCIPLINAS

✓ Partiendo de los 12 signos del zodiaco, consulta a tu profesor de Geografía y busca el origen de los nombres de los signos que has visto en esta unidad. ¿Por qué tienen esos nombres? ¿Hay alguna relación entre los signos y la mitología? Si quieres más informaciones, consulta algunos *sites* de Internet.

El trabajo 6

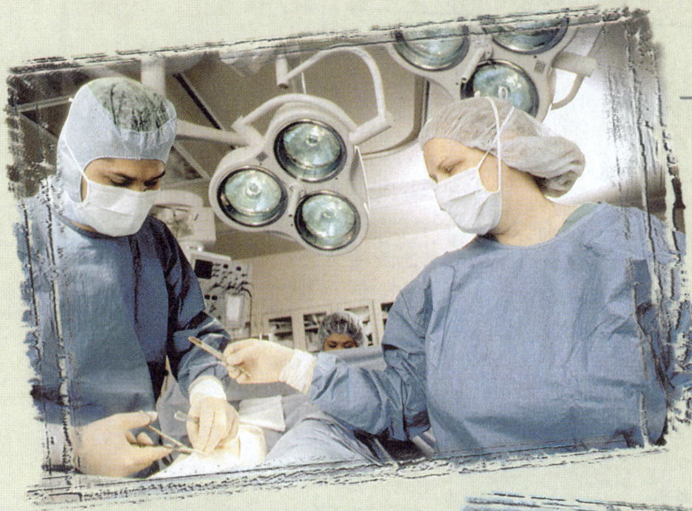

FOTOS: CID

Quien lee sabe mucho, pero quien observa sabe todavía más.

Alejandro Dumas (1824-1895), novelista y dramaturgo francés.

La difícil tarea de elegir una carrera

Incertidumbre

Un alto porcentaje de jóvenes experimenta sentimientos de incertidumbre en el momento de elegir la carrera. La fase vital en la que se encuentran a esta toma de decisión es de por sí conflictiva; se trata de una fase de transición hacia el logro de la identidad adulta, donde los avatares de su propia historia juegan un papel importante.

Este proceso, en el cual la identidad profesional se incluye como parte del gran desafío global que encierra la concepción de convertirse en hombre, es un proceso laborioso y, en ocasiones, doloroso. Elegir una carrera no implica pensar en abstracto ya que es precisamente en la carrera donde se cristalizan aspectos como: identificación con personas (padres, parientes, maestros, profesores); vicisitudes del joven en el proceso de su inserción en los grupos de pares; expectativas que otros (padres, abuelos) depositan en él.

Efectos de la familia en la toma de decisión

Del núcleo familiar, el joven recibe opiniones acerca de la conveniencia de tal o cual orientación en lo que respecta al género — femenino, masculino — o eficiencia económica. También recibe mensajes que encierran el deseo de los padres en relación con sus propias vocaciones. Otras veces, el joven se convierte en el responsable de la continuidad del éxito obtenido por las generaciones anteriores o en el depositario de sus fracasos. Frente a la inseguridad que le ofrece el mundo que se le abre, el chico elige, en muchos casos, permanecer dentro del núcleo familiar mediante una opción que, a manera de herencia (del consultorio, escritorio, cartera de clientes, etc.), le asegure el futuro.

La elección de la carrera implica, además, pensarse en un contexto social, con un particular sistema productivo que favorece la competitividad, y con un sistema de valores según el cual determinadas carreras confieren más prestigio y otorgan más status que otras.

Autoestima a prueba

Atravesada por todas estas variables y expuesta a fuertes exigencias (internas y externas) a la hora de decidir, la autoestima del joven se ve sometida a duras pruebas, especialmente en los casos de mayor vulnerabilidad de la imagen de sí. La imagen de sí se construye confrontando las aspiraciones y proyectos propios — los ideales — con los que la realidad permitiría concretar.

Si esta imagen es particularmente vulnerable, los jóvenes sufren una dolorosa pérdida de confianza en sí mismos, se sienten desvalorizados e incluso llegan a experimentar fuertes depresiones que los conducen a cuestionarse tanto su propio valor como el de las metas planteadas.

El llevar adelante una labor académica productiva, armonizada con otras actividades que también enriquecen la vida — relaciones amorosas, amistades, actividades culturales y físicas — puede resultarles un objetivo demasiado exigente. Abrumados por estos sentimientos, a menudo buscan pseudosoluciones que resultan en decisiones precipitadas, anulando así la posibilidad de un procesamiento adecuado de las dificultades. Y esta realidad, cada vez más frecuente, no hace más que dejar en evidencia la necesidad de respuestas específicas que posibiliten una comprensión real de la problemática en torno a la autoestima.

Desde un ámbito psicoterapéutico, la comprensión empática podría ser uno de los facilitadores. De lo que trata es de acompañar al joven en el proceso de conformación de su identidad estudiantil y futura identidad profesional.

Fomentando la reafirmación de su ser, el joven estará instrumentado para instituirse en el arquitecto de su propia vida.

"Padres/madres/hijos". In *El País*. Uruguay, octubre, 1998, nº 46. *Suplemento semanal.*

COMPRENSIÓN E INTERPRETACIÓN DEL TEXTO

1. ¿De qué trata el texto?
2. ¿A qué se atribuye el sentimiento de incertidumbre a que se ven acometidos los jóvenes a la hora de elegir una carrera?
3. ¿Qué papel juega la familia en el momento de esa decisión?
4. En tu opinión, ¿es diferente la orientación dada por los padres a sus hijos e hijas? ¿Por qué?
5. Según el texto, ¿qué relación hay entre la autoimagen del que va a empezar una carrera laboral y su autoestima? ¿Crees que realmente las cosas son como nos las presenta el texto?
6. En tu opinión, ¿cómo se puede, entonces, ayudar al joven indeciso?

PRÁCTICA ORAL

✓ Opina y debate.

1. ¿Qué influencia tiene el dinero a la hora de elegir una profesión?
2. ¿Hasta qué punto pueden los padres y amigos opinar en la carrera profesional del joven?
3. ¿Hay profesiones que están de moda? ¿Cuáles?
4. ¿Qué carreras no están más a top? ¿Por qué?
5. ¿Sabes ya qué carrera elegir?
6. ¿Qué has tomado como esencial cuándo elegiste tu carrera?

ACTIVIDAD

✓ Una famosa revista de Uruguay ha publicado una lista de personas que se ofrecen para trabajar. Observa cada anuncio y di qué tendrá que hacer cada cual en su quehacer diario.

Ejemplo: Antonio García busca trabajo como telefonista. Tendrá que apuntar recados en consultorios, clínicas, oficinas, empresas, etc. Deberá recibir, hacer llamadas y transmitirlas a los respectivos destinatarios.

Ofrecidos

1. Carolina Blanco da clases de apoyo escolar primario. También cuida a chicos. Tel. 876-7171 - Paso Molinos.
2. Luisa Mansilla puede trabajar como dama de compañía o auxiliar de portería. Tel. 984-2323.
3. Ricardo Cabadas es entrenador de gatos y perros. Trabaja en Montevideo y cercanías. Tel. 776-4367.
4. Juan José es podólogo y peluquero. Experto en luces y peinados para novias. Tel. 213-4556, Montevideo, centro.
5. Amalia Castro es modista de alta costúra. Retira y entrega a domicilio las prendas. Tel. 567-8787, Montevideo, Ciudad Vieja.

Pedidos

1. Lucía Pasaventos incorpora señoras para su mediería como dependientas. Av. 18 de Julio y Yi, Montevideo, Centro.
2. Julián Matos convoca a chicos entre 16 y 18 años para trabajar como lavadores de autos. Estación de servicios de ANCAP – Interbalnearia, km 12, Atlántida.
3. Silvia Holgado incorpora a chicas mayores de 18 años para trabajar como azafatas en convenciones, congresos y seminarios. Pocitos, tel. 234-4567.
4. Joselito Ortiz convoca a profesores de ambos sexos para clases de aerobic, yoga, tai chi y gimnasia modeladora. Yaguarón, 45, Montevideo.
5. Aurelia Sánchez necesita esteticista para trabajar con jóvenes quinceañeras. Carrasco, tel. 856-0111.

ACENTUACIÓN

Son los siguientes los principales casos de acentuación:

1. Las palabras agudas.
2. Las palabras graves o llanas.
3. Las esdrújulas y sobresdrújulas.
4. Si la sílaba tónica que debe llevar la tilde tiene diptongo, se la pone en la vocal fonéticamente más fuerte: ecuánime, volvió, periódico, compréis.
5. Si las vocales juntas no forman diptongo — lo que en portugués y español llamamos "hiato" — la tilde es igualmente tratada, sea (1) vocal + vocal débil o (2) vocal débil + vocal. En portugués el tratamiento es distinto, pues, si en el caso 1 siempre lleva tilde ("saída", "baú"), el 2 no llevará tilde ("diria", "acentue"). En español los dos grupos vocálicos llevarán tilde en la vocal tónica y débil: leído, día, reúno, ríe, dúo.

Observa el cuadro abajo.

Lengua Portuguesa		Lengua Española	
NO	"diria" - "acentue" - "atuo" - - "seria" - "confie"	SÍ	diría - acentúe - actúo - sería - confíe
SÍ	"séria" - "tênue" - "água" - "vácuo"	NO	seria - tenue - agua - vacuo

¡Fíjate!

a) En español el diptongo tiene el mismo valor fonético de la vocal y, consecuentemente, idéntico valor ortográfico. De ahí el motivo por el cual las palabras terminadas en vocal débil tónica, seguida de diptongo (más S) llevan tilde: diríais – cambiaríais.

b) En español el diptongo siempre tiene una vocal débil; si son dos vocales juntas *nunca* será diptongo y la palabra recibe la acentuación que le convenga. Ej.: aria (musical) = 2 sílabas – no lleva acento; área (superficie) = 3 sílabas – esdrújula – lleva acento.

6. Verbos que llevan tilde la mantienen, cuando se le agrega pronombre enclítico: pidióme, visitónos, ayudéla, dividílo.

7. Las palabras monosílabas no llevan tilde pues no ofrecen duda. Es el caso de *fue*, *fui*, *dio*, *vio*, *fe*, *pie*, *diez*, *pan*, *vas*, *Juan*, *Dios*, *bien*. Sin embargo, cuando dos monosílabos – y algunos otros casos particulares – son iguales en su forma, pero con distinto significado o función gramatical, se acentúa el de articulación más fuerte.

Mí	pronombre personal	**Mi**	adjetivo posesivo
Tú	pronombre personal	**Tu**	adjetivo posesivo
Él	pronombre personal	**El**	artículo determinante
Sí	pronombre personal/adverbio de afirmación	**Si**	conjunción/nota musical
Sé	verbo saber (presente de indicativo) verbo ser (imperativo)	**Se**	pronombre personal
Té	sustantivo	**Te**	pronombre personal
Dé	verbo dar (presente de subjuntivo)	**De**	preposición
Más	adverbio de cantidad	**Mas**	conjunción
Aún	adverbio de tiempo	**Aun**	adverbio de cantidad (= incluso)

Qué	interrogativo o exclamativo	**Que**	pronombre relativo
Quién	interrogativo o exclamativo	**Quien**	pronombre relativo
Cuál	interrogativo o exclamativo	**Cual**	pronombre relativo
Cuánto	interrogativo o exclamativo	**Cuanto**	pronombre relativo
Dónde	adverbio interrogativo	**Donde**	adverbio relativo
Cuándo	adverbio interrogativo	**Cuando**	adverbio relativo
Cómo	adverbio interrogativo	**Como**	adverbio relativo
Sólo	adverbio	**Solo**	adjetivo calificativo

8. La conjunción O lleva tilde, cuando está entre cifras: 8 *ó* 9; 31 *ó* 32.
9. En las palabras compuestas, el primer elemento no lleva tilde: decimocuarto, decimoséptimo.
   Si la palabra compuesta tiene guión intermedio, cada elemento lleva la tilde que le corresponde: británico-japonés, franco-portugués, hispano-belga.
10. Los adverbios terminados en -MENTE, si el adjetivo que lo forma lleva tilde se lo conserva: fácil - fácilmente; rica - ricamente; cortés - cortésmente.

EJERCICIOS

1. Acentúa, si conviene, las siguientes palabras, poniendo dentro de los paréntesis el número de la regla correspondiente.

( ) martir
( ) martires
( ) cuchara
( ) cucharon
( ) hablaron
( ) gravemente
( ) heroe
( ) heroina
( ) pidiome
( ) rapidamente
( ) descortesmente

( ) habito
( ) habito
( ) habito
( ) habitual
( ) joven
( ) jovenes
( ) prestamelo
( ) guarani
( ) guaranies
( ) escribe
( ) almacenes

( ) escribenos
( ) escribiome
( ) escribieron
( ) escribiran
( ) inutilmente
( ) tabu
( ) tabues
( ) dieciseis
( ) ejercito
( ) ejercito
( ) almacen

2. Busca en los textos de las unidades anteriores cinco palabras para cada una de las siete primeras reglas de acentuación.

JUEGUITO

Profesiones

Ubicando correctamente las letras alrededor del cuadriculado en los cuadros vacíos se podrán leer, en forma horizontal, los nombres de cuatro profesiones. Para ayudarte, algunas letras ya aparecen colocadas en los lugares correspondientes. ¡Ánimo!

Letras arriba: L L L L Z B B

Letras a la izquierda: A A A A A

Letras a la derecha: E O O I A

Letras abajo: G C F Ñ T D D

				A		
A						
				A		
			A			

PORTALENGUA

Situar hecho pasado

Me jubilé hace quince años.

Hablar del pasado próximo

Este año he viajado mucho.
Esta semana ha llovido demasiado.

Acción habitual en el pasado

Cuando niña, comía de todo y nada me hacía daño.

Acción no habitual en el pasado

Estuve en España y pasé por muchas ciudades.

Acción en desarrollo

Estoy estudiando/haciendo.../hablando/leyendo.

Acción simultánea

Mientras estudiaba, yo preparaba el café.

Obligación

Hay que estudiar/prevenir/comprender...

COMUNICHABLE

✓ Escucha, completa y lee los siguientes diálogos.

DIÁLOGO 1. Sin trabajar

CID

Nieto: Abuelo, ¿ ____________ ganas tu plata sin trabajar?

Abuelo: Porque trabajé ____________ años. Me ____________ hace siete, ____________ eras un bebé.

Nieto: ¿Qué es ____________ , abuelo?

Abuelo: Es tener el derecho de ganar un sueldo sin trabajar, porque se ha trabajado por ____________ .

Nieto: ¿Y cuándo me podré jubilar?

Abuelo: ____________ tengas condiciones legales de edad y ____________ de trabajo.

Nieto: No he comprendido, abuelo. Es complicado...

Abuelo: Después que hayas trabajado 35 años puedes dejar de trabajar y seguir ganando ____________ . ¿Entendiste ____________ ?

Nieto: Sí, sí. Estoy estudiando mucho. Voy a leer bastante para poder empezar a trabajar temprano y ganar muuuucho dinero.

DIÁLOGO 2. El pasado

Hijo: ¿Cómo te divertías en tu ____________ , papá?

Padre: ¿Yo? Mucha cosa. Jugaba al ____________ , iba al cine. Las vacaciones eran en el campo o en la playa. Había bailes, ____________, circos, teatro, conciertos populares y ____________ .

CID

Hijo: ¿Y te tenías tiempo de ir a todo eso?

Padre: Siempre he estudiado mucho y he sido responsable. Cuando adolescente, estudié, ____________ , bailé, ____________ la vida y preparé mi futuro.

Hijo: ¡Caramba! Quiero ser como tú, papá.

Padre: ¡Qué bueno ____________ así, hijo! ¡Qué bueno!

VENTANITA

El primer susurrador de caballos

El término tiene su origen en el siglo XIX y se utilizó por primera vez para definir a un irlandés del Condado de Cork, llamado James Sullivan. Era una persona rústica e ignorante, que poseía un don de hacer lo que quería con los caballos, incluso con aquellos equinos feroces a los que nadie se acercaba, pues tenían fama de asesinos. Sullivan entraba al box, cerraba la puerta y quedaba a solas con el animal. Nadie podía verlo ni escucharlo y, sólo se oían "susurros". La gente comenzó a llamarlo así, porque era lo único que se conocía sobre la técnica de Sullivan para amansar a los potros.

El País. Uruguay, 9 ago. 1998.

HUMOR

La clase de Historia

Durante la clase de Historia, el profesor le pregunta a uno de sus alumnos:
—¿Quién fue Mercurio en la mitología griega?
Y el alumno, con la mayor de las naturalidades y seguro de no equivocarse, responde:
— El dios de los termómetros.

Profesiones curiosas

En el Montevideo colonial no existía el agua corriente y el *aguadero* era quien repartía el agua puerta por puerta.

Había también la profesión del *encendedor de faroles públicos*; caminaba con una escalera a cuestas y con una gruesa mecha de estopa.

Números culturales

- La mayor biblioteca del mundo es la del Congreso, en Washington, fundada em 1800, con 23.041.224 libros.
- Thomas Alva Edison (1847-1931), el descubridor de la electricidad, al final de su larga carrera, tenía 1.093 patentes. ¡Increíble!
- La Universidad de París es la mayor del mundo, con 308.900 alumnos.
- La luz percorre 299.792,5 km por segundo.
- En la Tierra un astronauta que con traje y todo pesa 135 kilos, en la Luna pesa 22 kilos.

ESTAMPALABRAS

Oficios y profesiones

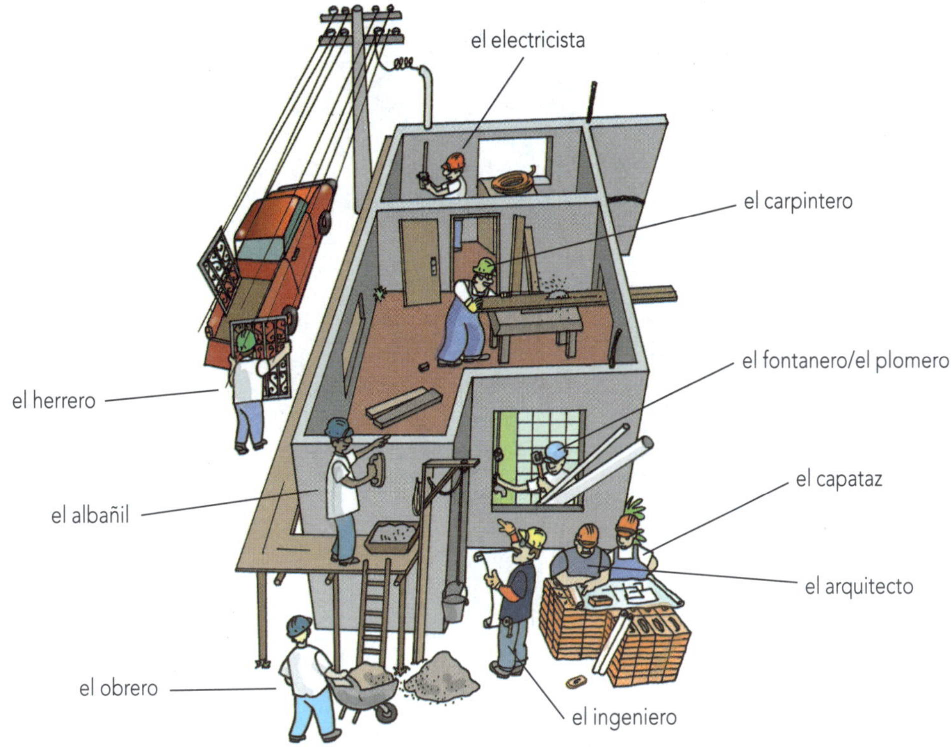
el electricista
el carpintero
el fontanero/el plomero
el herrero
el capataz
el albañil
el arquitecto
el obrero
el ingeniero

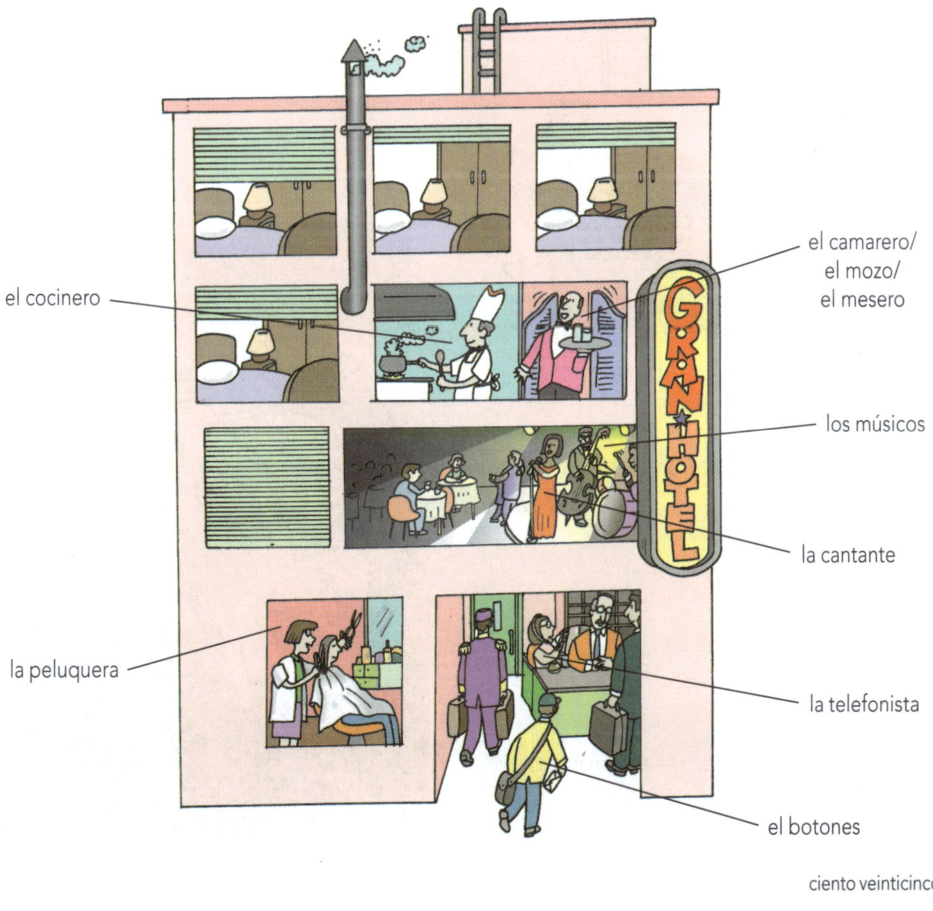
el camarero/
el mozo/
el mesero
el cocinero
GRAN HOTEL
los músicos
la cantante
la peluquera
la telefonista
el botones

el(la) cajero(a)
el mensajero
el gerente
el empleado de la banca

el director
la secretaria
el técnico de ordenadores
la digitadora

el lechero
el panadero
la dependienta
el comerciante

INTERDISCIPLINAS

✓ Investiga junto a otros profesionales, que no tu profesor, sobre qué hacen las personas abajo. Puedes entrevistarlas para obtener mayores detalles sobre todo lo relacionado a su labor, tal como horario de trabajo, cuándo concluirá su formación académica, mercado de trabajo, funciones, sueldo promedio, etc. Luego, cuéntalo al grupo.

a) químico farmacéutico;
b) veterinario;
c) enfermero;
d) dentista;
e) profesor;
f) arquitecto;
g) traductor;
h) periodista;
i) agricultor;
j) botones.

Lenguacuriosa

Paraguay tiene dos lenguas oficiales: español y guaraní. El cuadro estadístico de las lenguas habladas se presenta así: sólo guaraní, el 37%; español y guaraní, el 50%; sólo español, el 7% y otros idiomas, el 6%. Presentamos, a continuación, algunas palabras del cotidiano paraguayo y su significación en español.

Guaraní	Español
ahániri	no
ama	lluvia
aña	diablo
ao	ropa, vestido
ára	día, tiempo
hũ	negro (color)
japu	mentira
karai	hombre, señor, persona
kaxása	espuma del mosto de la caña
ke	sueño, ensueño
kuña	mujer, hembra
kuñakarai	señora, señora casada
kuñataĩ	señorita
kyhyje	miedo, desconfianza
mba'emo	¿y por qué?
mba'e tekópa	¿cómo te va? ¿cómo estás?
mbo'e	enseñar, instruir
mbo'eha	escuela
mbo'ehára	profesor
mbo'epý	alumno
mborayhu	amor
mborayhupára	amigo
mena	marido, esposo
menarã	novio
morotĩ	blanco
ndu	ruido, golpe
ñandejára	Dios, Nuestro Señor
ñe'e	hablar, palabra, conversación
ñehetũ	beso
neĩ	sí (afirmación)
ñũ	campo, llanura
ogaygua	familiar, de la familia
opa	fin
porã	hermoso, bello, lindo
pyhare	noche
rambosa	desayunar, almorzar
so'o	carne
so'ojukysy	puchero, caldo de carne
so'oka'ẽ	carne asada, asado
su'upy	comida, víveres
sy	madre
tahaxi	policía, guardia, agente
tata	fuego
túa	el padre, su padre
tye	panza
vai	malo, feo, nocivo, inútil
viru	dinero, billete de banco
vy'a	alegría, felicidad
yvoty	flor
yvy	mundo, la tierra
yvyvorasa	puente

Piénsalo

La sabiduría es el único bien que no se pueden llevar los ladrones.

Benjamin Franklin (1706-1790), político, físico y escritor estadounidense.

INFO

✓ Empleando el *Word* o cualquier otro editor de texto, elabora tu *curriculum vitae*. Para el anuncio que sigue, debes cumplir algunos puntos importantes.

- Datos de identificación (nombre, edad, local de nacimiento).
- Formación académica (cursos a los que has frecuentado y que te han dado un diploma).
- Otros cursos (cursillos variados que te pueden ayudar a la hora en que evalúen tu ficha: idiomas, manipulación de aparatos específicos — el PC, por ejemplo — congresos y encuentros dentro de tu área de trabajo).
- Puesto o función deseada.
- Sueldo esperado.

HOTEL EMBAJADOR – MONTEVIDEO

ha iniciado un proceso de selección para contratar personal para las actividades de

CONSERJE
AUXILIAR DE GERENCIA
RECEPCIONISTA

Los interesados deberán enviar su CURRICULUM VITAE hasta el 15 de diciembre, a la gerencia del hotel para posterior entrevista y entrega de documentación.
Av. 18 de julio, 1876, tel. 890-5656 – Montevideo, Centro.

Modelo:

CURRICULUM VITAE

1. Nombre: Amalia Luna de Ríos
   Fecha y lugar de nacimiento: 7 de noviembre de 1978, Porto Alegre, RS, Brasil
   Nacionalidad: Brasileña
   Estado civil: Soltera
   Dirección: Av. João Pessoa, 34/789, Cidade Baixa, Porto Alegre

2. Formación Académica:
   En 1999 terminé mis estudios en Instituto de Educación Gen. Flores da Cunha (enseñanza media) y actualmente me estoy preparando para cursar la carrera de Turismo en la universidad.

3. Conocimiento de lenguas:
   Inglés: nivel intermedio, hablado y escrito.
   Español: nivel alto hablado y escrito.
   Francés: nociones básicas en el habla.

4. Experiencia profesional: trabajos temporarios como dependienta en tiendas de discos, de ropas de señoras y librerías por ocasión de las fiestas navideñas. Trabajo como azafata en una exposición ganadera.

CONJUNCIÓN

La conjunción es la palabra o locución (dos o más palabras que funcionan como una única) invariable que une oraciones o partes análogas (de igual función) de éstas. Pueden ser coordinantes y subordinantes.

a) **Coordinantes:** unen elementos que desempeñan igual función. Ej.: Ana Y Marta estudian. ¿Estudias O trabajas?

Clases	Conjunción	Ejemplos
Adversativas	pero, mas, sino, empero, sin embargo, con todo	Me voy *pero* vuelvo temprano.
Copulativas	y, e, ni, que	Llega hoy *y* partirá mañana.
Disyuntivas	o, u, ora… ora, ya… ya	Está nerviosa: *ora* ríe, *ora* llora.
Ilativas	pues, que, por consiguiente, por lo tanto, por tanto	Abrígate *pues* hace frío.

b) **Subordinantes:** introducen un elemento subordinado, es decir, dependiente de otro. Ej.: Ven a mi casa *porque* estoy de cumpleaños. *Aunque* esté cansado, iré al circo.

Clases	Conjunción	Ejemplos
Causales	porque, pues, que, como, dado que, una vez que, ya que	No aprobaste *porque* no estudiaste.
Comparativas	como, que, más que, menos que, así como, tanto como, igual que	Tuvo *tanto* éxito *como* se suponía.
Condicionales	si, con tal que, a menos que, a no ser que, caso, salvo que, dado que	*Si* quieres, te acompaño.
Concesivas	aunque, a pesar de que, bien que, si bien, por más que, aun cuando	*Aunque* llueva, iré al cine.
Consecutivas	de manera que, de modo que, que, tanto que, de tal modo que	Ha estudiado *tanto que* aprobó.
Finales	para que, a fin de que, por que, a que, con objeto de que, que	Estudio mucho *para que* me apruebe.
Modales	como, conforme, de modo que, según, así como, de manera que, cual	Todo salió *como* me dijiste.
Temporales	cuando, mientras, tan luego, no bien, siempre que, así que, en cuanto, apenas	Sólo vamos a cenar *cuando* llegues.

EJERCICIO

✓ Lee el texto y tilda las palabras que lo necesitan. Enseguida subraya las conjunciones y después comenta qué crítica se puede inferir de él sobre el comportamiento humano.

El alegre presidente F. D. Roosevelt

Franklin Delano Roosevelt no fue solo un gran presidente, sino el unico a quien el electorado norteamericano elegiria por tres veces consecutivas. A decir verdad, Roosevelt habia nacido con vocacion de mando. Ya de muchacho dominaba siempre a sus compañeros, y cuando la madre, preocupada por aquella conducta de su retoño, se la reprochaba, respondia jovial:

— Comprendelo, mama: si yo no doy las ordenes, nunca se hace nada.

A esa voluntad de mando, encubierta siempre en una sonrisa seductora, iba a deber una buena parte el joven Franklin su fulgurante encumbramiento en la vida politica. Nunca, ni siquiera cuando un inopinado ataque de poliomielitis le dejo medio invalido, dejo de sonreir. Sobreponiendose a la desgracia, siguio luchando, alegre y decidor, como antes lo habia hecho en su puesto de senador y de secretario de Marina.

Triunfante al fin, tras un primer asalto infructuoso a la vicepresidencia, el dia 4 de marzo de 1933 tomaba el timon de su pais para no soltarlo ya hasta el 12 de abril de 1945, en que la muerte le sorprendio repentinamente.

Hasta entonces, en medio de las enormes preocupaciones inherentes al cargo, jamas desmentiria su excelente buen humor. Observador agudisimo, le gustaba poner en practica traviesas experiencias psicologicas. Asi, persuadido de que las gentes, en las reuniones sociales, se conducian maquinalmente y no escuchaban, un dia, en ocasion de una fiesta de gala en la Casa Blanca, mientras estrechaba la mano de cada invitado, susurraba:

— Esta mañana asesine a mi suegra.

Solo, en efecto, capto la frase un individuo, el cual subrayo tan fresco:

— ¡Se lo mereceria!

Por una vez, la sonrisa de Roosevelt se torno carcajada.

Una historia para cada día.
Susaeta Ediciones, Madrid.

2. Escribe oraciones en que figuren conjunciones:

a) copulativas.
b) adversativas.
c) temporales.
d) concesivas.
e) condicionales.
f) finales.
g) modales.
h) causales.
i) ilativas.
j) comparativas.

AL DICCIONARIO

✓ Con el auxilio de un diccionario etimológico, busca el origen del nombre de los países que tienen sus banderas en el mapa a seguir. Puedes también consultar a tu profesor de Geografía o de Historia.

GIRANDO EL PASO

¿Cuál el origen de los nombres de los distintos continentes?

África El nombre *África*, el “Continente Negro”, proviene de la palabra fenicia “afri”, que significa *hombre negro* o también *vago*.

América Cuando Colón llegó a América, el continente no tenía nombre; y como imaginó haber llegado a la parte occidental de India, bautizó las islas del Mar Caribe con el nombre de Indias Occidentales. Llamó *indios* a los habitantes del país, nombre que todavía hoy día conservan los nativos de América. El nombre viene de Américo Vespucio, viajero florentino que visitó el continente tras Colón y que hizo una descripción de esas tierras.

Ásia El continente más antiguo que se conoce es el asiático. Se supone que el hombre hizo en él su primera aparición sobre el planeta, saliendo de allí para toda la superficie de la Tierra. La palabra *Asia* viene del vocablo sánscrito “ushas”, que quiere decir *país de la aurora*, nombre muy apropiado para lo que fue probablemente la cuna de la humanidad.

Australasia En este nombre abarcamos Australia, Nueva Zelanda, Tasmania, Fiji y otras islas. A Australia se ha bautizado con el nombre de Nueva Holanda por los holandeses, que la descubrieron en 1606. *Austral* significa *del Sur*, de manera que Australasia quiere decir *Asia del Sur* o *Asia Meridional*.

Europa El nombre de este continente deriva de algunas palabras griegas que quieren decir *la amplia faz de la Tierra* o tal vez de una palabra hebrea que significa *el país de sol poniente*. Los antiguos pueblos orientales tenían poco conocimiento sobre Europa; algunos sabían que el Sol se ocultaba por el oeste y por ello le han dado ese nombre.

LECTURA

Texto dramático: desarrollo de una acción formada por encadenamiento de *situaciones* que progresan por medio de *diálogos*. La acción es realizada por personajes, en un determinado *escenario* y su desarrollo es el *argumento*, formado de:

- planteamiento en que el espectador se entera de los personajes, pasiones y conflictos;
- nudo: problema o conflicto a ser resuelto dentro de la trama;
- desenlace: solución, positiva o negativa, al conflicto planteado (aquí se desatan los distintos nudos o problemas que componen la historia presentada.

Ganarse la vida

Sebastián: ¡Anda!... ¡Nos han dejado a oscuras!...

Esteban: ¡Qué miedo! ¿Oyes los ratones?

Sebastián: Yo no. Será el primo por asustarnos, que armará tanto ruido...

Esteban: No; son ratones... ¡Sebastián!

Sebastián: ¿Qué quieres?

Esteban: Yo me acuesto contigo. Yo no me tiro ahí en el suelo... y me da mucho miedo de estar solo.

Sebastián: Te acuestas ahí conmigo.

Esteban: Sebastián... Mal vamos a pasarlo.

Sebastián: ¡Qué remedio tiene! Nos quedamos sin nada. ¿Qué iba a hacer la madre con nosotros? Tenemos que valernos.

Esteban: En el pueblo hubiéramos podido valernos mejor. Siquiera teníamos a madre. Yo quiero ir con madre.

Sebastián: No puede ser. ¿Qué dirán los tíos?... Que han consentido en tenernos en su casa y enseñarnos al comercio... Vamos a dormir... Anda.

Esteban: Me da miedo de dormirme. ¿No oyes los ratones?

Sebastián: Sí que suenan.

Esteban: Yo quisiera que escribieras a madre...

Sebastián: Yo también quisiera escribirla... Se quedó tan desconsolada... y nos dijo que la pusiéramos algo en llegando... Pero ya has oído al tío...: que él escribiría... ¿Y cómo vamos a escribir?

Esteban: Por eso no. Yo me he apañao pa tener de too: tinta..., una pluma... papel... Miá.

Sebastián: ¿Y luz?... ¿Cómo vamos a escribir a oscuras?

Esteban: También me he apañao con un cacho de vela. Tienta... Y con fósforos... Miá.

Sebastián: No vayan a sentir que encendemos... Escucha si andan por ahí...

Esteban: No se siente denguno. Anda, escribe tú, que sabes más de letra...

Sebastián: ¿Y qué vamos a ponerla?

Esteban: Lo que nos pasa.

Sebastián: Eso es. Pa desconsolarla más. No pué ser eso. Si le ponemos que tenemos hambre y que nos regañan por too... y que dormimos tiraos por el suelo, viene a llevarnos otra vez. ¿Y cómo no se vale de nosotros?... Tan apurá como anda... No pué ser...

Esteban: Pues pon lo que quieras.

Sebastián: Tú verás... pa darle ánimo... "Querida madre: Me alegraré que al recibo de ésta esté usté con la cabal salú que nosotros. Ésta es para que sepa usté de cómo lleguemos a Madrid y cómo nos tienen los tíos..., que no puede ser mejor hasta la presente..."

Esteban: ¡Miá que poner eso!

Sebastián: Hay que ponerlo. "La tía Dorotea nos cuida mucho, y el tío Serapio lo mismo, y el primo Paco igualmente..."

Esteban: ¡Miá que poner eso!

Sebastián: ¿Qué voy a poner? "Estamos buenos y contentos y viendo de cómo nos aplicamos a lo que nos mandan. Yo creo que sí, y que usté no tendrá que pasar fatigas por nosotros, que, como digo, estamos buenos y contentos..."

Esteban: Se acaba la vela...

Sebastián: Sopla, no se queme la tabla.

Esteban: ¿No has podido poner más?

Sebastián: Si no veo.

Esteban: Echaré un fósforo.

Sebastián: No pué ser... me cuesta mucho... Mañana, si podemos apañarnos con otro cacho de vela...

Esteban: Guárdala bien.

Sebastián: Vamos a dormir...

La voz de Dorotea: ¡Sebastián! ¡Chicos!

Esteban: ¡La tía!

Sebastián: Calla.

Jacinto Benavente (1866-1955). Fecundísimo dramaturgo español, nacido en Madrid. Sagaz observador de las distintas clases sociales con sus vicios y triquiñuelas, la pluma de Don Jacinto ha abordado todos los temas sacándolos a relucir en tablas del teatro.

Benavente "es como el cielo azul y el campo verde, que sin darnos recetas medicinales ni hacernos tragar drogas, nos descansa la vista fatigada" (Martínez Sierra).

Los intereses creados es su obra más célebre. Citaremos además: *La malquerida, El nietecito, Señora Ama, Teatro fantástico, Campos de armiño, El nido ajeno.*

Benavente siguió escribiendo hasta cerca de los noventa años. Fue Premio Nobel de Literatura en 1922.

La voz de Dorotea: ¿Qué andáis tramando, que os oigo habla que te habla, desde abajo?... No son horas de conversación... A dormir, o llamo a vuestro tío, que está en el escritorio, y él os hará estar callados... ¡Qué costumbre!... ¿Os hacéis los dormidos?... A ver si subo y os despierto a cachetes...

La voz del tío: Lo estoy oyendo todo. A ver si subo y les digo ya cuántas son cinco a esos señoritos...

Sebastián: Si es que estamos rezando, señora tía...

La voz de Dorotea: Para rezar no hay que dar voces. El señor no es sordo. A ver si no tengo que subir otra vez.

Sebastián: No, señora, no. A dormir... ¿Qué tiés, Esteban, qué tiés? Estás llorando...

Esteban: Yo quiero irme a mi casa. Yo quiero volver con madre.

Sebastián: Vamos, calla... Hay que ganarse la vida. Si no pué ser, por mucho que te pongas... Ya somos mozos. A lo primero hay que ganársela así, con trabajos... Cuando seamos hombres será otra cosa. ¿Oyes? Anda, con tanto llorar se ha quedao dormido... ¡Ay, madre!... Ahora que él no me ve lloraría yo de buena gana; pero pué despertarse, y si me ve a mí acobardao... Soy el más hombre, y con llorar nada se saca... ¡Ay, madre!... Niños felices que halláis en vuestra casa no sólo el pan, sino las golosinas de cada día entre caricias y besos... acordaos alguna vez y compadeceos de estos niños sin niñez... que han de ganarse la vida como los hombres.

BENAVENTE, Jacinto. "Ganarse la vida". In *Obras completas. Ed. Hernando.* Madrid, 1921.

COMPRENSIÓN E INTERPRETACIÓN DEL TEXTO

1. ¿Por qué los dos personajes centrales han dejado su casa?
2. ¿Por qué están en casa de los tíos, no obstante su maltrato?
3. ¿Qué elementos te da el texto para probar el relacionamiento amoroso entre la madre y sus hijos?
4. Busca en el texto elementos que comprueben que la madre se ha separado de los hijos.
5. ¿Dónde los tíos los habían puesto a dormir? ¿Cómo se puede saber?
6. Explica y justifica el lenguaje usado por Benavente en el texto.
7. ¿Qué se puede concluir entonces?
8. Haz el resumen del texto.
9. ¿Cuál es la idea central contenida en las últimas palabras de Sebastián?

ACTIVIDADES

1. En pequeños grupos, relean el texto, modifíquenlo, de acuerdo a las exigencias del buen uso de la lengua y de las normas gramaticales, presentándolo, a continuación, oralmente.
2. Relaciona las siguientes expresiones del texto a los sentimientos.

a) Yo me acuesto contigo.	( ) preocupación
b) ¡Qué remedio tiene!	( ) inverdad
c) No puede ser.	( ) conformidad
d) No pué ser eso.	( ) cuidado
e) "Estamos buenos y contentos..."	( ) miedo
f) Yo me he apañao pa tener de too.	( ) virulencia
g) ... os despierto a cachetes...	( ) discordancia
h) ... digo yo cuántas son cinco...	( ) previsión
i) Guárdala bien.	( ) estímulo
j) Ya somos mozos.	( ) amenaza

JUEGUITO

El tablero contiene capitales de países hispanoamericanos. Para cada país hay una letra en cada línea horizontal. Las letras que sobran forman un pensamiento sobre *viaje*. Pero, ¡ojo!: el pensamiento está todo en VESRE, o sea, al revés… ¡Ánimo y suerte!

B^{1}	•	E	S	A^{6}	C^{8}	Q^{15}	S^{2}	S^{12}	O	T^{3}	•	D	S^{11}	•	B^{13}
U^{15}	U^{1}	G^{5}	N	E	M^{4}	A^{8}	S^{6}	A^{12}	E^{3}	A^{11}	I	•	O^{13}	T	A^{2}
N^{2}	U^{5}	O^{4}	R	G^{3}	I^{15}	E^{1}	G^{13}	R^{8}	•	U^{6}	S^{10}	N^{11}	N^{12}	I	V
N^{4}	I	O^{13}	S^{2}	D	A^{5}	N^{6}	U^{3}	A^{8}	N^{1}	J^{11}	A^{10}	T^{12}	T^{15}	R	•
E	D	•	T^{4}	T^{13}	O^{1}	C^{8}	A^{2}	O^{11}	T^{5}	C^{3}	I^{12}	C^{6}	N^{10}	M^{9}	O^{15}
P^{17}	A^{8}	N	M^{16}	E^{5}	S^{11}	J^{10}	E^{4}	•	A^{9}	I^{3}	S^{1}	L^{2}	I^{6}	A^{13}	A^{12}
A^{1}	E^{16}	M^{5}	E	S^{8}	G^{3}	N^{9}	E^{11}	U^{10}	V^{2}	A^{17}	V^{4}	R	O^{6}	L^{14}	G^{12}
O^{12}	P	A^{10}	A^{2}	A^{9}	A^{5}	A^{14}	I^{1}	X^{16}	A^{3}	N^{6}	I^{4}	N^{17}	L^{7}	A	•
P^{14}	D^{2}	E	L^{5}	D	G^{9}	R^{1}	N^{10}	D^{4}	A	I^{16}	I^{7}	L^{3}	M	R	A^{17}
O	A^{5}	F	U^{9}	O^{2}	A^{14}	E^{4}	A	M^{7}	N	P^{3}	U	C^{16}	S	M^{17}	E^{1}
E	A^{9}	R	O^{4}	A	A^{7}	J	S^{1}	Z^{14}	R^{2}	A	A^{17}	A^{3}	I	O^{16}	V

SELECTIVIDAD

(Universidade Caxias do Sul-RS)

CID

En el mundillo de la política se leen y divulgan por la televisión y la radio encuestas sobre las posibilidades de los candidatos. Hay una dosis de desconfianza en los encuestadores, porque yerran en sus pronósticos o emiten juicios tendenciosos.

Los candidatos derrochan buena parte de su tiempo leyendo informes sobre los problemas nacionales y se resisten a soltar el timón, tampoco se arredran o se benefician ante el despliegue de mecanismos ajustados a la máquina política, económica y administrativa del gobierno. Uno de ellos hurgó en la sensibilidad popular y elaboró un discurso despejado de precisiones, hablando de un opulento país del futuro. Mientras tanto, los jóvenes políticos radicales se convierten en farraguistas sociólogos explayando largas tesis, otros se esvaran en la facilitación, prometiendo un "salariazo", no se deteniendo a averiguar de qué manera cumplirán el promedio. Muchas veces candidatos no logran aferrarse al destino suyo y no se preocupan con su contrincante.

1. A intenção principal do texto é mostrar que os candidatos
   a) têm o hábito da leitura com objetivos socioeconômicos.
   b) exploram a sensibilidade popular com recursos demagógicos.
   c) elaboram discursos com dados imprecisos e distorcidos.
   d) têm as mais diferentes preocupações e comportamentos no período pré-eleitoral.
   e) prometem vantagens e benefícios e depois não podem cumpri-los.

2. O texto apresenta idéia de oposição nas palavras da alternativa
   a) candidatos e contrincante.
   b) informes e política.
   c) discurso e futuro.
   d) facilitación e salariazo.
   e) encuestas e desconfianza.

3. A alternativa correta de acordo com o texto é:
   a) Leituras informativas confundem os candidatos na campanha eleitoral.
   b) Os políticos mais jovens recorrem a uma sociologia radical.
   c) Os candidatos se beneficiam com as facilidades eleitoreiras.
   d) Há ocasiões em que os candidatos se preocupam mais com os adversários que consigo próprios.
   e) Falar na opulência do país é a melhor forma de sensibilizar o povo.

4. O texto dá elementos para afirmar que os candidatos

a) são muito bem informados.
b) procuram sempre levar vantagens.
c) prometem e não cumprem nada.
d) são imprevisíveis em sua campanha eleitoral.
e) sensibilizam os eleitores com suas verdades.

5. A palavra "derrochan" (linha 6) é antônima de

a) ahorran.
b) organizan.
c) vencen.
d) ganan.
e) logran.

EMPLEO DE LOS PRETÉRITOS

El **pretérito perfecto** se emplea para indicar:

- Acción pasada y acabada al momento de hablar: *He comido* tanto que no me siento bien.
- Acción pasada en período de tiempo actual: Este invierno *ha sido* muy frío.
- Acción pasada que perdura hasta el presente: Picasso *ha maravillado* al mundo con su genialidad.
- Acción pasada relacionándola con el momento en que estamos hablando: La fiesta *ha sido* bárbara, ¿verdad?

El **pretérito indefinido** se emplea para indicar:

- Acción puntual y acabada: *Llegó* a casa muy cansado y ya se acostó.
- Acción pasada en un tiempo más o menos lejano: Mis últimas vacaciones no *fueron* tan buenas como las de cinco años atrás, cuando *conocí* a Roma.
- Acción pasada en un período que ya terminó y que no continúa hasta el presente: La Independencia de Brasil *ocurrió* en 1822.

El **pretérito imperfecto** se emplea para indicar:

- Acción habitual en el pasado: En mi niñez me *gustaba* cantar.
- Acción repetida: Todas las mañanas *despertaba* temprano.
- Acción presente en relación a otra: Mientras *escribía*, todos lo *esperaban*.
- Acción comenzada pero no terminada en el pasado: *Era* una persona alegre y *conquistaba* a los niños.
- Uso habitual en la descripción: *Era* un joven alto, *tenía* ojos oscuros, *llevaba* pantalón vaquero y, mientras *caminaba*, *miraba* todo a su alrededor.

EJERCICIOS

1. Pon el verbo en el pretérito imperfecto o indefinido, según convenga.

"... En Aracataca, donde _______________ (vivir) nosotros, yo nunca _______________ (haber) tenido la oportunidad de conocer el hielo. Y una vez al Comisariato de la compañía bananera _______________ (llegar) unos pargos congelados y me _______________ (llamar) mucho la atención ver aquellos pargos que _______________ (parecer) piedras y se lo _______________ (preguntar) a mi abuelo. Y mi abuelo, que siempre me lo _______________ (explicar) todo, me _______________ (decir) que _______________ (parecer) piedras porque _______________ (estar) congelados. Y yo le _______________ (preguntar) qué eran 'congelados' y me _______________ (decir) que los _______________ (haber) metido en hielo, y yo le _______________ (preguntar) qué _______________ (ser) hielo y me _______________ (agarrar) de la mano y me _______________ (llevar) al Comisariato, _______________ (pedir) que abrieran una caja de pargos congelados y yo _______________ (conocer) el hielo."

Gabriel García Márquez (1928). Escritor colombiano, Premio Nobel de Literatura en 1982. Dentre sus principales obras están: *La hojarasca; Los funerales de Mama Grande; La Cándida Eréndira y su abuela desalmada; El coronel no tiene quién le escriba; La mala hora; Cien años de soledad; El otoño del patriarca; El amor en los tiempos del cólera; Del amor y otros demonios.*

Fragmento de una entrevista del periodista Ernesto G. Bermejo al escritor Gabriel García Márquez.

2. Completa las frases con el pretérito perfecto o con el indefinido, según convenga.

a) El profesor no _______________ al colegio hoy porque _______________ que llevar a su hijo al médico. (foi – teve)
b) ¿Y Natalia? ¿No _______________ aún? (voltou)
c) Esta semana _______________ el museo de artes. (visitamos)
d) El año pasado _______________ a gran parte de Sudamérica. (conheci)
e) _______________ al grupo teatral de la universidad y todos _______________ muy simpáticos y amables. (conheci – foram)
f) Hoy _______________ un día inolvidable. (foi)
g) Ayer _______________ un día horrible. (foi)
h) ¿Ya _______________ con tu profesora? (falaste)

i) No sé si ya les ______________ la noticia. (deram)
j) ¿Te ______________ Julia el vestido que le ______________? (mostrou – presentearam)
k) Claudia, ¿te ______________ la medicina? (tomaste)
l) ¿Por qué ______________ tanto a las clases este mes? (faltaram)
m) ¿Por qué ______________ su hijo a las clases toda la semana pasada? (faltou)
n) Las chaquetas y abrigos los ______________ a la lavandería. (levei)
ñ) No ______________ nada hoy. (li)

REPASÁNDOLO

✓ Lee el siguiente texto y, a continuación, haz lo que se te pide.

La oruga

Inmóvil sobre una hoja, la oruga miraba a su alrededor; unos cantaban, otros corrían, aquéllos volaban, todos los insectos estaban en continuo movimiento. Sólo ella, pobrecita, no tenía voz, ni corría, ni volaba.

Con gran fatiga conseguía moverse, pero tan despacio que cuando pasaba de una hoja a otra le parecía que había dado la vuelta al mundo.

Sin embargo, no envidiaba a nadie. Sabía que era una oruga y que las orugas debían aprender a hilar una saliva finísima para tejer con arte maravilloso su casita.

Por eso, con mucho entusiasmo, empezó su trabajo. En poco tiempo, la oruga se encontró envuelta en un tipo de seda y aislada del mundo.

— ¿Y ahora? — se dijo.

— Ahora, espera — le respondió una voz. Ten aún un poco de paciencia y verás.

En el momento justo, la oruga se despertó y ya no era una oruga. Salió del capullo con dos alas preciosas pintadas de vivos colores, y rápidamente voló a lo más alto del cielo.

Leonardo da Vinci

CID

Autorretrato de Leonardo da Vinci.

Leonardo da Vinci (1452-1519). Pintor, arquitecto, escultor e investigador científico italiano. Autor, dentre otras obras, de "La Santa Cena" y de "La Gioconda".

✓ Observa el verbo abajo:

canta (presente de indicativo)
cantaba (pretérito imperfecto)
cante (imperativo afirmativo)
cantó (pretérito indefinido)
cantará (futuro imperfecto)

Aquí se conjugó el verbo *cantar* en la 3ª persona de singular en los tiempos propuestos entre paréntesis. Tu tarea será conjugar, en tu cuaderno, los verbos de la lista, sacados des texto "La oruga", solamente en los tiempos que faltan, manteniendo la misma persona verbal en que ya se encuentran. Ej.: mira – miró – miraba – mire – mirará.

miraba	conseguía	encontró
cantaban	pasaba	dijo
corrían	parecía	respondió
volaban	envidiaba	despertó
estaban	sabía	salió
tenía	era	verás
corría	debían	espera
volaba	empezó	ten

COMERCIO RARO

Músico jubilado y fastidiado del cielo se ofrece para tocar gratis su flauta en la Tierra. Cartas de pedidos a San Pedro, en cualquier lugar del infinito.

AMBIENTES 7

FOTOS:CID

El comercio une al mundo en una común hermandad de dependencia mutua y de intereses recíprocos.

James Abraham Garfield (1831-1881), político estadounidense.

ComunicHABLE

✓ Escucha la grabación e identifica en el plano los puntos turísticos de los que se habla.

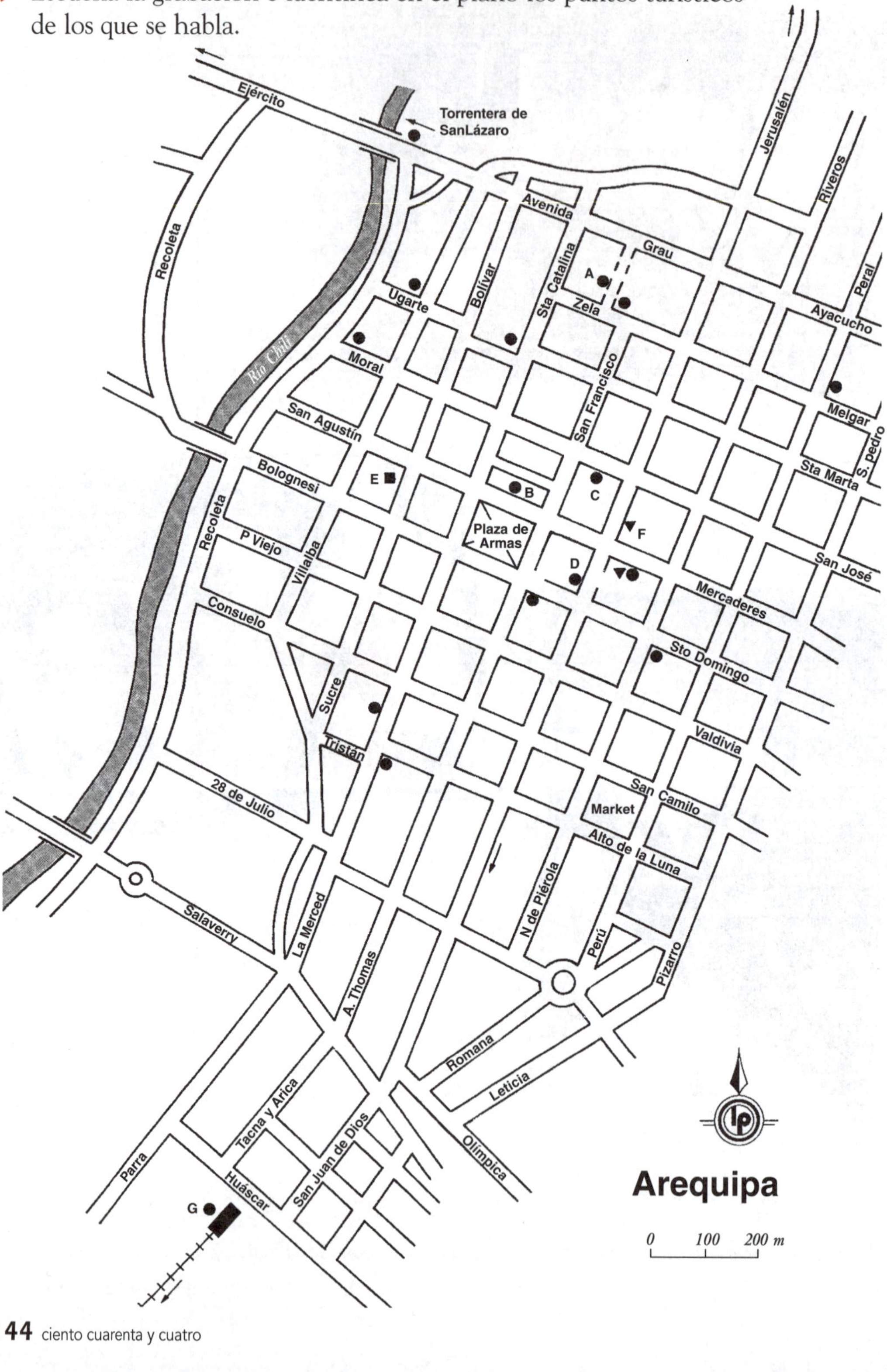

INFO/AL DICCIONARIO

Para hacer esta actividad necesitarás del auxilio del diccionario y del *Paintbrush*.

1ª etapa: Te damos a continuación 10 frases que presentan doble sentido (connotativo y denotativo, o sea, sentido figurado y sentido literal — el que te presenta el diccionario). En parejas, descubran los dos sentidos de cada frase.

2ª etapa: Elige uno de los dos sentidos y dibuja la frase, tratando de pasar a la pantalla la significación que asumió ahora la frase. Luego, compárala con la que ha hecho tu compañero.

Frases:

1. Agua para los bueyes; vino para los reyes.
2. El mal pajarillo tiene la lengua por cuchillo.
3. El hábito no hace el monje.
4. Aunque la mona se vista de seda, mona se queda.
5. Cuando la barba de tu amigo veas cortar, pon la tuya a remojar.
6. El ojo del amo engorda el caballo.
7. Al mal sastre, hasta las telas le estorban.
8. El mal año entra siempre nadando.
9. Adonde termina el novio, comienza el marido.
10. Si con caldo te estás curando, síguelo tomando.

ADVERBIO

Clase	Adverbios	Prueba
Lugar	aquí, allá, acá, ahí, allí, cerca, lejos, delante, encima, abajo, debajo, detrás, arriba, adentro, enfrente, fuera, junto, adelante, doquiera, dondequiera, etc.	¿dónde?
Tiempo	hoy, anteayer, mañana, ayer, anoche, anteanoche, ahora, antes, después, luego, entonces, tarde, temprano, presto, pronto, siempre, nunca, jamás, ya, enseguida, antaño, hogaño, recientemente, tras, etc.	¿cuándo?
Modo	bien, mal, mejor, peor, despacio, así, salvo, malamente, buenamente, y muchos otros terminados en *-mente*; adrede	¿cómo?
Cantidad	bastante, mucho, poco, muy, casi, harto, tan, tanto, cuan, cuanto, nada, demasiado, algo, medio, menos, más, etc.	¿cuánto?
Orden	antes, después, delante, sucesivamente, primeramente, últimamente, finalmente, respectivamente, etc.	¿antes? ¿después?
Afirmación	sí, también, cierto, ciertamente, claro, seguro, seguramente, verdaderamente, por supuesto, etc.	¿sí?
Negación	no, ni, nunca, jamás, tampoco, etc.	¿no?
Duda	quizás, quizá, acaso, probablemente, tal vez, posiblemente, etc.	¿quizás?

¡Fíjate!

Los adverbios de lugar y su significado:

Encima: en un lugar superior respecto a otro.
Arriba: en lugar superior.
Abajo: en lugar o parte inferior.
Debajo: en un lugar/parte inferior respecto a otro(a).
Delante: enfrente, en la parte anterior.
Detrás: en la parte posterior respecto a otra.
Atrás: a las espaldas.
Alrededor: todo lo que rodea alguna cosa/persona.
Aparte: en otro lugar.

Ejercicios

1. Elabora 15 frases con dos o más adverbios cada una, pero sin repetirlos.

2. Completa las frases con el adverbio de lugar que convenga.

encima – arriba – abajo – debajo – delante – detrás – atrás – alrededor – aparte

a) Las revistas están ____________, en la última planta, y los libros desactualizados, ____________, en el sótano.

b) ¿Ve aquel banco bien largo? Ponga las ropas ____________ y los zapatos ____________.

c) Estuve en esta ciudad años ____________ y mi hotel era ____________ de la iglesia.

d) ¡Qué emoción! Veo tantos pibes ____________ de mis ojos, toditos ____________ de la mesa, como florecitas.

e) Para facilitar, puse todo lo mío ____________.

LECTURA

Suele sostenerse que la prosa es la forma de expresión adecuada para conceptos, razonamientos y, por tanto, para el lenguaje científico, técnico, mientras el verso pide un contenido de imágenes y sentimientos; sin embargo hay posibilidad de exponerse concepto en verso. Son los llamados poemas didácticos. De otra parte la prosa puede aparecer, frecuentemente, adornada con elementos poéticos. Es la *prosa poética.*

La prosa poética tiene, no cabe duda, gran distanciamiento del habla cotidiana. Es un texto que evoca la idea de un relato, un acontecimiento real o imaginario, pero con más cuidada elección de palabras, lenguaje enriquecido por imágenes y metáforas, mayor emoción y musicalidad, menos objetividad.

El texto que te presentamos, a continuación, es un buen ejemplo de prosa poética.

La palabra

... Todo lo que usted quiera, sí señor, pero son las palabras las que cantan... Brillan como piedras de colores, saltan como platinados peces; son espuma, hilo, metal, rocío... Persigo algunas palabras... Son tan hermosas que las quiero poner todas en mi poema... las siento cristalinas, vibrantes, ebúrneas, vegetales, aceitosas, como frutas, como algas, como ágatas, como aceitunas... Las dejo como estalactitas en mi poema, como pedacitos de madera bruñida, como carbón, como restos de naufragio, regalos de la ola...

Todo está en la palabra... Tienen sombra, transparencia, peso, plumas, pelos; tienen de todo lo que se les fue agregando de tanto rodar por el río, de tanto transmigrar de patria, de tanto ser raíces... Son antiquísimas y recientísimas... Viven en el féretro escondido y en la flor apenas comenzada...

Qué buen idioma el mío, qué buena lengua heredamos de los conquistadores...

NERUDA, Pablo. Fragmento. In AILLÓN, M. Alvorado (Ed.). *Lengua y literatura.* Ecuador, Litho-Mundo, S. A., 1996.

BERTIL DAHLGREN/CP-KEYSTONE

Pablo Neruda. Su verdadero nombre era Neftalí Ricardo Reyes Basualto. Nació en Parral, pequeña población del sur del Chile, en 1904. Ejerció la carrera diplomática en Asia y Europa. Sus ideas políticas lo llevaron a una azarosa vida de exilios y persecuciones. Fue galardonado con el Premio Nobel de Literatura en 1971. Murió en Chile, en 1973.

Comprensión e interpretación del texto

1. ¿Por qué "La palabra" es una prosa poética?
2. Relee el texto e intenta captar bien su contenido y belleza, señalando lo que te ha gustado más.
3. Escoge y copia las descripciones, ilustrando con fotos o grabados.
4. ¿Qué dirías más sobre "La palabra"?
5. Escribe una *prosa poética*, como ésta, sobre el tema que te guste, algo importante para ti, desde la pelota a la música, desde una pequeñísima cosa a la complejidad del mundo.
6. Saca del texto algunas imágenes auditivas, visuales y táctiles.
7. Relaciona las comparaciones hechas en "La palabra", justificándolas.
   Ejemplos:
   frutas → las palabras tienen sabor, como las frutas.
   espumas → las palabras son blandas, livianas, suaves, como las espumas blancas que van dar a la arena fina de la playa.
8. Ilustra el texto, según tu sensibilidad y comprensión.

Selectividad

(Centro Universitário La Salle/Canoas - RS)

En este mundo, para conservar amigos, es preciso tener el valor de aguantar obsequios. Fue lo que me pasó cuando Braulucho me impuso ir a cenar con él.

Es un hombre bien empleado que reúne entre su sueldo y su hacienda cuarenta mil reales de renta y que tiene una cintita atada al ojal y una crucecita en la solapa; persona cuya clase, familia y comodidades de ninguna manera se oponen a que tuviera una educación más escogida y modales más suaves e insinuantes. Pero la vanidad le ha sorprendido.

Es tal su patriotismo, que dará todas las lindezas del extranjero por un dedo de su país. Esta ceguedad le hace adoptar inconsiderado cariño: nuestras chiquillas son las más encantadoras mujeres del mundo. Es el hombre que vive, en fin, de exclusivas.

No hay que hablarle, pues, de estos usos sociales, de esa delicadeza de trato que establece entre los hombres una preciosa armonía, diciendo sólo lo que debe agradar y callando lo que puede ofender. Como tiene trastocados todos los frenos, llama a la urbanidad hipocresía y a la decencia monadas; a toda cosa buena le aplica un mal apodo; el lenguaje de la finura es para él poco más que griego. Se preocupa exhaustivamente en agradar a los amigos.

1. "Como tiene trastocados todos los frenos" (líneas 16-17), se puede decir que se trata de una persona

a) perturbada.
b) alelada.
c) insolente.
d) fanática.
e) empalagosa.

2. A palavra do texto que está relacionada a uma idéia de ininteligibilidade é

a) apodo.
b) cintita.
c) vanidad.
d) ceguedad.
e) griego.

3. A expressão "aguantar obsequios" (linha 1) pode ser justificada porque Braulucho era uma pessoa

a) de comportamento ridículo.
b) de reações imprevisíveis.
c) de grande empatia.
d) desiludido da humanidade.
e) sociável mas cansativo.

4. Para Braulucho la decencia no es nada más que

a) quimeras.
b) fruslerías.
c) chistes.
d) cicaterías.
e) chapucerías.

5. Braulucho usava um crucifixo

a) no casaco.
b) na corrente.
c) na lapela.
d) no sobretudo.
e) na gravata.

6. A palavra "ojal" (linha 4) se traduz por

a) casa de botão.
b) paletó.
c) gola.
d) colete.
e) camisa.

7. El amigo * y * familia creen que todo * es lo mejor.

a) mi – su – el su
b) mío – su – lo suyo
c) mío – suya – lo su
d) tuyo – su – el tuyo
e) su – nuestra – nuestro

PORTALENGUA

Hablar de planes

¿Qué va(s) a hacer	hoy/mañana/el próximo...? esta tarde/noche/semana? hoy/mañana por la mañana/tarde/noche?

Voy a Tengo que Necesito Tengo ganas de Quiero	viajar... visitar... trabajar... comprar... conocer....

Gustos/aficiones

¿Tiene(s) alguna afición? ¿Te gusta...?
Me gusta/interesa/encanta...

Concertar citas

¿Nos vemos ¿Nos citamos ¿Quedamos	cuándo? hoy por la noche/tarde...? mañana/el próximo...?

Podemos citarnos/vernos/encontrarnos a las ocho	delante del museo. frente al cine. al lado de la iglesia. detrás del parque. en el shopping.

Fechas/Horas

¿Qué día (es)	tu/su cumpleaños/bodas/viaje/fiesta? volverás? vienen tus/sus padres/amigos/tíos? volvemos a vernos/hablarnos?

¿A qué hora (es)	vuelve(s)/viene(s)/sale(s)/viaja(s)? el espectáculo/la película/la reunión?

Expresar gustos y manías

(No) Me gusta que...
No soporto que...
Me molesta mucho que...
Me encanta...
Me fascina...

Relación con otras personas

¿Qué tal/cómo te llevas con...?

COMUNICHABLE

DIÁLOGO 1. De compras

Nina: Sole, tengo que ir de compras hoy por la tarde. ¿No quieres ir conmigo?

Sole: ¡Fenomenal! También necesito comprar unos regalos para mi primo y una tía. ¿Me buscas, Nina?

Nina: Sí, a las catorce. ¿Está bien?

Sole: Sí. Te espero frente a mi casa. ¿Qué vas a comprar?

Nina: Bueno… cuaderno para dibujo, biromes, una revista y voy contigo a dar una miradita en los regalos. Quiero comprar algo para un ahijado. Su cumpleaños es el sábado próximo.

Sole: ¡Ah! a mí me gustaría también ver juegos, libros y una blusa para mi hermana. Bueno, Nina. Hasta pronto.

Nina: Hasta pronto, Sole.

DIÁLOGO 2. Un viaje

Toñito: ¿Cuándo viajas, tía Nilda?

Nilda: Viajo hoy y vuelvo la próxima semana. ¿Por qué?

Toñito: Si no te molestas, ¿me traes un libro que necesito?

Nilda: Por supuesto. Me encanta ayudarte, Toñito. ¿Qué libro quieres?

Toñito: El Don Quijote. ¿Nos vemos cuándo?

Nilda: Tan pronto llegue te telefoneo, ¿sí?

Toñito: Gracias, tía. Buen viaje. Te espero. Hasta la vuelta.

Nilda: Chau, Toñito. Hasta la vuelta.

Lenguacuriosa

Verbos hispanoamericanos

Barbear	Adular interesadamente. (México)
Buscar	Irritar, provocar. (México)
Camelar	Ver, mirar, acechar. (México)
Chimar	Fastidiar. (México)
Harinear	Llover con gotas menudas, lloviznar. (Venezuela)
Jericoplear	Fastidiar, amolar. (Guatemala)
Ladearse	Enamorarse. (Chile)
Lipidiar	Importunar, fastidiar. (México)
Manganear	Fastidiar, importunar. (Perú)
Mogollar	Trampear. (Bolivia)
Muñequear	Mover influencia para obtener algo. (Argentina y Paraguay)
Nalguear	Dar nalgadas, golpear a alguien en las nalgas. (Costa Rica y México)
Nancear	Alcanzar. (Honduras)
Neblinear	Lloviznar. (Chile)
Ningunear	Menospreciar. (México)
Ñangotarse	Ponerse en cuclillas, humillarse. (Puerto Rico)
Pelarse	Huir precipitadamente. (México)
Pichulear	Engañar. (Chile)
Pololear	Galantear. (Chile)
Repicar	Castigar. (Honduras)
Sitar	Silbar para llamar a una persona. (Venezuela)
Somatar	Dar una tunda, zurrar. (Honduras)
Tapiscar	Desgranar la mazorca de maíz. (Costa Rica y Honduras)
Templar	Enamorarse. (Chile)
Trapear	Limpiar el piso de la casa con un estropajo. (Ecuador, México y Perú)
Trasbocar	Vomitar. (Argentina y Colombia)
Zaragutear	Vagabundear. (Venezuela)

COMERCIO RARO

Se alquilan Sol para días nubosos, plenilunios y estrellas para noches de lluvia. Uso privativo en sitio a la elección. El milagrero, allí en la Plaza de los Sueños.

JUEGUITO

Te proponemos un problema al que debes solucionar, utilizando tu ingenio. Pon atención a los datos abajo e intenta resolverlo.

Ana, Maite, María, Juana y Silvia entran en un supermercado a comprar un alimento diferente cada una. Los alimentos que compraron son: acelga, boniato, col, lechuga y arveja. Se sabe que Maite no compró boniatos ni cualquier hoja verde y María compró lo que las cuatro no se llevaron. Ana no encontró boniatos y tampoco compró cosas que empiezan con A. Juana compró lechuga y Silvia no compró hojas y granos. ¿Qué llevó cada compradora?

HUMOR

Calificaciones

Un padre observando un boletín de calificaciones:

— ¡Pero es inaudito!

— Papito, quiero explicarte...

— ¡Nada, no me digas nada! ¡Es una vergüenza! ¡Eres el peor de la escuela!

— ¡Pero, papito! ¡ese boletín era tuyo! ¡Lo encontré en un cajón de tu escritorio!

ACTIVIDAD

✓ Abajo encontrarás varias sugerencias para que tu día se vuelva cada vez más fácil. Para que puedas enterarte de qué se trata, completa las informaciones con los verbos entre paréntesis en el tiempo adecuado.

Sugerencias para todos los días

1. *Limpieza de collares y de anillos de oro.* Aunque es el metal más noble, a veces el maltrato o la falta prolongada de uso les hace perder el buen aspecto. Para que las alhajas trabajadas en este material (recobrar) ______________ su esplendor, (meterlas – ud.) ______________ un rato en un recipiente con agua templada a la que se añadirá un detergente para ropa fina. Después (enjuagarlas – ud.) ______________, (secarlas – ud.) ______________ y (frotarlas – ud.) ______________ con una franela que no (desprender) ______________ pelusa.
Para darles más brillo, hay dos recetas: (dejarlas – ud.) ______________ en remojo con jugo de cebollas durante dos horas y después (secarlas – ud.) ______________ y (mantenerlas – ud.) ______________ en remojo tres horas con leche tibia.

2. *Cada mancha y su antídoto*. Conservar las prendas en buen estado aporta un ahorro a la alcancía familiar. Por esa razón, (recurrir – ud.) ____________ a este ayudamemoria cuando alguna mancha catastrófica (asomar) ____________ amenazante en ellas.
Aceite: (pasar – ud.) ____________ jabón seco y (dejar – ud.) ____________ un rato antes de lavarla con agua tibia.
Chocolate: (apretar – ud.) ____________, sin frotar, la parte manchada entre dos papeles absorbentes (servilletas de papel o papel higiénico). (quitar – ud.) ____________ los restos con alcohol fino (de 90º, el mismo que se usa para desinfectar heridas y preparar licores).
Cerveza: (dejar – ud.) ____________ caer sobre la mancha unas gotas de agua oxigenada o de amoníaco. Después (lavar – ud.) ____________ normalmente.
Postres o bebidas azucaradas: (lavar – ud.) ____________ con agua tibia y un chorrito de alcohol fino.

3. (Saber – ud.) ____________ *como servir vinos*. (servir – ud.) ____________ los vinos a temperatura ambiente. Es importante que (descorchar – ud.) ____________ la botella una o dos horas antes para que (respirar – él) ____________. Como opción, (traspasarlo – ud.) ____________ a una jarra.
Los vinos blancos, en cambio, deben estar fríos. Pero (tomarse – ud.) ____________ el tiempo necesario para dejarlos destapados a temperatura ambiente durante una hora; luego (tapar – ud.) ____________ y (llevar – ud.) ____________ a la heladera hasta que (tomar – él) ____________ el frío necesario (el exceso de frío no es aconsejable).
Ni el champán ni los vinos espumantes se descorchan sino en el momento de servirlos. Por lo tanto, (enfriarlos – ud.) ____________ directamente.

4. *Emanaciones desagradables*. Para eliminar los olores molestos:
En la heladera: (colocar – ud.) ____________ en un recipiente unos granos de café, una chaucha de vainilla o bicarbonato de sodio.
Cigarrillos: (encender – ud.) ____________ tres o cuatro velas cuando en una reunión (haber) ____________ muchos fumadores. Cuando los invitados se (retirar) ____________ también (poder – ud.) ____________ colocar un recipiente con vinagre; éste absorberá el olor.
Cañerías: las de la cocina o baño pueden emanar olores muy desagradables. Para evitarlo, una vez por semana, (echar – ud.) ____________ la siguiente mezcla en el desagüe: una taza de sal, una de bicarbonato de sodio y una de cremor tártaro. Sobre esto (derramar – ud.) ____________ una pava de agua hirviente y pasados unos minutos (dejar – ud.) ____________ correr agua fría.
Lavandina: en las manos queda un olor muy desagradable; para quitarlo, (ponerse – ud.) ____________ un poco de pasta dentífrica y (frotárselas – ud.) ____________. Luego (enjuagarlas – ud.) ____________.
Comidas: muchas veces usted cocina en el horno y el olor llega hasta la casa del vecino. Para evitar eso, cuando (sacar – ud.) ____________ la comida del horno (colocar – ud.) ____________ una fuente con cáscaras de naranja o limón, cuando el horno todavía no (haber) ____________ sido apagado.

5. *Los secretos de un planchado excelente*. (Planchar – ud.) ____________ siempre de día. Usted ve mejor y evita sobrecargas en el sistema eléctrico. (Apilar – ud.) ____________ la ropa según la temperatura que cada prenda necesita. (Empezar – ud.) ____________ por la ropa que (requerer) ____________ menos calor. Y (ir – ud.) ____________ subiendo el termostato.
Hay muchas prendas que quedan mejor si se planchan con la humedad que les queda del secado centrífugo. (Aprovechar – ud.) ____________ esta posibilidad con camisas de poliéster o mezclas de algodón, sedas livianas y paños de lana. Entre estos últimos y la plancha (colocar – ud.) ____________ siempre un lienzo seco.
Cuando (planchar – ud.) ____________ camisas (retocar – ud.) ____________ el cuello

y los puños al final. (Guardarlas – ud.) ______________ dobladas si no asienta los dobleces del frente y no las apila en un cajón.
(Mantener – ud.) ______________ limpia la base de la plancha.
Para planchar polleras tableadas, (estirarlas – ud.) ______________ bien y (sujetar – ud.) ______________ las tablas a la mesa de planchado mediante alfileres. Puede intentar el mismo método con plisados anchos.
Para que los pantalones se (quedar) ______________ con rayas perfectas (tomarlos – ud.) ______________ por las bocamangas y desde allí (doblarlos – ud.) ______________ por la línea de caída. No (olvidar – ud.) ______________ de asentar los bolsillos antes que todo lo demás.
A aquellas amas de casa que adoran conseguir un planchado casi de tintorería, les recomendamos que (agregar – uds.) ______________ al agua del rociador unas gotitas de enjuague o suavizante, el mismo que se coloca en el dispenser del lavarropas.
(Poner – ud.) ______________ en práctica ese consejo y descubrirá cómo la plancha se desliza sobre el género sin dificultades y sus prendas quedan impecables.

6. (Programar – ud.) ______________ *su lavado de ropas*. Antes de colocar todo lo sucio en el lavarropa, (tener – ud.) ______________ en cuenta lo siguiente:
No (dejar – ud.) ______________ abiertos los cierres de los pantalones.
No (poner – ud.) ______________ a lavar prendas abrochadas.
(Coser – ud.) ______________ las prendas flojas y (remendar – ud.) ______________ los desgarros antes de lavar.
No (incluir) ______________ los pulóveres o prendas tejidas a mano o de pura lana. Tampoco se le (ocurrir – ud.) ______________ centrifugarlas, ya que lo único que logrará es encogerlas.
No (mezclar – ud.) ______________ ropa muy sucia con otra que no lo (estar – ella) ______________, ya que la que está poco sucia deberá soportar más tiempo de lavado inútilmente.
Nunca (lavar – ud.) ______________ ropa de distintos colores en una misma carga; (agruparla – ud.) ______________ por tonos.
Antes de poner las cortinas (sacudirlas – ud.) ______________ para quitarles todo el polvo y (remojarlas – ud.) ______________ media hora con agua tibia.

7. *Trucos para no derramar la leche*. Para que la leche que se está calentando en el fuego no se (salir – ella) ____________ del recipiente, (colocar – ud.) ____________ un platito boca abajo o una cucharita en el fondo.
Para hacer desaparecer el sabor a quemado de la leche, (extender – ud.) ____________ sobre el recipiente que contiene el líquido, mientras todavía (estar – él) ____________ caliente, un paño limpio húmedo, que hay que enjuagar y humedecer hasta que la leche (volver – ella) ____________ a estar potable.
(Mojar – ud.) ____________ con agua el recipiente antes de hervir la leche. Así evitará que (quedar – ella) ____________ pegada en el fondo.
Para que la leche en polvo (tener – ella) ____________ el aroma de leche de verdad, (añadirle – ud.) ____________ una pizca de sal fina. Así podrá engañar a los que insisten en decir que la leche en polvo es fea. Con la sal quedará igual que la que se vende en cartón.

8. (Solucionar – ud.) ____________ *las imperfecciones*. Para ojos redondos y saltones (cubrir – ud.) ____________ el párpado superior con maquillaje oscuro o una sombra opaca de tono castaño; la aplicación debe ser hacia el exterior en forma oblicua.
Si sus ojos son pequeños, (cubrir – ud.) ____________ el párpado con un maquillaje beige claro y (subrayar – ud.) ____________ la línea del ojo con un lápiz fino y más grueso hacia el exterior. (Agrandar – ud.) ____________ los ojos con rímel de tono suave y (ocultar – ud.) ____________ las cejas con un tono más claro que el cabello.
Si su problema son los ojos demasiado juntos, (solucionarlo – ud.) ____________ alargando el trazo de lápiz que bordea el ojo hacia el exterior y colocando sombra suave en el párpado superior, aclarándola hacia la nariz.
Por lo contrario, si sus ojos son excesivamente separados, existe una técnica que ya utilizaba *Jackie Onassis* hace años. Sólo (estirar – ud.) ____________ el trazo hacia la nariz y (colocar – ud.) ____________ maquillaje oscuro en el párpado superior, suavizándolo hacia las sienes.

Adaptado de *El País*, Uruguay.

VENTANITA

1. El origen de la Navidad

Cuando los europeos empezaron a adoptar el cristianismo, en el siglo III, incorporaron las antiguas fiestas invernales a la fiesta cristiana.

Para los cristianos, la Navidad celebra el nacimiento de Jesucristo.

Las fiestas invernales romanas se realizaban entre el 17 y el 23 de diciembre para honrar a Saturno, dios de la fertilidad. Los amos y los esclavos compartían de forma igualitaria la festividad, obsequiando regalos, velas, comidas y bebidas.

2. El origen de Santa Claus

El origen nórdico de Papá Noel es una invención moderna.

La verdadera historia nace de la transformación del Obispo de Myra, hombre generoso, cuyo nombre era Nicolás de Myra. Muerto en el año 340, es glorificado cien años después. En el año 1087, unos marinos roban sus restos y lo llevan a Bari, en Italia, donde se construye una basílica. San Nicolás es adorado en toda Europa.

En el siglo XII, San Nicolás castiga a los niños malos y premia a los buenos. En Alemania, Holanda y Francia se celebra aún el 6 de diciembre como el Día de San Nicolás.

3. El origen del Árbol de Navidad

La tradición del árbol navideño surge en el siglo XVII en Suiza y en el sur de Alemania. Hacia el siglo XVIII la tradición se había extendido a toda Alemania. Para el siglo XIX, Escandinavia, Gran Bretaña y Francia habían incorporado el árbol en sus festejos. Ese mismo siglo algunos inmigrantes llevan la tradición a América del Norte.

Antes del siglo XVI, el árbol llamado *Klausengbaun*, por San Nicolás, era parte de la tradición. Estaba envuelto en papeles y adornado con velas y manzanas.

RECANTO

✓ Escucha, completa y canta esas dos músicas navideñas. Se llaman villancicos.

Soy un pobre pastorcito

Folklore español

Soy un pobre ____________
que camino ____________ Belén;
voy buscando al que ha nacido
Dios con nosotros, Manuel.
Voy buscando al que ____________
Dios con nosotros, Manuel.

Caminando, camina ____________,
no te canses no de ____________,
que te esperan José y María
con el Niño en el ____________.
Que te esperan José y María
con el Niño en el Portal.

____________ soy pobre le llevo
un blanquísimo ____________,
para que le ____________ su madre
un pellico de pastor.
Para que le haga su madre
un ____________ de pastor.

Caminando...

Guardadito aquí en el ____________
yo le llevo en el portón
Al ____________ que ha nacido...
Le llevo mi corazón.

Caminando...

Noche de paz

Folklore

Noche de paz
Noche de amor
____
Entre los astros
____
Ven ya anunciando
____
____________] bis

INFO/INTERDISCIPLINAS

Geografía / Cultura religiosa. Busca informaciones sobre cómo se celebra la Navidad en los distintos países de lengua española. Puedes buscarlas en la *web*. Te acordamos que tu encuesta la puedes realizar en los distintos *chats* de conversación, con gente de todas partes del mundo. Luego, averigua qué aspectos son iguales y qué aspectos se muestran distintos de país para país. Cuéntalo al grupo.

REPASÁNDOLO

Personas de una región muy lejana del planeta visitan nuestro país y ven a los brasileños haciendo una serie de cosas. Pero como conocen muy poco de nuestra cultura, no entienden qué hacen los de aquí. A seguir encontrarás un trozo de la carta enviada a su país de origen en la que relatan parte de lo que han observado. Tu trabajo será pasar los verbos entre paréntesis al imperfecto de indicativo y luego explicar qué vieron esos turistas tan raros.

GUILHERME PINTO/AGÊNCIA O GLOBO

Queridos amigos, he aquí lo que hemos visto en este último final de semana: en el centro — un rectángulo dibujado en el suelo de madera — (haber) __________ doce hombres, todos muy altos y ágiles. Seis (llevar) __________ ropa azul — camiseta y pantalones cortos — y seis, ropa azul celeste y negro. Todos se (mover) __________ cada vez que un objeto redondo (volar) __________ de un lado a otro del rectángulo, tan pronto un hombre, trepado a un banquito muy alto, (silbar) __________ cerca a una red que (dividir) __________ dicho rectángulo exactamente al medio. Los doce (saltar) __________ muy alto y (tratar) __________ de golpear el objeto redondo tan pronto este (amenazar) __________ tocar el suelo del lado opuesto desde donde (haber) __________ partido gracias a un golpe fortísimo de uno de los seis de este lado. Alrededor del rectángulo ocho mil personas (mirar) __________. Al hombre trepado en el banquito, nadie le (querer) __________ y los 8 mil que (mirar) __________ (gritar) __________ cosas cada vez que éste (tocar) __________ su instrumento musical — muy mal por cierto. Por eso probablemente los 8 mil (enfadarse) __________ con él. De vez en cuando, un hombre vestido de blanco (hacer) __________ gestos raros con los brazos, justo cuando el objeto redondo y blanco (ser) __________ mandado para fuera del rectángulo por uno de los seis de azul. Entonces, unos 4 mil se (poner) __________ muy contentos, gritando mucho. Los otros se (mostrar) __________ visiblemente enfadados. Conclusión: la gente de ese país es realmente muy, muy rara.

COMPLEMENTO DIRECTO PREPOSICIONADO

Complemento directo (C. D.) es la persona, objeto o ser en el cual la acción del verbo recae directamente.

Ej.: El niño comió *el asado*.

Se lo puede identificar de dos maneras:

1. Sustituyendo el elemento que consideramos C. D. por los pronombres LO, LA, LOS, LAS: María compró *unas manzanas*. ⇒ María *las* compró.
2. Haciendo la pregunta al verbo: ¿qué es que se?
   Ej.: Sofía heredó una fortuna. ¿Qué es que se heredó?
   Una fortuna (C. D.).

El complemento directo viene antecedido por preposición. Veamos en que situaciones:

a) Con nombres propios de personas, animales o cosas.
   Ej.: Admiro mucho *a Pelé*.
   Cervantes inmortalizó *a Rocinante*.
   ¿Ya conoces *al Corcovado*?

b) Cuando el complemento se refiere a persona determinada, con su nombre apelativo o pronombre.
   Ej.: Llama *a tus padres*.
   Ya he atendido *a todos*.
   Elvis Presley maravillaba *a las muchedumbres*.

EJERCICIO

1. Emplea la preposición donde sea necesario.

a) El viento hizo temblar ______________ los árboles.
b) El viento hizo temblar ______________ viajero.
c) Espero ______________ los compañeros del colegio.
d) ¿No quieres ______________ nadie contigo?
e) El carcelero suelta ______________ prisionero.
f) El sol calienta ______________ la tierra.
g) El sol calienta ______________ todo.
h) El sol calienta ______________ todos.
i) El sol calienta ______________ los niños.

PIÉNSALO

La risa es mi paz-a-tiempo.

G. Aristizábal

JUEGUITO

Tienes abajo los grupos de palabras A, B y C. Los grupos A y B son de sustantivos. El grupo C es de verbos. Elige un verbo y, con él, elabora una frase con complemento directo con preposición y otra con complemento directo sin preposición. Saca los complementos de los grupos A y B.

Ej: Pedro recibió **al primo** (a su primo).
Pedro recibió **el armario** (su armario).

A	B	C
perro, película, **armario**, potro, pelota, oveja, zoológico, vacaciones, restaurante, rebaño, playa, banco, iglesia, coche, fiesta, ciudad, lección, luna, planeta, teatro, mar	Brasil, cartero, **primo**, vecindario, padrinos, secretaria, México, jubilados, Copacabana, amigas, auditorio, pueblo, cantante, juez, multitud, plomero, Marcelo, médico, Roma, Félix, gente	visitar, conocer, buscar, proteger, prestigiar, defender, soportar, esperar, **recibir**, ayudar, cambiar, cuidar, observar, entretener, despreciar, maltratar, ver, saludar, querer, evitar, escuchar

ESTAMPALABRAS

La ciudad

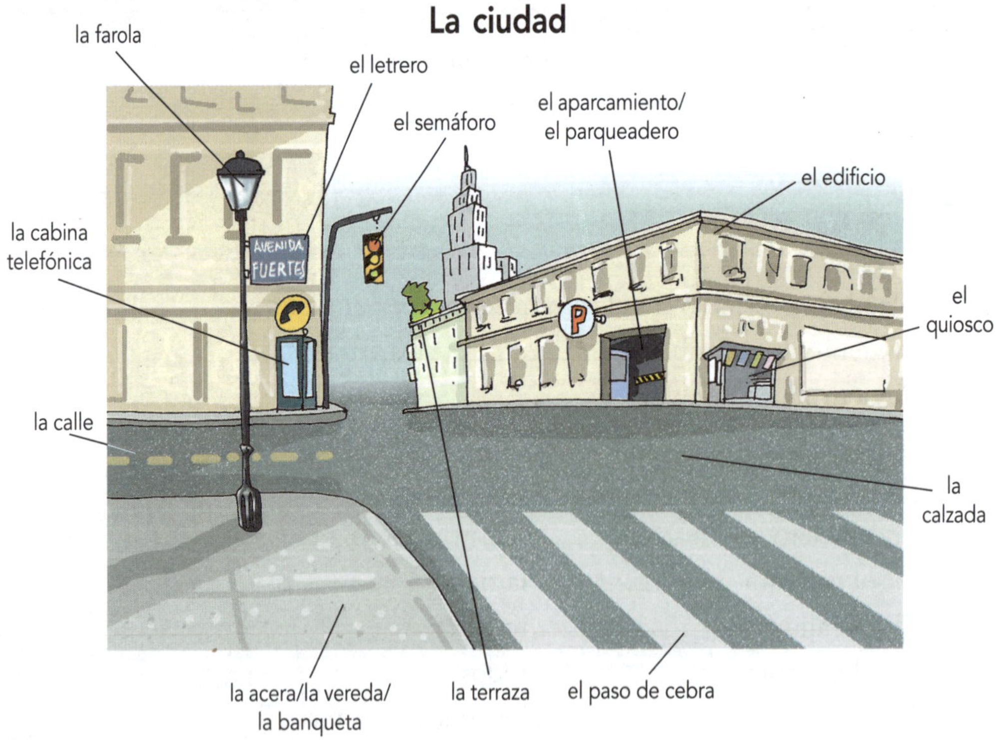

La plaza

La autopista

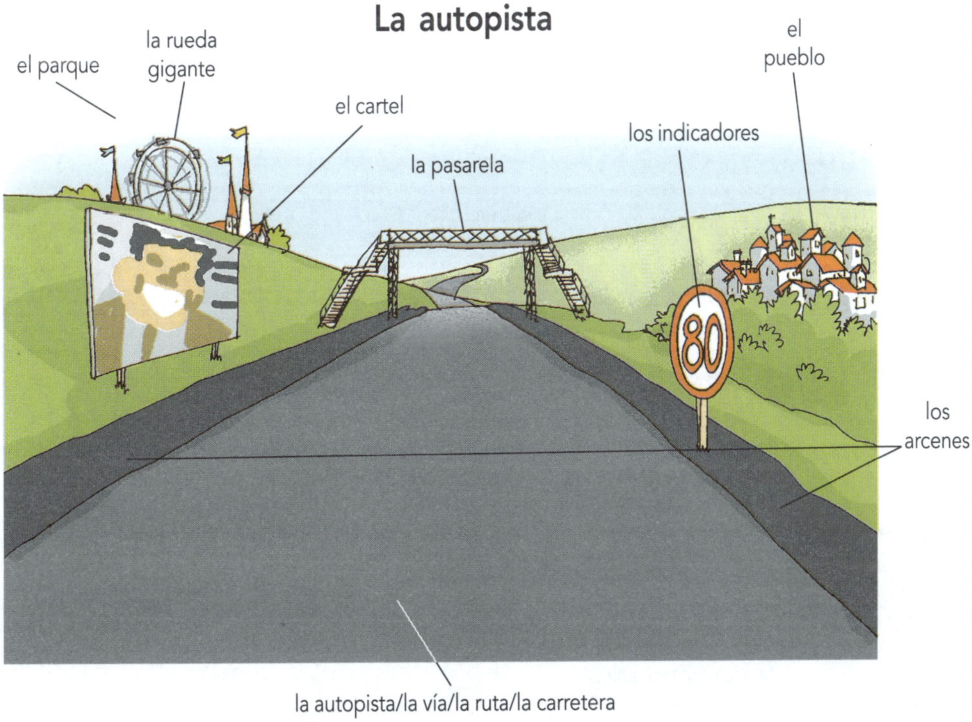

La ciudad

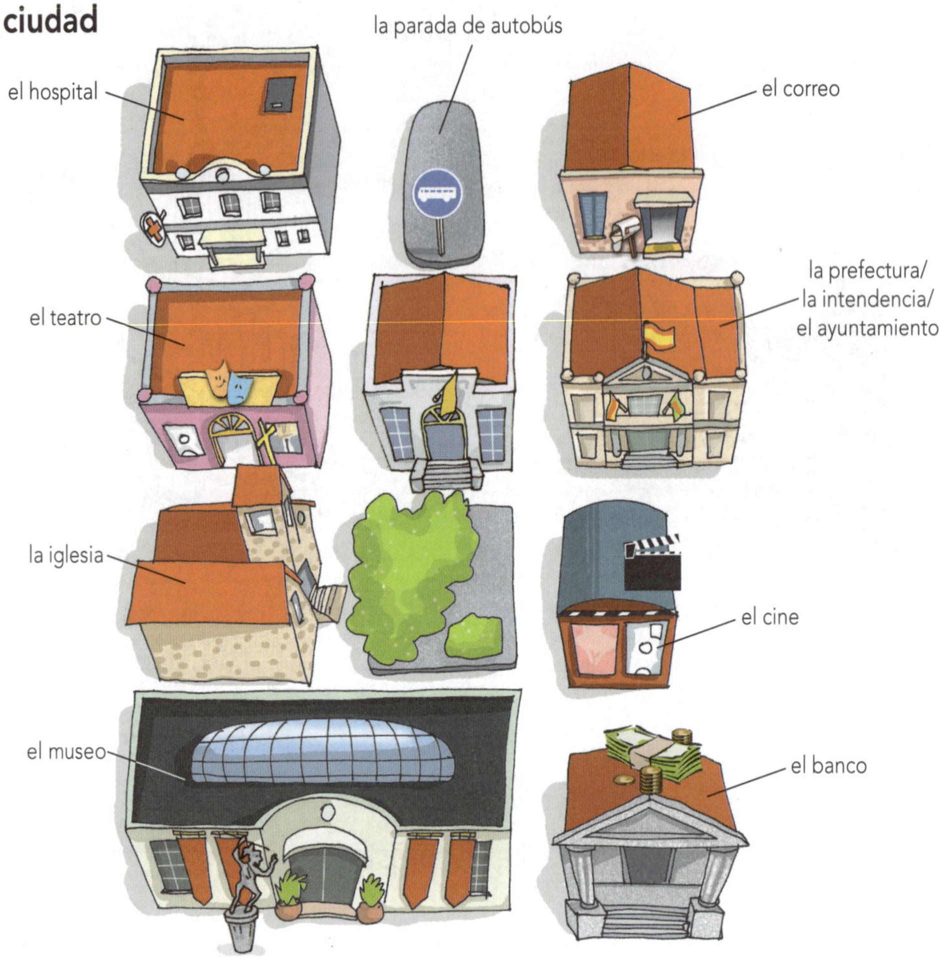

El metro

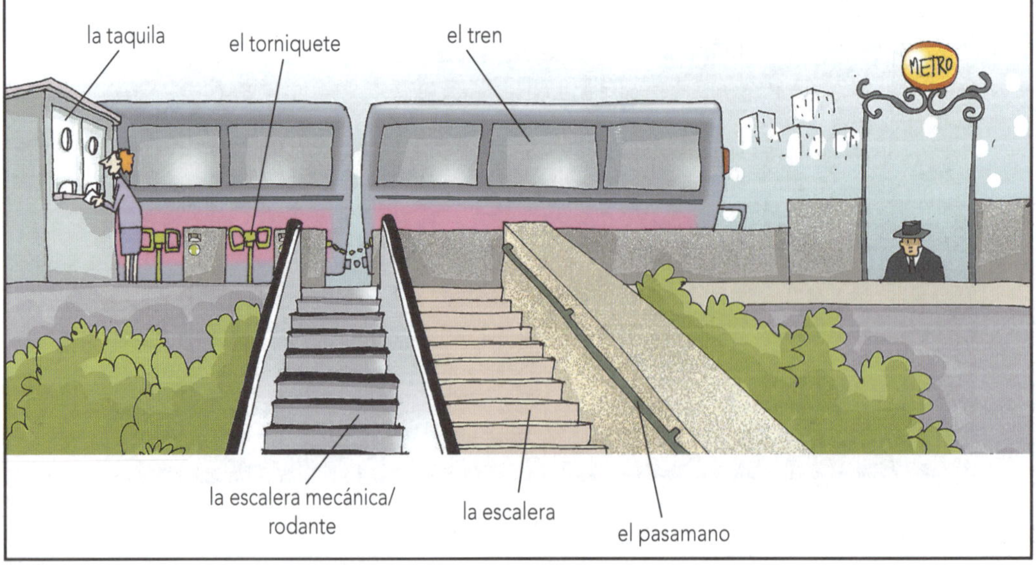

POR EL MUNDO 8

FOTOS: CID

El mundo es mi país, la humanidad son mis hermanos y hacer el bien, mi religión.

Thomas Paine (1737-1809), escritor político británico.

✓ Una pareja en luna de miel ha salido de viaje en una interesante gira por Hispanoamérica, pero ha tenido algunos problemas en el aeropuerto. Lee con atención reglamento abajo e intenta ayudarla.

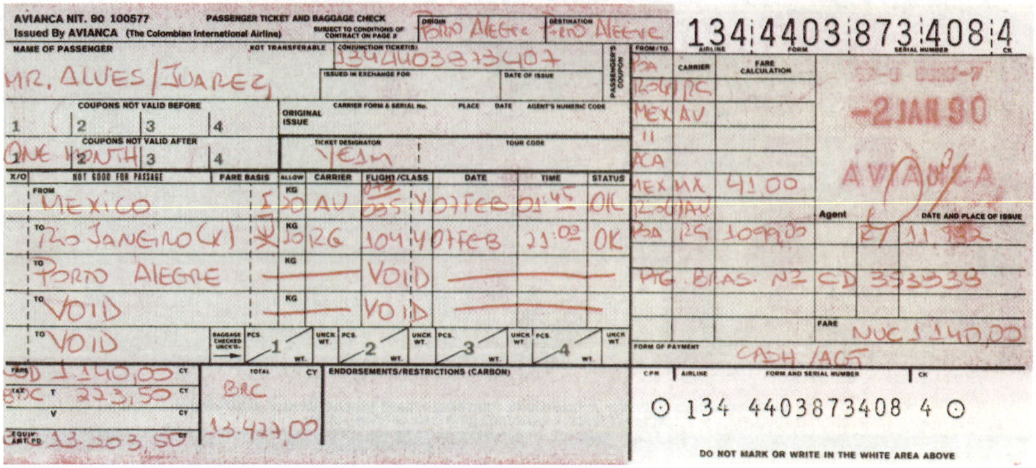
AVIANCA NIT. 90 100577
Issued By AVIANCA (The Colombian International Airline)
PASSENGER TICKET AND BAGGAGE CHECK
ORIGIN: PORTO ALEGRE — DESTINATION: PORTO ALEGRE
134 4403 873 408 4
NAME OF PASSENGER: MR. ALVES/JUAREZ
NOT TRANSFERABLE
CONJUNCTION TICKET(S): 13444038734O7
COUPONS NOT VALID BEFORE
COUPONS NOT VALID AFTER: ONE MONTH
TICKET DESIGNATOR: YE1M

FROM / TO	FARE BASIS	ALLOW	CARRIER	FLIGHT/CLASS	DATE	TIME	STATUS
MEXICO		20	AU	035 Y	07FEB	01:45	OK
RIO JANEIRO (X)		20	RG	104 Y	07FEB	21:00	OK
PORTO ALEGRE			VOID				
VOID			VOID				
VOID							

FARE: USD 1.140,00
TAX: BRC 223,50
TOTAL: BRC 13.427,00
EQUIV. AMT. PD: 13.203,50
ENDORSEMENTS/RESTRICTIONS (CARBON)
FARE CALCULATION: POA RG RIO, MEX AU, MEX MX 41.00, RIO AU, POA RG 1099,00
PTG. BRAS. N2 CD 353339
-2 JAN 90
AVIANCA
FARE: NUC 1140,00
FORM OF PAYMENT: CASH/AGT
134 4403873408 4
DO NOT MARK OR WRITE IN THE WHITE AREA ABOVE

Reglamento para los servicios internacionales

1. El boleto es personal e intransferible, válido para hora y día indicado.
2. El pasajero tiene derecho a 20 kilos de equipaje y el exceso será admitido siempre que la capacidad del BUS lo permita, debiendo pagar dicho exceso.
3. La empresa no asume responsabilidad alguna por equipaje que conduzca el propio pasajero, y que no esté etiquetado por comprobantes propios de la Empresa.
4. La Empresa no proporciona movilización a los pasajeros de ninguno de sus terminales; el pasajero deberá presentarse para su viaje con media hora de anticipación a la indicada en su pasaje.
5. La Empresa no se hace responsable por daños o pérdidas en el equipaje de propiedad personal del pasajero, salvo que se haya declarado el valor de tales efectos.
6. Si por cualquier motivo el BUS atrasa su salida o demora su llegada de acuerdo con cualquier itinerario, la Empresa no será responsable de daños o perjuicios que estas demoras le puedan ocasionar al pasajero.
7. La empresa no responde por el estado de salud o físico de las personas que viajen en nuestros buses ni tampoco por cualquier trastorno o accidente que pudiera sobrevenir, como consecuencia de tal estado.
8. Serán excluidos del transporte:
   a) Las personas que se encuentren bajo influencia alcohólica, de drogas o de otros estupefacientes o aquellos cuyo estado de salud físico no sea compatible con el viaje.
   b) La persona que porte armas de fuego, sustancias inflamables, o cualquier objeto que pueda constituir un peligro para la seguridad del pasajero o la carga.
   c) Los objetos que por sus dimensiones u otros motivos incomoden al pasajero.
9. El pasaje sólo cubre el transporte, todo gasto extra será por cuenta del pasajero.
10. El pasajero se compromete y acepta todas las disposiciones legales de cada país así como portar los documentos y aceptar el control policial y de aduana, no asumiendo la Empresa ninguna responsabilidad por actos u omisiones en que el pasajero incurra.
11. Todo pasaje de ida y vuelta está sujeto a espacio, y el pasajero debe hacer sus reservaciones con la anticipación debida.
12. Los pasajes, con fecha abierta, tienen vigencia de 90 días, desde la fecha de venta.
13. Cualquier característica de seguros por accidentes no especificados en el presente contrato SE REGIRÁN DE ACUERDO A LAS DISPOSICIONES VIGENTES EN CADA PAÍS.

IMPORTANTE

14. Devolución de pasajes. No se aceptarán devoluciones de pasajes sin aviso anticipado de 24 horas al día de salida, caso contrario perderá su valor total.
    Desde las 48 horas y hasta 24 horas anteriores, 80%. Más de 48 horas, 90%.
15. Canje de boleto, por cambio de fecha u hora de viaje, no se admiten en ningún caso. Sólo se aceptará devolución de boleto en las condiciones establecidas precedentemente.
16. Reclamaciones. Verifique en el acto en el boleto si la fecha, hora de viaje, precio abonado y destino están conforme a lo solicitado, no se aceptarán reclamos posteriores.
17. Equipaje. Los señores pasajeros son responsables directos del cuidado de su equipaje y por lo tanto de los olvidos que puedan producirse en oficinas, aduanas o rutas de viaje etc.
18. Menores. Se deben consultar en nuestras oficinas la documentación necesaria para viajar de acuerdo a las disposiciones de cada país.

ACTIVIDAD

1. El ómnibus de la agencia de viajes que transportaría a los novios hasta el aeropuerto se ha retrasado por un terrible atasco en el centro de la ciudad. ¿Debe la compañía aérea darle un nuevo billete para que pueda seguir su viaje?
2. Como ha tenido problemas de trabajo, quiso el novio transferir el billete aéreo a su hermano mayor. ¿Permitirá la compañía aérea que lo haga?
3. El novio no ha hecho reservación de plazas para el vuelo de ese billete. ¿Podrá embarcar?
4. ¿Pagará la compañía aérea el dinero gasto con taxi por el novio para llegar hasta el aeropuerto?
5. La novia ha embarcado con un terrible dolor de estómago y mareos. ¿Es responsable la compañía aérea por su estado de salud durante el vuelo?
6. Como quiso disfrutar de algunos días más en Santiago, los mieleros resolvieron transferir la fecha del embarque y la hora también. ¿Han logrado realmente hacerlo?
7. Como la novia sufre de mucha jaqueca, su médico le recetó unos comprimidos, pero ella los trajo sin la cajita y sin la receta. ¿Le será permitido portar dicha medicina?
8. La madre de la novia le ha pedido una escultura en madera como recuerdo de su estancia en Perú. La escultura mide 1,50 m. ¿Podrá ella llevarla junto a sí?
9. ¿A qué hora deberían presentarse en el mostrador del aeropuerto?
10. Si el billete se ha emitido el 19 de enero de 2001, ¿cuándo perderá su validez?
11. ¿Podrán devolver su billete en la fecha del viaje?

JUEGUITO

Sigue el camino entre los globos y luego encontrarás una frase. Debes empezar por las palabras de la primera línea para lograr éxito en tu tarea. Importante: sólo hay una frase con sentido.

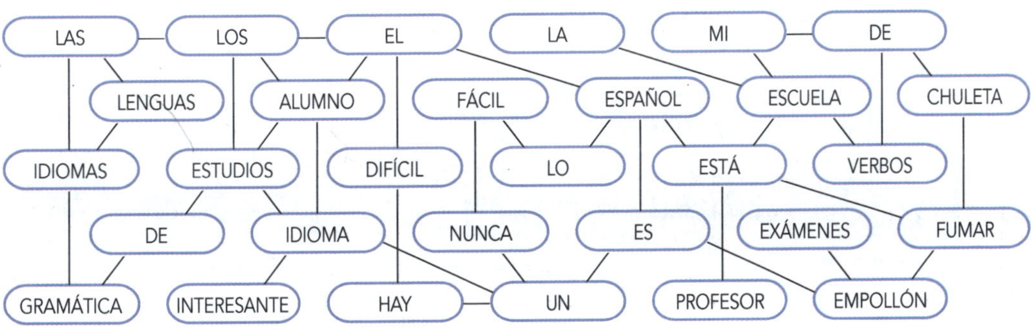

HUMOR

La venganza

Hace poco tiempo, bajaron dos angelitos a traerle un mensaje de sus superiores al Papa; para ambos, era la primera vez que visitaban a Roma y mientras se dirigían hacia el Vaticano, estaban admiradísimos de la belleza de las obras de arte diseminadas por toda la ciudad, pero lo que más les admiró fue un conjunto escultórico que hay en el medio de una de las tantas fontanas, de Benvenuto Cellini, creo, que representa a una pareja de jóvenes de tamaño natural abrazados en posición de besarse... Se quedaron extasiados mirando y, de pronto, el más travieso le dijo al otro:

— ¿Vamos a darles vida?

— Estás loco, cuando volvamos arriba nos rajan como al "Portador de Luz".

— Les damos vida hasta que nos vayamos...

— Y... Bueno, dale, pero nada más.

Los dos oraron y de pronto la estatua se convirtió en una hermosa pareja de jóvenes de carne y hueso. Los angelitos los llamaron y les advirtieron que mientras ellos (los angelitos) estuvieran en Roma tendrían vida, pero, que antes de irse los convertirían en estatua de nuevo y mientras los jóvenes se desentumecían de quinientos y pico de años de estar en la misma posición, el angelito más pícaro les dijo "pueden hacer lo que quieran, llevar a cabo vuestro sueño más preciado"... Los jóvenes se miraron con alboroto y mientras los angelitos seguían viaje hacia la Ciudad del Vaticano, ellos se alejaron de la fuente, buscando un lugar apropiado para poner en práctica sus deseos.

Varias horas después, volvieron los angelitos y los encontraron sentados al borde de la fuente esperándolos, agitados y rozagantes. Entonces el más pícaro preguntó:

— ¿Hicieron todo lo que deberían hacer?

— ¡¡¡Síííí!!!

— ¿Y no les gustaría hacerlo de nuevo? Miren que en una de esas se van a pasar otros tantos años, como desde que los esculpieron en la misma posición...

— Sí, nos gustaría volver a hacerlo, antes de ser nuevamente estatuas.

— Bueno, vayan donde sea más conveniente y dense el gusto.

Los jóvenes se alejaron buscando nuevamente el sitio adecuado para dar rienda suelta a sus fantasías y deseos.

Pero mientras se alejaban, el angelito oyó que la chica decía:

— ¡Qué suerte! pero esta vez lo vamos hacer de otra forma...

— ¿Cómo?

— Diferente, no como antes.

— Bueno, yo no tengo problema... ¿Cómo quieres?

✓ Da aquí tres posibles respuestas a esta pregunta. Luego, pregúntale a tu profesor la respuesta original del chiste. A ver si has acertado.

LECTURA

Hay dos formas de comprenderse *literatura*: en sentido lato (amplio, general) y estricto (limitado). En sentido lato literatura es cualquier texto hablado o escrito: un poema, una novela o un recibo de la lavandería. En sentido estricto literatura es una obra hablada o escrita, real o ficticia, pequeña o muy extensa, pero que sea artística, por medio de la palabra y sus recursos.

Veamos, a continuación, las características de la *prosa* y de la *poesía*, comparativamente.

Prosa	Poesía
1. Predomina el relato.	1. Generalmente en verso, aunque también en prosa.
2. Forma el lenguaje usual y corriente, preocupándose con los razonamientos.	2. Se concentra más en las emociones y los sentimientos que en los razonamientos.
3. Respeta la irregularidad rítmica del lenguaje.	3. Tiene fórmulas rítmicas iguales o uniformemente combinadas.
4. No tiene rima.	4. Puede o no tener rima.
5. Va desde el diálogo familiar a la más elaborada composición.	5. Va desde la poesía más simple a la más elaborada y grandiosa.
6. Esfuerzo en que la prosa sea armónica y musical, no imponiendo normas fijas.	6. Con fórmulas rítmicas o uniformemente combinadas, impone la disciplina de normas fijas.
7. Una buena prosa da relieve al ritmo espontáneo del lenguaje, aproximándose al lenguaje cotidiano.	7. Distanciamiento del habla cotidiana, con unidad métrica en número determinado o hecho de manera libre.
8. Forma adecuada para conceptos y razonamientos, para la exposición científica y doctrinal.	8. Preocupación con un contenido de imágenes y sentimientos.
9. No tiene metro.	9. El metro puede ser dispensable.
10. No hay cambio expresivo en la estructura de la prosa.	10. Las exigencias del verso varían en su estructura según épocas y movimientos literarios.
11. El lenguaje corriente facilita la comprensión y comunicación.	11. El rigor métrico no desagrada y estimula la emoción y sensibilidad.

ACTIVIDADES

✓ Lee con atención los textos que siguen y haz lo que se te propone.

Detrás de la maceta

Juárez de León

> Juárez de León es pseudónimo de Juarez Alves (1930), abogado y escritor de Porto Alegre-RS.

Era la primera hora del nuevo año. En el refugio de ancianos, todos ya se habían retirado a sus cuartos. Los visitantes siguieron hacia sus casas. Había cesado el vocerío tras el cambio de felicitaciones y votos de prosperidad para el futuro. Por supuesto que no han faltado brindis con agua mineral y jugos.

Como asistente social de turno, recurría las dependencias, apagando las luces. Al pasar por una gran maceta de flores, obra de internadas, oí algo como si fueran sollozos. Detrás de aquellas flores, la única ciega del grupo se había sentado en el suelo, las espaldas junto a la pared. Con las piernas encogidas y el mentón apoyado en las rodillas, lloraba bajito. En verdad, nadie, ni yo, había dado por su ausencia.

— Es hora de ir a la cama, abuela.

Extendió la mano hacia mí y la agarré.

— Me voy a acostar, pero después de pedirle un favor. ¿Puedo?

— Pídalo, abuelita.

— Escriba a mis hijos y dígales... dígales — susurra, secándose las lágrimas con la dobladilla de la blusa — que quien se ha muerto fue el año viejo.

Sobras

Juárez de León

Aquí yace Myra Bell
1930-1950
Eterna nostalgia
(Coronas y flores frescas)

Aquí yace Myra Bell
1930-1950
Gran nostalgia
(Flores frescas)

Aquí yace Myr... Bel...
193...-195...
Nostalgi
a
(Flores)

Aquí yace My... Be...
19...-19...
Nostalg
i
a

Aquí yace M.B.

1...-1...
No
s
t
a
l
g
i
a

(Limo y hierba)

Aquí yace
(El hombre uniformado y con ataché
silba y barre las hojas de plátanos)

1. Transforma el texto "Detrás de la maceta" en poesía y "Sobras" en prosa, conservando su sentido original. Para tanto, debes observar que en los dos tienes un relato de un suceso, con personajes, ambiente, tiempo histórico y psicológico, un conflicto (nudo) y un desenlace. Trata de identificar esos elementos y luego ponte a reescribir los dos sucesos, pero ahora haciendo el cambio como te proponemos.
2. Explica el último párrafo de "Detrás de la maceta".
3. ¿Qué triste realidad se deduce de la poesía "Sobras"?

SELECTIVIDAD

(Centro Universitário La Salle/Canoas-RS)

La risa es la sal de la vida. Generalmente, los hombres risueños son sanos de corazón. La risa de un niño es como una loca música de la infancia. La alegría inocente se desborda en una catarata cristalina que brota en plena garganta.

Los pensadores meditabundos no ríen, porque viven en constante comunicación con lo infinito, en una vasta serenidad. Los bandidos, los hombres avezados al crimen, tampoco ríen; en su vida zozobrante y liviana, llenos de hiel y de sombra, siempre van acompañados de un negro ceño que mantiene en sus espíritus el espanto y el odio.

El orgullo, la vanidad, sonríen; la lujuria, la gula, el robo pueden sonreír; la envidia no puede. Pálida y enferma traga su propia bilis y está con el ceño arrugado, como la pintó el poeta latino, aplastada por la montaña del bien ajeno.

¡Bendigamos la risa!

Bendigamos la risa, porque ella libra al mundo de la noche.

Bendigámosla, porque ella está en el ala de la mariposa, en el cáliz del clavel lleno de rocío, en el aderezo de rubíes que se contienen en el estuche de la granada.

Bendigámosla, porque es la salvación, la lanza y el escudo.

CID

1. La idea central del texto es que

a) la risa es la predilecta del rey bebé.
b) los hombres avezados al crimen no ríen.
c) los hombres risueños son sanos de corazón.
d) bendigamos la risa.
e) la risa es la salvación, la lanza y el escudo.

PIÉNSALO

Uno está enamorado cuando se da cuenta de que la otra persona es única.

Jorge Luis Borges (1899-1986), escritor argentino.

2. A afirmação correta, em relação ao conteúdo do texto, é

a) Tan sólo la risa acaba con todos los males de la vida.
b) La risa es la única arma con que salvaremos al mundo.
c) Todas las cosas buenas y serenas de la vida vienen acompañadas de la risa.
d) La risa sólo está en las cosas buenas de la vida.
e) La risa transforma cualquier problema en algo de fácil solución.

3. As palavras "desborda" (linha 2) y "avezados" (linha 5) se traduzem, respectivamente, por:

a) transborda e acostumados;
b) desaloja e avizinhados;
c) transfere e atentos;
d) modifica e atraídos;
e) desafoga e avessos.

4. Envidia * orgullo no se perdonan en la mocedad * infancia.

a) u – e
b) o – e
c) u – y
d) o – y
e) e – y

5. A correspondência correta entre os numerais é

a) 590 – quinientos y noventa.
b) 347 – trescientos y cuarenta siete.
c) 708 – setecientos ocho.
d) 829 – ochocientos y veintinueve.
e) 933 – novecientos treinta tres.

6. A alternativa cuja resposta está corretamente formulada é

a) ¿Aceptas al niño? Sí, acepto éso.
b) ¿Qué garaje utilizas? Utilizo aquél.
c) ¿Qué pensador te gusta? Me gusta aquello.
d) ¿Qué costumbres prefieres? Prefiero ésos.
e) ¿Qué color elegiste? Elegí aquélla.

REPASÁNDOLO

VERBOS IRREGULARES: FUTURO IMPERFECTO

Verbos	Raiz	Terminaciones	Personas
Decir	dir-	-é	yo
Hacer	har-	-ás	tú
Poder	podr-	-á	él/ella
Poner	pondr-	-á	usted
Tener	tendr-	-emos	nosotros(as)
Caber	cabr-	-éis	vosotros(as)
Saber	sabr-	-án	ellos/ellas
Querer	querr-		
Venir	vendr-	-án	ustedes
Haber	habr-		
Salir	saldr-		

EJERCICIO

✓ Completa las frases que siguen, poniendo los verbos en futuro.

1. Estoy seguro de que ella nos (traer) ____________ su trabajo completo.
2. Los precios (aumentar) ____________ de acuerdo con la inflación del mes, pero los sueldos (seguir) ____________ con el mismo valor.
3. Las clases (comenzar) ____________ la semana próxima.
4. No (poder – yo) ____________ salir contigo, pues mi madre (venir) ____________ a Porto Alegre hoy.
5. Ella nos (hacer) ____________ compañía el domingo, y entonces (saber) ____________ todo lo que ocurrió.
6. Creo que ese vestido no me (caber) ____________.
7. (Tener – tú) ____________ que esperar una hora más hasta que llegue tu vez de hablar.
8. Seguramente él (querer) ____________ comprarte un regalo por tu cumpleaños.
9. Yo (comprar) ____________ la carne y la (poner) ____________ en el frigorífico.
10. (Salir – nosotros) ____________ mañana por la mañana y (venir – nosotros) ____________ en coche.
11. ¿Me (hacer – tú) ____________ese favor? Lo ____________ (intentar – yo). (Hacer) ____________ lo posible.
12. Él no (poder) ____________ atendernos, pues su agenda ya está llena.
13. Sólo (saber – tú) ____________ el resultado dentro de un mes.
14. ¿Qué (hacer – tú) ____________ con el dinero que te ha tocado en la lotería? No sé todavía, supongo que (pagar – yo) ____________ algunas deudas y (meter) ____________ el resto en el banco.
15. Juan no sabe de la reunión. No te preocupes. Yo se lo (decir) ____________.
16. ¿Es cierto que vais a casaros? Sí, nos (casar) ____________ en agosto y (tener) ____________ dos hijos.
17. ¿Cuándo (poder – ustedes) ____________ cenar? Lo (tener) ____________ listo dentro de unos 20 minutos.
18. ¿Han terminado el palacio de verano de Ana? Sí, y (venir – ella) ____________ personalmente a inaugurarlo.
19. ¿Me (ayudar – tú) ____________ o no? No, (tener) ____________ que resolver tú solita.
20. ¡No te vayas! (Volver – yo) ____________ pronto.

LENGUACURIOSA

Palabras curiosas del vocabulario hispanoamericano

Abreboca	Papanatas, persona distraída. (Argentina)
Barbear	Adular interesadamente. (México)
Catete	Nombre que el pueblo da al demonio. (Chile)
Chácara	Monedero. (quechua)
Cocada	Amasillo de coca y cal para mascar. (Perú)
Cocó	Tierra blanquecina que emplean los albañiles. (Cuba)
Distraído	Roto, mal vestido, desaseado. (Chile y México)
Forro	Trampa, engaño. (Cuba)
Luces	Fiestas nocturnas. (México)
Meca	Excremento o estiércol humano o de bestia. (Chile)
Morcilla	Mentira. (Cuba)
Mudenco	Tartamudo. (Honduras)
Nanoya	Abuela. (Guatemala)
Nunquitita	Nunca, en sentido cariñoso. (Chile)
Ñeque	Valor, coraje. (Perú)
Pichanga	Hembra del guajolote. (Colombia)
Ratón	Músculo, bíceps. (Costa Rica)
Respingo	Arruga en las faldas. (América)
Sebo	Regalo que da el padrino en los bautizos. (América)

EMPLEO DE MUY Y MUCHO

Muy ⇒ Es invariable y acompaña a adjetivos y a adverbios.

Tus palabras me han dejado *muy* alegre.
El museo queda *muy* cerca de aquí.

¡Fíjate! Se emplea *mucho* antes de los adjetivos *mayor, menor, mejor, peor* y antes de los adverbios *más, menos, antes, después*.

Mucho ⇒ Es invariable cuando acompaña verbos y variable cuando acompaña a un nombre. También se lo usa para responder a cuestiones:

No tengo *mucho* trabajo hoy.
Tengo *muchas* cosas que contarte.
Ana viajó *mucho* el año pasado.
¿Estás muy cansada? Sí, *mucho*.

EJERCICIO

✓ Completa las frases con *muy* o *mucho(a/os/as)*.

1. No tengo ______________ dinero por eso quiero ______________ lograr un empleo.
2. Mi perro no está comiendo ______________ porque está ______________ enfermo.
3. Por favor, no hablen ______________ alto, pues me duele ______________ la cabeza.
4. Sí, el piso es ______________ bueno, pero la calle tiene ______________ ruido.
5. Este libro es ______________ interesante. Léelo y te gustará ______________.
6. Está ______________ cansado porque trabajó ______________, pero, en compensación, se siente ______________ satisfecho porque ha ganado ______________ dinero.
7. En mis clases he hablado ______________, ______________, pero mis alumnos se salieron ______________, ______________ bien.
8. Siempre estudiaba ______________ poco, pero ahora está ______________ cambiado.
9. Tener dinero es ______________ bueno, pero salud es ______________ mejor.
10. Vendré ______________ después de ustedes porque tengo clase.
11. Tu casa es ______________ mayor que la mía, pero tu jardín es ______________ menor que el mío.
12. Tengo ______________ más clases que tú y me sobra ______________ menos tiempo para divertirme.
13. ______________ te extraño cuando estoy ______________ lejos de ti.
14. Saliste ______________ después que yo y llegaste ______________ antes porque vives ______________ cerca del colegio.
15. Estás ______________ informada de todo, ______________ más que nosotras.

PORTALENGUA

Acuerdo/desacuerdo

¿Qué te parece/piensas...?
Es una maravilla. Me encanta. Bárbaro. Fenómeno/Me gusta/¡Oh! Sí/Sin duda.
De ningún modo. Lo odio/¡Ni soñarlo!/¡Ni pensarlo!

Razón parcial

Sí, quizá tenga(s) razón...
Es posible que sí, pero...
De acuerdo, pero...
Creo que sí, pero...
No estoy (muy) seguro(a)...
No sé... estoy en duda...

Comprar ropa/calzado

Quiero/Quería/Me gustaría...
¿(No) Tiene otro(a) más...?
(No) Me gusta.
Quiero el color/modelo/talla...
¿Puedo probármelo?
¿Cuánto vale/cuesta...?
¿(Paga Ud.) En efectivo/con metálico/con tarjeta/con cheque?

Reclamar por un servicio

Oiga, este(a)... está...
Él/ella... no funciona/no marcha.
Le he pedido... y no eso.

Atender al reclamo

Perdón/Perdone(a)...
Lo siento...
Me he equivocado.
No hay problema. Ha sido un error.
Ahora mismo se lo arreglo/cambio/limpio.

Medios de transporte

(Por favor) Me puede decir/informar ¿qué aviones/barcos/trenes/autobús/ómnibus hay para...?
¿A qué hora sale/llega...?
¿Cuánto tarda/demora/está retrasado...?
Quiero (comprar) un billete para...
¿Cómo vienes a clase?
(Vengo) En coche/autobús/colectivo/tren...

ComunicHABLE

✓ Escucha los diálogos y complétalos.

DIÁLOGO 1. En la tienda

La joven: ¡Señor!

El dependiente: A sus órdenes, señorita.

La joven: Quiero ________ el saco azul de la vidriera, talla cuarenta y dos.

El dependiente: Sí, señorita. Ya se lo traigo.

La joven: ¿ ________________ ?

El dependiente: Son ochenta pesos, más I. V. A. (Impuesto de Valor Añadido o Agregado.)

La joven: ¿ ________________ ?

El dependiente: ________________ mejor: en cheque, tarjeta o en tres cuotas, sin intereses.

La joven: Muy bien. ________________.

El dependiente: ¿ ________________, señorita?

La joven: No, gracias. Es sólo eso por hoy.

DIÁLOGO 2. Informaciones

Señora: ________________, por favor, ¿me puede dar algunas informaciones?

Señorita: Sí, ¡cómo no! ¿qué ________________ ?

Señora: Quiero ir a ________________. ¿ ________________ ?

Señorita: Puede ir ________________, avión u ________________.

Señora: ¿A qué hora salen el tren y el avión?

Señorita: El avión sale a las diez menos cuarto y el tren sale a las nueve y media.

Señora: ¿ ______________ cuesta ______________ de avión?

Señorita: Sólo ida, trece mil cuatrocientas pesetas; ida y vuelta, sobre veinticinco mil.

Señora: ¿Se puede reservar el ______________ con ______________?

Señorita: Sí, se puede, pero es más seguro comprarlo el día anterior.

Señora: ______________, por favor, ______________ para el jueves, 22.

Señorita: Sí, señora, asientos cinco y seis.

Señora: ______________, muchas gracias.

Señorita: De nada. Adiós.

ALEX SALIM/OREGON TURISMO

PRONOMBRE PERSONAL

El pronombre personal es la palabra *que viene en lugar del nombre*. Si decimos que Marga *ha viajado*, podemos decir Ella *ha viajado*.

Formas de sujeto			Formas de complemento
Sing.	1ª persona 2ª persona 3ª persona	yo tú él, ella, ello	me, mí, conmigo te, ti contigo se, sí, consigo lo, la, le
Plural	1ª persona 2ª persona 3ª persona	nosotros(as) vosotros(as) ellos, ellas	nos os se, sí, consigo los, las, les

Observación: *Usted* es pronombre de segunda persona, pero lleva el verbo a la tercera persona. ⇒ Usted *es* muy simpática y *tiene* mucho talento.

De las formas complementarias, los pronombres pueden ser complemento directo (C. D.) y complemento indirecto (C. I.), a excepción de *lo*(*s*), *la*(*s*) que son siempre C. D. y de *le*(*s*) que debería ser siempre C. I., sin embargo, en España, se usa habitualmente la forma *le*(*s*) como C. D. de persona, aunque la Real Academia lo considere un error.

La función del pronombre personal es sustituir el nombre para evitar su repetición. Ej.: Lleva *la carta* y entrega *la carta* a tu padre.
Lleva *la carta* y entrégal*a* a tu padre.

El C. D. viene relacionado al verbo, sin que éste exija preposición; ya el C. I. tiene siempre preposición exigida por el verbo. Si el mismo verbo admite varias preposiciones, tendrá diferentes significaciones.

Hablar	**con** ⇒ Hablé con Pablo sobre mi viaje. **de** ⇒ Hablé de Pablo al profesor. **por** ⇒ Hablé por Pablo a sus padres. **a** ⇒ Hablé a Pablo de la fiesta.

USO DEL PRONOMBRE COMPLEMENTO

Veamos el ejemplo:

Enseñé *la dirección* *al turista*.
C. D. — C. I.

Las sustituciones parciales se darán así:

Le enseñé *la dirección*.
C. I. — C. D.

La enseñé *al turista*.
C. D. — C. I.

La sustitución simultánea, observando que el C. I. siempre precede al C. D., debería ser: *Le la* enseñé. Pero *atención*, cuando *le(s)* debe acompañar *lo(s)*, *la(s)*, se produce un cambio fonético y la forma *correcta* será:

Se *la* enseñé.
C. I. C. D.

EJERCICIOS

1. Sigue el modelo abajo.

> Papá trajo *unos regalos a vosotras*.
> Papá *los* trajo a vosotras.
> Papá *os* trajo unos regalos.
> Papá *os los* trajo.

a) El profesor explica la lección a los alumnos.
b) Mañana devuelvo el dinero a sus dueños.
c) El turista pide al policía una información.
d) Ellos siempre traen flores a su abuelita.
e) Recomendaremos este hotel a los amigos.
f) La madre pone en la hija el abrigo.
g) Escribiré una carta a mis primos.
h) Hemos contado la noticia a nuestros padres.
i) Mostraste la casa a los visitantes.
j) Ya di a todos vosotros mi opinión.
k) Los amigos ofrecieron flores y bombones a Natalí.
l) Daré a mis padres grandes alegrías.
m) Pidan más agua al mozo.
n) Consigan una ropa seca para el chico.
ñ) Haré compañía a mi hermano enfermo.

2. Señala las frases correctas y corrige las erradas.

a) Quiero más que todo a mi salud.
b) Quiero más que todo a mi familia.
c) Organiza a los libros en el estante.
d) Organiza a los alumnos en la clase.
e) Estamos presentando el mejor espectáculo de la temporada.
f) Estamos presentando el mejor artista de la temporada.
g) Ofrecí a mi hijo para ayudar a ustedes.
h) Ofrecí a mi ordenador para ayudar a ustedes.
i) No conozco todos los compañeros.

COMERCIO RARO

Cambio todo hormigón de mi ciudad, con sus atascos y bocinas, por una manzana de mata con flores y cantos de pájaros. Hablar con Doña Flora, Jardín Botánico.

j) No conozco todos los puntos turísticos de la ciudad.
k) Jamás lograré pagar tu dedicación.
l) Jamás lograré pagar tu hermano.
m) No entendí al niño que ayer no quiso ayudar los enfermos.
n) No entendí el niño que ayer no quiso ayudar a los enfermos.
ñ) No entendí el niño que ayer no quiso ayudar los enfermos.

Ventanita

La historia de la historieta

HO/REUTERS-PRESSLINK

La historieta nace en 1895, en las páginas coloreadas de la prensa norteamericana. La primera historieta que apareció fue "Yellow Kid" o "El Chico Amarillo", que era líder de una banda que deambulaba por las calles de la ciudad.

El apodo de Yellow Kid alude a su raza, ya que el personaje era chino. Por extensión, se llamó "prensa amarilla" a aquellos diarios populares y de venta masiva, ya que la historieta en las páginas coloreadas hizo aumentar enormemente las ventas de estos diarios.

Richard F. Outcault, su autor, colocaba los diálogos sobre la ropa de los personajes para indicar quien era el que hablaba. Tiempo después, esto fue reemplazado por el recurso de los globos.

Las historietas se impusieron rápidamente entre los chicos, ya que aportaban la dosis de aventura que hoy da la televisión.

Clarín Revista, 28 out. 1998.
Adaptado por María Gaso.

Interdisciplinas

Debate: *El aumento de la población en los grandes centros urbanos*.

Partiendo de ese tema, busca más datos sobre el desarrollo de los grandes centros urbanos de Brasil y del mundo, aspectos positivos y negativos. ¿Qué problemas enfrentan las comunidades urbanas con la falta de espacio y de verde? Relacionar el tema con los cambios climáticos vividos en los últimos tiempos.

PRÁCTICA ORAL

1. La pareja que ha salido en viaje de luna de miel en la apertura de esta unidad ya ha llegado a su destino y tiene ahora como problema elegir el hotel donde permanecerán por una semana. Considerando los datos en la página al lado, ¿cuál es, en tu opinión, el que mejor se ajusta a las necesidades de los novios? Observa los anuncios y luego justifica tu elección.

Hotel Cóndor

FOTOS: CID

A orillas del Titicaca, el lago navegable más alto del mundo, con una maravillosa vista panorámica, se encuentra ubicado el Hotel Cóndor. Situado a 30 minutos del aeropuerto y a 2 horas de Copacabana, en la frontera con Bolivia. El Hotel tiene 130 habitaciones y 7 suites, todas ellas equipadas con minibar, calefacción, TV cable, teléfono con discado directo y servicio de habitación las 24 horas.

El Hotel dispone de salones de conferencias con capacidad para hasta 400 personas con todos los equipos tecnológicos necesarios.

Luego de visitar las maravillosas atracciones que el Lago Titicaca le ofrece, como la Isla de los Uros, las islas Taquile y Amanti, relájese en nuestro acogedor y romántico Piano-Bar o disfrute en nuestro Restaurante los más exquisitos platos de la cocina peruana e internacional.

Datos:

- Están en luna de miel.
- A él le gusta mucho la comida hogareña.
- A ella le gusta nadar y hacer gimnasia.
- Él es un tremendo glotón y nunca pasa sin picar algo.
- A ella le encantan las películas de vídeo y los culebrones que ponen en la tele.
- Pese al hecho de estar en luna de miel, él ha traído algunos papeles de la oficina para leer durante su estancia en ese país.
- A los dos les encanta bailar, pero odian conducir.
- A ella le hace mucho daño el calor del verano.
- A él le gustan los ambientes refinados, con decorado lujoso.

Hotel San Isidro

¡Bienvenidos al Hotel San Isidro! Le ofrecemos hermosos y cálidos ambientes para una estada perfecta en compañía de familiares o amigos. Y para su viaje de negocios, San Isidro cuenta con todas las facilidades y ambientes favorables para concretar un buen trabajo.

FOTOS: CID

Ubicado en el centro de San Isidro, ponemos a su alcance el más completo restaurante, discoteca, casino, piscinas y sauna. No se pierda de un rato agradable frente a la chimenea de nuestro lobby, gozando de su bebida favorita.

En su comida de negocios o para disfrutar su desayuno, almuerzo o cena, San Isidro es un lugar especial.
Ofrece amplia carta de comida nacional e internacional así como las mejores bebidas nacionales e importadas.

Nuestras cómodas habitaciones están equipadas con aire acondicionado, TV cable, discado directo, minibar servicio de habitación las 24 horas y servicio de chófer.

2. El Banco Atlántico ofrece a sus clientes los mejores servicios del mercado. Lee con atención el anuncio abajo y di las ventajas de ser cliente de ese banco.

BANCO ATLÁNTICO

¡Bienvenidos!

Tenemos el agrado y el orgullo en brindarles asesoría y apoyo para sus transaciones financieras tanto de banca personal como corporativa, en un ambiente confortable que sólo Usted se lo merece.

Cuenta corriente

Les permite efectivar sus cheques de forma ágil y segura, con las mejores tasas de interés del mercado.

Cuenta de ahorros – tarjeta inteligente

Le permitirá realizar sus transacciones de retiros, depósitos, créditos y débitos y también retiros de Bancomático.

Bancomático

Servicios 24 horas, todos los días del año, a través de la red más completa y eficiente de cajeros automáticos del País.

Servicios internacionales

Transacciones con el Banco Atlántico en todas las grandes capitales.
Aperturas de cuentas y Certificados de depósitos (dólares).

Servicios financieros

Préstamos de Cartera: Consumo y Corporativos.
Préstamos Hipotecarios.
Cartas de Garantía.
Cartas de Crédito.
Programa de Desarrollo de la Comunidad.

Inversiones

Depósitos a plazo.
Venta de acciones.
Acuerdos de recompra.
Negociación de papeles.

Otros servicios

Avances de efectivo Mastercard.
Orden Permanente de Pago (OPP).
Casilleros de seguridad.
Pago de servicios varios (luz, agua, teléfono, etc.).
Rol de pagos.
Pagos a establecimientos afiliados a Mastercard y American Express.

Horario de atención:
De lunes a viernes: 08H00 a 15H30
Sábados: 09H30 a 12H30

Recanto

✓ Escucha, completa, canta y, si te atreves, baila.

Señales de humo

Juan Luis Guerra

Te mando ______________
como un fiel ______________.
______________ no ______________ el truco
Y se ______________ en el ______________.
______________ la punta de un ______________
que roza ______________.
Y un ______________ Morse ______________
el "______________" de un ______________.
Y se ______________ en el ______________.
Te mando la ______________ de ______________.
de un ______________ menguante.
Y un ______________ la eclipsa
y no ______________ excusarse.
¿Qué ______________ a hacer?
______________ en las nubes,
conjugarnos al ______________
y ______________ sobre tus ______________
y reír o ______________ mi ______________,
si no puedo ______________ esta ______________.
____
como un ______________.
Pero ______________ el ______________
y se ______________,
se ______________. (bis)
Oye, monita linda, tú ven.
Y tu ______________ me cubre la ______________.
Es como ______________
Que me ______________ el ______________ de bien.

Sin ________________ yo muero.
Una ____________________________ sobre tu ________________ sembré
El ________________ del amanecer.
Se ________________ las ________________
y el sol.
Tú alumbras mis ________________, mujer.
Mi ________________ se me ha doblao de tanto ________________.
Ya no quema ________________ de mi ________________
Y si ________________ mucho ________________, mamá,
Sin tu amor yo ________________, ________________.
Oye, monita, ven
La ________________ de mi ________________
Y tu amor me cubre la piel,
sin tu ________________ yo muero.
Una mañana ________________ en tu ________________, rosas sembré.
Sin tu amor yo muero.
Mi ________________ se me ha doblao de tanto querer.
Sin tu ________________________________.
No, no me queman otros ________________
si ya bailó sin mi piel.
Es ________________ que llena mi ________________.
No me ________________, mujer.

ACTIVIDADES

1. Vuelve a leer la letra de la música y da las referencias del texto para:
   a) El amado.
   b) La amada.
   c) El mensaje y los sentimientos.

2. Explica el sentido denotativo de estos versos:
   a) Te mando la punta de un beso que roza la tarde.
   b) Conjugarnos al amanecer.
   c) Y sentarme sobre tus pupilas.
   d) Mi corazón se me ha doblao de tanto querer.
   e) No, no me queman otros besos.

PRÁCTICA ORAL

✓ La pareja en luna de miel ahora se encuentra con un difícil dilema: regalos. Cada cual quiere dar al otro algo especial, que refleje el gran amor que sienten el uno por el otro. Ayúdalos a elegir qué regalo ofrecer. Te damos algunas opciones.

CID

VIVIAN VERGAL

CID

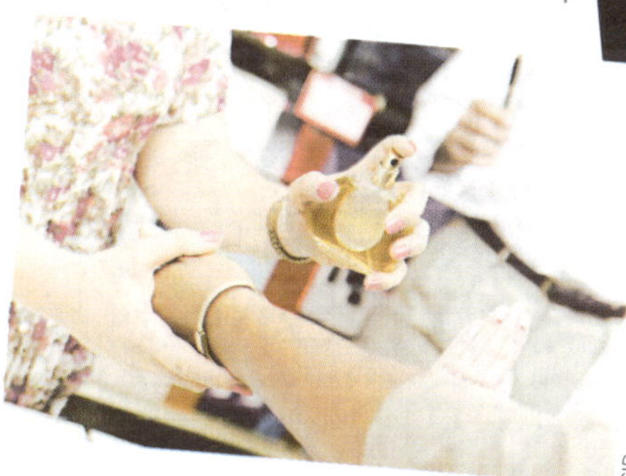

CID

CID

Debes acordarte de algunas cosas:

- Ella es una persona muy alegre.
- Además de coqueta, le gustan los colores chillones.
- Es flacucha.
- Tiene pelo largo.
- Le gustan los tacones y los escotes.
- Él es algo rechoncho.
- Es muy discreto al vestirse.
- Le gusta estar cómodo.
- Lleva gafas y no le gustan los cuellos olímpicos.

CID

AL DICCIONARIO

✓ Haz una pequeña lista de los comercios existentes en portugués ("mercearia, açougue, loja de aviamentos", etc.) y luego da la versión al español de esas mismas palabras. Observa los aspectos comunes y distintos entre los dos grupos. Emplea esas palabras en frases.
Da tu explicación para esas diferencias.

ESTAMPALABRAS

Las tiendas

CID
la floristería

CID
la carnicería

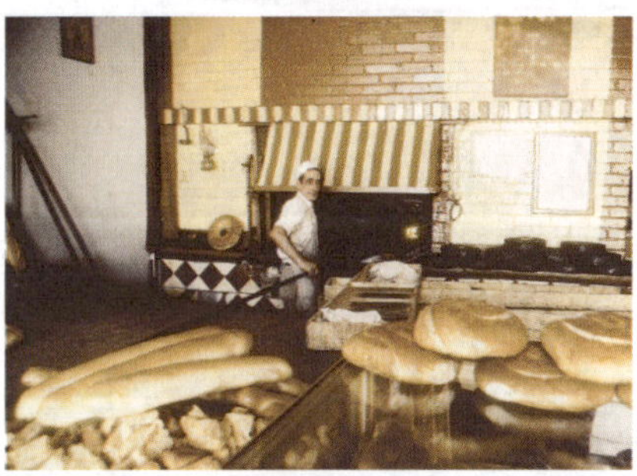
CID
la panadería

CID
la frutería

CID
el supermercado

CID
el mercado

CID

la pescadería

CID

la óptica

CID

el restaurante

CID

la joyería

VIVIAN VERGAL

la librería

CID

la zapatería

CID

la boutique/la tienda

VIVIAN VERGAL

el escaparate/la vidriera

VIVIAN VERGAL

la juguetería

VIVIAN VERGAL

el quiosco

ALEX SALIM/OREGON TURISMO

la agencia de viajes

CID

la cafetería

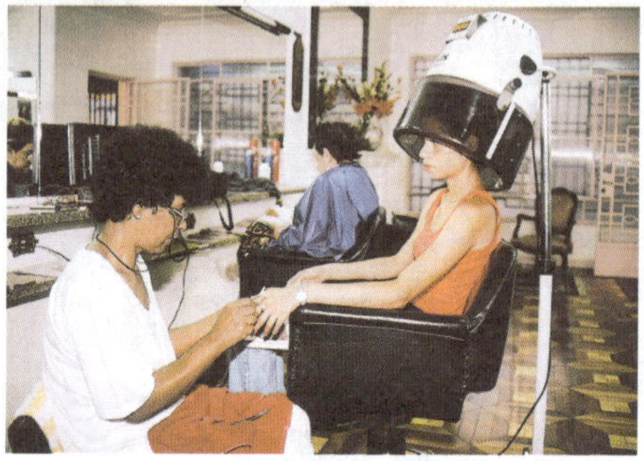
VIVIAN VERGAL

la peluquería

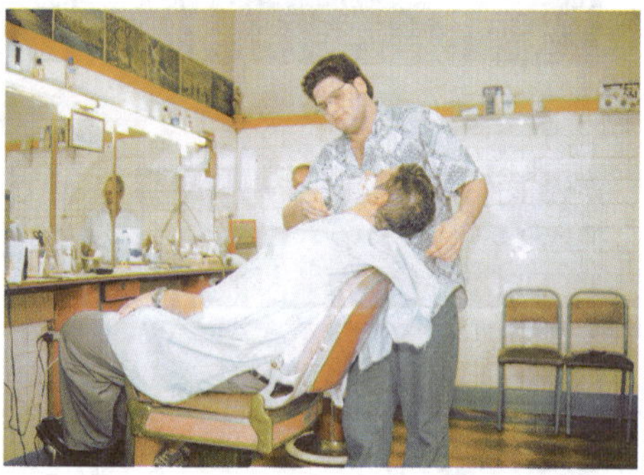
VIVIAN VERGAL

la barbería

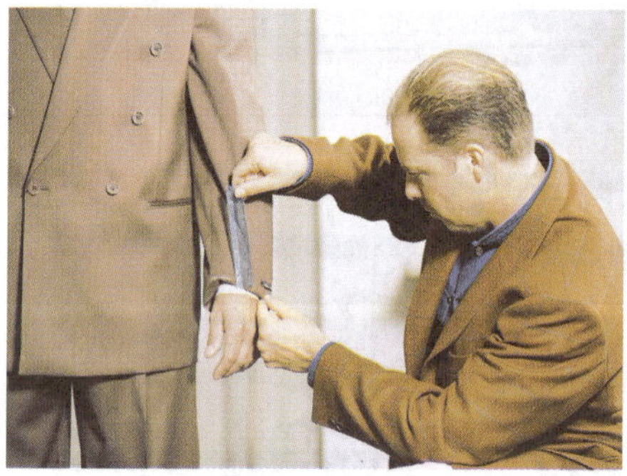
CID

la sastrería

VIVIAN VERGAL

la estación de servicios/la gasolinera

CID

el bar

El estudio y la vida 9

FOTOS: CID

Tan sólo por la educación puede el hombre llegar a ser hombre. El hombre no es más que lo que la educación hace de él.

Emmanuel Kant (1724-1804), filósofo alemán.

Estudiar vale oro

Encuesta muestra hasta que punto la escuela aumenta la oportunidad de lograr un pùesto de trabajo, multiplicar el sueldo y garantizar éxito en la profesión.

Para los que miran hacia las subas constantes de las tasas de intereses o hacia la movimentación de la bolsa de valores, atención. La mejor inversión a largo plazo que se puede hacer hoy es la educación. Con la tasa promedia de desempleo en constante alta, el número de brasileños que estudiaron apenas seis años enfrenta una tasa de desempleo considerablemente superior. Entre los que han cursado una carrera universitaria, el índice baja un poco. Y, lo más increíble, los postgraduados son los que menos problemas de falta de puestos enfrentan. Es bien verdad que existen personas que han construido fortunas sin haber ido más lejos que los primeros años escolares. Pero para la mayoría de las personas, sin embargo, estudiar muéstrase fundamental para determinar el rango profesional y el sueldo que pueden conquistar, y ello nunca ha sido tan verdadero como en el momento actual.

La era de la información es implacable: deja a un lado el que no ha estudiado y pone en la cumbre el que ha estudiado más y más. Quiere profesionales graduados, que hablen varios idiomas, que entiendan de computadoras, que sepan trabajar en conjunto, que presenten a cada rato soluciones nuevas a problemas y que estén atentos a los cambios del entorno. Toda esa inversión presenta retorno cierto.

Así, las posibilidades de que una persona logre un puesto de trabajo dependen, mucho más de lo que se imagina, de su escolarización. El brasileño que no ha ido más allá de la enseñanza básica tendrá oportunidades un poco mayores que un analfabeto a la hora de buscar una ocupación laboral. Uno entre diez brasileños con ese nivel de instrucción está ahora sin empleo.

El problema se agrava porque en esa franja se encuentran actualmente también los jóvenes. Ellos componen el mayor grupo etario de la población brasileña y están ingresando por primera vez en el mercado de trabajo. Mientras tanto, los brasileños más escolarizados viven en un país que les da casi tanta seguridad de firmarse en un empleo como en los Estados Unidos, Japón e Inglaterra, los países con las tasas más reducidas de desempleo en el mundo.

Estudiar muchísimo y hacer la elección correcta de la carrera profesional a seguir son dos elementos básicos para el que está entrando ahora en el disputadísimo mercado de trabajo en el cambio de milenio. No hay plazas para desinformados, presumidos, mediocres, reacios o incompetentes.

Veja, 23 set.1998. Adaptado.

INTERPRETACIÓN DEL TEXTO

1. Piensa un poco y da tu opinión sobre los temas abajo.
   a) ¿Vale la pena estudiar? ¿Por qué?
   b) ¿Cuál es la función de un idioma extranjero en nuestra vida profesional? ¿Es realmente importante dominar un idioma extranjero? ¿Por qué?

c) ¿Cuál es el espacio del joven en el mercado de trabajo? ¿La formación escolar realmente posibilita al alumno un buen trabajo?

d) ¿A qué atribuyes el creciente desempleo, no sólo en Brasil, pero hasta entre los países más ricos del mundo? ¿Cómo solucionar eso?

e) Presenta tus conclusiones e importancia que ha tenido para ti el estudio del presente texto.

LECTURA

Mi padre

De niño tuve siempre el temor de que mi padre fuera un cobarde. No porque le viera correr seguido de cerca por un machete como vi tantas veces a Paco el Gallina y a Quino Pascual. ¡Pero era tan diferente a los papás de mis compañeros de clase! En aquella escuela de barrio donde el valor era la virtud suprema, yo bebía el acíbar de ser el hijo de un hombre que ni siquiera usaba cuchillo. ¡Cómo envidiaba a mis compañeros que relataban una y otra vez sin cansarse nunca de las hazañas de sus progenitores! Nolasco Rivera había desarmado a dos guardias insulares. A Perico Lugo lo dejaron por muerto en un zanjón con veintitrés tajos de perrillo. Felipe Chaveta lucía una hermosa herida desde la sien hasta el mentón.

Mi padre, mi pobre padre, no tenía ni una sola cicatriz en el cuerpo. Acababa de comprobarlo con gran pena mientras nos bañábamos en el río aquella tarde sabatina en que como de costumbre veníamos de voltear las telas de tabaco. Ahora seguía yo sus pasos hundiendo mis pies descalzos en el tibio polvo del camino y haciendo sonar mi trompeta. Era un tallo de amapola al que mi padre con aquella su mansa habilidad para las pequeñas cosas había convertido en trompeta con sólo hacerle una incisión longitudinal.

Al pasar frente a La Aurora me dijo:

— Entremos aquí. No tengo cigarrillos para la noche.

Del asombro por poco me trago la trompeta. Porque papá nunca entraba a La Aurora, punto de reunión de todos los guapos del barrio. Allí se jugaba a baraja, se bebía ron y casi siempre se daban tajos. Unos tajos de machete que convertían brazos nervudos en cortos muñones. Unos tajos largos de navaja que echaban afuera los intestinos. Unos tajos hondos de puñal por los que salía la sangre y se entraba la muerte.

Después de dar las buenas tardes, papá pidió cigarros. Los iba escogiendo uno a uno con fruición de fumador, palpándolos entre los dedos, llevándolos a la nariz para percibir su aroma. Yo, pegado al mostrador forrado de zinc, trataba de esconderme entre los pantalones de papá. Sin atreverme a tocar mi trompeta, pareciéndome que ofendía a los guapetones hasta con mi aliento, miraba a hurtadillas de una a otra esquina del ventorrillo. Acostado sobre la estiba de arroz veía a José el Tuerto comer pan y salchichón, echándole los pellejitos al perro sarnoso que los atrapaba en el aire con un ruido seco de dientes. En la mesita del lado tallaban con una baraja sucia Nolasco Rivera, Perico Lugo, Chus Maurosa y el colorao que yo no conocía. En el tablero colocado sobre un barril se jugaba a dominó. Un grupo de curiosos seguía de cerca las jugadas. Todos bebían ron.

Manuel Toro nació en Puerto Rico, en 1925.

Fue el colorao el de la provocación. Se acercó donde mi papá alargándole la botella de la que ya todos habían bebido:

— Dése un palo, don.

— Muchas gracias, pero yo no puedo tomar.

— ¡Ah! ¿Conque me desprecia porque soy un pelao?

— No es eso, amigo. Es que no puedo tomar, déselo usted en mi nombre.

— Este palo se lo da usted o sea... se lo echó por la cabeza.

Lo intentó pero no pudo. El empellón de papá lo arrojó contra el barril de macarelas. Se levantó medio aturdido por el ron y por el golpe, y palpándole el cinturón con ambas manos dijo:

— Está usted de suerte, viejito, porque ando desarmao.

— A ver, préstenle un cuchillo.

Yo no podía creerlo, pero era papá el que hablaba.

Todavía al recordarlo un escalofrío me corre por el cuerpo. Veinte manos se hundieron en las camisetas sucias, en los pantalones raídos, en las botas enlodadas, en todos los sitios en que un hombre sabe guardar su arma. Veinte manos surgieron ofreciendo en silencio de jíbaro encastado el cuchillo casero, el puñal de tres filos, la sevillana corva...

— Amigo, escoja el que más le guste.

— Mire, don, yo soy un hombre guapo, pero usted es más que yo. — Así dijo el colorao y salió de la tienda con pasito lento.

Pagó papá sus cigarros, dio las buenas tardes y salimos. Al bajar el escaloncito escuché al Tuerto decir con admiración:

— Ahí va un macho completo.

Mi trompeta de amapola tocaba a triunfo.

¡Dios mío, que llegue el lunes para contárselo a los muchachos!

TORO, Manuel. In BARROSO, Mª Asunción, CANTOS, Mª Dolores Cantos. *Lengua Activa 1*. Barcelona, 1993.

COMPRENSIÓN E INTERPRETACIÓN DEL TEXTO

1. Explica lo verosímil del texto.
2. ¿A qué género pertenece el texto y por qué?
3. ¿Cuál es el lenguaje utilizado?
4. En tu opinión, ¿por qué el padre entró en La Aurora, si nunca lo hacía?
5. ¿Te parece que el autor del texto eligió el nombre "La Aurora" al azar?
6. ¿Cuál fue el primer elogio hecho al padre y por qué?
7. Da dos razones por que el hijo se escondía entre los pantalones de su padre.
8. Cuando el padre habla con el colorao, usa una palabra que indica *respeto* y cuando el colorao habla al padre emplea una palabra que indica *desprecio*. ¿Qué palabras son ésas?
9. ¿Qué día de la semana ocurrió el hecho?

10. Relaciona las expresiones a los sentimientos del narrador.

a) No tenía una sola cicatriz.	( )	miedo
b) Habilidad para todas las cosas pequeñas.	( )	consuelo
c) Por poco me trago la trompeta.	( )	felicidad
d) Entre los pantalones de papá.	( )	vergüenza
e) Papá lo arrojó contra el barril.	( )	valentía
f) Préstenle un cuchillo.	( )	espanto
g) Usted es más que yo.	( )	justicia
h) Que llegue el lunes.	( )	provocación/destemor

11. Haz el resumen del texto.

12. ¿Con cuáles palabras el padre muestra su extraordinaria valentía?

13. Saca del texto seis palabras heterogenéricas.

14. Saca del texto ocho palabras heterosemánticas.

15. ¿Con qué otra palabra el autor se refiere a "La Aurora"?

16. ¿Qué adjetivo del texto muestra más intensamente la admiración del narrador por la valentía de los guapos?

17. El narrador manifiesta mejor su miedo a los guapos ¿con qué palabras?

18. Relaciona las columnas y, en grupos, elaboren frases, empleando las palabras de este ejercicio.

a) Acíbar	( )	relativo al sábado.
b) Hazaña	( )	hecho heroico, gran hecho.
c) Zanjón	( )	parte de un miembro cortado, adherido al cuerpo.
d) Perrillo	( )	colocación conveniente de una carga.
e) Mentón	( )	planta y su flor roja.
f) Sabatina	( )	un tipo de navaja.
g) Amapola	( )	sobras de piel del animal.
h) Guapo	( )	de buena raza, castizo.
i) Machete	( )	pescado ahumado del tipo del arenque.
j) Muñón	( )	puñalada, navajazo.
k) Ventorrillo	( )	amargura, disgusto.
l) Estiba	( )	campesino, indio.
m) Pellejito	( )	especie de cuchillo.
n) Macarela	( )	bodegón o merendero en las afueras de una población.
ñ) Jíbaro	( )	hombre pendenciero, bravucón.
o) Encastado	( )	zanja, vallado, excavación.
p) Sevillana	( )	prominencia de la mandíbula inferior.

19. Traduce al portugués las siguientes expresiones y oraciones:

a) De niño.
b) Con sólo hacerle una incisión.
c) Pegado al mostrador.
d) De una a otra esquina del ventorrillo.
e) La estiba de arroz.
f) Echándole los pellejitos.
g) Tallaban con una baraja sucia.
h) Se jugaba a dominó.
i) Dése un palo, don.
j) Déselo usted en mi nombre.
k) Se acercó donde mi papá alargándole la botella.

PIÉNSALO

La paciencia es amarga, pero su fruto es dulce.

Jean-Jacques Rouseau (1712-1778), filósofo y escritor francés.

SELECTIVIDAD

(Centro Universitário La Salle/Canoas-RS)

La crisis que actualmente está sufriendo la humanidad origina descorazonamiento y pérdida de confianza en nuestras sorprendentes conquistas científico-técnicas. Miramos al porvenir sin aquel exultante fervor que distinguía a quienes, a principios de siglo, creyentes en el progreso, formulaban utópicos vaticinios. Sería, sin embargo, sumamente trágico que predominara el desánimo. Quienes serenamente analizan las crisis a que ahora, y en todo el transcurso de la historia, ha estado sometida la humanidad, con frecuencia, reacios al fatalismo conformista, extraen razones para inyectarnos alientos de esperanza. Desde su círculo docto, en psicología, ciencia, filosofía y teología, descubren señales promisorias y afrontan el conformismo inactivo. Reaccionan en contra de los aterrados por visiones o predicciones que, a su parecer, apenas dejan resquicio para vislumbrar luces reconfortantes. Si predominara, sobre todo en los más responsables por sus cargos o por su saber, esta última actitud, entonces casi nos sentiríamos justificados a otear el porvenir, desconfiados y desalentados.

Llenamos de sentido el presente, sobre todo con miras al porvenir. Hay que saber, por lo tanto, ubicarse para ajustar el presente con el futuro. La premura o la obsesión ideológica pueden ahondar el abismo, abandonados a un ahora desalentador.

La historia humana, a diferencia de la ciencia, no se desenvuelve en una estricta relación de causa-efecto. La imaginación crea o adivina posibilidades que, con frecuencia en el pasado, y también podría ser en el porvenir, derrotan presuntas exactitudes lógicas. La esperanza es tal vez la materia de la que está hecha nuestra alma.

1. A idéia central do texto é:

a) A humanidade está sofrendo uma grande crise.
b) Olhamos para o futuro sem esperança em dias melhores.
c) Pelo presente podemos prever um futuro melhor.
d) Não devemos perder a esperança num futuro melhor.
e) São feitas previsões negativas para o futuro da humanidade.

2. Substituindo a palavra sublinhada na expressão "a diferencia de la <u>ciencia</u>" (linha 25) e fazendo a concordância, a forma correta é

a) a diferencia del actitud.
b) a diferencia de la alma.
c) a diferencia de lo sorprendente.
d) a diferencia del trágico.
e) a diferencia de las árboles.

3. O indefinido está corretamente empregado na frase

a) La humanidad no sabe nadie.
b) Uno merece ser feliz como todos.
c) No desanimo en una situación cualquier.
d) Quienquiera que sepan que lo digan.
e) Algún de ustedes que confíe más en el futuro.

4. El presidente dijo * que daría * una solución para la crisis.

A alternativa que completa corretamente a frase é

a) anoche — hoy.
b) hoy — anoche.
c) ayer — anteanoche.
d) hoy — anteayer.
e) anoche — anteayer.

5. O possessivo está corretamente empregado na alternativa

a) confianza en el su futuro.
b) confianza en suyo futuro.
c) confianza en el futuro su.
d) confianza en el suyo futuro.
e) confianza en su futuro.

6. Ofrecemos el futuro a Dios.

Substituindo-se os objetos direto e indireto pelos pronomes pessoais correspondentes, a alternativa certa é

a) Se le ofrecemos.
b) Se lo ofrecemos.
c) Le lo ofrecemos.
d) Le se ofrecemos.
e) Lo se ofrecemos.

HUMOR

Después de corregir los exámenes, la profesora dice a un alumno:
— Le puse un cero por copiarse.
A lo que el alumno retruca:
— ¿Y usted cómo sabe que me copié?
— Porque en la tercera respuesta su compañero de banco puso "no lo sé", y usted en la misma respondió "yo tampoco".

PORTALENGUA

Describir a una persona en lo físico

¿Cómo es...?

Es rubio, alto, delgado, guapo, pecoso...

Tiene el pelo largo, corto, rizado, ojos verdes, piel clara...

Lleva pantalones negros, camisa azul, corbata, pollera a rayas...

Describir a una persona en su modo de ser

Es alegre, simpático, inteligente, tranquilo...

Expresar cambios físicos

Está(s) (mucho) más...

¡(Cómo) Ha(s) engordado/adelgazado/crecido!...

¡Cómo ha(s) cambiado!...

¡Qué alto/guapo está(s)!

Cada día está(s) más guapo/alto/seguro...

¡No ha(s) cambiado (casi) nada!

Se/Te ha(s) puesto (más)...

Se/Te ha(s) quedado (más) [guapo. / atractivo. / elegante. / joven. / maduro.]

Se/Te ha(s) dejado [engordar. / crecer el pelo.]

Expresar diferencias de edad

Nina y su hermano *se llevan* cuatro años.

Saludar a otros

Dale/Dele recuerdos (míos/de mi parte) a Julio.

Expresar el carácter de una persona

Es de lo más alegre/... que he visto.

Hay que ver lo bella/... que es.

ESTAMPALABRAS

La clase

El patio

ComunicHABLE

✓ Escucha y completa los siguientes diálogos.

DIÁLOGO 1. Charla entre dos amigas

Sarita: ¡Hola, Nina!

Nina: ¡Hola, Sarita! ¿Cómo te va?

Sarita: Bien. Muy bien. __________________ . ¿Y tú?

Nina: Bueno... No tanto cuanto tú. ¿Sabes? __________________ .

Sarita: ¡¿Visto?!... ¿a quién?

Nina: ¡Ay, Dios! La tonta... __________________ .

Sarita: ¿Dónde? ¿Cuándo?

Nina: __________________ . Aquel muchacho... Lo vi bien: ojos verdes, pelos __________________ , alto, elegante, unos dientes muy blancos, piel clara como la tuya... Llevaba pantalones marinos y camisa celeste. __________________ ...

Sarita: ¡Ah, no! __________________ . Y... ¿sabes? No tiene novia... ¿Te candidatas?

Nina: ¡Sí, sí! ¡Qué ojos! ¡ __________________ ! Pero... ¿Y tu novio? Cuéntame cómo es. ¿Qué edad tiene?

Sarita: __________________ cuatro años. Sólo en pensar... ¡Qué emoción! Es muy alto, moreno, ojos negros, pelos castaños y __________________ , labios carnosos, pecas en los hombros, manos fuertes pero suaves, voz caliente y una mirada... que me derrite.

Nina: Pero si estás tan apasionada, su interior debe ser...

Sarita: Bárbaro. Es alegre, __________________ , soñador, preocupado con su futuro, cariñoso e íntegro.

Nina: ¡Cómo has cambiado! ¿Dónde está aquella __________________ y voluble que he conocido?

Sarita: No tienes experiencia. El amor hace milagros.

Nina: ¡La pucha! Bien que ______________ a conquistar a tu primo, ¿no?

Sarita: ¡Por supuesto! ¿Y para qué son las amigas? ______________ a las nueve de la noche, ¿sí?

Nina: No faltaría por nada. ¡Chau!

Sarita: ¡ ______________ , guapa!

DIÁLOGO 2. Un encuentro casual

Milton: ¡Profesor Gutiérrez!

Prof. Gutiérrez: ¡Sí! ______________ .

Milton: ¡Qué gusto verlo! Soy Milton y fui su alumno hace cinco años.

Prof. Gutiérrez: Sí. Ya ______________ . Eras travieso y sólo pensabas en deportes. Aborrecías al hacer redacciones.

Milton: Verdad, profe. ¡¡Qué memoria!! ¿Cómo se acuerda de todo?

Prof. Gutiérrez: Por una particularidad: ______________ mucho y reñías contigo mismo.

Milton: Exacto. Pero ahora estudio mucho, estoy cursando ______________ , me gusta escribir y... deportes, sólo para relajar y divertirme.

Prof. Gutiérrez: Con el tiempo uno cambia. Te has puesto más maduro, más responsable. ¡ ______________ !

Milton: ______________ su alumno, permítame decirle: su manera de hablar con nosotros, de tratarnos con tanta elegancia y una exigencia con suavidad, nos ______________ en definitiva. Y a mí también. Gracias por mi parte.

Prof. Gutiérrez: Tan sólo ______________ esas palabras coloridas, perfumadas y con reconocimiento, ______________ dar clases. Gracias, mi joven. Adiós.

Milton: Usted lo merece, profe. Soy yo que le debo agradecer. Adiós.

ADVERBIOS EN -*MENTE*

Observando el texto "Estudiar vale oro", vas a ver las palabras *considerablemente* y *actualmente* que nos dan una idea de modo. Si digo "María habló fácilmente y alegremente", quiero decir que "María habló de modo fácil y alegre" . Son, por lo tanto, *adverbios de modo*.

Hay aquí dos cosas a considerar:

1. cuando se emplea más de un adverbio de modo, sólo se usa la terminación -MENTE en el último elemento, pero el anterior, aunque no lo tenga, es un adverbio y no un adjetivo. El ejemplo anterior debe ser "María habló fácil y alegremente". En esa oración, *fácil* es un adverbio y en la oración "La lección es fácil" se trata de un adjetivo.
2. cuando el adjetivo viene acentuado, el adverbio mantiene el acento y será siempre formado con el femenino singular.

   Ej.: rápido → rápidamente
   cortés → cortésmente

EJERCICIO

✓ Saca del texto "Estudiar vale oro" quince adjetivos y transfórmalos en adverbios de modo. Haz lo mismo con el texto "Mi padre".

HETEROSEMÁNTICOS, HETEROGENÉRICOS, HETEROTÓNICOS

El prefijo (elemento antepuesto a una palabra) *hetero* viene del griego y significa *diferente*.

Aunque muchas veces las palabras se parezcan y hasta sean iguales al portugués, hay tres grupos que merecen atención. Observa las palabras *cigarros* y *nariz* (texto "Mi padre", pág. 193, párrafo 6) y *mediocres* (texto "Estudiar vale oro", pág. 192, último párrafo). Cualquiera podrá pensar que se trata de idéntica situación en portugués, sin embargo no lo es. Veamos cada caso.

Cigarro tiene sentido distinto del portugués; significa "charuto". Como la semántica estudia el significado de las palabras, tenemos un heterosemántico, palabra igual pero con significado diferente.

Con *la nariz* tenemos el caso del género diferente: heterogenérica.

Con la palabra *mediocre*, la tónica es la O y en portugués es la *I*. Es una heterotónica.

EJERCICIOS

1. Busca en el texto "Mi padre" otros casos de heterosemánticos y heterogenéricos.

2. En el texto "Estudiar vale oro" busca heterosemánticos y un heterotónico.

HETEROTÓNICOS

Español	Portugués
aca**de**mia	academia
acro**ba**cia	acrobacia
alco**hol**	álcool
alguien	alguém
a**néc**dota	anedota
a**ne**mia	anemia
anes**te**sia	anestesia
aris**tó**crata	aristocrata
as**fi**xia	asfixia
at**mós**fera	atmosfera
a**tro**fia	atrofia
bi**ga**mia	bigamia
buro**cra**cia	burocracia
bu**ró**crata	burocrata
ca**ní**bal	canibal
ce**re**bro	cérebro
cóndor	condor
dema**go**gia	demagogia
demo**cra**cia	democracia

Español	Portugués
de**mó**crata	democrata
dif**te**ria	difteria
di**ó**cesis	diocese
e**dén**	éden
e**lo**gio	elogio
epi**de**mia	epidemia
epi**lep**sia	epilepsia
eu**fo**ria	euforia
fisiote**ra**pia	fisioterapia
fobia	fobia
gaucho	gaúcho
hemo**rra**gia	hemorragia
héroe	herói
hi**dró**geno	hidrogênio
hipo**con**dria	hipocondria
i**mán**	ímã
im**bé**cil	imbecil
im**par**	ímpar
límite	limite

Español	Portugués
li**tur**gia	liturgia
magia	magia
medi**o**cre	medíocre
médula	medula
mi**cró**fono	microfone
mi**o**pe	míope
neuras**te**nia	neurastenia
ni**vel**	nível
nos**tal**gia	nostalgia
oc**é**ano	oceano
óvalo	oval
ox**í**geno	oxigênio
par**á**lisis	paralisia
pa**rá**sito	parasita
peri**fe**ria	periferia

Español	Portugués
pero**né**	perônio
poli**cí**a	polícia
poli**ga**mia	poligamia
proyec**til**	projétil
radios**co**pia	radioscopia
régimen	regime
rep**til**	réptil
saram**pión**	sarampo
side**rur**gia	siderurgia
síntoma	sintoma
taqui**car**dia	taquicardia
te**lé**fono	telefone
tráquea	traquéia
vértigo	vertigem
zoo**tec**nia	zootecnia

Observa: Las palabras que terminan con -CRACIA o -CRATA, como demo**cra**cia y de**mó**crata son siempre heterotónicas.

HETEROGENÉRICOS

A) Femeninos en español y masculinos en portugués.

Español	Portugués
la alarma	o alarme
la baraja	o baralho
la cárcel	o cárcere
la costumbre	o costume

Español	Portugués
la coz	o coice
la crema	o creme
la cumbre	o cume
la dínamo	o dínamo

Español	Portugués
la estratagema	o estratagema
la hiel	o fel
la labor	o labor
la leche	o leite
la legumbre	o legume
la miel	o mel
la nariz	o nariz
la paradoja	o paradoxo
la pesadilla	o pesadelo

Español	Portugués
la protesta	o protesto
la radio	o rádio
la risa	o riso
la sal	o sal
la sangre	o sangue
la señal	o sinal
la sonrisa	o sorriso
la tiza	o giz

B) Masculinos en español y femeninos em portugués.

Español	Portugués
el aguardiente	a aguardente
el centinela	a sentinela
el cólico	a cólica
el color	a cor
el cutis	a cútis
el desorden	a desordem
el énfasis	a ênfase
el equipo	a equipe
el estante	a estante
el estreno	a estréia
el fraude	a fraude
el guante	a luva

Español	Portugués
el mensaje	a mensagem
el orden	a ordem
el origen	a origem
el paisaje	a paisagem
el pantalón	a calça
el párpado	a pálpebra
el pétalo	a pétala
el platino	a platina
el puente	a ponte
el rezo	a reza
el síncope	a síncope
el tulipán	a tulipa

¡Fíjate!

- Palabras terminadas en -AJE son masculinas en español y femeninas en portugués: viaje, personaje, plumaje, espionaje. **Excepción**: La imagen.
- Palabras terminadas en -UMBRE son femeninas en español y no siempre lo son en portugués.

HETEROSEMÁNTICOS

Español	Portugués
abonar	adubar
abono	adubo
acordarse	lembrar-se
acreditar	creditar
alargar	alongar, encompridar
apellido	sobrenome
aposentar	alojar
aposento	alojamento
apresado	preso
apresar	prender
atestar	abarrotar, encher
batata	batata-doce
beca	bolsa de estudos
berro	agrião
billón	trilhão
borrar	apagar
brincar	pular, saltar
brinco	salto, pulo
cacho	pedaço
cachorro	filhote
carroza	carruagem
chico	jovem, menino, pequeno
cinta	fita
ciruela	ameixa
cobijar	hospedar
confiado	crédulo

Español	Portugués
contestar	responder
copa	cálice
copo	floco
cubiertos	talheres
cuello	pescoço, gola
distinto	diferente
embarazada	grávida
emparedado	sanduíche
enojar	zangar
enojado	zangado
escoba	vassoura
escritorio	escrivaninha
estrellar	quebrar
exprimir	espremer
exquisito	de muito bom gosto, delicado, excelente, delicioso
flaco	magro
funda	fronha
garfio	gancho de ferro
grasa	gordura
hipo	soluço
honda	funda
impartir	repartir, comunicar
jato	bezerro
jubilación	aposentadoria
judía	feijão

Español	Portugués
jugo	suco
ladrillo	tijolo
largo	comprido
lienzo	tela de pintor
lograr	conseguir, obter
logro	obtenção
magra	fatia de presunto
manteca	banha
menina	aia da rainha
mono (adj.)	bonito, lindo
muñeca	boneca, pulso
neto	limpo
niño	menino
oficina	escritório
ola	onda
oleado	ondulado
olla	panela
oso	urso
palco	camarote
parvo	pequeno
pasta	massa
pastel	bolo
patilla	suíça, cabelos do lado do rosto
pegar	bater, surrar, castigar
plátano	banana
poltrón	preguiçoso, vadio

Español	Portugués
polvo	pó
presunto	pressuposto
presupuesto	orçamento
rato	espaço de tempo
restar	diminuir
rienda	rédea
rojo	vermelho
rubio	loiro
ruin	pequeno, raquítico
salsa	molho
sitio	lugar
sereno	guarda-noturno
seta	cogumelo
sobre (sust.)	envelope
sótano	porão
taller	oficina
tapa	tampa
tirar	atirar
todavía	ainda
torpe	desajeitado
tuerto	zarolho, cego de um olho
turma	testículo
valla	muro, cerca
vaso	copo
zueco	tamanco
zurdo	canhoto

EJERCICIO

✓ Elabora frases en las cuales emplees, respectivamente, más de un heterosemántico, más de un heterotónico y más de un heterogenérico. Consulta la relación. Léelas después. Será agradable, divertido y aprenderás bastante. Ej.: En el desayuno me gusta emparedado con dos magras, acompañado de berro y salsa blanca.

REPASÁNDOLO

1. Observando el texto "Cómo detectar y evitar intoxicaciones alimentarias", pág. 216, tienes "seguridad *e* higiene". Piensa y escribe tres frases distintas en las que vas a emplear la **E**.

2. Repasa en la unidad 5 los demostrativos y explica el caso de "éstos son contaminados". Escribe frases en las que vas a emplear esos, ésos y eso, aquellos, aquéllos y aquello.

3. Escribe dos frases en las que empleas **U** y una en la que vas a emplear **Ó**.

INFO

✓ Consultando el AltaVista, busca informaciones sobre la enseñanza básica en los países de Mercosur. Cuéntalo al grupo.

JUEGUITO

A cada letra del alfabeto le hemos asignado un número y hemos definido cuatro vocablos que pertenecen a la jerga estudiantil. Así mismo, hemos colocado, entre las letras que forman cada palabra incógnita, las diferencias existentes entre su orden numérico. En cada término a descubrir hay una letra que te servirá de ayuda; por ejemplo, en la primera palabra, la diferencia entre la letra M y la que la antecede es de +9, por lo tanto, antes de la mencionada, ubicaremos la U. La próxima letra será la M menos 7. La letra que aparece es la referencia para todos los números.

A	B	C	D	E	F	G	H	I	J	K	L	M
1	2	3	4	5	6	7	8	9	10	11	12	13

N	Ñ	O	P	Q	R	S	T	U	V	W	X	Y	Z
14	15	16	17	18	19	20	21	22	23	24	25	26	27

No asistir a clases

	M		
− 7	+ 9	− 12	+ 6

Alumno inepto

			C						
+ 10	− 2	+ 17	0	− 2	+ 5	− 2	+ 14	− 2	+ 17

Alumno problema

						A
+ 16	0	+ 16	+ 4	+ 11	+ 4	+ 20

Papelitos prohibidos en las pruebas

C					
+ 5	+ 19	+ 9	+ 2	+ 18	− 2

Al diccionario

En el estudio de las palabras (morfología) y de la sintaxis (función o relación de las palabras en las oraciones) el diccionario te podrá ser muy útil, pues te informa si la palabra que buscas es masculina o femenina, sustantivo, adjetivo, adverbio, artículo, pronombre, preposición, conjunción o interjección.

Hay que observar que todos los diccionarios siempre te darán las palabras en singular y los verbos en infinitivo.

Notarás también que hay abreviaturas que acompañan la explicación sobre un vocablo y es a través de ellas que podrás clasificar esas palabras y decidir si son adecuadas o no a tus propósitos respecto al texto.

m. masculino	v. verbo
adv. adverbio	pron. pronombre
conj. conjunción	f. femenino
adj. adjetivo	art. artículo
prep. preposición	interj. interjección

Es importante acostumbrarte a consultar siempre el diccionario, en especial el monolingüe (español con las explicaciones en español) para que vayas aumentando gradativamente tu vocabulario.

EJERCICIO

✓ Da la clasificación de las palabras abajo y en caso de verbos o de palabras flexionadas en género o número da también la forma que aparece registrada en el diccionario.

1. a
2. estudiamos
3. perros
4. escuela
5. para
6. conocimiento
7. mucho
8. constantemente
9. pero
10. ay

Los libros: herramientas de los universitarios

A fines de la Edad Media, la existencia de las universidades cambia la naturaleza de los libros, que ya no son objetos de arte, sino instrumentos de estudio. Aún no existe la imprenta, pero se agiliza el copiado a mano. Otros cambios también señalan una evolución significativa hacia la difusión generalizada de ese objeto antes tan escaso y restricto a las famosas bibliotecas de los monasterios.

— Los libros son ahora más pequeños, para que puedan ser transportados.

— Se evitan las ricas miniaturas, imposibles de copiar para la reproducción en serie.

— Para lograr una escritura más rápida, se adopta la cursiva y se reemplazan los trocitos de caña por plumas de ganso.

— En caso de errores, se borra con piedra pómez.

— Se organizan talleres de copiado para los textos oficiales.

— Se obtienen pergaminos más blancos, más flexibles y más delgados que a comienzos de la Edad Media.

— Una piel de carnero doblada en cuatro da un cuaderillo de cuatro hojas, que varios copistas reproducen en serie para su posterior encuadernado.

— La encuadernación se hace más barata.

Sicut sagitte in manu potentis: ita filii
excussorum.
Beatus uir qui impleuit desiderium
suum ex ipsis: non confundetur cum
loquetur inimicis suis in porta.
Beati omnes qui timent dominum:
qui ambulant in uiis eius.
Labores manuum tuarum quia man-
ducabis: beatus es et bene tibi erit.
Uxor tua sicut uitis habundans: in
lateribus domus tue.
Ecce sic benedicetur homo: qui timet
dominum.
Benedicat tibi dominus ex syon: et
uideas bona ierusalem omnibus diebus
uite tue.
Et uideas filios filiorum tuorum: pacem
super israel.
Sepe expugnauerunt me a iuuentute
Filii tui sicut nouelle oliuarum: in circuitu men-
se tue.

WALTERS ART GALLERY, BALTIMORE

Página de un Salterio y Libro de Horas inglés, del siglo XVIII.

— El estudiante no los lee sobre cualquier mesa, sino sobre un pupitre graduado, que permite regular la altura del libro para facilitar su lectura.

PRÁCTICA ORAL

Piensa un poco y, tras razonar, contesta:

1. ¿De qué modo los cambios presentados han impulsado la enseñanza en la Europa de principios del Renacimiento?
2. ¿Qué ventajas y qué desventajas ha representado la sustitución de los pergaminos por el libro tal como lo conocemos hoy?
3. ¿Cómo crees que será el libro del futuro?

INTERDISCIPLINAS

Historia. Otros inventos también han cambiado de modo definitivo la historia de la humanidad. Elige uno y cuéntanos cómo fue inventado o descubierto. Dinos también las ventajas y desventajas de su utilización a lo largo de los años, desde su primera utilización.

VENTANITA

Universidad de Bolonia, en 1790.

La Universidad de Bolonia, fundada en 1088, lo que la hace la más antigua de Europa, fue la primera a admitir mujeres como alumnas. Hasta entonces, sólo a los varones se les permitía acudir o impartir clases. El problema apareció cuando una de las primeras graduadas quiso, a su vez, enseñar. Novella d'Andrea aprobó los exámenes (la leyenda agrega que con notas sobresalientes), pero las autoridades dijeron que era demasiado hermosa para ponerla al frente de un aula, ya que distraería a los alumnos. Después de largas deliberaciones, los sabios ordenaron que dictara sus clases tapada por una cortina. Sospechamos que el misterio representó un factor de atracción mayor que la vista, ya que sus clases fueron un éxito resonante.

Descubrir, nº 80 marzo, 1997, Argentina.

LENGUACURIOSA

Palabras del español del Uruguay

Achuchar	Tener escalofríos, tiritar, estremecerse, atemorizarse.
Amarretismo	Avaricia, mezquindad.
Apolar	Dormir.
Asuntar	Pensar, reflexionar, argumentar.
Bagayero	Contrabandista, vendedor de productos de contrabando.
Bagre	Mujer fea.
Bailongo	Baile familiar improvisado.
Barra	Conjunto de amigos que se reúnen frecuentemente.
Cachila	Automóvil viejo y deteriorado por el uso. Automóvil antiguo.
Canillita	Vendedor callejero de diarios y revistas.
Chocho	Alegre, contento o satisfecho.
Derrochón	Que gasta sin medida.
Desbole	Desbarajuste, desorden, caos.
Descuidista	Delincuente que se apodera de lo ajeno por descuido de la víctima.
Engambelar	Engañar a alguien con promesas falsas y atractivas.
Engrupir	Engatusar, engañar.
Fané	Marchito, estropeado, cansado.
Fangote	Gran cantidad de dinero.
Ferrocarril	Tira de papel en la que los estudiantes resumen un texto y que, disimuladamente, copian en las pruebas y exámenes.
Fiaca	Hambre.
Figaza	Pizza de cebolla.
Gagá	Senil, reblandecido.
Garufa	Parranda, farra, diversión.

COMERCIO RARO

Tengo Silla Mágica en perfecto estado, que hace a cualquier persona aprender y memorizar para siempre lo que quiera. La cambio por una pizca de esperanza, otra pizca de alegría y sobrantes de sueño. Cartas para Matusalén Lloroso. Casilla de correos, 000. Capital.

Golpiza	Castigo cruento y encarnizado.
Gurí(sa)	Niño(a), hijo(a) de corta edad.
Laburo	Trabajo.
Lambedor	Adulón.
Linyera	Vagabundo, bolsa o atado que lleva el vagabundo con pertenencias.
Loba	Mujer sensualmente atractiva.
Luca	Billete de mil pesos.
Luna	Malhumor, berrinche.
Malevo	Pendenciero, valentón, arrabalero, matrero.
Mameluco	Prenda enteriza con cuerpo y pantalones, de tela generalmente gruesa.
Marote	Cabeza humana, inteligencia, capacidad.
Milico	Militar o policía (despectivo).
Mufa	Enojo, irritación, aburrimiento, tedio.
Nono	Abuelo, sueño — en el lenguaje infantil.
Pachanga	Fiesta ruidosa y alegre, baile, jolgorío.
Pancho	Pancito larguito con salchicha.
Pebeta	Mujer joven y bonita.
Pelela	Orinal para los niños.
Pibe	Niño, muchacho.
Pituco	Persona afectada en los modales y en el vestir.
Purrete	Niño de corta edad.
Rechiflado	Loco, demente, poseído por una idea fija, irritado.
Sátiro	Delincuente que se dedica a la violación de mujeres.
Sebastiana	Barriga.
Sumanta	Paliza muy grande.
Traga	Alumno muy aplicado en los estudios.
Yeta	Mala suerte, desgracia.
Yuyero	Persona que vende hierbas medicinales (yuyos).
Yuyo	Hierba medicinal.

RECANTO

✓ Escucha, completa y canta.

El día que me quieras

Alfredo Lepera y Carlos Gardel

Acaricia ______________________
el suave ______________________
de tu suspirar,
______________________ la vida
si tus ______________________
me quieren mirar
y si es ______________________
de ______________________ leve
que es como un cantar,
______________________ mi ______________________
todo, todo se ______________________ .

El día que me quieras
la rosa que ______________________
Se vestirá de fiesta
con su ______________________
y al ______________________
dirán que ______________________ mía
y locas las ______________________
se ______________________ su amor.
La noche que me quieras
desde el azul del ______________________ ,
las ______________________
nos mirarán pasar.
Y un ______________________
______________________ en tu pelo,
______________________ curiosa
que verá que eres
mi ______________________ .

VIDA SANA 10

FOTOS: CID

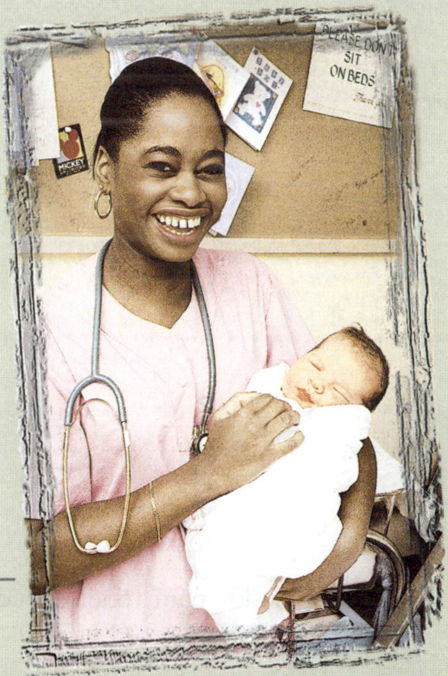

Las verdades como las rosas tienen espinas; recíbelas por la parte de la flor y no te pincharás.

Polo de Medina (1603-1676), poeta español.

Cómo detectar y evitar intoxicaciones alimentarias

Pese a los avances en la tecnología alimentaria y a la seguridad e higiene en la manipulación y elaboración de los alimentos, éstos son contaminados por nuevos y viejos gérmenes que causan graves dolencias en los consumidores.

Lejos de cualquier postura alarmista, las intoxicaciones alimentarias han experimentado un aumento preocupante en los países desarrollados durante los últimos años. Se estima que en los Estados Unidos entre 40 y 80 millones de personas acuden anualmente a las urgencias de los hospitales con diarreas incontenibles, dolores y calambres abdominales, náuseas, vómitos y sudoración. Éstos son los principales síntomas que se manifiestan después de ingerir una comida en mal estado.

Según explican los especialistas, los organismos que pueden observarse en los alimentos pueden clasificarse en dos tipos. Están aquellos que son indicadores generales de la calidad higiénica, que no siempre son peligrosos para la salud, pero que su presencia puede indicar tanto una mala calidad de las materias primas como una mala higiene en la fabricación o condición de conservación inadecuadas. Los otros, en tanto, son los gérmenes patógenos, como la *salmonella* y estafilococos, como la *Listeria monocytogenes*, *Escherichia coli* y el *Clostridium botulinum*, que con su presencia pueden causar serios problemas a la salud e incluso la muerte.

Pero también existen algunas deficiencias en los controles sanitarios, especialmente en los que se realizan en los establecimientos de preparación y consumo masivo como colegios e instituciones, un gran porcentaje de las intoxicaciones se produce principalmente debido a la falta de higiene o a una incorrecta manipulación y conservación de las comidas.

Muy Interesante, nº 153, julio, 1998.
Adaptado.

COMPRENSIÓN DEL TEXTO

1. Indica las informaciones pedidas abajo.
   a) Tema general propuesto.
   b) Asunto tratado.
   c) Los cuatro momentos del texto.
   d) Palabras-clave del texto.
2. Afuera lo indicado en el texto, ¿cuáles son los cuidados para tenerse buena salud?
3. En la vida moderna, ¿cuáles las principales causas de las enfermedades?
4. Tras los agentes biológicos, ¿de qué otro modo se adquieren las enfermedades y cómo evitarlo?

5. Basado en tu vivencia, di qué se puede hacer para evitar problemas como los señalados en el texto.

6. Busca en el texto palabras que se oponen o que sean sinónimas a las que te presentamos abajo, conforme el caso.

a) Avance.	e) Producción.	i) Cerca.
b) Certidumbre.	f) Repugnancias.	j) Tranquila.
c) Arriesgados.	g) Suciedad.	k) Exacta.
d) Indicios.	h) Salud.	l) Desprotección.

Lectura

El *narrador* es la persona que narra en el trabajo, en su vida familiar y social, hablando o escribiendo. Puede narrar lo que vio o lo que vivió, pero también lo que ha imaginado, ha deseado, ha soñado.

1. La narración en *primera persona*: el narrador es un personaje más de la historia que cuenta. Ese personaje puede ser:
   a) *Protagonista*: el narrador es el personaje principal. Él realiza las acciones que relata.
   Ej.: "Obedecí inmediatamente porque vi a otro peón que también levantaba una lampa y recibía en ella su ración. Guardando equilibrio para que no se derramara el poco caldo que había en aquel hacinamiento de frejoles, yucas y camotes, me fui a sentar". (Julián Huanay, escritor peruano)
   b) *Testigo*: el narrador observa y cuenta lo que ve.
   Ej.: "... sin que el muchacho lo notase, observé cómo se encendían en sus ojos, al mirar de soslayo a su enemigo, esos resplandores felinos (...) y se dibujaba entonces, en sus labios, una leve y fría sonrisa (...). Todos estábamos ansiosos por ver cuál sería el desenlace de semejante pugna". (E. Rivera Martínez)

2. La narración en *tercera persona*: el narrador no participa de los hechos que narra. Cuenta la historia como un observador externo.
   Ej.: "Álvarez lanzó su caballo a escape, obligándolo a flanquear la montaña. Córdova lo imitó inmediatamente; pero los peñascos los persiguieron". (Ricardo Jaimes Freyre, escritor boliviano)
   Algunos narradores dan la impresión de dominar la mente de sus personajes, ya que saben lo que hacen, lo que piensan y lo que sienten. Éstos son los narradores *omniscientes*.
   Ej.: "Muchos años después, frente al pelotón de fusilamiento, el coronel Aureliano Buendía, había de recordar aquella tarde remota en que su padre lo llevó a conocer el hielo". (Gabriel García Márquez, escritor colombiano)

Antonio Díaz-Cañabate (1898-1980). Novelista y periodista español, nacido en Madrid. Importante crítico teatral que fue colaborador de El Fígaro, de Paris. Escrivió: Historia de una chavala, Historia de una taberna, La fábula de Domingo Ortega, Historia de una tertulia. Colaboró con periódicos y revistas de España. Fue crítico teatral en la revista Semana.

Texto 1

Entrevista con una mosca

Esta mosca se presentó una de estas mañanas entre primaveral y veraniega. Y de buenas a primeras se colocó en mi alcoba. Mi alcoba no es muy amplia, pero sí lo suficiente para que quepamos en ella una mosca y yo. La alcoba estaba en penumbra como tienen que estar las alcobas por las mañanas. La mosca pudo solazarse a su placer por la habitación, pero las moscas nunca se satisfacen si no molestan. En esto se parecen a muchas personas. Primero se paseó por una de mis manos. A su cosquilleo di un manotazo. La mosca, entonces correteó y volvió a pasearse por la misma mano con la terquedad femenina, que es una de sus características. Esta vez mi manotazo no consiguió espantarla. Me revolví inquieto, entre dormido y despierto. La mosca se alejó. Y al cabo de un rato la indina eligió mi nariz, como objeto de sus preferencias. Abrí los ojos. ¡Qué catástrofe, abrir los ojos cuando el sueño todavía se encuentra tendido encima de los párpados! ¿Qué pasa?, me pregunté sobresaltado. Silencio. Nadie a mi alrededor. Y en el mismo momento que me disponía a recobrar el sueño, la mosca en la nariz. Me incorporé de un golpe. La mosca se trasladó al carrillo, a la frente, a una oreja. Yo cabeceaba nervioso. La mosca saltaba jovial. Me di de cachetes. Me desperté del todo.

DÍAZ-CAÑABATE, Antonio. In BUCHÓN, J.L.Micó. *Curso de teoría y técnica literarias*. Zaragoza, España, Editorial Luis Vives, 1971.

Texto 2

La música

Era un mago del arpa. En los llanos de Colombia, no había fiesta sin él. Para que la fiesta fuera fiesta, Mesé Figueredo tenía que estar allí, con sus dedos bailanderos que alegraban las piernas.

Una noche, en algún sendero perdido, lo asaltaron los ladrones. Iba Mesé Figueredo camino de una boda, a lomo de mula, en una mula él, en la otra el arpa, cuando unos ladrones se le echaron encima y lo molieron a golpes.

Al día siguiente, alguien lo encontró. Estaba tirado en el camino, un trapo sucio de barro y sangre, más muerto que vivo. Y entonces aquella piltrafa dijo, con un resto de voz:

— *Se llevaron las mulas.*

Y dijo:

— *Y se llevaron el arpa.*

Y tomó aliento y se rió, echando baba y sangre se rió:

— Pero no se llevaron la música.

GALEANO, Eduardo. *100 relatos breves*. Montevideo, Ediciones de la Banda Oriental S.R.L., 1997.

Eduardo Galeano nació en Montevideo, Uruguay, en 1940. Vivió muchos años en el exilio, por motivos políticos, primero en Argentina y luego en España. Ensayista, novelista y periodista. Su libro *Las venas abiertas de América Latina*, traducido a más de veinte idiomas, está considerado como uno de los reportajes históricos más brillantes de la década de 1970. Sus obras principales son *Guatemala, país ocupado; Vagamundo; La canción de nosotros; Días y noches de amor y guerra; Memorial del fuego; Nosotros decimos no; El libro de los abrazos; Ser como ellos y otros artículos; Las palabras andantes; El fútbol a sol y sombras; Las aventuras de los jóvenes dioses y Pata ariba. La escuela del mundo al revés.*

COMPRENSIÓN E INTERPRETACIÓN DEL TEXTO

Texto 1

1. Haz un resumen del texto.
2. ¿Cómo está narrado el texto? ¿Quién es el narrador?
3. ¿De qué modo el autor compara la mosca a las personas y a la mujer? ¿Qué se puede deducir de eso?
4. Haz un breve comentario sobre el texto.

Texto 2

1. Para que el narrador fuera el protagonista, ¿cómo debería ser escrito el texto?
2. Interpreta la última frase del texto.
3. ¿Cuál fue la mayor crueldad de los ladrones?
4. ¿Qué lección de vida nos pasa el texto?
5. Busca el significado de las siguientes palabras y elabora frases empleándolas.
   a) Solazarse. (1)
   b) Cosquilleo. (1)
   c) Manotazo. (1)
   d) Corretear. (1)
   e) Terquedad. (1)
   f) Indina. (1)
   g) Párpados. (1)
   h) Carrillo. (1)
   i) Frente. (1)
   j) Cachete. (1)
   k) Sendero. (2)
   l) Piltrafa. (2)
6. Compara los dos textos.

INTERDISCIPLINAS

Biología

✓ Con el auxilio de tu profesor de Biología o del *site* que te hemos indicado en la parte de informática, haz una tabla en tu cuaderno y da los datos de las palabras abajo (bacterias patógenas), según el ejemplo.
a) campilobacterias; b) clostridios; c) listarias; d) salmonelas; e) estafilococos.
Ejemplo:

Bacterias patógenas: Escherichias.
Especie: *Escherichia coli*.
Origen: Carne vacuna cruda y poco cocida.
Tiempo de incubación: Suele manifestarse en menos de 24 horas.
Síntomas: Dolor abdominal intenso; diarrea acuosa; fiebre baja.
Tratamiento: Ingesta abundante de líquidos y alimentos suaves.

PORTALENGUA

Interesarse por alguien

¿Cómo está(s)...?
¿Qué te cuentas?
¿Qué es de ti/Ud./María...?
¿Qué tal/Cómo te/le va?

Pedir opinión/responder

¿Cómo me quedan estos zapatos? (Muy) Bien/Mal.
¿Qué te parece esta blusa? (Es) (Muy) Bonita/No está mal.

Expresar acción terminada

Ya he leído/visto/conocido/estudiado/... *Bodas de sangre.*

Expresar acción no terminada/en desarrollo

Estoy leyendo/estudiando/conociendo/... *Bodas de sangre.*

Expresar acción no empezada

Todavía no he leído/visto/estudiado/... *Bodas de sangre.*

Expresar obligación impersonal

Hay que limpiar, estudiar, terminar, ir...

Expresar obligación personal

Tiene(s) que ayudarme/escucharme...

Negar

¡Qué va!

No dar importancia

¡Bah!/¡Me da igual!

Ausencia de obligación/necesidad

No hace falta.

ComunicHABLE

✓ Escucha los diálogos y complétalos.

DIÁLOGO 1. ¡Ayuda!

Aníbal: ¿Es Ud. el detective Víctor?

Víctor: Sí, ¿por qué?

Aníbal: ______________ mucho sus servicios. ¿Podemos hablar?

Víctor: Sí, ¡cómo no! Pase a mi despacho. ____________________ y dígame en qué puedo servirlo.

Aníbal: Mi caso es que nos están amenazando de muerte a mí y a mi esposa. Están prometiendo secuestrar a nuestras hijas. ¡ ______________, por favor!

Víctor: Calma, señor. A ver. Le ____________________ una serie de preguntas, ¿está bien?

Aníbal: Pregúnteme todo lo que quiera.

Víctor: Su nombre, edad, profesión, dónde trabaja y ________________________ . Hable de su familia.

Aníbal: Me llamo Aníbal Núñez, tengo 36 años, trabajo ______________________ como ingeniero de una empresa que fabrica heladeras. Estoy casado ____________________ y tengo dos hijas: una de nueve años y otra de seis.

Víctor: ¿ ______________ algún desentendimiento, rivalidad o disputa con algún compañero de trabajo?

Aníbal: ______________ un problema con un compañero pero ______________. Hasta fuimos promovidos juntos.

Víctor: ¿Tienen entonces la misma categoría profesional? ¿Hace cuánto tiempo trabaja él en la empresa?

Aníbal: Sí, tenemos la misma función y ____________________ cinco años en la empresa. Pero señor Víctor, no he pensado aún en... ¿Cree Ud. ser él? ¿Y por qué?

Víctor: ______________ son sólo suposiciones Estoy imaginando su situación comparada a la de Ud. Con el mismo rango profesional y con cinco años de diferencia en la empresa. ______________________ injusticiado, disminuido y eso es grave.

Aníbal: No sé, no...

Víctor: ______________________ grave para él.

Aníbal: ¿Qué hago? ______________ que ver lo asustado que estoy. ______________ tiene que ayudarme, don Víctor.

Víctor: Sí. ¡Claro! Tranquilícese. Tengo mucha experiencia y eso va a acabar en ______________________. Pero antes de todo hay que tener calma y hacer exactamente todo lo que ______________________.

Aníbal: Haré todo lo que me mande. ______________________.

DIÁLOGO 2. ¿Cómo estoy?

Hija: Papá, ¿ ______________________ ? ¡Llegaste tan tarde...!

Padre: Tuve que hablar con un amigo, hija. ¿Qué pasa?

Hija: ¿ ______________________________ este vestido y los zapatos? Tengo una fiesta de bodas hoy.

Padre: El vestido está muy bien, ______________________________ que es y al escote que tiene... y los zapatos no te quedan mal, pero los negros quedarían mejor.

Hija: ¿De verdad que está demasiado ______________________________ ? Me lo cambiaré por otro. Gracias, papi. No te preocupes que mis compañeros me vienen a buscar y ______________________________.

Padre: Sí, hija, y que te diviertas.

Hija: Sí, papá. Te quiero y no te preocupes.

Padre: Bueno, bueno... ______________________________ el vestido. A cualquier cosa, telefonéame.

Hija: Sí. Lo haré. ¡Chau, papi!

Padre: ¡Chau, hija!

SELECTIVIDAD

(Centro Universitário La Salle/Canoas-RS)

Tengo una reciente experiencia personal de como el hombre considera el tedio algo normal. Yo haría un viaje de seis horas. ¡Deliciosa perspectiva! Seis horas sin telefonazos, sin hablar, sin tener que escuchar. Horas de vacaciones. Frente a mí se instala una pareja de aspecto discretamente próspero y mediana edad. El marido tiene malas pulgas y comenta: "Viajaremos por lo menos unas seis horas. ¡Menudo aburrimiento!". Ella habla a troche y moche, después suspira y rezonga. Se sigue un enfurruñado silencio, rompido siempre por lamentaciones. Zarpamos y me zambullo en un par de periódicos, disfrutando un puro. La pareja de marras ha dormitado un poco y no hacen más que lamentar y refunfuñar cuando despiertos.

Entre estar aburrido y ser aburrido la diferencia adquiere dignidad ontológica. Muchas son las personas que reconocen que se aburren; muy pocas las que reconocerían que aburren. Siempre logran nuevas formas de abrumar con sus minucias insulsas o su charla bostezante, sorprendiendo en la mirada del otro el pánico de verse atrapado por la culpa en la trampa del hastío.

Por otro lado, si los hombres no hubieran temido aburrirse, no hubieran necesitado inventar el arte, la política ni el amor.

1. No texto, o autor * um comportamento humano.

a) rejeita b) desenvolve c) elogia d) analisa e) discrimina

2. La expresión que *no* interviene como factor importante a la teoría del autor del texto es:

a) habla a troche y moche.
b) ¡Menudo aburrimiento!
c) suspira y rezonga.
d) enfurruñado silencio.
e) refunfuñar cuando despiertos.

3. O provérbio popular que se relaciona ao final do texto é

a) O uso do cachimbo faz a boca torta.
b) Quem diz o que quer, ouve o que não quer.
c) A fome é a melhor cozinheira.
d) Há males que vêm para o bem.
e) Quem muito quer, tudo perde.

4. A expressão "tiene malas pulgas" (linha 4) significa

a) está preocupado.
b) fica descontrolado.
c) tem cara de poucos amigos.
d) mostra-se altivo.
e) procura dissimular.

COMERCIO RARO

Tengo Zoo de Monstruos para rápida entrega, equipado con jaulas de vidrieras telescópicas. Estudie y diviértase con especímenes como mosca, mosquito, polilla, termita, ácaro, pulga, piojo. Tratar con Rascarasca, calle del Terror, nº 13.

5. La pareja se aproxima * insistentemente discute, hablando uno * otro de modo rudo * enervante.

a) y - u - e
b) e - o - y
c) y - e - y
d) y - o - e
e) e - u - y

ESTAMPALABRAS

Alimentos

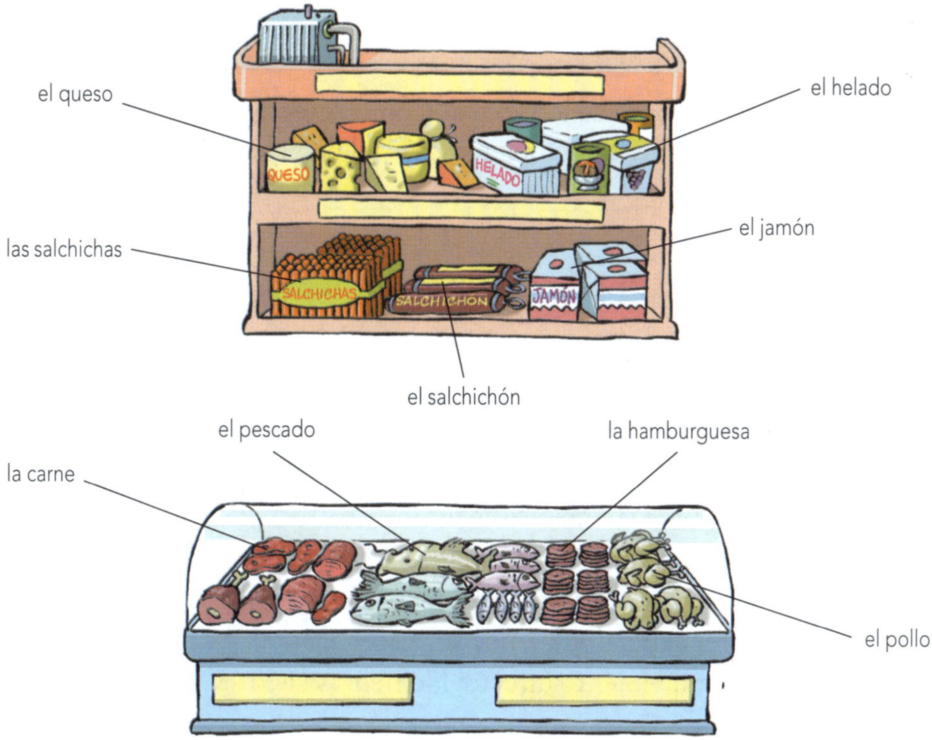

PREPOSICIÓN

Observando el texto "Cómo detectar y evitar intoxicaciones alimentarias" tienes *millones de personas*, cuya palabra *de* es una preposición invariable que relaciona *millones* a *personas*. Es un nexo o conector. Los nexos son palabras o locuciones cuya función esencial es unir elementos lingüísticos. Son los pronombres relativos, adverbios relativos, preposiciones y conjunciones.

En la oración

Fue *a* la escuela *con* prisa *para* no retrasarse *en* la clase *de* Biología.

las palabras *a - con - para - en - de* indican funciones:

¿Adónde fue? A la escuela.

¿De qué modo? *Con* mucha prisa.

¿Con qué objetivo? *Para* no retrasarse.

¿Qué clase? *De* Biología.

Las preposiciones son:

a	ante	bajo	cabe	con	contra	de
desde	en	entre	hacia	hasta	mediante	para
por	según	sin	so	sobre	tras	

EJERCICIO

✓ Subraya las preposiciones de los textos "Como detectar y evitar intoxicaciones alimentarias", "Entrevista con una mosca" y el de Selectividad.

EMPLEO ESPECIAL DE LAS PREPOSICIONES

a	Movimiento en general: Iremos *a* Salamanca. Lugar en donde: La iglesia es *a* la derecha del hospital. Tiempo: Vengan *a* las nueve de la noche. Precio: Las uvas están *a* trescientas pesetas. Fecha: Estamos *a* 7 de junio. Distancia: Estoy *a* seiscientos kilómetros de Montevideo. Con los indefinidos, refiriéndose a personas: ¿No has visto *a* nadie? Frecuencia: Viajamos dos veces *al* año. Complemento directo: No hemos visto *a* Charo.
ante	Estás *ante* la reina Sofía.
bajo	Estudié *bajo* el árbol.
cabe (arcaica)	Sólo aparece en lenguaje literario y significa "junto a", "cerca de": Vives *cabe* mi corazón.
con	Concesión: *Con* ser tan rica, es simple y accesible.
contra	Oposición: Francia luchó *contra* Alemania. Enfrente de: El gimnasio está *contra* el parque.
de	Cantidad indeterminada: Comí *de* frutillas. Condición (ante un infinitivo): *De* viajar, prefería ir a Roma. Tiempo en el pasado: *De* niña, me gustaba cantar. (cuando yo era niña)
desde	Procedencia: *Desde* aquí a mi casa son seis cuadras.
en	Modo: Te quiero hablar *en* serio. Medio o instrumento: Boris viajará *en* avión. Precio: Vendí el coche *en* diez mil dólares. Causa: Yo lo identifico *en* el modo de reír. Seguido de gerundio (marca inicio inmediato): *En* llegando a casa, se acostó.

entre	La segunda gran guerra mundial fue *entre* 1939 y 1945.
hacia	Dirección: Vamos *hacia* la escuela. Ubicación espacial/temporal aproximada: Te buscaré *hacia* las cinco. (hacia = sobre, a eso de) Esa ciudad está *hacia* el norte. (hacia = por)
hasta	Punto final: Voy *hasta* Lisboa. Sinónimo de *incluso*: *Hasta* la profesora se sorprendió con él.
mediante	Tiene uso formal y significa *modo*, *por medio*: *Mediante* la fuerza no se logra lo bueno.
para	Término de tiempo: *Para* el día 18 estará todo arreglado.
por	Con el verbo de movimiento, sobre todo IR, y un sustantivo después, significa *en busca de*: Voy *por* trabajo. Lugar/tiempo aproximado: El taller es *por* aquí. Estuve enfermo *por* aquellos días. Finalidad: Hago eso *por* ayudarla. Modo: *Por* lo general, viajo en las vacaciones.
según	*Según* el director, los programas no cambiarán.
sin	Estoy *sin* dinero y *sin* trabajo.
so	(arcaica) Sólo se usa con las palabras *capa*, *color*, *pena*, *pretexto*: Está en el lecho *so* pena de morir.
sobre	Posterioridad: El café viene *sobre* el postre. Superioridad: El coronel está *sobre* el capitán. Cantidad/fecha/hora/edad aproximada: Llegaré a casa *sobre* las diez. (sobre = hacia, a eso de) Volveremos *sobre* el día 15. (sobre = por el) Tengo *sobre* veinte gramáticas. Mi abuelo tendrá *sobre* 80 años.
tras	Posteridad en el tiempo/espacio: *Tras* el verano viene el otoño. Los libros están *tras* los cuadernos. Añadidura: *Tras* ser inteligente, es amigo de todos.

EJERCICIO

✓ Completa los textos con la preposición adecuada.

El despertador

______ las siete ______ la mañana suena el despertador. Juan se levanta y se prepara ______ ir al colegio. ______ la cocina sale un olor agradable ______ café recién hecho. La madre le saluda ______ un afectuoso "¡Buenos días! ¿Qué tal has dormido?". Al despedirse ______ ella le dice que no le espere ______ comer. ______ la parada del autobús, como cada día, se reúne ______ Luis al que le pregunta si ha hecho los problemas ______ matemáticas que ha ordenado el profesor, pero éste, tan hablador como siempre, le dice: "¡Qué película ______ vaqueros vi anoche!". "Cuéntamela" — le pide Juan.

Llega el autobús y suben. Durante el corto recorrido ______ el colegio, Juan se encuentra un monedero ______ piel que alguien dejó olvidado ______ el asiento. Lo palpa detenidamente y comprueba que está vacío.

El autobús se detiene ______ un semáforo ______ rojo y Juan aprovecha que el autobús está parado ______ entregar el monedero al conductor: "Tenga — le dice —, lo he encontrado ______ el asiento".

El timbre anuncia el comienzo ______ la primera clase cuando entran ______ el patio. El profesor de matemáticas explica el signo =.

Durante el recreo Juan puede, ______ fin, admirar, ______ los prospectos ______ música que guarda, el equipo que sueña comprarse y lee ensimismado: "Tiene mecanismo flotante antivibraciones. No lo dude. Cómprelo".

Elena Martín, profesora de Psicología, Universidad Autónoma de Madrid.

La canción del oro

Aquel día un harapiento, ______ las trazas un mendigo, llegó ______ la sombra ______ los altos álamos, ______ la gran calle ______ los palacios, donde hay desafíos ______ soberbia ______ el ónix y el pórfido, el ágata y el mármol, ______ donde las altas columnas y las cúpulas doradas reciben la caricia pálida del sol moribundo.

Había ______ los vidrios ______ las ventanas, ______ los vastos edificios ______ la riqueza, rostros ______ mujeres gallardas o ______ niños encantadores. ______ las rejas se adivinaban extensos jardines y grandes verdores salpicados ______ rosas y ramas.

Y allá, ______ los grandes salones debía ______ estar el tapiz ______ púrpura y lleno ______ oro, la blanca estatua, el bronce

Rubén Darío (1867-1916). Mayor representante de modernismo nicaragüense. Autor de *Prosas profanas* y *Cantos de vida y esperanza*, entre otras obras.

chino, el tibor cubierto ________ campos azules y ________ arrozales tupidos, la gran cortina ornada ________ flores opulentas, donde el ocre oriental hace vibrar la luz ________ la seda que resplandece. Luego las lunas venecianas, los palisandros y los cedros, los nácares y los ébanos y el piano negro y abierto, que ríe mostrando sus teclas como una blanca dentadura; las arañas ________ cristal donde alzan las velas profusas la aristocracia ________ su blanca cera. Más allá el cuadro valioso, dorado ________ el tiempo y las preciosas acuarelas ________ que el tono rosado parece que emerge ________ un cielo puro y envuelve.

DARÍO, Rubén. *La canción del oro.* Fragmento.

LOS INTERROGATIVOS

Hay distintas formas de preguntar. Observa los ejemplos:

1. ¿Tu padre está viajando?
2. ¿Qué libro has comprado?
3. ¿Qué tienes hoy?
4. ¿Dónde has andado estos días?

En el ejemplo 1 no hay una palabra específica en la cual recaiga la interrogación; en los ejemplos 2 a 4 la fuerza de la interrogación recae en las palabras *qué* y *dónde*, pero con distintas modalidades: en el 2 el interrogativo acompaña un sustantivo, siendo, de esa forma, un adjetivo; en el 3 el interrogativo está solo y tenemos un pronombre; en el 4 el interrogativo contiene una circunstancia de lugar. Los interrogativos pueden ser *adjetivos*, *pronombres* y *adverbios*. Lo que hay de común es que cualquier interrogativo siempre viene *acentuado* y puede ser *invariable* y *variable*.

Interrogativos
- Invariables → qué - dónde - cuándo - cómo
- Variables → quién(es) - cuál(es) - cuánto(a)(s)

Otro aspecto a considerar es el de la interrogación *directa* o *indirecta*. Si decimos: *¿Dónde está tu madre?* También podemos decir: *Necesito saber dónde está tu madre*. Hay aquí idéntica interrogación, pero hecha de forma indirecta hasta porque no lleva el signo de interrogación.

Si, en lugar de la interrogación, la oración exclama, lleva igualmente la tilde. Ejemplos:

En mi país el verano es muy caliente.
¿Cómo es el verano en tu país?
¡Qué caliente es el verano en tu país!
¡Cómo hace calor hoy!

EJERCICIOS

1. Identifica los interrogativos y exclamativos, tildándolos.

— Buenos días, ¿en que puedo servirla?

— Por favor, quería que me mostrara las sedas.

— ¿Cuales, señora? ¿Lisas, a flores, a cuadros, a rayas?

— Me gustaría su opinión sobre cual es la más indicada para mí.

— Usted es rubia y tiene piel clara. Me parece que un color oscuro y liso, marino o negro, le vendría muy bien.

— ¡Como Ud. entiende de elegancia! ¿Donde lo aprendió?

— Cuando uno quiere vender y necesita de un empleo, aprende, si está atento a todo cuanto le digan. Pero ¿con cual se queda, señora?

— Con la seda negra, por supuesto.

— ¿Y cuantos metros va a llevar?

— No sé quien me podría medir. Yo no lo sé.

— Para quien es delgada como Ud. dos alturas de cuerpo bastan, cuando la tela es ancha como ésta.

— No sé como agradecerle, joven. ¿La altura a la cual se refiere es mi altura?

— No, señora, es la del hombro al talón. A quien es como Ud. tres metros le darán un lindo vestido.

— Sí, me quedo con tres metros de la seda negra.

— ¿Quiere algo más?

— No, gracias, sólo quiero que me diga cuanto le debo.

— Son sesenta pesos, señora.

— Aquí están. Gracias. Encantada.

— Vuelva siempre, señora. Adiós.

PIÉNSALO

Vive como quieras, pero deja vivir a los demás.

Martín García

2. Identifica las interrogaciones indirectas y tíldalas.

a) No sé por que, pero cuando leo un buen libro el tiempo vuela.

b) Me gustaría saber cuando volverás porque quiero prepararte una cena.

c) Las personas a quienes me refiero no trabajan aquí y no sé cual es tu preocupación en saber de donde son.

d) La película a la cual te refieres es adecuada a quienes les guste música clásica.

e) Para completar los datos solicitados, Ud. debe informar: cuanto gana, donde trabaja y hace cuanto tiempo, cual su profesión, que planes tiene para el futuro y como pretende lograrlo.

f) Bueno, gano cuanto merezco porque trabajo mucho; vivo donde me conviene y como me gusta; mis planes son de viajar cuando pueda y pretendo lograrlo pues, para eso, ya estoy ahorrando mensualmente lo que puedo.

g) No entiendo para que quieren que vengamos tan temprano.

h) No te puedo informar como lo haré, pero donde vayas te acompañaré ya que sé que es muy peligroso uno andar solo.

i) Como no me dijeron nada, no sé donde será la fiesta ni quienes irán.

j) No adelanta que me pregunten cuanto tengo y cuando viajaré; sólo les diré que tengo cuanto necesito y viajaré cuando me convenga.

AL DICCIONARIO

Cuando se consulta una palabra en el diccionario, se lo hace para conocer su significación adecuada. Hay que aprender a identificar cuál es la parte constante (llamada por eso de raíz o lexema) que contiene la idea principal, y cuáles son las partes variables (desinencias o derivaciones) que expresan modificaciones de esa idea.

Ejemplo:

HOMBR-
- E = sus. m. ser animado racional. Varón, criatura racional del sexo masculino.
- EAR = v. Querer el joven parecer hombre hecho.
- ÍA = sus. f. Cualidad de hombre. Probidad, honradez.
- ETÓN = sus. m. aumentativo de hombre.
- EZUELO = sus. m. diminutivo de hombre.

EJERCICIO

✓ Tras observar el ejemplo anterior, busca en tu diccionario las ideas contenidas en las desinencias o derivaciones a la raíz *ind-* y luego señala las palabras que no pertenecen a la misma familia semántica.

a) Indiada.
b) Indianismo.
c) Indianista.
d) Indiano.
e) Índice.
f) Indicio.
g) Índico.
h) Indígena.
i) Indigenismo.
j) Indigestión.
k) Índigo.
l) Indiófilo.

Jueguito

Dominó

Para lograr el objetivo de este juego, debes rellenar la grilla con las palabras de la lista, observando el número de letras de cada una. ¡Ánimo!

4 letras: cena - seco - soso - duro - frío

5 letras: dieta - dulce - pasta - carne - adobo - grano

6 letras: comida - frutas - salado - jugoso - postre - blando - hambre

7 letras: lácteos - picante

8 letras: embutido - desayuno - merienda - hogareño

9 letras: exquisito - vegetales - aperitivo

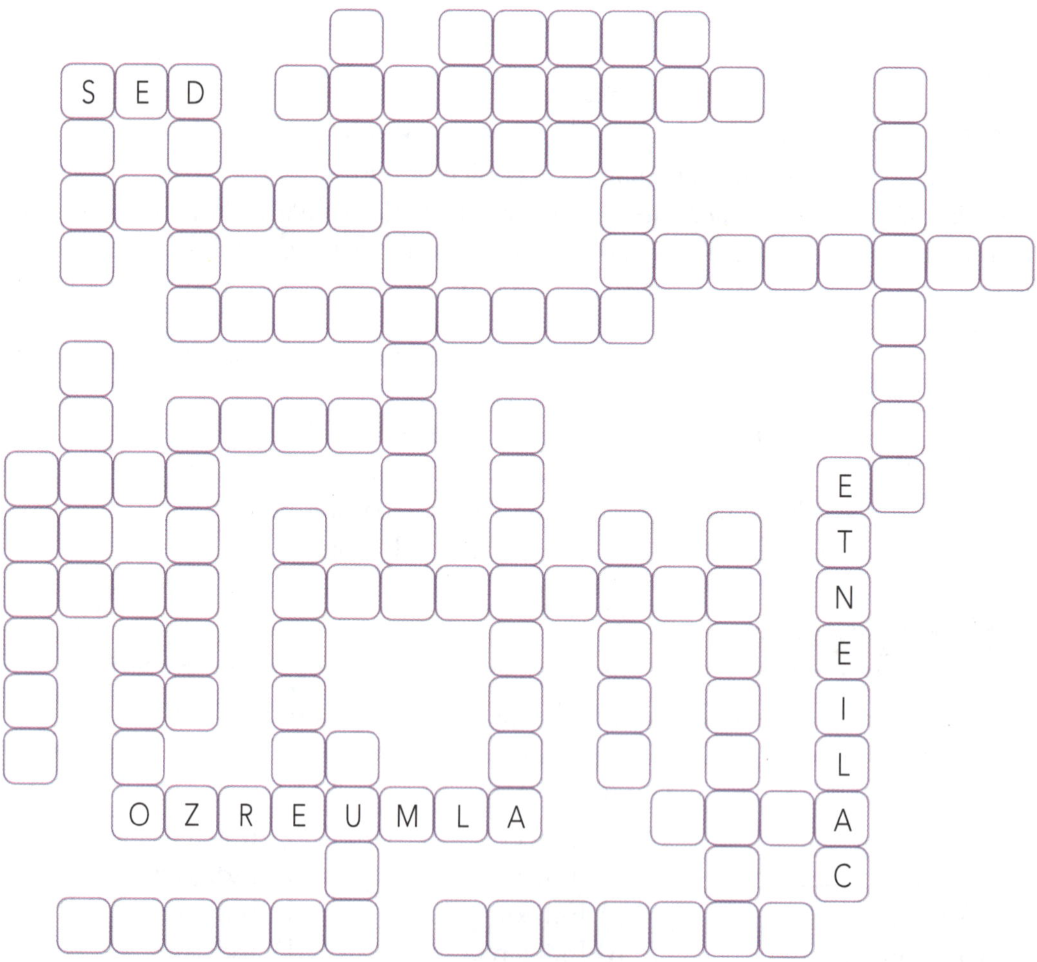

REPASÁNDOLO

1. Observando las palabras *heterotónicas*, lee varias veces en voz alta las siguientes frases hasta que lo hagas con naturalidad. Luego, controla con la grabación para ver si lo has hecho de modo adecuado.
   a) Hay un desnivel grande entre la siderurgia y la metalurgia de aquel país.
   b) Cuando alguien le informó de su promoción, tuvo una euforia impar.
   c) La pobre señora, además de miope, tiene fobias y sufre de vértigo y taquicardia.
   d) El alcohol transforma un aristócrata en una persona imbécil y mediocre.
   e) Ella presenta síntomas de difteria, provocándole asfixia por la falta de oxígeno.
   f) El agua se compone de oxígeno e hidrógeno.
   g) El verdadero héroe no se deja influenciar por los elogios recibidos.
   h) La mayoría de los países cultiva la monogamia, pero algunos tienen la poligamia.
   i) En el mundo hay mucha burocracia, demagogia y todavía poca democracia.
   j) El elogio del profesor a su desempeño oral fue como una magia y su neurastenia desapareció como por ensalmo.
   k) La hipocondria provoca una lenta atrofia en el cerebro.
   l) El mundo sería mucho mejor sin el alcohol, la autocracia y las fobias.
   m) Este parásito siempre provoca anemia.
   n) Dijo en el micrófono que tenía nostalgias de su niñez.
   ñ) Por la radioscopia el médico encontró la causa de su parálisis en las piernas y lo curó.

2. Lee las siguientes frases y fíjate en los *heterogenéricos*.
   a) La leche, la miel y las legumbres son alimentos muy ricos.
   b) Ella tiene un cutis delicado, una linda sonrisa y una naricita que es una pintura.
   c) La moderna costumbre de la protesta y de los fraudes es una pesadilla a los gobiernos.
   d) El exitoso estreno del equipo es resultante de mucha labor.
   e) Hubo alarma exagerada en la cárcel, provocando un gran desorden y todo porque uno de los presos tuvo un síncope.

3. Copia de diarios o revistas frases con heterotónicos, heterogenéricos y heterosemánticos y léelas a tus compañeros.

Info

He aquí unas direcciones interesantísimas de Internet para que investigues más sobre los alimentos, su plantío, cosecha y otras cosas interesantes. Te proponemos que hagas un calendario con las frutas y verduras de cada época del año. Pero observa que tendrás que elegir el idioma español a la hora de entrar en los sites.

http://ecologia.uat.mx/ Esta dirección habla de ecología y producción de alimentos.

www.inppaz.org.ar Esta dirección habla de alimentos y zoonosis.

www.sao.org/waicent/faoinfo/agricult/ags/AGSM/urbanSp.htm Este site habla sobre comercio y distribución de alimentos.

cvc.cervantes.es/aula/matdid/vocabulario/alimentos/ Habla de vocabulario relativo a alimentos.

http://www.fda.gov/opacom/catalog/fiberspa.html Habla del poder de las fibras en la alimentación.

Actividad

✓ Tras leer el texto abajo, di los motivos para que se proceda como lo indicado por la revista.

Ej.: Nunca compre en negocios no autorizados. → Respuesta posible:
No debemos comprar frutas y verduras en negocios no autorizados, porque no sufren fiscalización sanitaria y hay mayor riesgo de comprar alimentos cuya procedencia es desconocida y sin garantías de calidad.

Cómo comprar con garantía...

CID

Frutas y verduras

- Nunca compre en negocios no autorizados.
- Rechace las verduras, hortalizas y frutas que no tengan la piel limpia y sana, sin brillo y sin el color propio del producto.
- Compruebe que las verduras congeladas no están expuestas a temperatura ambiente.

Pescado fresco

Rechace el pescado en los siguientes casos:

- Con ojos arrugados y hundidos en las órbitas.
- Piezas a las que se les han retirado los ojos.
- Olor desagradable, putrefacto o a amoníaco.
- Agallas decoloradas y de aspecto grisáceo.
- Piel empañada.
- Escamas que se desprenden con facilidad.
- Carne blanda. Ésta, al ser presionada con el dedo, se queda impresa con la huella.

Pescado congelado

Los nutricionistas recomiendan que se evite el pescado conservado de las siguientes maneras:

- Si se compra *en piezas enteras*, éstas deben estar duras (no ceden al ser presionadas con el dedo) y mostrar la piel limpia, sin erosiones ni rasgaduras.
- Si se adquiere *en trozos*, éstos también han de estar completamente duros. La superficie de corte y la espina deben tener un color blanco. Rechace los pedazos que muestren reflejos rojizos cerca de la espina.

- Si se compra *envasado*, compruebe que el recipiente esté sellado herméticamente y que carezca de roturas. Éstas permiten la entrada de aire en su interior.

FOTOS: CID

Carne

- Rechace las carnes y embutidos caseros procedentes de animales sin control veterinario.
- Cuidado con los embutidos fabricados con carne procedente de animales de caza (ciervos, gamos, jabalíes…).
- No compre carne que no haya sido picada en su presencia.
- No consuma carne con mal olor y aspecto desagradable, así como la que presenta reflejos iridiscentes en su superfície.
- Preste mucha atención a la higiene del establecimiento comercial.
- Rechace la carne que no proceda de un ambiente refrigerado y que esté expuesta al público sin protección.

Marisco fresco

- Los bivalvos siempre se deben adquirir dentro de sus conchillas. Éstas deben estar fuertemente cerradas.
- En el caso de los mejillones, ostras, almejas y berberechos, asegúrese de que han sido sometidos a depuración.
- Rechace los calamares y los pulpos que hayan perdido su fuerte pigmentación. Tampoco los compre si detecta un olor desagradable o si su carne es blanda o nacarada.
- No compre gambas y otros crustáceos que tengan el caparazón blando y cuyas patas y cabezas se desprendan con facilidad.
- En los crustáceos de caparazón duro, como las centollas, rechace aquéllos en los que las patas están fláccidas y caen con facilidad.

Huevos

- Preste atención a la fecha de envasado y no adquiera huevos que caduquen durante la semana en curso.
- La cáscara tiene que estar limpia y sólida.
- Recuerde que los huevos marrones no son más nutritivos que los blancos.
- *Para saber si un huevo está realmente fresco, realice estas siguientes pruebas:*

✓ Al sumergir el huevo en agua con sal, si se hunde, está fresco; si flota en posición horizontal, evite su consumo.

✓ Al cascar un huevo de calidad, la yema permanece abultada y la clara es densa y blanca.

✓ Al hervirlos, los huevos duros presentan la yema bien centrada. En los huevos pasados, la yema se desplaza hacia un lado.

Conserva

- No compre latas oxidadas o con herrumbre.
- Las latas no deben presentar abolladuras, abombamientos ni otro tipo de deformación exterior.

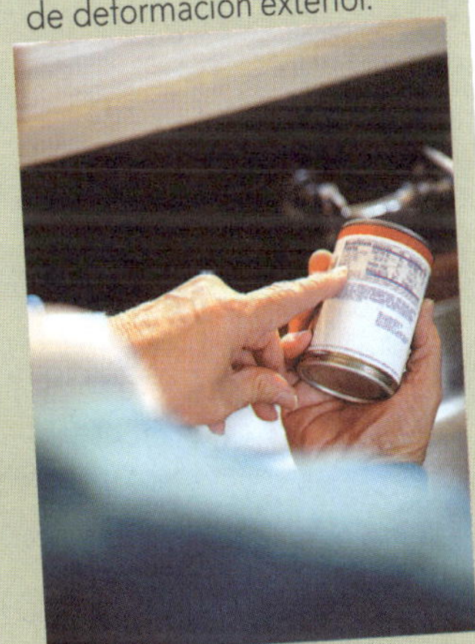

- Rechace los envases sin etiqueta ni vencidos.
- Verifique siempre la fecha de vencimiento.

Muy Interesante, nº 153, jul. 1998.

LENGUACURIOSA

Es infinita la imaginación humana. Observa las palabras y su significado, del escritor Ramón Riera Calvet. El autor da a las palabras un sentido nuevo y humorístico. Debes estar muy atento para descubrir los "significados".

Ej.: Canguru (*can* y *guro*) - sumo sacerdote de la raza canina.

Jirafa	Gafas giratorias para mirar de reojo. (*Gira - gafas*)
Lechuza	Leche de baja calidad.
Lirón	El futuro Euroitaliano.
Mejillón	Golpe cariñoso y muy fuerte en la mejilla.
Ratón	Un largo rato, interminable.
Bizcocho	Se reunieron ocho para tratar del estrabismo. (*bizco - ocho*)
Buñuelos	Seguidores del estilo del director de cine Luis Buñuel.
Cochino	Coche fabricado en China.
Sandía	El santo de cada día.
Barbilla	Bar con billar.

Bronquitis	Riña suave con la novia, esposa.
Flatulencia	Ciencia necesaria para tocar la flauta óptimamente.
Muslo	Híbrido entre el asno y el mulo.
Obesidad	Tocar el oboe en sociedad.
Pantorrilla	Bocadillo de pan con tortilla.
Paperas	Fans de papa.
Pezón	Pez gordo y redondo, de carne muy estimada.
Sífilis	Sí, soy feliz.
Tortícolis	Tortilla con coles y unas gotas de anís.
Yugular	Pequeña industria de yogures caseros.

Humor en Porciones, Barcelona, España.

HUMOR

Las parras

Cuando Noé abandona el arca lo primero que hace es plantar parras. Se le acerca Satanás y le pregunta qué fin tienen las parras.

— Su fruto es dulce y su jugo alegra el corazón.

Ante esa respuesta el diablo le ofrece su ayuda y mata un cordero y vierte su sangre sobre las uvas. Luego mató un león e hizo lo mismo. Así lo hizo también con un mono y finalmente con un cerdo.

Resultado: Cuando el hombre toma un vaso de vino es bueno y tranquilo como un cordero. Cuando toma el segundo es orgulloso y duro como un león. Con el tercer vaso empieza a saltar como un mono y se porta como tal. Y después del cuarto vaso se revuelca en el fango como un cerdo.

VENTANITA

¿Es dañina la carne de cerdo?

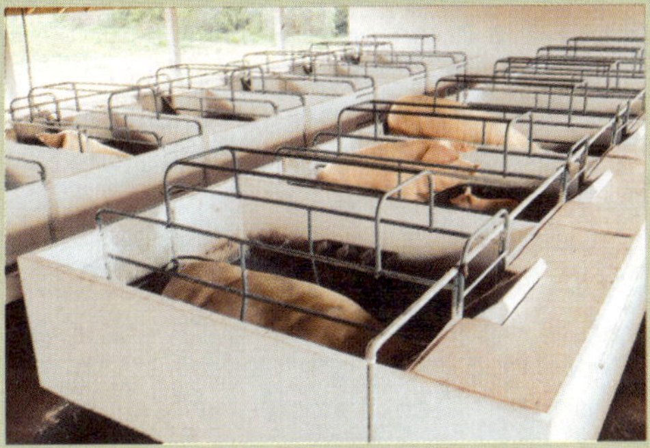

DELFIM MARTINS/PULSAR

La ciencia, lo mismo que hizo con el aceite de oliva — del que se llegó a decir que producía cáncer — del vino — que mataba poco a poco al que lo tomaba incluso con moderación — o el pescado azul — antes malo y ahora saludable — se ha encargado de dejar a todos en su sitio. Y también a la carne de cerdo. ¿Es dañina por su abundante grasa?

La carne de cerdo apenas tiene 60 mg de colesterol por cada 100 g, similar a las de pollo, oca, buey, queso, merluza, lubina y salmón y menor que el marisco, la yema de huevo, la sardina, la trucha o la pescadilla.

El tocino es grasa pura muy saturada, perjudicial para la salud. En la población rural española se ha consumido siempre cerdo y la incidencia de enfermedades coronarias es tan baja como en otros tipos de campesinos que siguen una dieta tradicional propia de las zonas mediterráneas.

Por último, gracias a la ingeniería genética y a los xenotrasplantes, los cerdos pueden convertirse en donantes para salvar vidas humanas. Nunca el hombre y el cerdo se parecieron tanto.

Taco Calendario del Corazón de Jesús. Bilbao (España), Ediciones Mensajero, 1999.

Aspectos culturales de Argentina

Cuando los españoles llegaron al territorio que hoy ocupa la República Argentina se encontraron con una marcada variedad de poblaciones indígenas que vinieron a influir en el español de los argentinos y en todos sus aspectos culturales. Además de los indígenas, entraron en el español de Argentina palabras inglesas, francesas, portuguesas y de otros pueblos, principalmente de italianos. Sin embargo, no modifican sustancialmente el sistema de la lengua. De ahí que un español que va a Buenos Aires se entiende perfectamente con un argentino. No se trata de una diferencia entre lengua culta y lengua vulgar, sino de cierta función social. Un argentino culto se recrea usando voces del sainete, del tango, del lunfardo, etc., pero ésa no es su lengua real, sino la otra: la que está en el sistema de la lengua general.

FOTOS: CID

Obelisco en la Avenida Nueve de Julio, Buenos Aires.

Lo demás es gusto por la singularización y, sobre todo, juegos de humorismo e ingenio imitativo del suburbio, barrio, la "barra". La lengua de Castilla se mantiene en su integridad, habiéndosele agregado lo argentino. Algunas palabras de las muchas heredadas de los indígenas: mandioca, ananás, mate, cóndor, choclo, palta, pampa.

La peculiaridad lingüística de la zona del Río de la Plata, y más concretamente la de Buenos Aires, se ha ido formando con elementos muy diversos, debido a la avalancha inmigratoria que penetró desde los comienzos de la segunda mitad del siglo XIX y que ha dado origen a un habla, mezcla de lo culto popular, argot y jerga, que hoy se denomina porteño. La característica más general de ese lenguaje es una mezcla de la lengua general culta española con extranjerismos de toda índole, lunfardo (jerga de la delincuencia porteña), vesre, cocoliche (jerga hispanoitaliana de las clases sociales bajas), idioma del delito y del tango.

Arte. País de gran extensión geográfica, en cuyas regiones se dan las más opuestas condiciones climatológicas, es la Argentina un grandioso museo de bellezas naturales: los abruptos parajes de los Andes, las cataratas del Iguazú, los lagos del Sur, los bosques de la Tierra del Fuego, las playas de mar del Plata y tantas otras obras de la naturaleza son universalmente renombrados y sirven de marco a la creación artística de los argentinos. Eso ocurrió en la pintura, en la escultura, en la mueblería y en la arquitectura. La influencia española se manifiesta preferentemente en la arquitectura y urbanización de las ciudades.

Educación y enseñanza. En Argentina se respeta la libertad de enseñanza, por lo que a todos los niveles existen centros del Estado y de toda clase de iniciativas sociales.

Los jardines de infancia acogen a los niños de cuatro a seis años; las guarderías infantiles funcionan en los principales centros industriales, empleando a mujeres casadas.

La organización de la enseñanza primaria es la misma en todo el país, con las ligeras diferencias regionales o locales. La enseñanza general de segundo grado abarca escuelas normales, enseñanza comercial, técnica y agrotécnica y el título de bachillerato abre las puertas de todas las facultades de enseñanza superior.

La universidad nacional más antigua, la de Córdoba, fue fundada por los jesuitas en 1613; la segunda, la de Buenos Aires, fue establecida en 1821. Modernamente el país cuenta con varias universidades, todos los cursos superiores existentes en la actualidad y posgrados. Estudiantes argentinos y extranjeros pueden obtener becas.

La Pampa es el escenario donde actuó el gaucho, conocido en el mundo como representativo del folklore argentino. Las prendas más típicas de su indumentaria fueron el poncho, el chiripá, el calzoncillo amplio y largo, con labores de aguja, la bota enteriza llamada de potro, las espuelas; el facón, el cuchillo, las boleadoras y el lazo, sus instrumentos de trabajo y de pelea. La comida esencial, el asado de carne vacuna; las bebidas, las alcohólicas blancas y el mate. El rodeo de ganado es la faena más espectacular: la oportunidad para lucir las prendas propias y los arreos de cuero y plata de su cabalgadura, ostentando los productos más notables de su artesanía.

Mayor representación artística de Argentina (y Uruguay) es el *tango*, baile y ritmo argentino y uruguayo internacionalmente difundido. El mayor intérprete del tango ha sido Carlos Gardel y modernamente hay varios que le dieron nuevo estilo.

Gran Enciclopedia Rialp. Madrid, Ediciones Rialp S.A., 1984.

Cataratas de Iguazú, Argentina.

OFICIOS EN LA SOCIEDAD 11

FOTOS: CID

Comercio de chincheros, Perú.

Educar es cultivar a un tiempo el conocimiento de lo verdadero, la voluntad de lo bueno y la sensibilidad de lo bello.

Pedro Puig Adam (1900-1960), ingeniero industrial y matemático español.

Los serenos nocturnos de antaño

La inseguridad ciudadana es tema prioritario en los días que corren. Hace 170 años ya estaba también en el primer plano de los comentarios de la población, que buscó remediar el problema promoviendo, mediante colecta popular, la creación de un Cuerpo de Serenos Nocturnos.

MARCELO SPATAFORA/PULSAR

Montevideo

El Montevideo de 1835 era, casi en su totalidad, una inmensa aldea. Algunas casas, unas pocas y mal trazadas calles, y caminos polvorientos o fangosos, según los traten las variantes del tiempo.

De día, los habitantes de la ciudad transitaban sin preocupaciones demasiado serias: pero a la caída de la tarde, todo empezaba a quedar librado al débil aporte luminoso de las candilejas de aceite que siempre agonizaban antes de la medianoche, y por eso levantaban las protestas de la prensa clamando por la restitución de las velas de sebo.

Se corrían riesgos por entre las penumbrosas callejuelas, y sólo por razones de fuerza mayor se circulaba en las horas nocturnas.

El vecindario, espontáneamente, buscó solucionar el problema, y organizó una colecta a fin de reunir el dinero que permitiera contar con un buen servicio de serenos. Mientras se acumulaban monedas con tal propósito, se esperaba que el Gobierno daría un buen impulso a la inciativa popular, reforzándola con una suma considerable; pero la autoridad contribuyó no más que con una cuarta parte de lo necesario, y la Junta Económico-Administrativa, en beneficio de los ciudadanos, terminó por completar lo que faltaba.

El servicio de los serenos empezaba después de las ocho de la noche. Las familias, ya reunidas en sus hogares, escuchaban una voz callejera que decía: *¡Ave María Purísima!... ¡Las diez han dado y sereno!...* Pero el sereno no se limitaba a ese anuncio: lo completaba con un largo discurso, matizado con modulaciones y gorjeos de todo calibre. Era una nota en cierto modo pintoresca, recibida con simpatía por la mitad de los pobladores; sin embargo la otra mitad amanecía manifestando su malestar por esa *lata insoportable*, pues no se podía dormir con la voz del vigilante que sonaba de hora en hora.

La prensa se hizo eco de los juicios negativos y pidió cambios en la función de los serenos. Con alguna ligera modificación, el servicio se impuso en pocos meses; y en 1836, la Asamblea dictó una Ley regularizando y creando un impuesto mensual a cargo de los locales comerciales y las casas de familia. Tal hecho hizo con que se contrataran a un número mayor de serenos, aumentando también los gastos con los sueldos.

Otro cambio sufrido fue que ya no se limitaban a vagar por las calles con un farol en la mano izquierda y una lanza en la derecha. Ahora se hacían acompañar por un perro, que, según afirmaban, percibía los ruidos más insignificantes. De hecho, algunos serenos, confiados en la extrema atención de sus animales, terminaban por dormir en algunos turnos, lo que les costó la autonomía en las calles, pues pasaron al mando de los batallones de línea.

La prensa pidió la abolición del canto colonial, y algo más: que se recomendara a los serenos que no miraran con desconfianza a los transeúntes, a objeto de evitar la repetición de los desagradables sucesos que se transformaron en factores de desorden.

Con el paso de los años, se jubiló definitivamente al sereno...

El País. Uruguay, 16 nov. 1998.
Adaptado.

COMPRENSIÓN E INTERPRETACIÓN DEL TEXTO

1. ¿Por qué surgieron los "serenos"?
2. ¿Por qué ganó este nombre el guardia nocturno?
3. ¿Cuál el motivo de insatisfacción de la población con el servicio de los serenos?
4. Con la utilización del perro como auxiliar en sus servicios de ronda, ¿qué hubo en los servicios del sereno?
5. Según tu opinión, ¿por qué se jubiló definitivamente al sereno?

LECTURA

Los *personajes* de una obra literaria, ficticios o reales, hablan, monologan o dialogan sobre lo que piensan y sienten, revelándose a través del narrador, que puede coincidir con un personaje o mantenerse ajeno a ellos.

Es tradicional, en la historia de la literatura, reconocer al personaje principal como protagonista o héroe, modelo de virtudes, y el anti-héroe o antagonista.

Junto a los protagonistas se mueven personajes secundarios o complementarios que no se relacionan directamente con el tema, pero son necesarios a que éste se desarrolle, ilustrando o reforzando el núcleo central de la trama.

Los personajes no son apenas seres humanos, pero todos los seres que practican o sufren determinada acción. Pueden ser figuras históricas, animales, cosas o seres maravillosos.

Es innegable la importancia de los personajes literarios, según los papeles que desempeñan: héroe o traidor, agresor o defensor, funciones que pueden fornecer las bases para que asuman distintas actitudes: aparecer o desaparecer, arrepentirse o enfurecer, avanzar o retroceder, arriesgarse o acobardarse, dominar o ser dominado, reaccionar de maneras opuestas.

Memoria electrónica

Todas las tardes, al regresar de su trabajo en el Banco (sección Valores por cobrar), Esteban Ruiz contemplaba con deleite su nueva adquisición. Para el joven poeta inédito, escribir en aquella maquinita era una maravilla: signos para varios idiomas, letra redonda y *bastardilla*, tipo especial para Titulares, pantallita correctora, centrado automático, selector de teclado, tabulador decimal y un etcétera estimulante y nutrido.

Ah, pero lo más espectacular era sin duda la Memoria. Eso de escribir un texto y, mediante la previa y sucesiva presión de dos suaves teclas, poder incorporarlo a la memoria electrónica, era algo casi milagroso. Luego, cada vez que se lo proponía, introducía un papel en blanco y, mediante la previa y sucesiva presión, esta vez de cinco teclas, la maquinita japonesa empezaba a trabajar por su cuenta y riesgo e imprimía el texto memorizado.

A Esteban le agradaba sobremanera incorporar sus poemas a la memoria electrónica. Después, sólo para disfrutar, no sólo del sorprendente aparato sino también de su propia poesía, presionaba las teclas mágicas y aquel prodigioso robot escribía, escribía, escribía.

Esteban (26 años, soltero, 1,70 de estatura, pelo negro, ojos verdes) vivía solo. Le gustaban las muchachas, pero era anacrónicamente tímido. La verdad es que se pasaba planificando conquistas, pero nunca encontraba en sí mismo el coraje necesario para llevarlas a cabo. No obstante, como todo **vate** que se precie debe alguna vez escribir poemas de amor, Esteban Ruiz decidió inventarse una amada (la bautizó Florencia) y había creado para ella una figura y un carácter muy concretos y definidos, que sin embargo no se correspondían con los de ninguna de las muchachas que había conocido, ni siquiera de las habituales clientas jóvenes, elegantes y frutales, que concurrían a la sección Valores por cobrar. Fue así que surgieron (y fueron inmediatamente incorporados a la memoria de la Canon S-60) poemas como *"Tus manos en mí"*, *"De vez en cuando hallarte"*, *"Tu mirada es anuncio"*.

La memoria electrónica llegaba a admitir textos equivalentes a 2.000 espacios (que luego podían borrarse a voluntad) y él le había entregado un par de poemas de su serie de amor/ficción. Pero esos pocos textos le bastaban para entretenerse todas las tardecitas, mientras saboreaba su jerez seco, haciendo trabajar a la sumisa maquinita, que una y otra vez imprimía y volvía a imprimir sus breves y presuntas obras maestras. Ahora bien, sabido es que la poesía amorosa (aun la destinada a una amada **incorpórea**) no ha de tratar pura y exclusivamente de la plenitud del amor; también debe hablar de sus desdichas.

De modo que el joven poeta decidió que Florencia lo abandonara, claro que transitoriamente, a fin de que él pudiera depositar en pulcros endecasílabos la angustia y el dolor de esa ruptura. Y así fue que escribió un poema (cuyo título se le ocurrió al evocar una canción que años atrás había sido un hit pero que él confiaba estuviese olvidada), un poema que le pareció singularmente apto para ser incorporado a la fiel memoria de su **imponderable** Canon S-60.

Cuando por fin lo hizo, se le ocurrió invitar a Aníbal, un compañero del banco (sección Cuentas Corrientes) con el que a veces compartía inquietudes y gustos literarios, para así hacer alarde de su maquinita y de sus versos. Y como los poetas (jóvenes o veteranos) siempre están particularmente entusiasmados con lo último que han escrito, decidió mostrar al visitante la más reciente muestra de su inspiración.

Ya Aníbal había pronunciado varios ¡Oh! ante las novedosas variantes de la maquinita, cuando Esteban decidió **pasmarlo** de una vez para siempre con una sencilla demostración de la famosa memoria. Colocó en la maquinita con toda **parsimonia** un papel en blanco, presionó las teclas consabidas y de inmediato se inició el milagro. El papel comenzó a poblarse de elegantes caracteres. El cassette de la impresora iba y venía, sin tomarse una tregua, y así fueron organizándose las palabras del poema:

¿Por qué te vas? ¿O es sólo una amenaza?
No me acorrales con esa condena.
Sin tu mirada se quedó la casa

con una soledad que no es la buena.
No logro acostumbrarme a los rincones
ni a las nostalgias que tu ausencia estrena.

Conoces mi delirio y mis razones.
De mi bronca de ayer no queda nada.
Te cambio mi perdón por tus perdones.

¿Por qué te vas? Ya aguardo tu llegada.

Al concluir el último verso, Esteban se volvió **ufano** y sonriente hacia su buen amigo a fin de recoger su previsible admiración, pero he aquí que la maquinita no le dio tiempo. Tras un brevísimo respiro, continuó con su febril escritura, aunque esta vez se tratara de otro texto, tan novedoso para Aníbal como para el propio Esteban:

¿Quieres saber por qué? Pues te lo digo:
no me gustas, querido, no te aguanto,
Ya no soporto más estar contigo,

últimamente me has fregado tanto
que una noche, de buenas a primeras,
en lugar del amor, quedó el espanto.

Odio tu boca boba, tus ojeras,
que te creas el bueno de la historia.
Con mi recuerdo, tú haz lo que prefieras

Yo te voy a borrar de esta memoria.

BENEDETTI, Mario. *Cuentos completos.* Buenos Aires, Seix Barral, 1994. Adaptado.

REPRODUÇÃO

Mario Benedetti nació el 14 de septiembre de 1920, en Paso de los Toros, República Oriental del Uruguay. Este notable escritor uruguayo ha desplegado su agudeza y capacidad creativa en la poesía, la narrativa y el ensayo. Escribe poesía, teatro, novela, canciones, crítica literaria, artículos políticos. Vivió exilado por motivos políticos, primero en Cuba y luego en España. Entre sus obras destácanse las narrativas Con y sin nostalgia y Montevideanos, los libros de poesía Inventario y Aras de sueño y el de ensayos Letras de emergencia.

COMPRENSIÓN E INTERPRETACIÓN DEL TEXTO

1. Identifica en el texto:
   a) Asunto.
   b) Escenario.
   c) Protagonista.
   d) Personajes.
   e) Narrador.
   f) Lo inverosímil.
   g) Género.
2. Describe:
   a) Los recursos de la maquinita.
   b) El detalle más curioso de los recursos.
   c) El carácter de Esteban.
   d) La particularidad del estilo del autor.
3. ¿Quién era Florencia?
4. ¿De qué desdichas habla el texto?

PIÉNSALO

Por ser perseverante, la tortuga llegó al Arca de Noé.

Charles Haddon

5. ¿Conoces a alguna persona muy tímida? Describe como manifiesta su timidez.

6. ¿Cómo se puede vencer la timidez? Discútelo con tus compañeros y después preséntalo al gran grupo.

7. De alguna forma el autor critica a la modernidad, con varias consecuencias. Explícalo, comparando el mundo de ayer al de hoy, en lo bueno y en lo malo.

8. Si pudieras elegir, ¿qué otro título le darías al cuento?

9. Haz tu comentario del cuento, justificando tus opiniones.

10. Relaciona las dos columnas con la de la izquierda.

a) Esteban	( ) amada incorpórea	( ) bronca y rechazo
b) Memoria	( ) volubles y con garbo	( ) valores por cobrar
c) Florencia	( ) compartir inquietudes	( ) por su timidez
d) Aníbal	( ) un entretenimiento	( ) posibles obras de arte
e) Ordenador	( ) plenitud de amor	( ) exhibir su ordenador
f) Poemas	( ) creó una mujer	( ) angustia y dolor
g) Clientas	( ) recurso poético	( ) infortunio
h) Poesía amorosa	( ) la mayor atracción	( ) creatividad
i) Soledad	( ) nostalgias	( ) era un milagro
j) Abandono	( ) reacción inusitada	( ) ausencia

SELECTIVIDAD

(Centro Universitário La Salle/Canoas-RS)

CID

La naturaleza es la gran madre que no da explicaciones, hasta porque resultaría inexplicable. No es cruel ni piadosa. No se rige por nuestros cicateros e iminentes acaudalados. Cada movimiento suyo trae a unos seres y se lleva a otros. No es que mueva la vida: ella sigue inmóvil, cercada de fronteras misteriosas que lindan con la muerte. ¿Podría decirme, pues, que en la vida quién tiene la razón? No, no la tiene. Ni la necesita. No tiene alas, ni fragancia, ni exaltada lujuria, como los pájaros o las flores. La razón es una débil particularidad del hombre. Como la de ruborizarse o la de sonreír. Pero el hombre piensa que la razón es una corona y un camino infinito. Y pierde la oportunidad de ser feliz. Es su vanidad la que le estropea. La felicidad consiste en atenerse y hacerse cargo de su vanidad; en usar la razón para crecer, multiplicarse, para ruborizarse y sonreír.

En esta chapucería de planeta, en este bamboleante rinconcillo nos jaleamos a nosotros mismos sin darnos cuenta de lo chicos que somos y que no podemos evitar las hecatombes, las hambrunas, la muerte. Podemos, sí, mejorar la vida y no lo hacemos. Pero, pase lo que pase, nadie quiere morir. ¡Qué lata!

1. En el texto el autor quiere mostrar que

a) el camino hacia la felicidad humana es el de la razón.
b) el hombre no es feliz únicamente por su vanidad.
c) para encontrarse la felicidad hay que ser como las flores y los pájaros.
d) debemos vivir la vida sin pensar en la muerte.
e) perdemos la oportunidad de ser felices porque somos chicos.

2. Segundo o texto, a ausência de felicidade na vida do homem é decorrente de

a) ser exageradamente vaidoso.
b) não poder evitar as desgraças.
c) preocupar-se demais com a morte.
d) não usar devidamente a razão.
e) não querer admitir suas limitações.

3. Para o autor, nosso planeta é

a) uma improvisação.
b) um castigo.
c) um caos.
d) um beco sem saída.
e) uma confusão.

4. Neste planeta nos * a nós mesmos.

a) ridicularizamos
b) provocamos
c) odiamos
d) caluniamos
e) maltratamos

5. A alternativa que substitui corretamente as palavras destacadas na frase "Los pájaros y las flores *dan a los hombres una lección de vida*" é:

a) les la dan.
b) se la dan.
c) se los dan.
d) la se dan.
e) os los dan.

6. Si * aprovecha las oportunidades que la vida ofrece, debe también ayudar * necesitan.

a) alguien – a cuales
b) cualquiera – a otros
c) uno – a quienes
d) quienquiera – cuyos
e) doquier – cuantos

HUMOR

El cochero

Un rabino viaja siempre con su cochero quien un día desconforme le dice:
— Rabi, a Ud. siempre le reciben con todos los honores y a mí siempre me tratan como a una persona de tercera clase. Me dan mala comida, mala cama...
— De todos modos, estoy seguro que no cambiarías conmigo ni por una hora.
El cochero le propone cambiar los roles y el rabino acepta la propuesta. Se cambian de ropas y de sitio en el carruaje y en el pueblo siguiente se recibe al falso rabino con todos los honores, mientras el verdadero está ocupado con los caballos. Un hombre se acerca y pide al falso rabino que no sabe ni leer ni escribir, que le solucione un difícil problema.
— ¿Cómo es que no puedes solucionarlo tú solo? Es algo tan simple que hasta mi cochero puede solucionarlo. ¡Anda y pregúntale!

JUEGUITO

Nueve en desorden

Damos a continuación un cuadro que contiene nueve profesiones. A cada una le faltan 5 letras. Para completarlas, debes usar los caracteres del panel a la derecha, que están ordenados alfabéticamente y no en la sucesión correcta para cada vocablo. Como ayuda, te proporcionamos algunas pistas, que tampoco están en orden.

	I		II		III		IV		V
1		E		R		J		R	
2		O		T		N		R	
3		A		O		I		T	
4		E		U		U		R	
5		A		N		C		R	
6		E		O		T		R	
7		N		E		I		R	
8		A		O		D		M	
9		O		D		C		O	

1	2	3	4	5
A	A	A	C	C
C	E	E	E	E
E	E	F	G	I
I	L	M	M	N
N	N	O	O	O
O	O	O	O	O
P	P	Q	R	R
R	R	R	R	R
S	T	U	Y	Y

Pistas:

a) Dicen que los mejores son los ingleses.
b) Está siempre metido con agua.
c) Mejora o empeora nuestra autoestima, según realice su trabajo con tijeras.
d) Nada para él está cerrado.
e) Habla sobre la vida de toda la gente.
f) No se contenta con pocas cosas.
g) Lleva y trae a la gente.
h) Su trabajo es comparado al de las abejas y hormigas.
i) Es uno de los responsables por la alegría de muchas comidas.

VERBOS DE IRREGULARIDAD PROPIA

Son verbos que presentan sus propias irregularidades y no forman grupos como los de irregularidad común (ver Unidad 4).

Para aprender bien los verbos con la relación que se sigue, es importante conocer los tiempos primitivos y derivados. Sabiendo los tiempos primitivos (los de la tabla abajo) se pueden formar los derivados.

		Tiempos Derivados
Tiempos Primitivos	Pres. de Indicativo (1ª p. sing.)	Pres. de Subjuntivo Imperativos (Afirmativo y Negativo)
	Pret. indefinido	Imperfecto de Subj. (1ª Forma = ra / 2ª Forma = se) Futuro de Subj. (en desuso)
	Futuro Imp. Indic.	Potencial o Condicional Simple

Ej.: Verbo CABER

Pres. Indic. = Yo QUEPO — Pres. de Subj. = que yo QUEPA
Pret. Indef. = Yo CUPE — Imp. de Subj. = Yo CUPIE**RA** o CUPIE**SE**
Fut. Imp. Indic. = Yo CABRÉ — Potencial Simple = Yo CABRÍA

Infinitivo	Pres. Indicativo	Pretérito Indef.	Fut. Indicativo	Gerundio
andar	ando, andan	anduve, anduvieron	andaré, andarán	andando
asir	asgo, asen	así, asieron	asiré, asirán	asiendo
caber	quepo, caben	cupe, cupieron	cabré, cabrán	cabiendo
caer	caigo, caen	caí, cayeron	caeré, caerán	cayendo
dar	doy, dan	di, dieron	daré, darán	dando
decir	digo, dicen	dije, dijeron	diré, dirán	diciendo
erguir	irgo o yergo, irguen o yerguen	erguí, irguieron	erguiré, erguirán	irguiendo
estar	estoy, están	estuve, estuvieron	estaré, estarán	estando
haber	he, han	hube, hubieron	habré, habrán	habiendo

Infinitivo	Pres. Indicativo	Pretérito Indef.	Fut. Indicativo	Gerundio
hacer	hago, hacen	hice, hicieron	haré, harán	haciendo
ir	voy, van	fui, fueron	iré, irán	yendo
oír	oigo, oyen	oí, oyeron	oiré, oirán	oyendo
placer	plazco, placen	plací, placieron	placeré, placerán	placiendo
poder	puedo, pueden	pude, pudieron	podré, podrán	pudiendo
podrir o pudrir	pudro, pudren	podrí, pudrieron	pudriré, pudrirán	pudriendo
poner	pongo, ponen	puse, pusieron	pondré, pondrán	poniendo
querer	quiero, quieren	quise, quisieron	querré, querrán	queriendo
saber	sé, saben	supe, supieron	sabré, sabrán	sabiendo
tener	tengo, tienen	tuve, tuvieron	tendré, tendrán	teniendo
traer	traigo, traen	traje, trajeron	traeré, traerán	trayendo
venir	vengo, vienen	vine, vinieron	vendré, vendrán	viniendo
ver	veo, ven	vi, vieron	veré, verán	viendo
yacer	yazco, yacen	yací, yacieron	yaceré, yacerán	yaciendo

EJERCICIOS

1. Pasa al español las siguientes frases.
   a) Soube, sei e saberei cuidar-me do perigo.
   b) Esteve, está e estará muito ocupada toda esta semana.
   c) Andou, anda e andará viajando a serviço da empresa.
   d) Pusemos, pomos e poremos tudo em ordem.
   e) Não souberam, não sabem e não saberão o caminho, sem nossa ajuda.
   f) Tive, tenho e terei de contar sempre com tua habilidade.
   g) Veio, vem e virá à ginástica ao anoitecer.
   h) Pudeste, podes e poderás fazer tudo sozinha.
   i) Fez, faz e fará parte de nosso grupo teatral.
   j) Ouvi, ouço e ouvirei boa música enquanto trabalho.

k) Coube, caibo e caberei sempre em teu coração?
l) Deste, dás e darás proteção aos carentes?
m) Disse, diz e dirá só e sempre a verdade.
n) Quis, quero e quererei estar eternamente a teu lado.
ñ) Viu, vê e verá que a bondade nunca morrerá.

2. Repite las frases del ejercicio anterior, pasándolas a las siguientes personas verbales:

a) 3ª singular
b) 1ª singular
c) 1ª plural
d) 2ª singular
e) 2ª plural
f) 3ª plural
g) 1ª singular
h) 3ª plural
i) 1ª singular
j) 2ª plural
k) 1ª plural
l) 2ª plural
m) 1ª singular
n) 3ª singular
ñ) 3ª plural

3. Observa las frases abajo.

> Asgo al niño. (Presente de indicativo)
> Así al niño. (Pretérito indefinido)
> Asiré al niño. (Futuro imperfecto de indicativo)

Aquí se conjugó el verbo *asir* en los tiempos propuestos entre paréntesis. Tu tarea será conjugar los verbos de las frases solamente en los tiempos que faltan, manteniendo la misma persona verbal en que ya se encuentran.

a) No hay clase.
b) Anda preocupada.
c) Me dirá todo.
d) Cabré en el coche.
e) La ponemos aquí.
f) ¿Puedes hablarnos?
g) Tendré tiempo.
h) ¿Iréis a la fiesta?
i) Vine al cine.
j) Queremos atención.
k) Traeré tu libro.
l) Supo la lección.
m) Nos hará reír.

COMERCIO RARO

Médico-cirujano ofrece sus servicios como jardinero en parque público o particular. Es maestro en implantación o transplante de órganos vegetales y transfusión de savia. Escribir para Dr. Rosalino Palmera. Hospital Psiquiátrico de las Gardenias.

PORTALENGUA

Expresar sentimientos

- **Decepción:** ¡Vaya! / ¡Vaya por Dios! / ¡Lo que menos me imaginaba!
- **Tristeza:** ¡Qué pena! / ¡Qué mala suerte! / (Eso) Me pone triste.
- **Desprecio:** No merece la pena.
- **Admiración:** Lo encuentro / Me parece / Es — maravilloso. / genial. / sensacional. / magnífico. / estupendo. / precioso.

Informarse

¿(Me) Puede decir a qué hora...?

¿Sabe(s) (tú/usted)... a qué distancia...? / dónde hay...? / dónde queda...? / a cuánto está...? / hasta qué hora...? / desde qué hora...? / dónde puedo...?

ESTAMPALABRAS

Herramientas y útiles

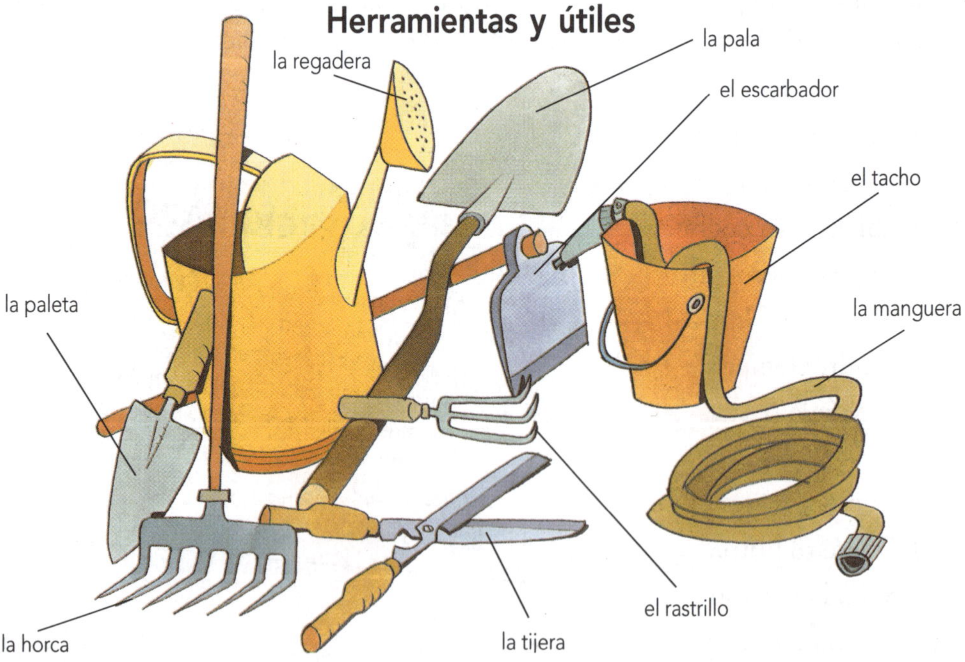

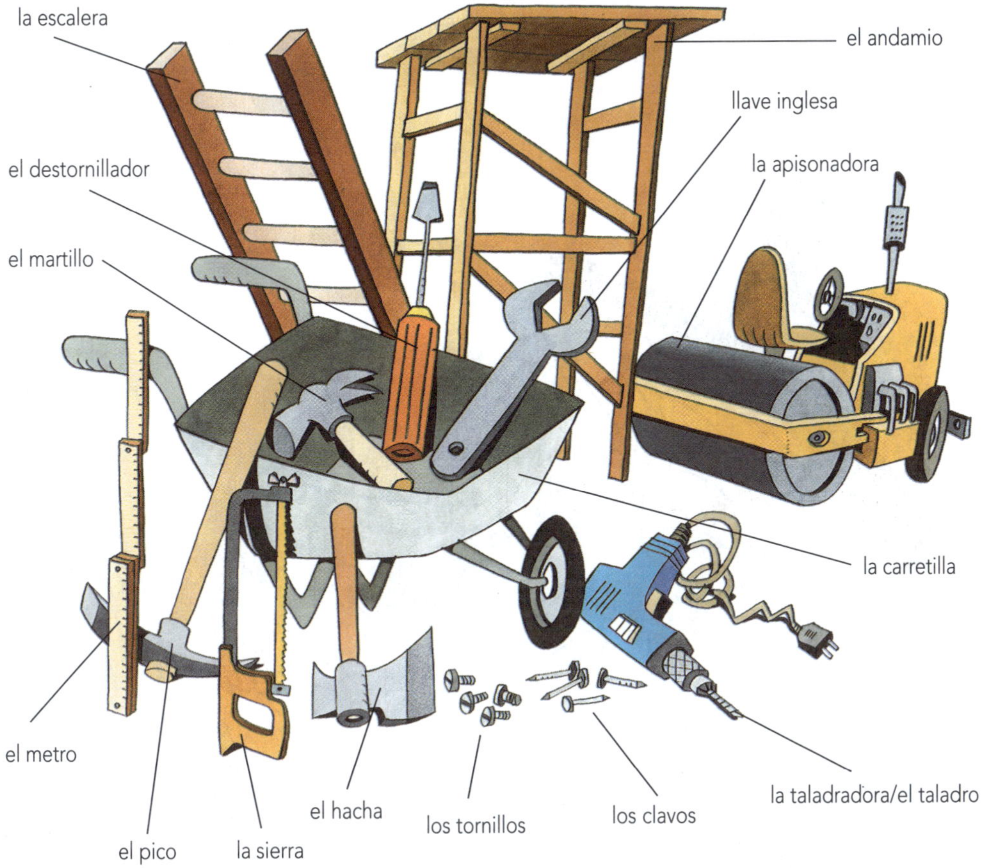
la escalera
el andamio
llave inglesa
el destornillador
la apisonadora
el martillo
la carretilla
el metro
la taladradora/el taladro
el hacha
los tornillos
los clavos
el pico
la sierra

el cazamariposas
la caña de pescar
la tienda de campaña/la carpa
el saco de dormir/el sobre de dormir
la brújula
la cortadora de césped/la podadora

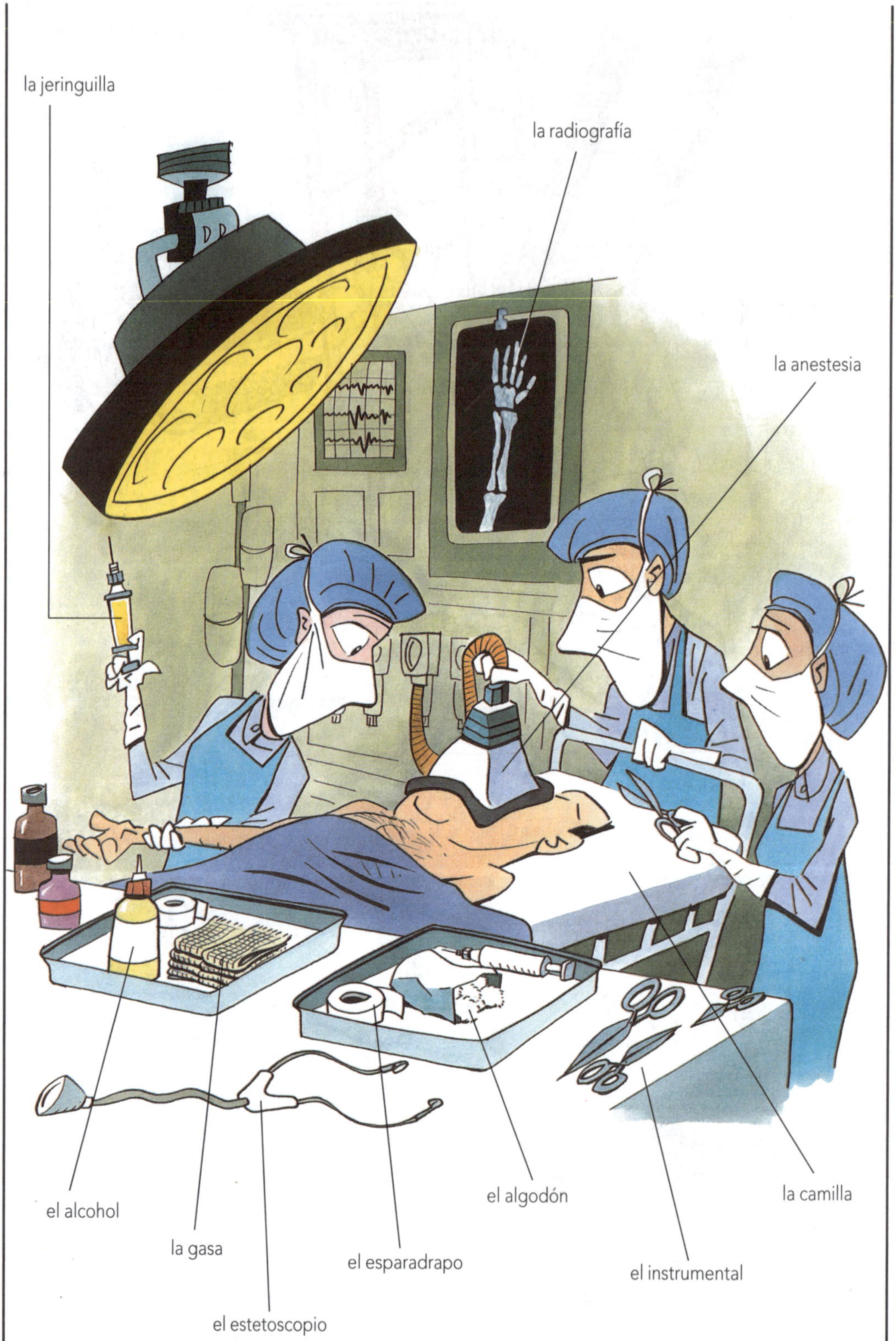
la jeringuilla
la radiografía
la anestesia
el alcohol
la gasa
el estetoscopio
el esparadrapo
el algodón
el instrumental
la camilla

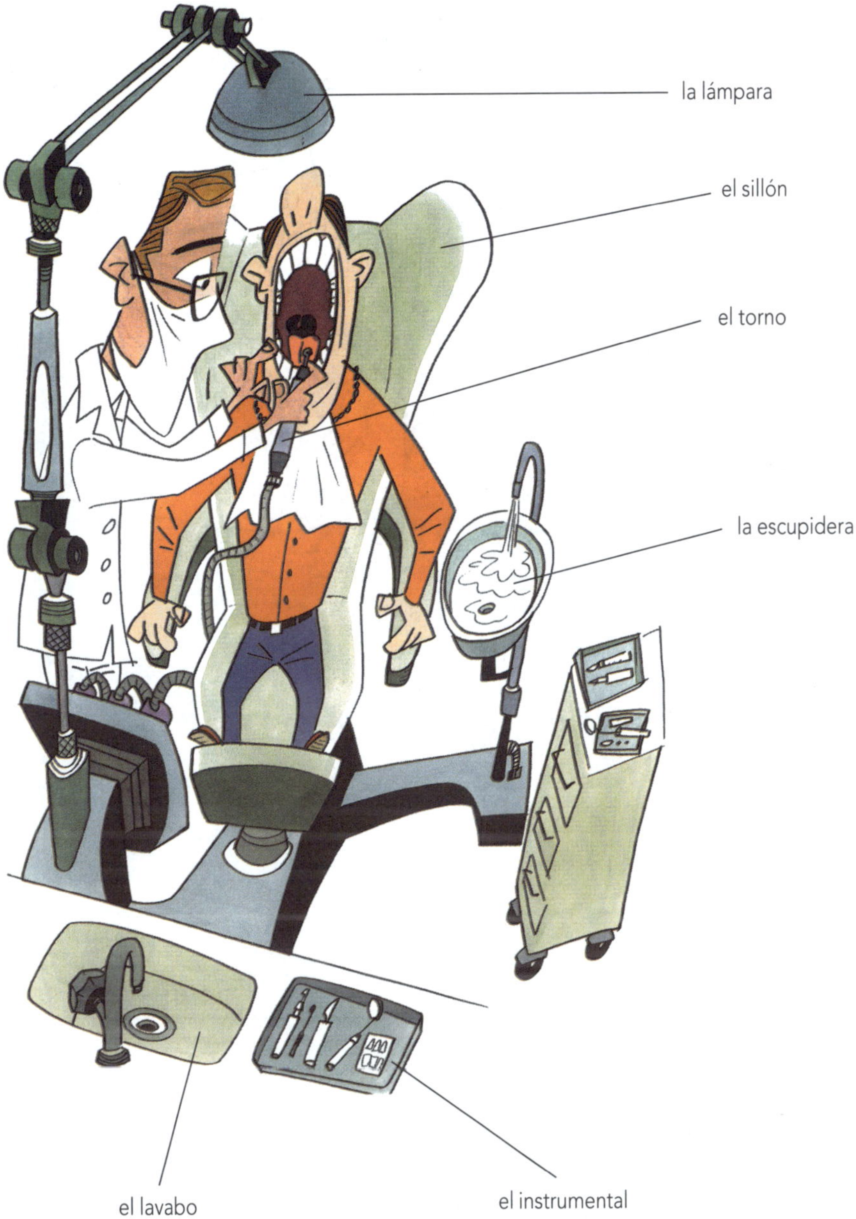
la lámpara
el sillón
el torno
la escupidera
el lavabo
el instrumental

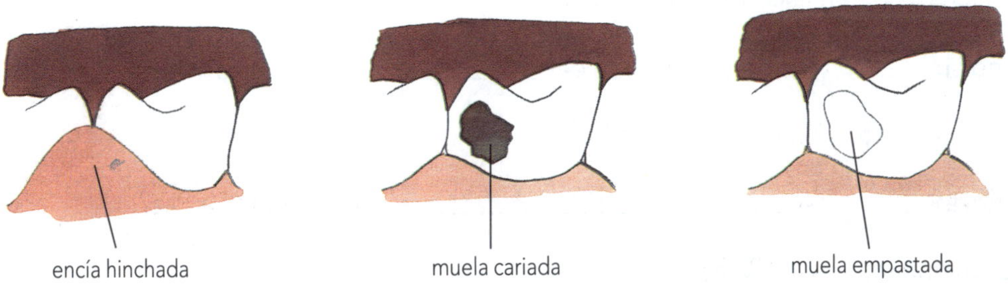
encía hinchada
muela cariada
muela empastada

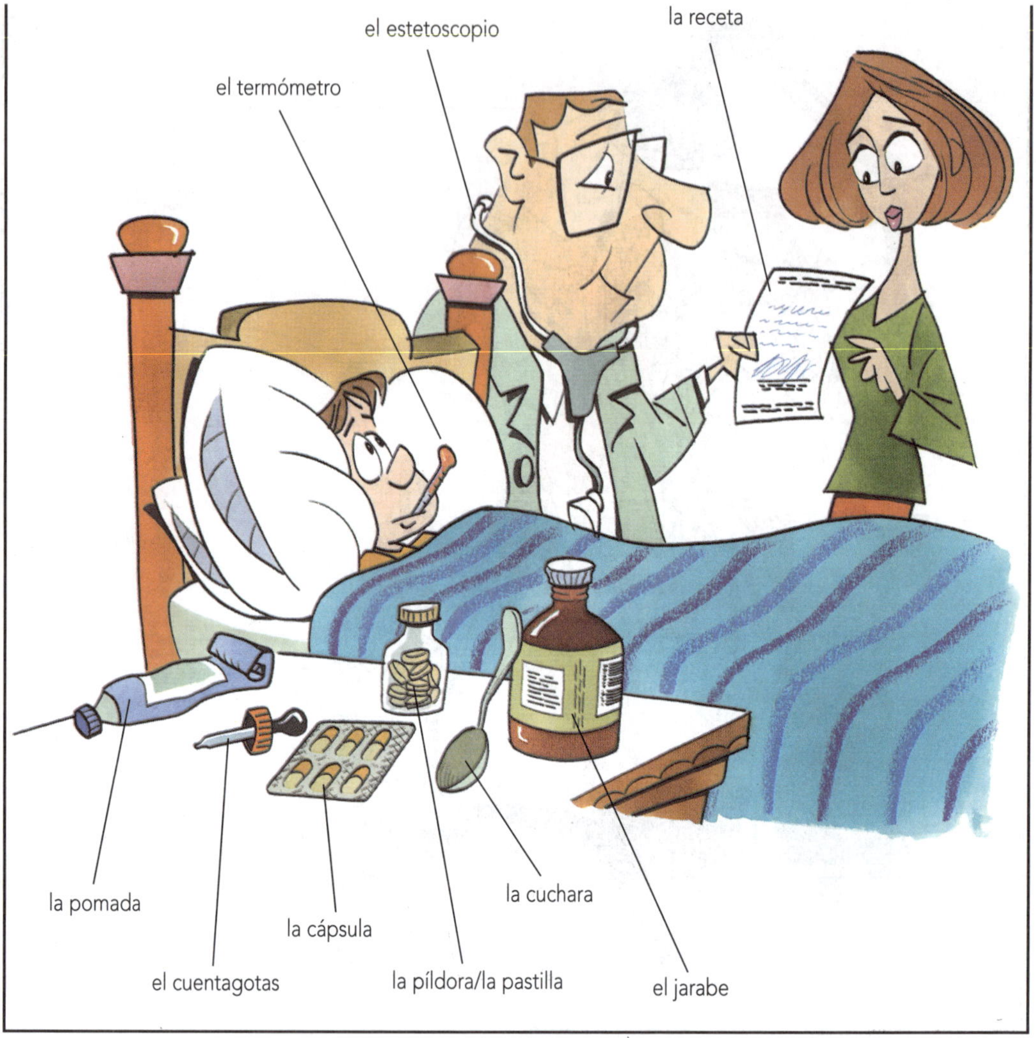

ComunicHABLE

✓ Escucha y completa los siguientes diálogos.

DIÁLOGO 1. En la conserjería de un hotel

Señora: ¡Señor! ¿Me puede dar ____________________?

Recepcionista: A sus órdenes, señora.

Señora: ¿A qué hora ____________________ avión para La Paz?

Recepcionista: A las 22 horas.

Señora: ¿Dónde puedo comprar ______________________ ?

Recepcionista: Si Ud. quiere, le hacemos todo ______________________ .

Señora: ¡Qué bueno! ¿Hasta qué hora ________________ ________________ que providencie todo?

Recepcionista: ____________________ , señora.

Señora: Gracias, señor. Muy amable.

Recepcionista: Para ______________________ .

DIÁLOGO 2. En una biblioteca

Alicia: ¡Hola, Marisol! ¿Desde qué hora ______________________ ?

Marisol: Desde las seis y ______________________ . ¿Qué pasó?

Alicia: ¡ ______________________ ! ¡Fatal! Me reprobé en Geografía y tuve que someterme a otra prueba.

Marisol: ¡Vaya! ¡Qué pena, Alicia! ¿ ______________________ triste?

Alicia: Sí, pero ______________________ feliz. Me aprobé y me siento libre como una paloma.

Marisol: ______________________ maravilloso. Enhorabuena, ¡palomita!

Alicia: Gracias, Marisol. Vámonos que ______________________ para la cena.

Marisol: Sí, sí, con ____________________ que tengo, me parece genial.

LOS INDEFINIDOS

Señalan personas, animales o cosas de una manera indefinida y pueden ser adjetivos o pronombres.

Son *adjetivos*: alguno, ninguno, otro, todo, mucho, poco, mismo, cierto, tanto, bastante, tal, cualquiera, cada, demás, más, menos, demasiado.

Son *pronombres*: uno, alguien, algo, cualquiera, quienquiera, nadie, nada, poco, mucho, demasiado, todo.

Empleo:

1. Ciertos adjetivos se apocopan:
   muchacho *ninguno* → *ningún* muchacho
   un día *cualquiera* → *cualquier* día
   alumno *alguno* → *algún* alumno
2. **Uno** representa la persona que habla; se refiere a "la gente" con sentido de "nosotros".
   Ej.: Cuando tiene miedo, *uno* piensa cosas horribles.
3. El pronombre **todo** significa "tudo".
4. **Quienquiera** sólo se usa seguido de **que** y significa *cual sea la persona que*.
5. **Ninguno** se puede emplear como pronombre, significando *nadie*.

EJERCICIOS

1. Completa las frases con el indefinido que convenga al sentido, sin repetirlo.
   a) ¿Quieres ______________ ? No, no quiero ______________ .
   b) No estoy para ______________ que me llame.
   c) Busco a ______________ que me enseñe a bailar.
   d) ______________ estudiantes se han reunido en la biblioteca.
   e) Como anda enfermo, trabaja ______________ y descansa ______________ .
   f) ______________ día te buscaré y asistiremos a ______________ película.
   g) ¿ ______________ de ustedes sabe dónde están los ______________ alumnos?
   h) He trabajado ______________ que ando ______________ cansado.
   i) Tenemos los ______________ gustos sobre música.
   j) No creo que se atreva a hacer ______________ cosa.
2. Subraya los indefinidos y clasifícalos en (1) adjetivos y (2) pronombres según el caso.

La comedia del mundo

Ninguna comparación hay que más al vivo nos presente lo que somos y lo que hemos de ser, como la comedia y los comediantes. Si no, dime ¿no has visto tú representar alguna comedia, adonde se introducen reyes, emperadores, pontífices, caballeros, damas y otros diversos personajes? Uno hace el rufián, otro el embustero, éste el mercader, aquél el soldado, otro el simple discreto, otro el enamorado simple; y acabada la comedia y desnudándose de los vestidos de ella, quedan todos los recitantes iguales. – Sí, he visto, respondió Sancho. – Pues lo mismo, dijo D. Quijote, acontece en la comedia y trato de este mundo, donde unos hacen los emperadores, otros los pontífices, y, finalmente, todas cuantas figuras se pueden introducir en una comedia; pero en llegando al fin, que es cuando se acaba la vida, a todos les quita la muerte las ropas que los diferenciaban, y quedan iguales en la sepultura. – ¡Brava comparación!, dijo Sancho, aunque no tan nueva, que no la haya oído muchas y diversas veces, como aquélla del juego del ajedrez, que mientras dura el juego cada pieza tiene su particular oficio; y en acabándose el juego todas se mezclan, juntan y barajan, y dan con ellas en una bolsa, que es como dar con la vida en una sepultura.

CERVANTES, Miguel de. *Don Quijote de la Mancha*. Madrid, Espasa-Calpe, S. A., 1956, Colección Austral nº 150.

Miguel de Cervantes (1547-1616). Escritor español. Cultivó todos los géneros literarios. Su novela *El ingenioso hidalgo Don Quijote de la Mancha* es una de las obras maestras de la literatura mundial.

REPRODUÇÃO

El episodio de los molinos de viento. Muro de ladrillo en Sevilla.

"El Quijote es mucho más que una simple sátira de los libros de caballería (...). Narra las aventuras de un hidalgo que, enloquecido a causa de la lectura de novelas de caballerías, decide resucitar el código caballeresco de la Edad Media. Su personaje central, Don Quijote, es de un extraordinario valor humano, manifiesto y contrastado en el diálogo que mantiene con (su fiel escudero) Sancho Panza, donde se polarizan dos aspectos psicológicos del hombre: el idealismo generoso y apasionado y el materialismo matizado por el sentido común."

Diccionario Enciclopédico Ilustrado Vox. Barcelona, Biblograf, 1995.

REPASÁNDOLO

✓ Completa las frases, poniendo en español lo que va entre paréntesis.

1. ¿ __________ puede organizar una fiesta en __________ casa? (a gente = nós – tua)
2. __________ perros son furiosos, no respetan a __________ ni a __________ propios dueños; __________ es increíble. (estes – ninguém – seus – isso)
3. Estoy buscando __________ una casa pequeña, pero que sea __________ cómoda como __________ . (muito – muito – a tua)
4. __________ escaparates tienen __________ lo que quieras para __________ los gustos. (aqueles – tudo – todos)
5. Fue un __________ espectáculo el __________ . (grande – seu)
6. __________ alumno del grupo hizo un esfuerzo más __________ que __________ . (nenhum – grande – este)
7. No tuve trabajo __________ en encontrar __________ querían hablar __________ . (nenhum – quem – comigo)
8. __________ que te preocupa no es __________ para __________ tiene __________ poca edad como __________ . (isso – nada – quem – tão – tu)
9. Estoy tan triste que no quiero __________ ni a __________ . (nada – ninguém)
10. ¿De __________ son __________ dibujos? (quem – aqueles outros)
11. __________ contribuciones ayudarán __________ entidad. (quaisquer – muito nossa)
12. No siempre __________ más fácil es __________ mejor: __________ mejor camino es estudiar aunque __________ no sea una cosa agradable para los jóvenes __________ les faltan dinero __________ idealismo. (o – o – o – esta – aos quais – e)
13. Con el __________ capítulo del tomo __________ haré mi trabajo con __________ muchachos __________ planes __________ ya conoce, ¿no? (primeiro – meu primeiro – alguns – cujos – a gente = nós)
14. __________ que vive aquí es __________ más de __________ personas, sin embargo __________ dirá __________ son unidos. (a gente = as pessoas – pouco – cem – qualquer um – como)
15. __________ más difícil es conseguir __________ apoyo de papá. Sabes __________ son los mayores, ¿no? Conseguir __________ apoyo es __________ más difícil trabajo que me han dado. (o – o – como – esse – o)

Info

Utilizando el *PowerPoint*, organiza una exposición interesante con fotos tuyas tomadas en diferentes épocas y también de miembros de tu familia. Para explicarlas, agrega datos relacionados al texto técnico trabajado anteriormente.

Ejemplo: Fecha de nacimiento, informaciones sobre tu vida: cuándo has ingresado en la escuela, si ya tienes tu D.N.I, si has tenido alguna enfermedad cuando niño, etc.

Interdisciplinas

Geografía/Historia. Busca informaciones sobre los documentos de registro de los ciudadanos en los distintos países que componen el Mercosur. ¿Cómo se llaman esos documentos? ¿Qué facilidades o qué dificultades presentan si (no) utilizados? ¿Qué documentos se necesitan para entrar en los países del Mercosur? ¿Puede un joven menor de edad viajar solo a cualquier país de Mercosur?

Al diccionario

Los hombres a quienes, hace 3.500 años, se les ocurrió la idea de crear nuestro alfabeto se entendían entre sí en una lengua semítica, probablemente de origen fenicio, un idioma muy próximo al hebreo del Antiguo Testamento.

Fue entonces cuando nació la **A**, esa letra "que se pronuncia con los labios muy abiertos y los dientes separados aproximadamente un centímetro (...) la lengua rozando con la punta los dientes inferiores (cf. MOLINER, *Diccionario de uso del español*).

Pero lo curioso es que la **A** se creó como consonante. Por aquel entonces, los inventores de la escritura en caracteres alfabéticos — la escritura pictográfica ya existía antes — crearon el sistema pensando especialmente en los sonidos de su propia lengua. Por desgracia, a los pioneros del alfabeto solamente se les ocurrió crear signos para las consonantes, pero no para las vocales.

Los primeros en emplear este nuevo sistema dedujeron que quienes fueran capaces de escribir también sabrían descifrar un texto escrito a base solamente de consonantes.

Cada letra de ese primer alfabeto recibió el nombre de un objeto ligado a la vida cotidiana. Naturalmente, ese nombre comenzaba con la letra a la que había sido asignado. Y para que fuera fácil retener y distinguir la letra, se le daba incluso la forma del objeto. De ese modo, por ejemplo, la **A** fue llamada *alef*, palabra que en fenicio significa

CID

"buey". Y, de hecho, la **A** tenía en su forma más primitiva un aspecto muy parecido a una cabeza de bovino.

Las letras fenicias se popularizaron rápidamente, y mercaderes de muchos países que comerciaban con los fenicios adecuaron el alfabeto a sus propias lenguas, como los griegos, que pasaron a llamarla *alfa* y, al hacerlo, le dieron también un nuevo valor sonoro.

Muy Interesante. Ene. 1997, nº 135, Argentina. Adaptado.

Toda una vida dejando huellas

A lo largo de nuestra vida dejamos cientos de datos, registros y firmas que se van acumulando. Si alguien pudiera tener acceso a ellos, podría reconstruir fielmente nuestro periplo vital. Éstos son algunos de los actos cotidianos que dejan huella. En cada etapa de nuestra historia hay que sumar todos los anteriores y los nuevos, propios de la edad.

Bebés

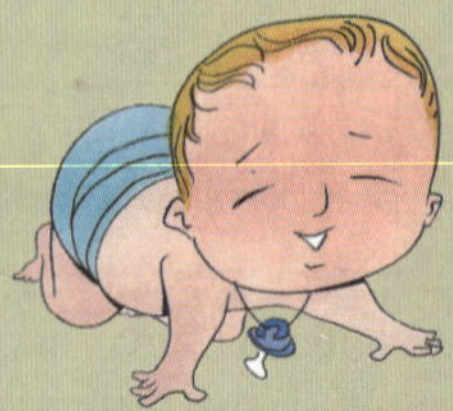

- ❑ Toma de huellas y datos en el hospital tras el parto.
- ❑ Inscripción en el Registro Civil.
- ❑ Partida de nacimiento.
- ❑ Primer D.N.I.
- ❑ Certificado de vacunación.

Niños

- ❑ Datos sobre sucesivas vacunaciones y enfermedades.
- ❑ Inscripción en el colegio.
- ❑ Datos de participación en concursos y en ofertas comerciales.
- ❑ Renovación del D.N.I.

Jóvenes

- ❑ Actualización a los 16 años del D.N.I.
- ❑ Ingreso en la Universidad.
- ❑ Solicitud de becas de estudios.
- ❑ Ingreso en el padrón electoral.
- ❑ Pasaporte.
- ❑ Primeras entrevistas de trabajo.
- ❑ Conexión à Internet.

Adultos

- ❑ Censo electoral.
- ❑ Registro de casamiento y divorcio.
- ❑ Carné de conducir.
- ❑ Créditos hipotecarios.
- ❑ Escrituras de viviendas.
- ❑ Datos bancarios.
- ❑ Declaración de impuestos.
- ❑ Compras con tarjeta de crédito.
- ❑ Registros judiciales y policiales.
- ❑ Subsidio de desempleo.

Ancianos

- ❑ Jubilación.
- ❑ Pensión.
- ❑ Ingreso en una residencia de ancianos.

Muy Interesante. Oct. 1996, nº 132.

ACTIVIDAD

✓ Tras leer las informaciones contenidas en el texto, infórmate más sobre el asunto y contesta:

1. ¿Qué huellas se toman de un bebé cuando nace?
2. ¿A qué documento corresponde en Brasil la "Partida de Nacimiento"?
3. ¿Para qué sirve el certificado de vacunación y cuál es su importancia en la vida del ciudadano?
4. ¿Por qué la escuela exige de sus alumnos informaciones sobre sus enfermedades y vacunas?
5. ¿A qué documento corresponde en Brasil el D.N.I.?
6. En tu opinión, ¿por qué es necesario actualizarse a los 16 años el D.N.I.?

VENTANITA

Idiomas en peligro

Los pueblos de la Tierra hablaron en algún pasado remoto hasta 15.000 lenguas, según el lingüista Michael Krauss, de la Universidad Fairbanks de Alaska. De las 6.000 que quedan, la mitad podría estar muriendo porque no se enseñan a los niños.

Krauss considera que una lengua está a salvo si se calcula que para el año 2100 habrá niños que estén aprendiendo a hablarla, si cuenta con el apoyo del Estado o si es hablada por millones de personas.

Grandes núcleos de población hablaban bretón y navajo en años anteriores a este siglo, pero ambas lenguas se hallan hoy en grave peligro de extinción. Otros expertos temen asimismo por lenguas como el gaélico, el yíddsh, el euskera y el dialecto alemán de Pensilvania.

Krauss piensa que si continúan las tendencias actuales, probablemente entre el 90 y el 95 por ciento de los idiomas del mundo habrán desaparecido para el año 2100.

Taco Calendario del Corazón de Jesús. Bilbao, España, Ediciones Mensajero S.A., 1999.

LENGUACURIOSA

Sería casi imposible nombrar todas las profesiones que hay en el mundo. Te presentamos aquí una relación de profesiones, algunas con nombres y trabajos curiosos. Entre paréntesis vienen los países a que pertenecen.

Cancelario	Rector de universidad. (Bolivia)
Cangallero	Vendedor de objetos a bajo precio. (Perú)
Canillita	Vendedor callejero de periódicos. (Argentina, Bolivia, Paraguay, Perú, Uruguay, República Dominicana)
Careador	Persona que cuida del gallo durante la riña. (República Dominicana)
Carrilano	Operario del ferrocarril. (Chile)
Carruajero	Persona que fabrica carruajes. (América)
Chanchero	Persona que cría/cuida chanchos para venderlos o que los compra y los vende. (Chile)
Changador	Mozo de cordel, que se pone en los parajes públicos con un cordel al hombro para llevar cosas de carga o para hacer algún otro mandado. (América del Sur)
Chichi	Nodriza. (Guatemala, México)
Cocolero	Panadero que sólo hace o vende cocoles (panecillo con forma de rombo). (México)
Embolador	Limpiabotas. (Colombia)
Evangelista	Persona que escribe cartas y otros papeles que necesita la gente que no sabe hacerlo. (México)
Fletero	Trabaja en el puerto, entre las naves y los muelles, transportando personas o mercancías. (Chile, Perú)
Henequenero	Se dedica a cualquier trabajo relacionado con el henequén. (México)
Hulero	Trabajador que recoge el hule o caucho. (América Central)
Kamani	Persona encargada del cuidado de los sembrados en los latifundios. (Colombia)
Laborero	Entre mineros, persona que dirige una labor o excavación. (Chile)
Laceador	Persona que tiene por oficio echar el lazo a las reses y caballos. (América del Sur)
Lagunero	Persona que cuida de una laguna. (Chile)
Manchonero	Persona que trabaja el añil. (Honduras)
Manisero	Vendedor de maní tostado. (América del Sur)
Mantequillero	Persona que hace o vende mantequilla. (América del Sur)
Mayocol	Mayordomo, capataz. (México)
Mecapalero	Cargador que usa el mecapal para cargar. (Guatemala, Honduras, México)
Milonguero	Persona que entona milongas acompañando su canto con la guitarra. (Argentina)
Nana	Niñera, nodriza. (México)

Nochero	Vigilante nocturno de un local, obra, etc. (Chile, Uruguay)
Paletero	Persona que fabrica o vende paletas de dulce o helado. (México)
Poronguero	Persona que vende leche. (Perú)
Puestero	Persona que vive en una parte de una hacienda y está encargada de cuidar los animales que en esta parte se crían. (Argentina, Chile, Perú, Uruguay)
Pulpero	Persona que tiene o atiende una pulpería. (América del Sur)
Realero	Taxista. (Argentina, Paraguay, Uruguay)
Rematador	Persona encargada de una subasta pública. (Argentina)
Rezadora	Mujer que reza en los velorios. (Uruguay)
Rezandero	Persona que reza en los velorios. (Colombia, Honduras, México, Venezuela)
Rondín	Persona que vigila y ronda de noche. (Bolivia, Chile)
Ruletero	Dueño o explotador de una ruleta. (América Central y del Sur)
Sabanero	Persona encargada de recorrer la sabana para buscar y reunir el ganado o para vigilarlo. (Colombia, Venezuela)
Señalero	Responsable de una cabina de señalización ferroviaria. (Argentina)
Sobadero	Curandero que compone los huesos dislocados. (Colombia)
Suertero	Vendedor ambulante de billetes de lotería. (Perú)
Suplementero	Vendedor ambulante de periódicos, papelero. (Chile)
Tableador	Persona que tablea la masa cortando trozos y dándole forma de pan. (Chile)
Tachero	Operario que maneja los tachos en la fabricación de azúcar. Persona que arregla o hace tachos y otras vasijas de metal. (Antillas, Chile)
Tanatero	Obrero que saca de las minas con un tanate (zurrón de cuero o de palma) los metales y los materiales procedentes de desmontes. (Costa Rica, Honduras, México)
Tecolero	Carbonero; ayudante y mozo de establo. (América)
Tecolote	Policía nocturna. (México)
Tilichero	Vendedor ambulante de baratijas o tiliche (cachivaches, bujerías). (América Central)
Torcedor	Persona que tiene por oficio torcer el tabaco. (Cuba)
Veedor	Guardia rural. (Chile) Persona que inspecciona el desarrollo de una carrera de caballos. (Cuba)
Viñatero	Que cultiva viñas. (Argentina, Perú)
Yerbatero	Persona que cultiva, industrializa o hace comercio de yerba mate. (Argentina, Uruguay, Paraguay)
Zacateca	Muñidor de entierros que acompaña los cadáveres, vestido de librea. (Cuba)

RECANTO

✓ Escucha, completa y canta.

Solamente una vez

Agustín Lara

Solamente una vez
_____________________,
solamente una vez
_____________________.
Una vez nada más
____
brilló la esperanza,
____
que alumbra el camino
_____________________.
Una vez nada más
_____________________,
con la dulce y total
_____________________.
Y cuando ese milagro realiza
_____________________,
hay campanas de fiesta
_____________________.
Y cuando ese milagro realiza
_____________________,
hay campanas de fiesta
_____________________.

PLANETA SORPRESIVO 12

HAROLDO PALO JR./KINO

CID

CID

Dios no creó el mundo para que los hombres lo destruyan, sino para que sigan felices en él.

Martín García (1862-1905), literato y diplomático argentino.

Clima y ambiente

Buscar El Niño — la atemorizante y destructiva perturbación del clima que se registra en todo el mundo — se ha convertido en el equivalente meteorológico de buscar a un fantasma que se sabe real. No es sorprendente. El Programa de Investigación sobre el Clima Mundial de las Naciones Unidas predecía que, entre 1997 y 1998, El Niño podría ser "el mayor fenómeno del siglo"; y los meteorólogos advierten que El Niño afecta a una zona tan amplia en el Océano Pacífico frente a América del Sur que podría "causar miles y miles de millones de dólares en daños materiales en todo el mundo". Esta sensación de inminente desastre ha hecho que tanto organizaciones de planificación para emergencias como los agricultores intenten detectar tan pronto como sea posible la proximidad de El Niño.

Los efectos de El Niño se sienten de forma más directa junto al Ecuador. Los efectos en lugares más alejados generalmente no se producen hasta el invierno. Pero aunque culpar a El Niño por todos los sucesos climáticos anómalos sea excesivo, no hay duda de que la corriente supone un impacto. El último gran golpe, entre 1982 y 1983, provocó la muerte de más de 2.000 personas en todo el mundo, muchas inundaciones y deslizamientos y más de 13.000 millones de dólares en daños materiales.

El Niño es una corriente de agua cálida que aparece junto a Perú cada dos a siete años. Analizar las "teleconexiones" que explican cómo un charco cálido en el Pacífico puede afectar el clima de distintas y alejadas partes del mundo es difícil. Una corriente de El Niño comienza cuando disminuyen los vientos que normalmente soplan de este a oeste a través del Pacífico, a lo largo del Ecuador, desde América del Sur a Indonesia. Nadie sabe por qué se reducen, aunque es posible que tenga que ver con algo tan aparentemente inconexo como las capas de nieve del Tibet. En cualquier caso, estos vientos suelen actuar como brisas en un pequeño estanque, amontonando agua tibia en el Pacífico Occidental de manera que la superficie del mar en esa zona adquiere una altura de hasta 60 centímetros, comparando con lo que hay, digamos, en el Ecuador. Pero cuando los vientos disminuyen, el agua cálida acumulada en Indonesia vuelve a cruzar el Pacífico. En su camino, el agua va formando puntos cálidos sobre el océano que por su vez engendran tormentas sobre el mar y que, al aproximarse de extensiones de tierra, van aumentando sensiblemente la cantidad de lluvia en esos sitios, provocando inundaciones, vientos fuertes y toda clase de daños resultantes de la lluvia. En Indonesia, ha llegado la sequía con la salida del agua, lo que provoca problemas graves en la agricultura de toda la región.

¿Cómo preverlo? Boyas dispersas a lo largo de casi un tercio del globo en el Pacífico tropical miden la temperatura del mar y los vientos, y las computadoras para el clima convierten la lectura de las informaciones registradas por las boyas en predicciones meteorológicas. Ahora todo el mundo advierte la existencia de El Niño.

El País. Uruguay, 2 nov. 1997. Adaptado.

Comprensión e interpretación del texto

1. Identifica en el texto el párrafo correspondiente a cada título abajo.
   a) La incesante búsqueda del fenómeno.
   b) Los efectos de El Niño.
   c) Definición del fenómeno.
   d) Métodos de previsión del fenómeno.

2. ¿Por qué el texto afirma que a El Niño se lo puede considerar como un "fantasma que se sabe real"?
3. ¿Por qué, en tu opinión, el texto afirma que El Niño puede provocar una pérdida de dinero muy grande en todo el mundo?
4. Dibuja en una hoja el proceso de formación de El Niño y a la vez señala en dicho dibujo los efectos de cada fase de ese proceso.
5. ¿Qué ventajas ofrece el uso de la computadora en lo que toca a ese problema?
6. En tu opinión, ¿qué se puede hacer para amenizar los efectos de El Niño en las zonas más afectadas?

Lectura

El cuento literario

El cuento suele caracterizarse como relato de poca extensión. Su brevedad condiciona el reducido elenco de personajes que tienden a manifestarse como tipos, el marco temporal y la acción, que suelen ser simples, y el enfoque, único de tono y técnica.

El cuento literario es una narración corta que combina de forma admirable la sencillez de la historia con la intensidad expresiva. Es tan rico en temas y estilos que resulta especialmente difícil señalar en él características que no sean su brevedad, si comparado con la novela. Sin embargo y, con cierta reserva, indicaremos dos aspectos comunes a cualquiera: carácter de síntesis y prolongada tensión.

Mancha de humedad

Hace algunos años, en los pueblos del interior del país no se conocía el empapelado de las paredes. Era éste un lujo reservado apenas para alguna casa muy importante, como el despacho del Jefe de Policía o la sala de alguna vieja y rica dama de campanillas. No existía el empapelado, pero sí la humedad sobre los muros pintados a la cal. Para descubrir cosas y soñar con ellas, da lo mismo. Frente a mi vieja camita de jacarandá, con un deforme manojo de rosas talladas a cuchillo en el remate del respaldo, las lluvias fueron filtrando, para mi regalo, una gran mancha de diversos tonos amarillentos, rodeada de salpicaduras irregulares capaces de suplir las flores y los paisajes del papel más abigarrado. En esa mancha yo tuve cuantito quise: descubrí las Islas de Coral, encontré el perfil del Barba Azul y el rostro anguloso de Abraham Lincoln, libertador de esclavos, que reverenciaba mi abuelo; tuve el collar de las lágrimas de Arminda, el caballo de Blanca Flor y la gallina que pone huevos de oro; vi el tricornio de Napoleón, la cabra que amamantó al Desdichado de Brabante y montañas echando humo de las pipas de cristal en que fuman sus gigantes o sus enanos. Todo lo que oía o adivinaba, cobraba

Juana de Ibarbourou (1895-1980). Poetisa uruguaya. Fue proclamada "Juana de América" por el escritor mexicano Alfonso Reyes. Su obra lírica es notable. *Raíz salvaje* y *La rosa de los vientos* le han valido celebridad continental. Otras obras: *El cántaro fresco*, *Lenguas de diamante*. Murió en 1980.

vida en mi mancha de humedad y me daba su tumulto o sus líneas.

Cuando mi madre venía a despertarme todas las mañanas, generalmente ya me encontraba con los ojos abiertos, haciendo mis descubrimientos maravillosos. Yo le decía con las pupilas brillantes, tomándole las manos:

— Mamita, mira aquel gran río que baja por la pared. ¡Cuántos árboles hay en sus orillas! Tal vez sea el Amazonas. Escucha, mamita, cómo chillan los monos y cómo gritan los guacamayos.

Ella miraba espantada:

— ¿Pero es que estás dormida con los ojos abiertos, mi tesoro? ¡Oh, Dios mío, esta criatura no tiene bien su cabeza, Juan Luis!

Pero mi padre movía la suya entre dubitativo y sonriente, y contestaba posando sobre mi corona de trenzas su ancha mano protectora:

— No te preocupes, Isabel. Tiene mucha imaginación, eso es todo.

Y yo seguía viviendo en la pared manchada por la humedad del invierno, cuando apetecía mi imaginación: duendes y rosas, ríos y negros, mundos y cielos. Una tarde, sin embargo, me encontré dentro de mi cuarto a Yango, el pintor. Tenía un gran balde lleno de lechada de cal y un pincel grueso como un puño de hombre, que introducía en el balde y pasaba luego concienzudamente por la pared, dejándola inmaculada. Fue esto en los primeros días de mi iniciación escolar. Regresaba del colegio, con mi cartera de charol llena de migajas de bizcochos y lápices despuntados. De pie en el umbral del cuarto, contemplé un instante, atónita, casi sin respirar, la obra de Yango, que para mí tenía toda la magnitud de un desastre. Mi mancha de humedad había desaparecido, y con ella mi universo. Ya no tendría más ríos ni más selvas. Inflexible como la fatalidad, Yango me había desposeído de mi mundo. Algo, una sorda rebelión, empezó a fermentar en mi pecho como una burbuja que, creciendo, iba a ahogarme. Fue de incubación rápida cual las tormentas del trópico. Tirando al suelo mi cartera de escolar, me abalancé frenética hasta donde me alcanzaban los brazos, con los puños cerrados. Yango abrió una bocaza redonda como una **O** de gigante, se quedó unos minutos enarbolando en el vacío su pincel que chorreaba líquida cal y pudo preguntar por fin lleno de asombro:

— ¿Qué le pasa a la niña? ¿Le duele un diente tal vez?

Y yo, ciega y desesperada, gritaba como un rey que ha perdido sus estados:

— ¡Ladrón! — Eres un ladrón, Yango. No te lo perdonaré nunca. Ni a papá, ni a mamá que te lo mandaron. ¿Qué voy a hacer ahora cuando me despierte temprano o cuando tía Fernanda me obligue a dormir la siesta? Bruto, odioso, me has robado mis países llenos de gente y animales. ¡Te odio, te odio, los odio a todos!

El buen hombre no podía comprender aquel chaparrón de llantos y palabras irritadas. Yo me tiré de bruces sobre la cama a sollozar tan desconsoladamente, como sólo he llorado después cuando la vida, como Yango el pintor, me ha ido robando todos mis sueños. Tan desconsolada, e inútilmente. Porque ninguna lágrima rescata nunca el mundo que se pierde ni el sueño que se desvanece... ¡Ay, yo lo sé bien!

IBARBOUROU, Juana de. *Chico Carlos*. Buenos Aires, Sudamericana, 1944.

COMPRENSIÓN E INTERPRETACIÓN DEL TEXTO

1. Identifica en el texto:

a) Asunto.
b) Escenario.
c) Género.
d) Protagonista.
e) Personajes secundarios.
f) Realidad.
g) Fantasía.
h) Narrador.

2. ¿Qué puedes decir del lenguaje del texto?

3. Destaca momentos en que el texto muestra con más fuerza poética el dolor de la niña.

4. ¿Qué comparaciones el texto presenta con los personajes?

5. ¿Qué momento del texto te ha gustado más? Justifícate.

6. El texto tiene un diminutivo inusual, cargado de cariño. Localízalo.

7. En los días de hoy ¿por qué otros recursos (aparatos, juegos, deportes, etc.) las manchas serían sustituidas?

8. ¿Qué dice el texto sobre el aspecto físico de la niña?

9. Intenta continuar el texto, dándole un otro final.

10. Saca del texto los adjetivos y sustantivos que revelan los sentimientos de la niña.

11. Encuentra en el texto un sinónimo de

a) mácula
b) reverenciar
c) adquirir
d) borde
e) ulular
f) indeciso
g) estupefacta
h) enhestar
i) necio
j) abominable
k) afanar
l) salpicadura

HUMOR

El jugo

Una mujer viene dándole el pecho a una criatura en el colectivo. A su lado, Manolito mira la acción y dice:

— Qué lindo bebito. ¿Con qué lo alimenta?

— Papa y jugo de naranja — contesta la madre.

— Ajá. ¿Y el otro pecho qué tiene, jugo de pomelo?

PORTALENGUA

Clima

¿Qué tiempo hace? Llueve/Nieva/Hace frío/calor/sol/viento.
¿Cómo está el tiempo? Hace buen/mal tiempo.

Simpatía

(Yo) Le tengo (mucha) simpatía.

Antipatía

No me cae bien.
Tiene cara de pocos amigos.

Odio

No lo puedo ver ni en pintura.
No lo soporto.

Compasión

Me da lástima él/ella/ello.
Me conmueve...
Se me parte el corazón.

Irritación

¿Hasta cuándo va a ser así?

Satisfacción

¡Estupendo! ¡Perfecto!
Me ha salido (muy) bien/a pedir de boca/lo mejor posible.
¡Qué placer/gusto...!

Insatisfacción

No estoy satisfecho (en absoluto).
Deja (mucho) que desear.
¡Qué mala pata!
¡No doy una!

Buen humor

La vida me/te/le sonríe.
Estoy/Está(s) de buenas.

Mal humor

Está(s) insoportable/de malas.
Se te has levantado con el pie izquierdo.

COMUNICHABLE

✓ Escucha y completa los diálogos.

DIÁLOGO 1. Caminando por la calle

Carlos: ¡Bob! ¿Has visto a aquella chica?

Bob: Sí, ¿por qué?

Carlitos: ____________________ ____________________. Es muy presumida y remilgada.

Bob: ____________________, Carlos. Es mi hermana.

Carlos: ¡Qué mala pata! ¡____________________! ¡Perdón!

Bob: ¿____________________, flaco! Gusto no se discute, ¿no?

DIÁLOGO 2. Hablan dos vecinos

Vecino 1: ¡Bah! No lo soporto. ¿Hasta cuándo ____________________?

Vecino 2: Pues ____________________ lástima. Se me parte el corazón.

Policial: Iba pasando y los oí. ¿____________________ están hablando Uds.?

Vecino 2: Del perro de nuestro vecino. Queda todo el día preso en un cubículo.

Vecino 1: Y ladra sin parar. No se puede ni dormir, ni descansar, ¡ni nada!

Policial: ____________________, pues soy de la policía municipal.

Vecino 1: ¡Perfecto! Ahora ____________________.

Vecino 2: ¡Estoy, no! ¡Estamos!

Ecología

la nube
el viento
la isla
el granizo
la nieve
la montaña
la colina
el arco iris
la tormenta
el rayo
la lluvia
la llanura
las hojas
el istmo
el monte
el mar
la ola
el litoral/la costa del mar
la desembocadura/el estuario
la playa
la cascada
la mata
el río
el riachuelo/el arroyuelo
los frutos
el bosque
las rocas
el pantano
el lago
el árbol
las flores

SELECTIVIDAD

(Fundame-RS)

El zagal vagaba de una acera a otra, acechando el paso menudito de las mujeres. Les decía requiebros, ofrecíase para acompañarlas, las invitaba a tomar café, les ofrecía flores; pero ellas pasaban silenciosamente, arrebujadas en sus pieles o abrigos, haciendo sonar sus altos tacones sobre las veredas. Algunas le sonreían, pero ninguna lo miró, invitándolo a seguirla. Era la hora de entrar a la oficina o al taller y no tenían tiempo… ¡Lástima! ¡Tan buen mozo, recién afeitado, con aquel sombrero negro que daba a su rostro de criollo un encanto melancólico de enamorado, y con ese sobretodo azul, por debajo del cual la raya esplendorosa del pantalón se deslizaba vertiginosamente hacia el zapato de anca de potro! Hasta se daban vuelta a mirarlo. Pero francamente no tenían tiempo…

1. O texto descreve um

a) menino que incomodava as senhoras.
b) jovem que procurava chamar a atenção das mulheres.
c) senhor que era extremamente vaidoso.
d) garoto que era inconveniente com as moças.
e) homem que se julgava irresistível.

2. A palavra "acera" (linha 1) e "acechando" (linha 1) se traduzem, respectivamente, por

a) casa e acelerando.
b) esquina e acompanhando.
c) avenida e imitando.
d) calçada e espreitando.
e) acesso e retardando.

3. As palavras "oficina" (linha 7) e "taller" (linha 7) se traduzem, respectivamente, por

a) oficina e escritório.
b) consultório e laboratório.
c) laboratório e tecelagem.
d) tecelagem e repartição.
e) escritório e oficina.

4. El zagal les decía *requiebros*.
El zagal les decía...

a) esos.
b) este.
c) esto.
d) ese.
e) estos.

5. A conjunção "pero" (linha 3) pode ser substituída, sem mudar o sentido, por

a) sin embargo.
b) todavía.
c) aunque.
d) mientras.
e) con que.

6. A relação correta entre singular e plural das formas verbais que estão na mesma pessoa, tempo e modo é

a) hago - hacemos.
b) sonrío - sonriamos.
c) dije - dijeron.
d) ofrezco - ofrezcamos.
e) sigues - seguisteis.

VERBOS IRREGULARES EN EL POTENCIAL SIMPLE

Verbos	Raíz	Terminaciones	Personas
caber	**cabr**-		
decir	**dir**-		
hacer	**har**-	ía	yo
poder	**podr**-	ías	tú
poner	**pondr**-	ía	él/ella
saber	**sabr**-	ía	usted
querer	**querr**-	íamos	nosotros(as)
venir	**vendr**-	íais	vosotros(as)
haber	**habr**-	ían	ellos/ellas
salir	**saldr**-	ían	ustedes
valer	**valdr**-		
tener	**tendr**-		

EJERCICIO

✓ Relaciona las dos columnas y completa la segunda con los verbos destacados en la primera, en el potencial, haciendo la concordancia necesaria.

1. *Hizo* mucho esfuerzo, pero
2. *Vinimos* al teatro pero,
3. *Supiste* la verdad pero,
4. Me *puse* alegre pero,
5. *Salieron* muy temprano pero,

( ) si tuvieras habilidad, __________ todas.

( ) si no vinieran los niños, no me lo __________.

( ) si tuvieran dinero, __________ __________.

( ) si el modelo fuera moderno, el vestido __________ más.

( ) si no hubieran entrenado, no lo __________.

6. *Tuvieron* mucho éxito pero,	( ) si los precios fueran mejores, ____________ comprado más.
7. Las joyas no *cupieron* en el estuche pero,	( ) si no me pidieras secreto, la ____________ a todos.
8. Me *dijiste* la verdad pero,	( ) aunque pidieran, no lo ______ ______ de nuevo.
9. No *pudieron* viajar pero,	( ) si no tuviera sol, no ______ ______.
10. No *quise* comer pero,	( ) si no fuera feriado, no ______ ______.
11. *Hubo* mucha gente pero,	( ) si tuviera hambre, ____________.
12. La tela *vale* poco pero,	( ) si fuera por mí, no la ______ ______ .

IMPERFECTO DE SUBJUNTIVO

Este tiempo merece especial atención porque tiene dos formas y puede confundir al brasileño desavisado. En portugués es el tiempo que tiene la desinencia con "-asse/-esse/-isse", correspondientes a las formas españolas -ase/-iese. Pero hay el tiempo con la forma -ara/-iera. En el lenguaje oral sólo se usa esta última forma; la semejante al portugués tiene uso limitado a un lenguaje más cuidado o literario.

Otro aspecto a observar en ese tiempo es la tercera persona de plural.

Veamos una frase en portugués:
"Os alunos não estudaram, mas, se estudassem, seria muito bom."

En español:
Los alumnos no estudiaron pero, si estudiaran, sería muy bueno.

Cuidados a observar:

1º) El pretérito indefinido de indicativo es con **O**: cantaron, debieron.

2º) La forma con **A** (semejante al pretérito en portugués) es el imperfecto de subjuntivo: cantaran, debieran.

3º) La forma con final **SE** sólo se usa en casos especiales y literarios.

EJERCICIOS

1. Sigue el modelo. Para tanto, deberás completar la frase a tu libre elección.

> Modelo: El Niño atemoriza.
> Si El Niño no atemorizara, sería bueno.

a) El Niño afecta al mundo.
b) El viento sopla fuerte.
c) Los vientos disminuyen.
d) Tormentas caen en el mar.
e) La lluvia provocó inundaciones.
f) Evitaron malas compañías.
g) El mar estaba sereno.
h) Ella cocina muy bien.
i) Me ofreció una gaseosa.
j) Controlo mucho el apetito.

2. Sigue el modelo, completando las frases con los verbos sugeridos.

estar	perder	llorar	sentirse	recibir
vivir	preocuparse	conocer	adelgazar	acabar

> Modelo: Trabajan mucho.
> Si trabajaran mucho, vivirían mejor.

a) Trabajaron toda la vida.
b) Estudiaron la materia.
c) Vivieron en el campo.
d) Tomaron la medicina.
e) Pagaron el alquiler.
f) Compartieron las tareas.
g) Hicieron dieta.
h) Comieron sólo frutas.
i) Practicaron deportes.
j) Se reprobaron.

AL DICCIONARIO

La letra R

Décima novena letra del alfabeto español, la **R** tiene su origen en la escritura jeroglífica egipcia, donde era una cabeza humana vista de perfil. Cuando confeccionaron su alfabeto, los fenicios la llamaron *res*, palabra que quiere decir "cabeza". Al representarla, simplificaron el signo egipcio y le dieron una forma que recuerda a la actual letra **P**, aunque escrita al revés, es decir, orientada hacia la izquierda. Los griegos al igual hicieron con las demás letras, la giraron hacia la derecha, y fue así como la adoptaron inicialmente los latinos. Pero como su forma les creaba un problema, pues disponían de dos signos semejantes para representar dos sonidos distintos — **R** y **P** —, entre los siglos VI y II a.C. los romanos le añadieron una "pierna". Desde entonces, su forma ha permanecido más o menos invariable.

EJERCICIO

VERBOS DE IRREGULARIDAD PROPIA

1. Completa las frases con los verbos entre paréntesis en el tiempo y persona adecuados.

a) Si tú (estar) ______________ en la fiesta de ayer, (ver) ______________ cómo los Núñez (tener) ______________ buen gusto en todo.

b) Tu madre me (decir) ______________ que, cuando venga de México, nos (traer) ______________ un regalo.

c) No te (decir) ______________ ayer la novedad; si la (saber) ______________, (venir) ______________ de inmediato al colegio.

d) Ayer yo no (poner) __________ los papeles en orden, pero los (poner) __________ antes que me (ir) __________ al banco.

e) Anoche mamá no (poder) __________ ayudarme pues (tener) __________ una terrible jaqueca que la (poner) __________ en cama.

f) Si me (oír) ______________ e (hacer) ______________ lo que yo te (decir) ______________ ayer, (saber) ______________ ahora qué hacer y no te (poner) ______________ tan preocupada.

g) Si nosotras (saber) ______________ cuánto (tú) (estar) ______________ trabajando anteanoche, te (haber) ______________ ayudado.

h) (Tú) Me (poner) ______________ más tranquila si me (decir) ______________ adónde vas y cuándo (venir) ______________.

i) Como ayer no (caber) ______________ todos los libros en el armario, Mara (poner) ______________ algunos que sobraron en el cajón y me (decir) ______________ que mañana (venir) ______________ de nuevo a ayudarnos.

j) No (caber) __________ en mí de feliz cuando anoche me (venir) __________ a dar la noticia de que mi nieto (obtener) __________ la mejor clasificación en la prueba de inglés.

k) Sólo anoche (ellos) me (traer) _______________ la noticia de que el colegio me dará la beca y que así (poder) _______________ proseguir mis estudios.

l) Nosotros no (poder) _______________ ir a tu casa hoy por la noche porque (tener) _______________ un ensayo del coral para la fiesta del Día de las Madres. ¿No (ser) __________ mejor que el encuentro (ser) ________ mañana?

m) Cada vez que (oír) _____________ esta música me (venir) _____________ a la memoria mi niñez y me quedo feliz.

n) La semana pasada (estar) _____________ muy indispuesto por la gripe, pero ya ha mejorado y mañana (estar) _____________ en condiciones de ir a las clases.

ñ) Siempre que (oír) __________ una música flamenca, se (erguir) _____________ y se (poner) __________ a bailar. Eso le divierte y lo (mantener) _____________ en buena forma física.

2. Completa el crucigrama con las siguientes formas verbales, en español, y completa, con los mismos verbos, el texto "En un atasco" que te presentamos a seguir.

foi	coube	andou	fez	seguramos
viestes	disse (eu)	puseram	quis (ele)	ouvi
ouvirei	vim	irão	trouxe	pôde
soubeste	ergueu	tivemos	seguro	disse (ele)

a)

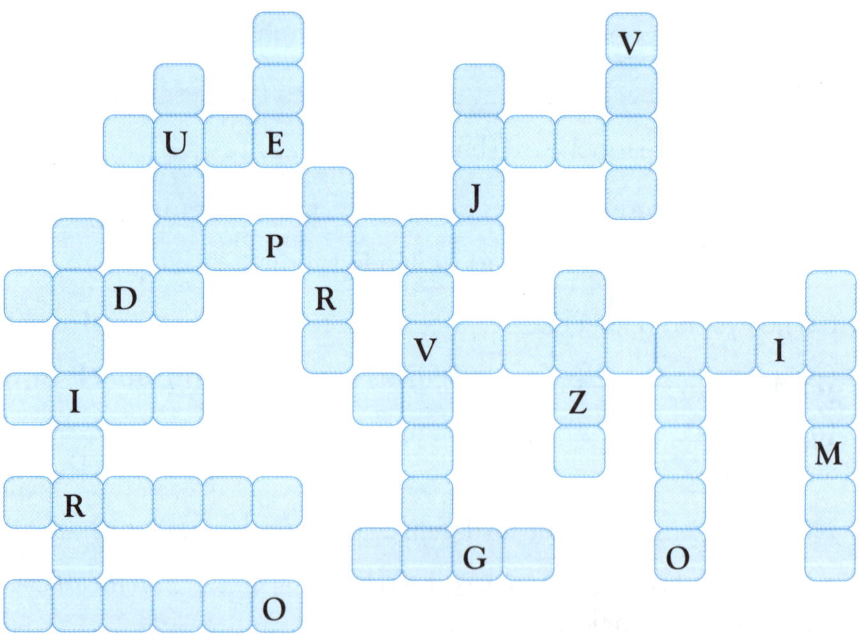

b) Completa el texto.

En un atasco

________ muy bueno que ________ del atasco que me ________ retrasar por un par de horas. Me ________ tu marido que ________ a esperarme. ¡Qué pena! Todos los pasajeros se ________ nerviosos. El conductor nos ________ un cafecito y, con eso, ________ tranquilizarnos. De repente un pasajero se ________, ________ por el pasillo y ________ incitarnos a reclamar, pero, cuando ________ sus últimas palabras, le ________: “ ________ suerte en tener un conductor tan atento y educado. Yo no ________ aquí para reñir, ni para aburrirme. Cuando ocurre algún contratiempo me ________ a mi fe y, por lo tanto, no le ________. Le pido que se calme y si nos ________ unos a otros con una buena charla, todos se ________ a poner mejor. Perdón, señor, pero no me ________ en mí y tuve que hablarle”. Cuando paré de hablar, todos me miraron admirados y, sonriendo, empezaron a charlar, a reír y el ambiente cambió completamente. No vimos el tiempo pasar. Y, cuando menos esperábamos, el ómnibus empezó a andar. De felices, empezamos a cantar. Estuvo divertido.

Adda-Nari Alves

JUEGUITO

Pideletras

Escribe en una hoja el alfabeto español, pero sin ninguna vocal. Luego de sortear quien va a empezar el partido, los adversarios se alterarán formando una palabra por vez. Cada una de esas palabras puede tener cualquier número de consonantes y emplear libremente cualquier vocal repetida o no.

Luego de proponer un vocablo, el jugador debe ir tachando las consonantes utilizadas, eliminándolas de la lista y, por lo tanto, prohibiendo su utilización por los demás jugadores. Vence el último en proponer una palabra — sea porque ha empleado las últimas letras disponibles, sea porque su adversario no ha logrado hacer nada más con ellas dentro del límite de tiempo combinado por todos antes de empezar el partido. Conviene que se establezca un plazo para cada jugada.

Ventanita

¿Por qué son doce los meses del año y por qué llevan esos nombres?

En el caso de los meses todo gira alrededor de las vanidades, sin que se haya prestado atención a ninguno de estos simbolismos. Originalmente en la Antigua Roma los meses eran diez, pero Julio César quiso tener uno propio y lo insertó con su nombre, Julio. Luego, el emperador Augusto no quiso ser menos y metió a continuación, siempre con el poco humilde homenaje de su propio nombre a Agosto. Por eso Septiembre, que sería el séptimo como lo indica el vocablo, es desde entonces el noveno; Octubre, que viene de "octavo", es el décimo; Noviembre, originado en la cifra nueve, es el undécimo; y Diciembre, que señala claramente el diez, es el doce.

En lo que toca a sus nombres, la justificación es la que sigue:

Enero Del lat. *januarius*, mes consagrado a Janus, el dios de dos caras que miraba el pasado y el porvenir.

Febrero Del lat. *februarius*, purificar, por alusión a las fiestas lupercales, en que los sacerdotes golpeaban con varas (*februum*) las espaldas de las mujeres para purificarlas. Los romanos consagraron este mes, el más corto del año, a Neptuno, dios de los océanos.

Marzo Del lat. *martius*, en honor a Marte, dios de la guerra, a quien Rómulo consagró este mes, que era el primero del año en el antiguo calendario romano.

Abril Del lat. *aprilis*; según Ovidio, de *aprire*, abrir, por ser la época en que la zona templada del norte comienza a desarrollarse la vegetación, brotan los retoños y se abren las flores.

Mayo Del lat. *maius*, en honor de Maya, la mayor de las siete Pléyades, hija de Atlas y Pleyonea.

Junio Del lat. *iuniu*, en honor de la diosa Juno, diosa del hogar.

Julio Del lat. *iuliu*, en honor a Julio César. En el antiguo calendario romano se llamaba *quintilis*, por ser el quinto mes, y estaba consagrado a Júpiter, dios supremo, dios de los fenómenos atmosféricos.

Agosto Del lat. *augustus*, por Augusto, sobrenombre del emperador Octaviano.

Septiembre Del lat. *september*, por ser el séptimo mes en el antiguo calendario romano.

Octubre Del lat. *october*, por ser el octavo mes en el antiguo calendario romano.

Noviembre Del lat. *november*, noveno mes de los antiguos romanos. Durante el Imperio de Cómodo se intentó darle el nombre de *exaperatorius*, pero esa tentativa no tuvo éxito.

Diciembre Del lat. *december*, décimo mes en el calendario de los romanos, quienes lo pusieron bajo la tutela de Vesta, diosa latina del fuego del hogar, y lo representaban por un esclavo con una antorcha encendida, en alusión a las famosas fiestas saturnales.

Angélica Mello

REPASÁNDOLO

1. Completa las frases con los verbos del recuadro, pero fíjate que tienen las letras desordenadas y la tilde debe ser mantenida en la misma letra.

Ejemplo: cébra = cabré

drépo	tevuse	ogio	dráspo	buho	ineve	sago	
poque	yvo	novuda	av	árbas	gento	sonep	
sátes	tesá	seyto	jodi	senevi	bastaes	trénde	
sotevu	gnopo	jatre	sagha	sepu	sifetu	drápon	nive

a) Te aconsejo a que ________ lo siguiente: ________ a mi casa y te ________ ayudar en los problemas de física.

b) Siempre ________ mis libros en la estantería. ¿Dónde ________ los tuyos?

c) ________ gorda y no ________ en esta butaca. ________ que adelgazar.

d) Tu madre me ________ que ayer no ________ a la clase porque ________ enfermo. ________ a visitarte para saber si ________ mejor.

e) Yo ________ un regalo que te ________ muy feliz; lo ________ por tu madre que lo querías mucho.

f) Mañana ________ tiempo y así ________ estudiar conmigo, ¿vale?

g) ________ muy ocupada pero ahora usted ________ la verdadera historia de lo que ________ con Paquito.

h) Cuando ________ música se me ________ la tristeza y ________ la alegría.

i) Cuando ________ de paseo con mi perrita la ________ bien.

j) Él ________ triste porque su gatito ________ enfermo pero ya ________ bien.

2. Pasa al plural las frases del ejercicio anterior.

ACTIVIDAD

✓ Tras leer el texto con atención, dale un título adecuado.

(Título)

El hombre, pese a los adelantos científicos, aún no puede dominar el tiempo meteorológico. Las lluvias, las olas de calor, los temporales, las nevadas o los huracanes suceden, queramos o no... Sin embargo, con su espíritu inquisidor, el ser humano ha evolucionado al punto tal de poder predecir y actuar para prevenir desastres climáticos de todo tipo.

Cuando vemos la tele y el conductor de un noticiero dice: "Para mañana tendremos una temperatura mínima de 4 grados centígrados, pero habrá sol hasta la tarde, en que cambiará el viento hacia el sudeste y densos nubarrones provocarán lluvias hacia la noche...", está brindando información proporcionada por el Servicio Meteorológico.

Sus pronósticos se realizan en algunos casos con un fin determinado, por ejemplo, para la aeronavegación (o sea, los aviones), la navegación fluvial y marítima (para los barcos en ríos y mares), avisos de alerta por inundaciones, crecientes repentinas, temporales de invierno, tornados... También se realizan pronósticos especiales por pedidos de la Justicia, construcción de grandes obras, turismo, agricultura, energía, pesca, deportes, etc.

Desde una altitud de 36.000 kilómetros, los satélites meteorológicos nos espían y mandan información para confeccionar mejores pronósticos. Hay dos tipos de satélites. Unos de órbita polar o sincrónicos con el Sol, que se mantienen a una altitud aproximada de 850 kilómetros, y los que giran en una órbita ecuatorial. Estos últimos se mantienen siempre sobre un mismo punto fijo, al mismo tiempo que la órbita terrestre.

Toda información recopilada permite hacer análisis certeros y elaborar las informaciones sobre clima (el tiempo ocurre en el presente y es fluctuante) que tiene un país o una región.

Los trabajos en el Servicio Meteorológico Nacional son muy parecidos a los de un médico. Observan todos los síntomas (temperatura, humedad, presión, precipitaciones, vientos...) y confeccionan un diagnóstico, o sea, el pronóstico del tiempo.

Descubrir. Argentina. Ago. 1993, nº 3. Adaptado.

PRÁCTICA ORAL

Queremos saber:

1. ¿Qué opinas del servicio meteorológico de tu ciudad o Estado? ¿Siempre acierta? ¿Por qué?
2. ¿Qué utilidad tienen los pronósticos meteorológicos para la Justicia, para la construcción civil, para los deportes, para el turismo y para la pesca?
3. ¿Qué ventajas hay en saber con antelación los pronósticos climáticos?

INFO/INTERDISCIPLINAS

Geografía

1. Con el auxilio de tu profesor de Geografía, averigua la utilización concreta de las informaciones meteorológicas en la agricultura, en la pesca y en el turismo.

2. Utilizando el *PowerPoint*, elabora dos mapas, uno con el Hemisferio Norte y otro con el Sur. En ellos, indica los siguientes datos:
   - países hispanohablantes y sus capitales;
   - comienzo y término de las estaciones climáticas;
   - características de las estaciones climáticas;
   - ejemplos de paisajes en las distintas estaciones (en los dos hemisferios). Puedes adjuntar fotos o grabados a tu trabajo. Te resultará mejor si pides auxilio a tu profesor de Geografía.

   Si es posible, puedes también organizar un mapa del cielo relativo a cada hemisferio en las distintas estaciones. Comprueba las semejanzas y diferencias entre la posición de las estrellas y demás astros que hay entre el Norte y el Sur de la Tierra.

3. Busca en el *Clipart* de la computadora de tu escuela un *mapamundi* y en él, con base en informaciones meteorológicas sobre el clima y sobre el fenómeno El Niño, señala exactamente el proceso de formación de ese cambio climático.

COMERCIO RARO

Fábrica de fenómenos dispone de nieve, terremotos, huracanes, maremotos, volcanes y riadas. Produce climas para todos los gustos. Especializada en El Niño y toda su familia. Ventas al contado o a plazos. Calle Cataclismo, s/nº.

LENGUACURIOSA

La relación que presentamos aquí es de palabras que describen a las personas. Entre paréntesis van los países a que pertenecen dichos vocablos.

Alepantado	Ensimismado, embobado, distraído. (Ecuador)
Angurriento	Ansioso, afanoso, codicioso. (Argentina)
Arracacho	Torpe, simple, sandio. (Colombia)
Atembado	Atontado, atolondrado. (Colombia)
Atingido	Que pasa por un momento económico difícil. (Bolivia)
Atorrante	Vago, callejero, pordiosero, holgazán. (Argentina)
Aventado	Arrojado, audaz, atrevido. (Colombia, Perú)
Avocastro	Persona muy fea. (Chile, Perú)
Bacán	Rufián. (Argentina)
Batato(a)	Persona gruesa y de poca estatura. (Colombia)
Bimba	Persona de estatura elevada (sólo en el femenino). (Honduras)
Boqueriento	Persona astrosa y despreciable. (Chile)
Boquiflojo	Charlatán. (México)

Bravo	Trapacero, ambicioso. (Cuba)
Busquillo	Persona buscavidas, diligente. (Chile, Perú)
Butuco	Rechoncho. (Honduras)
Cachafaz	Pícaro, sin vergüenza. (Argentina)
Cachañero	Que hace burla o fisga. (Chile)
Cachifo	Muchacho joven. (Colombia, Venezuela)
Cachorro	Rencoroso y malintencionado. (Cuba) Hosco y respondón. (Venezuela)
Cambuto	Pequeño, rechoncho, grueso. (Perú)
Cazuzo	Hambriento. (Chile)
Cebollón	Solterón. (Chile)
Chango	Torpe, fastidioso. (Chile)
Chencha	Holgazán. (México)
Chicoco	Muchacho robusto y de poca altura. (Chile)
Codo	Tacaño, mezquino. (América Central)
Comebolas	Persona excesivamente crédula. (Cuba)
Desguañangado	Desaseado y poco cuidadoso en el vestir. (Chile, Puerto Rico)
Distraído	Roto, mal vestido, desaseado. (Chile, México)
Dominguejo	Persona insignificante, pobre diablo. (Chile, Perú, Venezuela)
Droguero	Tramposo, no paga las deudas. (Chile, México, Perú)
Dundo	Tonto. (América Central, Colombia)
Echón	Fanfarrón, petulante. (Venezuela)
Embelequero	Frívolo, aficionado a cosas fútiles. (Chile, Puerto Rico)
Embustero	Que comete erratas al escribir. (Chile)
Enredoso	Enredador, chismoso. (Chile, México)
Enterado	Orgulloso, entonado. (Chile)
Escurrido	Avergonzado. (Cuba, México, Puerto Rico)
Espeso	Pesado, impertinente. (Venezuela)

PIÉNSALO

Hay quien pasa por el bosque y sólo ve leña para la hoguera.

Tolstoi (1828-1910), novelista, crítico y moralista ruso.

Diccionario Práctico de Americanismos. Espanha, Editorial Everest, S. A., 1996.

Aspectos culturales de Uruguay

En comparación con el español de la Península (España), el hablado en Uruguay es diferente, lo que se debe a la influencia del lenguaje de los indígenas, neologismos, voces exóticas, modismos, localismos, muchas veces necesarios para la claridad expresiva comunicacional. No hay que olvidarse que la evolución, el progreso, las costumbres y la ubicación geográfica modifican la fisonomía lingüística y, también, cuando el lenguaje popular se utiliza con medida y autenticidad, se logran efectos atrayentes, por el colorido y la frescura, sobre todo, en las escenas costumbristas, o por el carácter y la veracidad en los diálogos camperos o suburbanos.

En algunas zonas aisladas del campo no es extraño escuchar ciertos arcaísmos, así como giros castizos desconocidos o no practicados en el habla de las zonas populosas y cultas. Ello se debe a que el aislamiento de sus habitantes ha preservado tales vocablos de sus antepasados.

Exceptuando esos vocablos y algunos más, traídos por marineros o soldados de la época colonial, las voces no castellanas proceden del inmigrante y son muy a menudo italianismos. Hay también un número pequeño de vocablos de los esclavos negros llegados de África en 1576. A esa lengua se relacionan vocablos de ritos o bailes de su raza. Se encuentran términos de origen británico en el mundo deportivo y se tiene también la influencia luso-brasileña. La vecindad fronteriza de Uruguay y Brasil ha originado, en la intercomunicación, las formas de convivencia con la conversión de ambos idiomas, castellano y portugués, en lo que se ha dado en llamar dialecto fronterizo (conocido como *portuñol*), fluido, gracioso, atractivo y popular. En esta región fronteriza hay los lusohablantes, los hispanohablantes y los bilingües.

Las palabras guaraníes son todavía usadas, como, por ejemplo, *ñandú, yacaré, camuatí.* Muy divulgada y usada en el campo y en zonas suburbanas es *gurí(sa)* para designar a un niño no mayor de unos 14 años o de forma cariñosa.

Arte. El arte colonial en Uruguay dejó pocas obras. En arquitectura pueden citarse las fortalezas de Montevideo, que datan de 1742, y la de Santa Teresa, que es de 1780. Hay que explicar que, a finales del siglo XVIII, Montevideo sólo tenía 300 casas, época de la que datan los edificios más antiguos. También en la capital uruguaya se hallan las principales obras del arquitecto español Tomás Toribio y de su hijo José, como la casa de la familia Montero, el Cabildo, construido entre 1804 y 1810 y la Catedral, uno de los templos notables de Sudamérica. Ambos edificios, cabildo y catedral, se encuentran en la Plaza de la Constitución, centro antiguo de la ciudad de Montevideo.

OSCAR BONILLA/ANGULAR

Plaza de la Constitución, Montevideo.

Durante el siglo XIX la arquitectura uruguaya estuvo bajo el dominio del estilo neoclásico. Merecen atención la plaza Mayor, el teatro Solís y la estatua de La Libertad que corona la columna de la plaza Cagancha.

La música. Uruguay y Argentina son los países que simbolizan el *tango*, uno de los ritmos populares con mayor y más creciente fama en el mundo. Uruguay contribuyó a la internacionalidad del *tango*, con grandes nombres cuya obra es indiscutible: Eduardo Mattos Rodríguez, el autor del mundialmente famoso tango *La Cumparsita*, era uruguayo, bien como Francisco Canaro, cuya orquesta es una de las más renombradas. Cabe resaltar que es muy fuerte la corriente que prueba que Carlos Gardel, el mayor y más famoso cantante de tangos de todos los tiempos, era uruguayo, nacido en Tacuarembó.

Educación y enseñanza. La educación preescolar no es obligatoria, pero en la capital e interior hay jardines de infantes y clases infantiles que reciben niños de tres a seis años. La enseñanza primaria es gratuita y obligatoria. Las escuelas son urbanas y rurales, con programas diferentes en cuanto a su estructura, pero análogos en lo que concierne al contenido y aplicación.

La enseñanza media consta de tres tipos: general, profesional y pedagógica y el plan de estudios no prevé ningún test de aptitud ni ninguna evaluación profesional. Las escuelas públicas profesionales están bajo control de la Universidad del Trabajo.

La enseñanza superior depende de la Universidad de la República Oriental de Uruguay y de varios institutos especializados. Para ser admitido el candidato debe ser bachiller en la materia que tenga intención de estudiar.

Información y comunicación. Uruguay tiene bajísimo índice de analfabetismo. El país tiene muchos periódicos diarios y semanarios, algunos considerados de los mejores en América y en el mundo. En un informe de la Universidad de Missouri (1966), Uruguay figuraba entre los países del continente americano con mayor libertad de prensa, junto con Canadá, EE.UU. y Costa Rica, y tiene una de las mayores proporciones de ejemplares por persona entre los países hispanoamericanos.

Etnografía y folklore. La población de Montevideo, abierta a toda influencia cultural y un gran movimiento campo-ciudad, acentuó las pérdidas de cultura tradicional. En suma, en Uruguay no es rica la cultura etnográfica y son escasas las herencias indígenas.

REUTERS/PRESSLINK

Festival en la calle. Presentación de Candombe.

Del folklore coreográfico se destaca el *Candombe*, en Montevideo, durante el Carnaval; es una antigua danza de negros, con personajes (abuelo, mama vieja, escoberos) indicando herencias pagano-africanas e hispanocristianas. Su acompañamiento rítmico de cuatro tambores (chico, piano, bombo y repique) sirve de fondo a todo festejo popular en Montevideo: deportivo, cívico, político. El tango, baile por excelencia del litoral platense, al alcanzar nivel universal, escapó al restringido campo del folklore urbano. A las diversiones se agregan las murgas, conjuntos vocales y musicales de humor grueso que callejan en el Carnaval. En el folklore medicinal hay los curanderos y "yuyeros", respectivamente médicos-santones y vendedores ambulantes de hierbas medicinales. Hay arraigadas creencias en la materia.

Gran Enciclopedia Rialp. Madrid, Ediciones Rialp S.A., 1984.

CAMBIOS Y MODALES 13

CID

CID

CID

Si no conviene, no lo hagas; si no es verdad, no lo digas. Sé dueño de tus inclinaciones.

Marco Aurelio (121 a.C.-80), emperador romano.

¿Por qué comemos así?

¡A comer, la mesa está puesta! Éste es hoy el grito de guerra. Pero no siempre ha sido así. Pasaron miles de años hasta que los bárbaros adquirieron la costumbre de sentarse alrededor de una mesa. Antes, los romanos comían reclinados en el *triclinium*.

Mucho más tarde llegaron la etiqueta y los buenos modales, que hasta la Edad Media eran inexistentes: se comía con los dedos y era normal chuparse las manos hasta el codo cuando se ensuciaban de grasa y otros alimentos. Así, un manual del siglo XII sobre *Educación en la mesa* dictaba esto a los refinados de la época: "Tira los huesos debajo de la mesa, pero ten cuidado de no herir a nadie".

A partir del Renacimiento, los humanistas consideraron que aquello era una ordinariez. Especialmente Erasmo de Rotterdam, que clamaba así: "*Hay personas que, apenas sentadas, se llevan la mano al plato: parecen lobos*". Y con esa campaña de refinamiento fueron apareciendo los distintos utensilios que hoy son habituales en una mesa, y los invitados más distinguidos empezaron a comer con sólo tres dedos y a limpiarse las manos con el mantel, en vez de chupárselas con glotonería.

En el siglo XVII aparecieron los primeros tratados sobre las buenas maneras en la mesa, y Brillat-Savarin y B.A. Grimod de la Reynière, en el XVIII, establecieron muchas de las pautas que hoy rigen el recto comportamiento de los comensales.

Muy Interesante. Jul. 1995, nº 117. Adaptado.

ComunicHABLE

✓ Escucha a estas personas que te contarán un poco más sobre las cosas relacionadas a la cocina y completa el texto con las informaciones que faltan.

Cubiertos — El triunfo del individualismo

Los primeros utensilios fueron ____________________ : al principio eran de sílex, luego de hueso, valva, piedra, etc. A finales del siglo XV aparecieron los ____________________ y ____________________. Enrique de Villena en su "Arte cisoria", de 1433, habla de ____________________ — brocas — que tenían dos o tres púas. Su uso en ____________________ lo ____________________ en el siglo XVII Felipe III y su valido el duque de Lerma. Los cuchillos eran puntiagudos, pero en el siglo XVII se ____________________ para evitar que ____________________ los utilizaran de ____________________. En esa misma época fue cuando empezó a estar mal visto que se tocaran los alimentos en ____________________: era por una cuestión de higiene, pero también un retroceso de lo comunitario. Y lo mismo ocurrió con ____________________, que durante la Edad Media eran de uso común y después se individualizaron.

Plato — El primero fue de pan

Antes de extenderse su uso, en el medioevo, los alimentos se ____________________ sobre una ____________________. Al terminar la comida, ésta se ____________________ de nuevo a ____________________ para que la ____________________ los siervos o para dársela a los pobres. ____________________ individuales se ____________________ en la corte francesa del rey Francisco I, en el siglo XVI.

Vasos — No más sorbos compartidos

Antiguamente ______________________ eran de estaño y se usaba una para varios comensales: se trataba de una precaución ______________________________________. Las copas no se ______________________ sobre la mesa: ______________________ unos servidores encargados de ______________________ a los comensales cuando éstos ________________ beber. La costumbre de utilizar ____________________ individuales no se generalizó hasta comienzos del siglo XIX.

Salero — Un cofre con llave

La sal era para los romanos un objeto de culto familiar y un símbolo de purificación. Y, como todas las ____________________, en el medioevo fue un ______________________ ; por eso mismo, los primeros saleros ____________________________________ como si fueran ____________________ . Pero ya en el siglo XVI ____________________ el rango de objetos modestos.

Mantel — Distintivo de clase

El mantel era un emblema de distinción social para los señores medievales. En su origen se ____________________ "napa" y consistía en una ____________________________________, aunque no totalmente. Los servidores, colocados en un extremo de la misma, no lo ______________ y se limpiaban la boca con la mano, mientras que los amos lo hacían con una especie de ______________________________ que había sobre el mantel.

LECTURA

El cuento popular y la fábula

Los *cuentos populares* se destinan tanto a los adultos como a los niños ya que se transmitían en la tertulia campesina donde no se hacía distinción entre mayores y pequeños. Su mensaje a la colectividad está en la variedad de sus temas. Es notoria la autenticidad y frescura de su lenguaje.

En los cuentos populares, los personajes suelen ser anónimos (el rey, el dragón, la bruja, la princesa, el hada, etc.) y con frecuencia comienzan mediante cierta fórmula del tipo de "Érase una vez...", que remite el relato a un pasado indefinido.

Las *fábulas* son relatos cortos protagonizados por animales u otros personajes alegóricos. Vienen escritas en prosa o en verso, mediante el diálogo de los personajes y con una clara intención moralizadora, por eso muchas veces concluye en una moraleja. Por lo tanto, la fábula es también una literatura didáctica.

Las fábulas constituyen la corriente culta que desarrolló los mismos temas míticos que la corriente popular, pero con diferentes intenciones y formas.

Carta canta

Ricardo Palma (1833-1919). Escritor peruano. Figura representativa de la prosa romántica tanto en Perú como en el resto de América española, fue también poeta, ensayista, crítico e historiador de gran perspicacia y estilo irónico. Su libro *Tradiciones peruanas*, traducido a casi todas las lenguas, le otorgó un puesto de honor entre los grandes narradores del siglo XIX.

Llegó la época en que el melonar de Barranca diese su primera cosecha, y aquí empieza nuestro cuento.

El mayordomo escogió diez de los melones mejores, acondicionándolos en un par de cajones y los puso en hombros de dos indios mitayos, dándoles una carta para el patrón.

Habían avanzado los conductores algunas leguas y sentáronse a descansar junto a una tapia. Como era natural, el perfume de la fruta despertó la curiosidad de los mitayos y se entabló en sus ánimos ruda batalla entre el apetito y el temor:

— ¿Sabes, hermano — dijo al fin uno de ellos en su dialecto indígena —, que he dado con la manera de que podamos comer sin que se descubra el caso? Escondamos la carta detrás de la tapia, que no viéndonos ella comer no podrá denunciarnos.

La sencilla ignorancia de los indios atribuía a la escritura un prestigio diabólico y maravilloso. Creían, no que las letras eran signos convencionales, sino espíritus, que no sólo funcionaban como mensajeros, sino también como atalayas o espías. La opinión debió parecer acertada al otro mitayo, pues sin decir palabra, puso la carta tras la tapia, colocando una piedra encima, y hecha esta operación se echaron a devorar, que no a comer, la incitante y agradable fruta.

Cerca ya de Lima, el segundo mitayo se dio una palmada en la frente, diciendo:

— Hermano, vamos errados. Conviene que igualemos las cargas porque, si tú llevas cuatro y yo cinco, nacerá alguna sospecha en el amo.

— Bien discurrido — dijo el otro mitayo.

Y nuevamente escondieron la carta tras otra tapia, para dar cuenta de un segundo melón, esa fruta deliciosa que, como dice el refrán, en ayunas es oro, al mediodía es plata y por la noche mata; que, en verdad, no la hay más indigesta y provocadora de cólicos cuando se tiene el pancho lleno.

Llegados a casa de don Antonio, pusieron en sus manos la carta, en la cual le anunciaba el mayordomo el envío de diez melones.

Don Antonio, que había contraído compromiso con el arzobispo y otros personajes de obsequiarles los primeros melones de su cosecha, se dirigió muy contento a examinar la carta.

— ¡Cómo se entiende, ladronzuelos!... — exclamó bufando de cólera —. El mayordomo me manda diez melones y aquí faltan dos — y don Antonio volvía a consultar la carta.

— Ocho no más, taitai — contestaron temblando los mitayos.

— La carta dice que diez y ustedes se han comido dos por el camino... ¡Ea! Que se les den una docena de palos a estos pícaros.

Y los pobres indios, después de bien zurrados, se sentaron mohínos en un rincón del patio, diciendo uno de ellos:

— ¿Lo ves, hermano, ¡Carta canta!

Alcanzó a oírlo don Antonio y les gritó:

— Sí, bribonazos, y cuidado con otra, que ya saben ustedes que carta canta.

Y don Antonio refirió el caso a sus tertulios, y la frase se generalizó y pasó el mar.

PALMA, Ricardo. In BALSAS, Héctor, PEREIRA, Anáis. *Lecturas Guiadas*. Montevideo, Ed. A. Monteverde y Cía. S.A., 1995.

Comprensión e interpretación del texto

1. Identifica en el texto:
   a) Asunto.
   b) Resumen.
   c) Escenario.
   d) Protagonistas.
   e) Personajes secundarios.
   f) Narrador.
2. Comenta el lenguaje del texto.
3. Encuentra en el texto un refrán, explícalo y aplícalo a otra situación.
4. ¿Qué significa "Carta canta" y por qué es una expresión figurada?
5. ¿Qué dirías de los protagonistas?
6. ¿Qué dirías del mayordomo?
7. ¿Cómo reacciona el patrón?
8. El texto, reducido a una sucesión de hechos, está formado de diez partes. Enuméralas.
9. ¿Qué te ha llamado más la atención y qué te gustaría cambiar? ¿Por qué?
10. ¿Qué quiere el autor decir con el último párrafo del texto?

Selectividad

(Centro Universitario La Salle/Canoas-RS)

Como tantos otros, un conocido personaje de las afueras suele visitar a su madre los domingos al mediodía para recuperar el sabor de las pastas familiares. Y va caminando porque los domingos no quiere manejar. Saluda a los vecinos. Y observa que el tiempo parece haberse detenido. Quizá simplemente se ha demorado en los vericuetos de sus calles y tarda más en llegar, con un ritmo casi provinciano...

Otero agrega que es un barrio muy codiciado por su tranquilidad y puntualiza que antes los lotes no eran caros. Recuerda todavía que los hornos de ladrillos están indisolublemente ligados a la historia del arrabal y las montañas de tierra que levantaban para hacer los ladrillos eran la diversión favorita de los chicuelos.

Y siguen los recuerdos: la primera iglesia fue una carpa grande como si fuera un teatro. Cada uno está al tanto de todos los problemas. Es que aquella gente tiene la costumbre de anotar cada vez que se encuentra con un bache o con un otro lío. Cuidan de todo como si fuera de su hogar.

Aunque el paradisíaco aislamiento del barrio parece asegurado, hay mucho que mejorar y que hacer, y lo harán porque no conocen pereza ni mala gana.

1. O tema delimitativo do texto está contido na alternativa
   a) Uma visita aos familiares.
   b) Vantagens de viver no interior.
   c) Revivendo alguns costumes antigos.
   d) Modelo de relacionamento humano.
   e) Desenvolvimento de um bairro.

2. A primeira igreja do bairro foi
   a) uma barraca.
   b) um galpão.
   c) um casarão.
   d) um celeiro.
   e) um sobrado.

PIÉNSALO

Come en casa como si comieras en la del rey.

Confucio (551?-479 a.C.), filósofo y reformador chino.

3. Fator grandemente responsável pela "vida paradisíaca" do bairro está na alternativa
   a) "... es un barrio muy codiciado..." (linha 11 y 12)
   b) "... antes los lotes no eran caros..." (linha 13 y 14)
   c) "Cada uno está al tanto de los problemas." (linha 18 y 19)
   d) "Cuidan de todo como de su hogar." (linha 20)
   e) "... no conocen pereza ni mala gana." (linha 22)

4. O provérbio que se adapta ao texto é
   a) A fé remove montanhas.
   b) Devagar se vai ao longe.
   c) A pressa é inimiga da perfeição.
   d) Há males que vêm para o bem.
   e) Antes prevenir que remediar.

5. ¿Ya os dijeron que Otero vive en un barrio muy codiciado? Sí, ya * dijeron.
   a) le nos
   b) se os
   c) me lo
   d) se nos
   e) nos lo

6. En realidad * bueno * desarrollo * barrio es * labor y * coraje de sus habitantes.
   a) el - del - al - el - el
   b) lo - al - del - la - el
   c) el - en el - al - la - la
   d) lo - del - al - el - la
   e) al - a lo - del - lo - la

ESTAMPALABRAS

La casa

El salón

La cocina

el aparador
el portarrollo
el rollo
el armario
el reloj
el frigorífico/
el freezer
la nevera/
el frigorífico
el lavaplatos/
el lavavajilla
el horno
microondas
la cocina
de gas
el fregadero
el tostador

la tetera
la olla
la tapa
la pava
la jarra
la sartén
la botella
el exprimidor
las vasijas
la taza con
platillo
el escurridor
el sacacorchos
la esponja
el plato
la tijera
el bote
la cuchara
la copa
la cucharilla
la tabla
el vaso
el cucharón
el abrebotellas
el cuchillo
las cerillas/
los fósforos
el abrelatas
el tenedor
la espumadera

La lavandería

El cuarto de baño

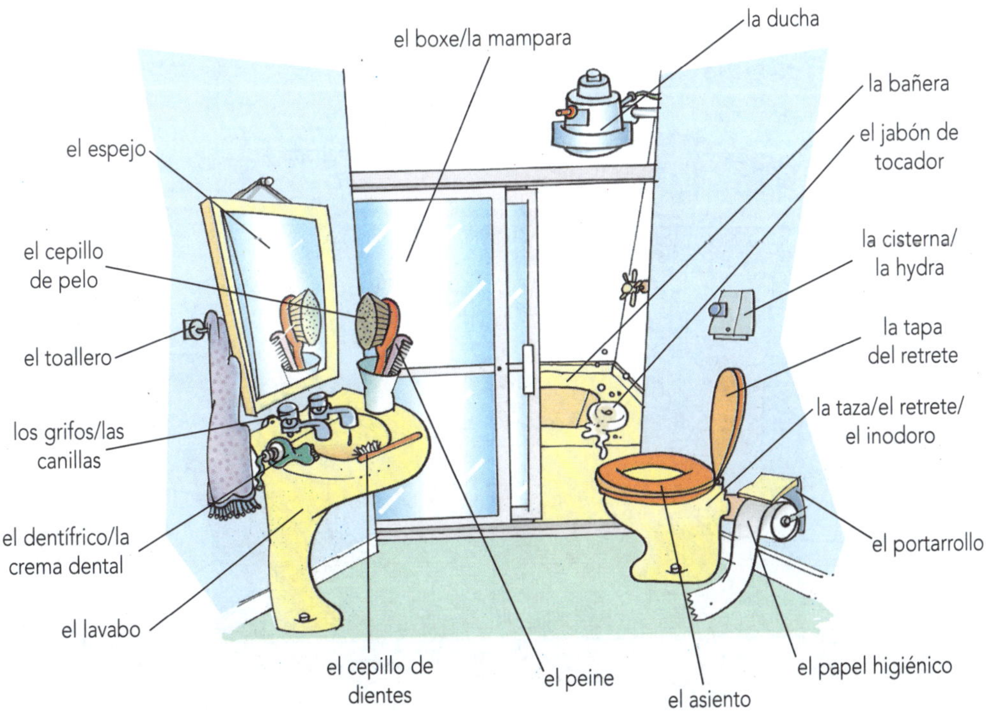

La oficina

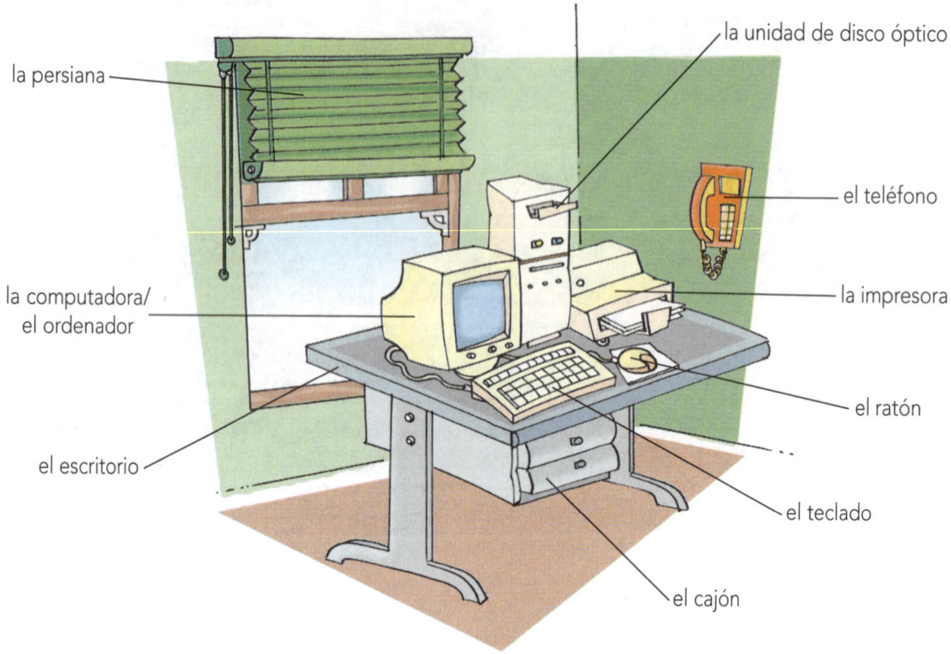

El dormitorio

PORTALENGUA

Decisión

Ya lo he/ha/hemos decidido.
Estoy decidido a...

Resignación

¡Qué le voy/vamos a hacer!
¡Qué se le va a hacer!

Éxito

Por fin lo logré. ¡Al fin!
¡Ya era hora! ¡Soy/Eres/Es el mejor!
¡Enhorabuena!

Seguridad

Estoy seguro de que...
Quedó claro que...

Hipótesis

¿(Ud./Tú) Cree(s) que...?
¿(Y) No será mejor...? Es posible que...
A lo mejor...
(No) Creo que...

Extrañeza

¡Qué/Es raro que...!
Extraño (mucho) que...
Me/Nos parece raro/extraño que...

Autorización/Prohibición

(No) Se puede...
(No) Está permitido...
Se prohíbe/permite...

Fastidio

No me hables.../No quiero saber.../Nada funciona bien.
Todo son (sólo) problemas...
¡Vaya día que tengo/tiene(s) hoy!

ComunicHABLE

DIÁLOGO Conmemorando

Octavio: ¡Ay! ¡ __________ ! ¡No lo creo! ¡No puedo creer!

Guardia de tránsito: ¿Qué te pasa, hombre? ¿Qué te han hecho?

Octavio: Nada, señor, nada. Estoy bien. ¡Muy bien!

Guardia de tránsito: Es raro que uno se sienta bien y haga tanto griterío. __________ . Sólo si lo estuvieran molestando.

Octavio: ¡ __________ ! ¡Señor guardia! ¡Me aprobé en Odontología! ¿Quedó claro por qué estoy así?

Guardia de tránsito: Sí. ¡ __________ ! Y... cuidado. Ponga atención en el tránsito.

Octavio: Gracias. Sí, me cuidaré. ¡Adiós!

Más adelante. Unos veinte minutos después.

Charo: ¡Octavio! ¿De dónde vienes?

Octavio: ¡Hola, Charo! ¡Qué casualidad! Estaba pensando en llamarte por teléfono tan pronto llegara a casa. Estoy muy cansado de tanto caminar. Me aprobé, Charo, y no lo creo.

Charo: ¡¡Enhorabuena!! Sabía que te aprobarías. __________.

Octavio: ¿Sí? ¡Ay, Charo! Me siento un genio.

Charo: Me deja muy feliz tu éxito. ¡__________!

Octavio: Estoy seguro de que tus orientaciones y tu compañía han contribuido mucho a mi éxito. No sé cómo mostrarte mi gratitud.

Charo: Cuando te recibas serás mi dentista.

Octavio: Y tú la mía.

Charo: Ahora vete a dar la noticia a tus padres. Deben estar preocupados con tu ausencia hasta ahora. ¿Por qué caminaste tanto?

Octavio: ¡La emoción! Quería descargar los nervios. Ahora estoy bien.

Charo: Tu madre va a llorar. ¡Pobrecita! ¡Vete! ¡Vete, Octavio!

Octavio: Y dirá que soy el mejor. Sí, me voy, Charo. ¡Gracias de nuevo!

Una hora después. Suena el teléfono.

Charo: ¡Diga!

Mercedes: ¿Eres tú, Charo?

Charo: ¡Hola, doña Mercedes! ¡Enhorabuena! ¿Está feliz con su hijo?

Mercedes: ¡No sabes cuánto! Ven a nuestra casa hoy por la noche, a eso de las veintiuna horas. Vamos a conmemorar lo de Octavio. ¡No puedes faltar!

Charo: No faltaré. ¡No perdería esa fiesta por nada!

Mercedes: Hasta la noche, entonces, Charo.

Charo: Gracias, doña Mercedes. Nos vemos por la noche. Hasta luego.

COMERCIO RARO

Si Ud. tiene interés por las reglas de etiqueta, inscríbase en el Curso Padrón. En pocas clases aprenderá a decir palabrotas a la mesa, usará el mantel como pañuelo de nariz, hablará y reirá con la boca llena, coronando sus estudios con el fino arte de la eructación pública. Prof. Ban Dido. Teléfono 001.0101.

EL IMPERATIVO

Se emplea el imperativo para dar, ofrecer, pedir, aconsejar, ordenar, suplicar, exigir. Ejemplos:

Pedir:	*Préstame* tu libro, sólo por un ratito, ¿sí?
Ordenar:	*Salgan* de ahí que es muy peligroso.
Ofrecer:	*Coma* algunas aceitunas, pues están deliciosas.
Aconsejar:	No te *preocupes* que todo se arreglará.
Suplicar:	¡Ay, mamá! Por favor, *déjanos* ir al baile.
Exigir:	*Quédese* en silencio o deberá retirarse.

FORMA VERBAL

En español sólo las personas TÚ y VOSOTROS(AS) tienen una forma propia del imperativo. Para la persona TÚ el imperativo es idéntico a la tercera del singular del presente de indicativo; la forma VOSOTROS se obtiene del infinitivo del verbo, sustituyendo la R final por una D. Las demás personas son la forma del presente de subjuntivo con valor de imperativo. En la forma negativa es todo igual al presente de subjuntivo.

En la segunda persona de singular (TÚ), sólo hay ocho formas irregulares, en las que se ha perdido una sílaba:

poner - pon	tener - ten	decir - di	ir - ve
venir - ven	salir - sal	hacer - haz	ser - sé

tú	¡Habla! ¡Come! ¡Abre!	¡No hables! ¡No comas! ¡No abras!
usted	¡Hable! ¡Coma! ¡Abra!	¡No hable! ¡No coma! ¡No abra!
nosotros	¡Hablemos! ¡Comamos! ¡Abramos!	¡No hablemos! ¡No comamos! ¡No abramos!
vosotros	¡Hablad! ¡Comed! ¡Abrid!	¡No habléis! ¡No comáis! ¡No abráis!
ustedes	¡Hablen! ¡Coman! ¡Abran!	¡No hablen! ¡No coman! ¡No abran!

¡Fíjate!

- Los imperativos se usan muchas veces acompañados de pronombres personales complemento que van después y se escriben en una sola palabra:
  ¡**Ayúdenme**, por favor!

- Con los verbos reflexivos en la 2ª persona del plural (vosotros) se elimina la **D**. Ejemplo: Callad + os = callaos.

- Cuando un verbo lleva dos pronombres — objeto directo e indirecto —, va primero el pronombre objeto indirecto, luego el objeto directo:
  Por favor, trae la chaqueta y **pónmela**.

- En español es muy usual repetirse el objeto indirecto:
  Señora, ¿**les** doy el postre **a las visitas**? Sí, **dáselo**, por favor.
  ¿Puedo mostrar**les** la casa **a mis amigos**? Claro, **muéstrasela**.

- Siguiendo las reglas de acentuación, un verbo que no lleva tilde puede llevarla, cuando acompañado de pronombre personal:
  Compra el libro. Cómpralo.
  Da el libro a tu hermano. Dáselo.

Ejercicios

1. Sigue el modelo.

> Modelo:
> ¿Por qué no me mostraste tus libros? Muéstramelos.

a) ¿Por qué no abriste la maleta?
b) ¿Por qué no abrió la puerta?
c) ¿Por qué no organizamos una fiesta?
d) ¿Por qué no revisasteis el motor?
e) ¿Por qué no enfrentaron la dificultad?
f) ¿Por qué no preparaste la sorpresa?
g) ¿Por qué no recibimos las visitas?
h) ¿Por qué no cumplís los compromisos?
i) ¿Por qué no reparaste tu coche?
j) ¿Por qué no se sacaron las chaquetas?
k) ¿Por qué no escuchasteis el himno?
l) ¿Por qué no cerrasteis las ventanas?
m) ¿Por qué no pagaron sus cuentas?
n) ¿Por qué no lavó el vestido y la falda?
ñ) ¿Por qué no vendieron las casas?

2. Con las frases del ejercicio anterior, sigue el modelo.

> Modelo:
> ¿Por qué no me mostraste tus libros? No me los muestres ahora, primero escúchame.

3. Completa las frases con uno de los verbos del recuadro, en la forma imperativa.

tener	hablar	estar	venir	oír
alegrarse	tener	traer	preocuparse	poner

a) Mamá, (usted) ______________ mis paraguas, por favor.
b) Niños, ______________ bajito.
c) Julio y Miguel, ______________ acá.
d) Tú y tu hermano, ______________ cuidado en la carretera.
e) Chico, (tú) ______________ ciudado con el tránsito.
f) ¡Atención! ______________ que les voy a dar una buena noticia.
g) ______________, Luma, pues te aprobaste.
h) Mientras son jóvenes, ______________con sus ideales.
i) Por favor, señora, ______________ sus paquetes aquí.
j) Señores, ______________ a gusto que el director ya va a atenderlos, ¿sí?

4. Pon los verbos de la relación de la carta siguiente en el imperativo afirmativo, segunda persona del singular.

Mamita,

Como siempre — y eternamente —, me estás ayudando. Si no te dispusieras a cuidarme la casa, no podría viajar por un mes para este curso en México.

Para facilitarte un poquito la tarea, hice una relación de los encargos que tendrás. Son los siguientes:

1. regar las plantas todos los días;
2. abrir las ventanas por la mañana;
3. cerrar toda la casa al atardecer;
4. mantener al perro suelto en el patio una hora por la mañana y por la tarde;
5. dar comida al perro y a los pajaritos;
6. recoger a diario la correspondencia del buzón;
7. pagar las cuentas del teléfono, de la luz y del agua;
8. dejar siempre la contestadora automática grabando las llamadas telefónicas, cuando no estés;
9. oír la contestadora y apuntarse todo;
10. informar a quienes pregunten por mí que volveré a fines de julio.

Gracias, mami. Te adoro. Besos y miles de besotas.

Nara

JUEGUITO

A seguir encontrarás 15 afirmaciones. Explica por qué valen la pena o no esas cosas. El profesor te dirá si debes presentar argumentos a favor o en contra de cada idea propuesta. Tus argumentos deberán ser relevantes para convencer a los compañeros del otro equipo. Durante las presentaciones nadie podrá hacer preguntas o comentarios. Gana el grupo que logre presentar el mayor número de argumentos para defender su punto de vista.

1. Vale la pena estudiar.
2. Vale la pena enamorarse en la escuela.
3. Vale la pena ser fiel.
4. Vale la pena casarse.
5. Vale la pena tener hijos.
6. Vale la pena estar soltero.
7. Vale la pena ser hijo único.
8. Vale la pena aprender a hacer los quehaceres domésticos (planchar, lavar, quitar el polvo, cocinar, etc.).
9. Vale la pena seguir la moda.
10. Vale la pena hacer dieta.
11. Vale la pena comer verduras.
12. Vale la pena irse de vacaciones en verano a la playa con toda la familia (tíos, primos, abuelos, cuñados, etc.).
13. Vale la pena leer diarios y libros.
14. Vale la pena despertar temprano.
15. Vale la pena aprender idiomas extranjeros.

DIMINUTIVOS

La lengua española es una de las más ricas del mundo en diminutivos. Por tal motivo hay muchas formas como ya vamos a ver.

Es del gramático Rodolfo Ragucci el siguiente cuadro que resume las reglas para el empleo correcto del diminutivo, según las normas de la RAE (Real Academia Española).

Para	Terminados en	Se usan los sufijos
Vocablos monosílabos	1. vocal: pie	-ececito, -ececillo, -ececico, -ecezuelo: piececito
	2. consonante o en "y": red, rey	-ecito, -ecillo, -ecico, -ezuelo, -achuelo, -ichuelo: redecilla, reyecito
Vocablos bisílabos	1. e, ia, ua, io...: calle 2. ei, ie, ue en la primera sílaba: reina	-ecito, -ecillo, -ecico, -ezuelo, -achuelo, -ichuelo: callecita, reinecita
	3. n: joven 4. r, agudos: amor	-cito, -cillo, -cico, -zuelo: jovencito, amorcito
	5. de cualquier otro modo: azul	-ito, -illo, -ico, -uelo: azulito
Vocablos de más sílabas	1. n: imagen 2. r, agudos: comedor	-cito, -cillo, -cico, -zuelo: imagencita, comedorcito
	3. de cualquier otro modo: animal	-ito, -illo, -ico, -uelo: animalito
Estas son las reglas generales. Sin embargo, no faltan *excepciones*.		

RAGUCCI, Rodolfo. *El habla de mi tierra*. Buenos Aires, Editorial Don Bosco, 1963. 25ª ed.

Las formas diminutivas con el final **-ITO**, **-ILLO** son las más empleadas; la forma **-ICO** se usa más en algunos lugares de América; la forma en **-UELO** suele tener sentido despectivo.

Si el nombre tiene **C - Z - G** en la última sílaba, la modificación ortográfica en diminutivos y/o aumentativos no es irregular, tan sólo obedece a la necesidad fonética.

Ejemplos: blanco → blanquito; pez → pececito; mango → manguito

EJERCICIO

✓ Da el diminutivo de las siguientes palabras.

cofre	huevo	pueblo	gente
salón	mozo	árbol	lugar
marido	flor	reloj	trago
estatua	casa	lección	saco
pobre	cabeza	lengua	hombre
rapaz	papel	culebra	diablo
chico	pie	viento	pared
animal	carne	voz	boca
mujer	abeja	ojo	cuchara

VENTANITA

¿Por qué las copas son distintas de acuerdo a lo que se beberá en ellas?

FOTOS: CID

La de champán no debe ser de boca ancha, como las que algunos usan, erróneamente, sino de forma espigada y boca angosta, para que las burbujas no desaparezcan. Las de vino rojo (o tinto) deben tener boca mediana para airearse y ser transparentes para poder observar al trasluz el color de la bebida, que hace también a su calidad. Para las de cerveza es preferible el vidrio grueso, que conserva el frío. Las de licor son chiquititas para regular su ingestión ya que uno puede pasarse de la raya pronto y empezar a decir pavadas. A todas hay que agarrarlas del pie, salvo a las de coñac, que son redondeadas para que uno le dé calor a la bebida con la palma de la mano. Las de agua son grandes, pero se dice que trae mala suerte brindar con esa natural bebida. Sin dudas la trae (la suerte) a los viñateros.

Modales para ocasiones festivas

Los buenos modales que caracterizan a las personas acostumbradas a circular por distintos ambientes sociales y a participar de varios eventos festivos, familiares o no, deben mostrarse siempre como signo de preocupación con nuestra autoimagen y con la importancia que les dedicamos a los demás.

Te presentamos a seguir algunos principios universales que orientan nuestra conducta a la hora de comer:

1. Jamás hablar con la boca llena.
2. Nunca apoyar los codos sobre la mesa.
3. Jamás beber algo (agua, gaseosa u otra bebida) sin limpiarte antes los labios.
4. No gesticular mientras estés asiendo los cubiertos.
5. No dejar, tras haber terminado la refacción, los cubiertos utilizados de modo desordenado.
6. No llenar demasiadamente el plato o el vaso al servirte.
7. No tragar grandes porciones o cantidades de comida o bebida de una vez.
8. No hablar o proponer temas polémicos para una discusión durante las comidas.
9. Jamás utilizar el escarbadientes (¡¡¡¡sea en público o no!!!!).
10. Jamás empezar a comer antes que lo haga o que te lo autorice la anfitriona o la dueña de la casa.
11. Evitar hacer ruidos mientras comes, sea con la boca, sea con los cubiertos.
12. No comer con las piernas cruzadas o con las manos en el plato.
13. No poner los dedos en la comida.
14. No utilizar la cuchara para cortar alimentos en tu plato.
15. No poner la servilleta colgada de tu cuello.
16. No levantarte de la mesa hasta que todos hayan terminado de comer.
17. No empujar tu plato tras haber terminado de comer.
18. Jamás encontrar defectos en la comida que estás comiendo o hacer alguna sugerencia cuanto a la preparación de dichos platos.
19. No hablar alto durante las comidas.
20. No dejar restos o sobras de comida o bebida.

Actividades

1. Explica los posibles motivos para que se deba proceder conforme las reglas en el texto.
   Ejemplo para la regla nº 5: No se debe dejar los cubiertos desordenados tras haber comido, pues dificultan la tarea de la persona que los va a recoger para llevarlos a la cocina para que se los laven.
2. Da una alternativa para cada situación presentada en que propongas lo que se debe hacer.
   Ejemplo para la regla nº 5: En este caso, debes dejar tus cubiertos emparejados sobre el plato, como si fueran las agujas de un reloj (marcando las tres y cuarto) para demostrar que ya has terminado de comer.

3. Di cuál sería la regla contraria a cada una de las presentadas antes. Utiliza el imperativo afirmativo para hacerlo.
Ejemplo para la regla nº 5: Deja siempre desordenados o de cualquier modo tus cubiertos tras haber terminado de comer.

4. Observa los esquemas abajo y explica cómo debe arreglarse la mesa en las situaciones propuestas. Utiliza el imperativo y los vocabularios presentes en los esquemas.

La cena

La comida del mediodía

5. Elabora una lista con 10 reglas de convivencia aplicables a la sala de clase.

AL DICCIONARIO

La **H** es una de las letras de más difícil uso en castellano, lo que se debe, por una parte, a que carece de sonido y, por otra, a que no siempre está presente por un criterio etimológico, o sea, basado en el origen de la palabra: hay palabras que deberían llevarla y no la llevan, y otras que no deberían llevarla y la llevan.

Pero su dificultad a la hora de colocarla en el lenguaje escrito no es un problema reciente, de nuestros días, ya que la ha acompañado desde su adopción por los griegos.

El origen de la **H** está en la letra *het* del alfabeto fenicio, pronunciada como una jota suavemente aspirada.

En español, donde no representa ningún sonido, esta letra corresponde a una **H** inicial latina (hombre, honesto, habilidad) o a una "F" inicial latina (hígado, hacer, harina).

Muy Interesante. Ago. 1997, nº 142. Adaptado.

ACTIVIDAD

✓ Busca en el diccionario ejemplos de palabras para las situaciones abajo.

a) Palabras derivadas de F latina.
b) Palabras derivadas de H latina.
c) Palabras sin H en español y con H en portugués.
d) Palabras con H en español y sin H en portugués.
e) Palabras españolas con H en su interior.

INTERDISCIPLINAS

Artes. Abajo encontrarás tres útiles cotidianos. Explica para qué sirven y luego inventa uno también de acuerdo con los que te ofrecemos.

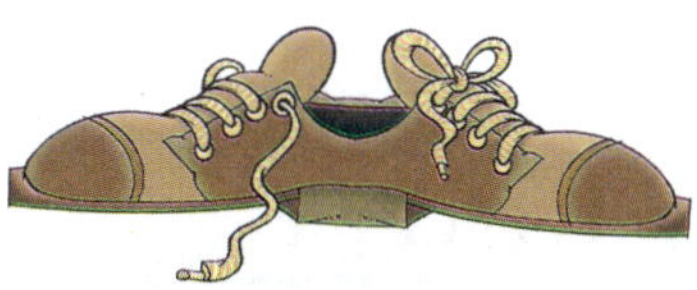

Repasándolo

✓ Relaciona las dos columnas. Sigue, después, el modelo, completando la frase como te parezca mejor. Te damos sólo una sugerencia.
Modelo: Ten cuidado con tu salud. → Si tuvieras cuidado con tu salud, *no estarías enferma.*

1. Ten cuidado	(6) muy temprano.
2. Quieren	(11) a cualquiera.
3. Cabe aquí un	(16) al aeropuerto.
4. Traigo	(19) las pautas.
5. Pongan los papeles	(7) bailar.
6. Venís siempre	(13) en depresión.
7. No sabíamos	(12) de la razón.
8. Estabas bastante	(5) en orden.
9. Da una ayuda	(15) más delgada.
10. Decimos sólo	(2) comer pan.
11. Haz el bien	(17) muchas películas.
12. Oís la voz	(18) por el mango.
13. Caigo	(8) preocupado.
14. Había	(1) con tu salud.
15. Andas ahora	(3) recurso legal.
16. Iba por la noche	(20) la cabeza.
17. Vemos	(9) a los minusválidos.
18. Asga la sartén	(4) buenas noticias.
19. Podéis establecer	(10) la verdad.
20. Irga bien	(14) mucho ruido.

Info

Trabajo en grupo

Para este proyecto deberás contar con el auxilio de otro compañero de clase. Los dos deberán buscar informaciones sobre hábitos domésticos cultivados en los diferentes países hispanohablantes y agregarlos en un único documento (archivo). Podrán adjuntarse figuras o grabados también que ilustren las informaciones encontradas. Ej.: En España es común cenar por las nueve/diez horas de la noche. En América lo más común es que la cena sea a eso de las siete y media.

LENGUACURIOSA

Aquí tienes la continuación de la lista de la unidad anterior con palabras adecuadas para describir a las personas en distintos países hispanohablantes.

Faino	Rústico, ingenuo. (Cuba)
Ficcioso	Fingido. (Chile)
Filoso	Hambriento. (Honduras)
Flamenco	Delgado, flaco. (Antillas, Puerto Rico)
Flotante	Fanfarrón. (Colombia)
Frondío	Sucio, desaseado. (Colombia, México)
Garoso	Hambriento, comilón. (Colombia, Venezuela)
Hablador	Fanfarrón, mentiroso. (México, República Dominicana)
Lambón	Adulador bajo, soplón. (Colombia)
Lambriche	Adulador, carantoñero. (México)
Lámparo	Pelón, sin dinero. (Colombia)
Lampuso	Atrevido, descarado. (Cuba)
Lauchón	Joven bastante crecido, pero delgado. (Chile)
Lauco	Pelado, calvo. (Chile)
Lebrón	Grande, valentón. (México)
Lefio	Tonto, necio. (México)
Lenguón	Chismoso, calumniador, hablador. (México)
Lijoso	Vanidoso. (Cuba)
Manganzón	Mangón, holgazán. (Colombia, Ecuador, Honduras, Perú, Venezuela)
Manguindó	Holgazán. (Cuba)
Merláchico	Pálido, enfermo. (México)
Merolico	Charlatán, hablador. (México)
Metelón	Entrometido. (México)
Migueleño	Descomedido, descortés. (Honduras)
Mitotero	Chismoso, enredador. (México)
Monifato	Joven presuntuoso. (Venezuela)
Morolo	Sencillo, de poca inteligencia. (Honduras)
Moscorrofio	Persona muy fea. (Colombia, Honduras)

HUMOR

Preguntas

1. — ¿Qué es una esmipidez?
— Una estupidez, pero mía.
2. — ¿Por qué el vino no habla?
— Porque la soda hace sshhh...
3. Un joven pregunta al rabino si puede fumar cuando reza...:
— ¡Naturalmente que no! — contesta el rabino. — Pero te respondería todo lo contrario si me preguntaras si puedes rezar cuando fumas...
4. El soldado al veterinario:
— Doctor, sólo usted puede curarme. Me hacen correr como un caballo, me dan de comer como a un pajarito y me tratan como a los burros...

Mozón	Bromista, burlón. (Perú)
Mustio	Hipócrita, falso. (México)
Musuco	De pelo rizado, crespo. (Honduras)
Nagua	Cobarde. (Costa Rica)
Ñengo	Persona o animal débil o enclenque. (México)
Ñongo	Perezoso. (Chile)
Opa	Tonto, idiota. (Colombia, Perú)
Oyetón	Bellaco, simplón, persona de pocas luces. (Perú)
Palomilla	Muchacho travieso, pilluelo. (Perú, Chile) Plebe, vulgo, pandilla de gente vagabunda. (Chile, Honduras, México, Panamá)
Paturro	Rechoncho, chaparro. (Colombia)
Preciosura	Preciosidad, hermosura. (Argentina, Perú)
Rajón	Fanfarrón. (América Central, México)
Rangoso	Rumboso, generoso. (América Central, Cuba)
Suato	Tonto, necio. (México)

RECANTO

✓ Escucha, completa y canta.

Historia de un amor

Carlos E. Almarán

Ya no ______________ más a mi lado corazón,
en el alma sólo ______________ soledad
y si ya no ______________
porque Dios ______________
para ______________ más.
Siempre ______________ la razón de mi ______________,
______________ para mí ______________ religión
y en tus besos yo ______________
el calor que ______________
el amor y la pasión.
______________ la historia de un amor
como no ______________ otro igual,
que ______________ comprender
todo el bien, todo el mal.
Que ______________ luz a mi vida
______________ después
ay que vida tan obscura
sin tu amor no ______________ ...

LA MODA Y NUESTRA VIDA 14

CID

CID

CID

CID

El vestido es la característica de las maneras, y las maneras son el espejo de las ideas.

William Allison(1776-1857), estadounidense.

La gente y la moda

El hombre, el único animal que se viste, ha ido aunando la estética y la utiliza a la hora de elegir las diferentes prendas que componen su vestuario. Desde el principio de los tiempos hasta nuestros días, su indumentaria ha experimentado diversos cambios que responden al descubrimiento de nuevos elementos, tejidos y materiales y, sobre todo, a las efímeras tendencias dictadas por la moda.

La ropa que utilizamos no tiene nada que ver con nuestro entorno socioeconómico. ¿Cuál es, pues, su significado? Ellos y ellas lucen pantalones vaqueros, zapatos sin cordones, prendas de cuero o blusas de seda a cualquier hora del día, según les dé la gana. ¿Moda unisex y uniforme? Es evidente que las reglas de juego y las claves para interpretarlas han cambiado, aunque la ausencia de normas es sólo aparente. Cada individuo trata de identificarse con un grupo social de referencia, que impone su propio estilo: el traje de los *yuppies*, el calzado deportivo de los *raperos*, la pobreza de los *grunges*, con sietes en la ropa... Y, a pesar del *fenómeno tribu*, como lo denominan los sociólogos, la indumentaria reafirma más que nunca el rasgo marcado de cada personalidad.

En la época del culto al cuerpo, predomina la propia imagen. "Las personas ya no quieren estar elegantes, sino seducir", afirma Yves Saint-Laurent. Incluso los hombres se han liberado de los atributos sociales y han descubierto que la ropa oscura no es el colmo de la masculinidad ni el color sinónimo de afeminamiento.

Con el *prêt-à-porter* (ropa lista para llevarse), la moda dejó de ser privilegio de la alta costura y se democratizó a partir del año 1949. Chanel introdujo en sus modelos los manguitos de las doncellas, utilizó el pañuelo de cuello de los peones y vistió a las reinas con overoles de mecánico.

En 1957, los *beatniks* pusieron de moda el estilo americano: las camisas de cuadros de los camioneros y los populares pantalones vaqueros. Había nacido la primera moda *unisex*, creada por y para los jóvenes.

Fue en 1965 cuando Currèges subió la falda por encima de la rodilla y Mary Quant la subió aún más e impuso la mini. Un año aún más y Saint-Laurent introdujo en su colección el vaquero y proclamó: "¡Abajo el Ritz, viva la calle!" (una referencia a los atuendos que lucían los millonarios frecuentadores de lujosos hoteles por todo el mundo). Mientras en los ochenta Adolfo Domínguez defendía la belleza de la arruga para los *yuppies* y los *punks* terminaban con los mayores tabúes del vestir, ahora *grunges* y *raperos* reivindican lo estrafalario y usado, y *unisex*, por supuesto.

Las prendas elegantes han quedado arrinconadas para las ocasiones especiales. Las sofisticadas, mejor no exhibirlas. Todas las tendencias coexisten en la actualidad y han hecho mella en nuestros hábitos: nos han enseñado a hacer *zapping* con la ropa y a cultivar nuestra propia imagen.

Muy Interesante. Mar. 1995, nº 113.

COMPRENSIÓN E INTERPRETACIÓN DEL TEXTO

1. Según el texto ¿cuál es la función del vestuario para los seres humanos?
2. En tu opinión, ¿por qué, conforme el texto, la ausencia de reglas para vestirse es sólo algo aparente en los días de hoy?
3. Explica la expresión "época del culto al cuerpo" (3er párrafo).
4. ¿Por qué se afirma que las reglas de la moda son efímeras?
5. Con los datos de la tabla abajo, di lo que sucedió en cada año. Deberás emplear los verbos en el pasado y decir también los numerales de modo completo.

   Ej.: En mil novecientos catorce fue creado el primer corpiño.

Innovaciones en los 80 años de moda

1914	Creación del primer corpiño.
1934	Venta en los Estados Unidos del *slip* masculino.
1939	Comercialización del nylon.
1939	Inicio del uso del pantalón por las mujeres en los EE.UU.
1955	Sensación causada por el *jeans* en Europa.
1959	Invención de la lycra por Du Pont de Nemours.
1960	Surgimiento del término *estilo*, símbolo de la moda práctica.
1965	La minifalda enseña las rodillas de las mujeres.
1975	Nacimiento de la moda *punk*, sinónimo de destrucción.
1980	Creación de la moda *yuppy*.
1985	Auge de la ropa interior.
1989	Invención de la microfibra por los japoneses.
1994	Aparecimiento de las primeras *prendas vivas*: además de no desgastarse, sus colores cambian según la temperatura corporal y el humor.

ComunicHABLE

✓ Escucha la cinta y contesta si las afirmaciones abajo son verdaderas (V) o falsas (F).

1. Los franceses la han inventado en el siglo XVI. ( )
2. Los primeros modelos de calzoncillos eran largos y se llamaban *slip*, y de ahí su nombre. ( )
3. La camisa es una invención griega, del siglo V a.C. y era utilizada en especial por personas pobres. ( )
4. Los egipcios han sido los primeros en llevar calzados para proteger los pies, pero los babilonios han sido los que verdaderamente han inventado los zapatos. ( )
5. Pese al hecho de servir para proteger las manos del rigor del frío, los primeros guantes los han inventado los egipcios. ( )
6. Las mujeres son las que han empezado el uso de guantes con una función específicamente estética. Luego los varones también los han utilizado con esa misma finalidad. ( )
7. El sostén o corpiño siempre ha existido como parte del atuendo femenino con las formas que hoy podemos ver. ( )
8. Desde que surgió, las mujeres siempre han llevado faldas. ( )
9. Los bolsos eran accesorios masculinos en su origen. ( )
10. Los bolsos con tiras se han inventado por cuestiones de orden práctico. ( )

Lectura

La novela de aventuras

La *novela* es una narración de un hecho total o parcialmente imaginado. Su principal fin es deleitar, pudiendo al mismo tiempo orientar, moralizar, instruir, etc. Es la más artística de las producciones en prosa.

Novela de aventuras. Su contenido refleja un conjunto de sucesos extraordinarios y peligrosos que le sucede al protagonista.

El *argumento* se estructura con el encadenamiento de acciones sucesivas que culminan con una tensión máxima. Los personajes tienen características semejantes. El *protagonista* es el héroe victorioso: valiente, generoso, ingenioso, fuerte y arrogante; el *antagonista* es de poca relevancia, perverso. Hay otros personajes secundarios que representan la fidelidad o infidelidad, ayudando al protagonista o dificultando sus progresos.

Obra máxima de las novelas de aventuras es el *Don Quijote de La Mancha*, la gloria mayor de España en cuyas páginas aparece el más perfecto retrato del ser humano con sus vicios y virtudes.

Argumento del Quijote

En un lugar de la Mancha, de cuyo nombre Cervantes no quiere acordarse, y que parece es Argamasilla de Alba, en cuya cárcel estuvo preso, vivía Alonso Quijano, hidalgo excéntrico y de escasísima renta, tan aficionado a leer libros de caballerías que perdió con ello el poco juicio que tenía, y decidió hacerse caballero andante, aunque ya había pasado el tiempo en que los hubo, y salir a buscar aventuras, a deshacer entuertos y a proteger a débiles y a viudas, en el afán exaltado pero generoso de hacer justicia allí donde era menester hacerla, y todo para su mejor honra y para conseguir el amor de su quimérica Dulcinea del Toboso, al igual que los héroes de las disparatadas obras que había leído. Como no está en su sano juicio, todo lo ve a través de su condición de andante caballero, y de ahí las numerosas y extrañas aventuras que le suceden y de las que sale con frecuencia molido y apaleado. En su segunda salida, lleva como escudero a un rústico labrador, Sancho Panza, quien, acicateado por la promesa de don Quijote, deja su casa y sus labores para seguir a su amo en la búsqueda de aventuras. Vencido por último, al final de la segunda parte, por el Caballero de los Espejos, que no es otro que el bachiller Sansón Carrasco, quien habíase disfrazado de tal con el fin de hacerlo renunciar a tan azarosa vida, don Quijote, que había prometido antes del singular duelo acceder a cuanto le impusieran si resultara vencido, deja la vida de andante caballero y se retira con Sancho a su casa. Pero es tan grande la amargura que esto le produce, que pronto enferma de tristeza y melancolía, y al final, curado de su locura, muere rodeado de sus pocos parientes y amigos.

GUTIÉRREZ, F. Estrella

Don Quijote de La Mancha

Del buen suceso que el valeroso don Quijote tuvo en la espantable y jamás imaginada aventura de los molinos de viento, con otros sucesos dignos de feliz recordación.

En esto, descubrieron treinta o cuarenta molinos de viento que hay en aquel campo; y así como don Quijote los vio, dijo a su escudero:

— La ventura va guiando nuestras cosas mejor de lo que acertáramos a desear; porque ves allí, amigo Sancho Panza, donde se descubren treinta o poco más desaforados gigantes con quien pienso hacer batalla y quitarles a todos las vidas, con cuyos despojos comenzaremos a enriquecer; que ésta es buena guerra, y es gran servicio de Dios quitar tan mala simiente de sobre la faz de la tierra.

— ¿Qué gigantes? — dijo Sancho Panza.

— Aquellos que allí ves — respondió su amo —, de los brazos largos, que los suelen tener algunos de casi dos leguas.

— Mire, vuestra merced — respondió Sancho —, que aquellos que allí se parecen no son gigantes, sino molinos de viento, y lo que en ellos parecen brazos son las aspas, que, volteadas del viento, hacen andar la piedra del molino.

— Bien parece — respondió don Quijote — que no estás cursado en esto de las aventuras; ellos son gigantes, y si tienes miedo, quítate de ahí y ponte en oración en el espacio que yo voy a entrar con ellos en fiera y desigual batalla.

Y diciendo esto, dio de espuelas a su caballo Rocinante, sin atender a las voces que su escudero Sancho le daba, advirtiéndole que, sin duda alguna, eran molinos de viento, y no gigantes, aquellos que iba a acometer.

Pero él iba tan puesto en que eran gigantes, que ni oía las voces de su escudero Sancho, ni echaba de ver, aunque estaba ya bien cerca, lo que eran; antes iba diciendo en altas voces: "No fuyades, cobardes y viles criaturas, que un solo caballero es el que os acomete". Levantóse en esto un poco de viento y las grandes aspas comenzaron a moverse, lo cual visto por don Quijote, dijo: "Pues aunque mováis más brazos que los del gigante Briareo, me lo habéis de pagar". Y en diciendo esto, y encomendándose de todo corazón a su señora Dulcinea, pidiéndole que en tal trance le socorriese, bien cubierto de su rodela, con la lanza en el ristre, arremetió a todo galope de Rocinante, y embistió con el primero molino que estaba delante, y dándole una lanzada en el aspa, la volvió el viento con tanta furia, que hizo la lanza pedazos, llevándose tras sí al caballo y al caballero, que fue rodando muy maltrecho por el campo. Acudió Sancho Panza a socorrerle a todo el correr de su asno, y cuando llegó halló que no se podía menear: tal fue el golpe que dio con el Rocinante.

— ¡Válame Dios! — dijo Sancho —. ¿No le dije yo a vuestra merced que mirase bien lo que hacía, que no eran sino molinos de viento, y no lo podía ignorar sino quien llevase otros tales en la cabeza?

— Calla, amigo Sancho — respondió don Quijote —, que las cosas de la guerra más que otras están sujetas a continua mudanza; cuanto más que yo pienso, y es así verdad, que aquel sabio Frestón, que me robó el aposento y los libros, ha vuelto estos gigantes en molinos por quitarme la gloria de su vencimiento: tal es la enemistad que me tiene; mas al cabo, al cabo han de poder poco sus malas artes contra la bondad de mi espada.

— Dios lo haga, como puede — respondió Sancho Panza —, y ayudándole a levantar, tornó a subir sobre Rocinante, que medio despaldado estaba.

Y hablando de la pasada aventura, siguieron el camino del Puerto Lápice, porque allí decía don Quijote que no era posible dejar de hallarse muchas y diversas aventuras, por ser lugar muy pasajero; sino que iba muy pesaroso por haberle faltado la lanza, y diciéndoselo a su escudero, le dijo:

— Yo me acuerdo haber leído que un caballero español llamado Diego Pérez de Vargas, habiéndosele en una batalla roto la espada, desgajó de una encina un pesado ramo o tronco, y con él hizo tales cosas aquel día y machacó tantos moros, que le quedó por sobrenombre Machuca, y así él como sus descendientes se llamaron desde aquel día en adelante Vargas y Machuca. Hete dicho esto, porque de la primera encina o roble que se me depare, pienso desgajar otro tronco tal y tan bueno como aquél, que me imagino y pienso hacer con él tales hazañas, que tú te tengas por bien afortunado de haber merecido venir a vellas, y a ser testigo de cosas que apenas podrán ser creídas.

— A la mano de Dios — dijo Sancho —, yo lo creo todo así como vuestra merced lo dice; pero enderécese un poco, que parece que va de medio lado, y debe ser del molimiento de la caída.

— Así es la verdad — respondió don Quijote —, y si no me quejo del dolor, es porque no es dado a los caballeros andantes quejarse de herida alguna, aunque se le salgan las tripas por ella.

— Si eso es así, no tengo yo que replicar — respondió Sancho —; pero sabe Dios si yo me holgara que vuestra merced se quejara cuando alguna cosa le doliera. De mí sé decir que me he de quejar del más pequeño dolor que tenga, si ya no se entiende también con los escuderos de los caballeros andantes eso del no quejarse.

No se dejó de reír don Quijote de la simplicidad de su escudero, y así le declaró que podía muy bien quejarse cómo y cuándo quisiese, sin gana o con ella, que hasta entonces no había leído cosa en contrario en la orden de caballería. (...)

— Aquí — dijo en viéndole don Quijote — podemos, hermano Sancho Panza, meter las manos hasta los codos en esto que llaman aventuras; mas advierte que, aunque me veas en los mayores peligros del mundo, no has de poner mano a tu espada para defenderme, si ya no vieres que los que ofenden es canalla y gente baja, que en tal caso bien puedes ayudarme; pero, si fueren caballeros, en ninguna manera te es lícito ni concedido por las leyes de caballería que me ayudes, hasta que seas armado caballero.

— Por cierto, señor — respondió Sancho —, que vuestra merced sea muy bien obedecido, y más que yo de mío me soy pacífico y enemigo de meterme en ruidos ni pendencias; bien es verdad que en lo que tocare a defender mi persona, no tendré mucha cuenta con esas leyes, pues las divinas y humanas permiten que cada uno se defienda de quien quisiera agraviarle.

— No digo yo menos — respondió don Quijote —, pero en esto de ayudarme contra caballeros, has de tener a raya tus naturales ímpetus.

— Digo que así lo haré — respondió Sancho —, y que guardaré ese precepto tan bien como el día del domingo.

CERVANTES, Miguel de. *Don Quijote de La Mancha.*

Miguel de Cervantes Saavedra (1547-1616). Es el más grande de los escritores españoles y uno de los más grandes del mundo. Como novelista nadie lo aventaja, dentro ni fuera de España. Observador profundo de la vida y conocedor, como pocos, del corazón humano, supo crear obras de extraordinaria belleza y traspasadas de hálito humano y viviente. Prosista y poeta a la vez, aunque más conocido y estimado por su obra en prosa que por sus numerosas y bellas poesías, intercaladas en la mayoría de sus libros, aportó a las letras españolas, entre otras producciones, el *Don Quijote de La Mancha.*

Comprensión e interpretación del texto

1. Identifica en el texto:
   a) Asunto.
   b) Protagonista.
   c) Personaje secundario.
   d) Narrador.
2. Haz un resumen del texto.
3. ¿En qué momentos Don Quijote muestra su religiosidad?
4. ¿Qué le pasó a la lanza de Don Quijote? ¿Cómo solucionó el problema?
5. ¿Cómo era el dolor para Don Quijote y para Sancho Panza?
6. ¿Cómo era el uso de la lanza o espada entre los caballeros?
7. El texto mantiene algunas palabras y/o expresiones en su forma original del siglo XVI, aunque el texto esté aquí escrito con lenguaje actual. Relaciónalas y dales la forma actual.

ESTAMPALABRAS

Vestuario

SELECTIVIDAD

(Centro Universitario La Salle/Canoas-RS)

La mayoría de las personas logra superar el stress pero algunas acaban sufriendo una crisis nerviosa.

Entre las señales figuran: a) aprehensión por retos que anteriormente servirían de estímulo y entusiasmo; b) cada vez más problemas impuestos por el trabajo; c) cambios físicos tales como temblor en las manos, rodillas y tobillo, sudores en la frente, desgana, adelgazamiento, pulso acelerado, insomnio.

Entre las medidas prácticas que uno puede adoptar para evitar las causas figuran: 1. reconocer el stress y ajustar apropiadamente su trabajo; 2. concentrar el esfuerzo en la convivencia humana y, así, será más eficaz en la faceta profesional; 3. hallar tiempo para analizar detenidamente la naturaleza de la ansiedad, cuando la presienta. Quizá usted presta demasiada importancia a actividad hogareña o del despacho. Quizá se percate de que exageraba sus temores; 4. no cerrar los problemas en la mente. Es importante dar rienda suelta a sentimientos e ideas a las gentes en quienes puede confiar; 5. buscar asesoramiento facultativo, sobre todo si le preocupan los síntomas físicos descritos arriba; 6. no rechace, a corto plazo, el uso de sedativos, pero ésa no es la solución; 7. estar dispuesto a admitir que el fracaso en contender con una situación es culpa suya. Cualquier que sea su capacidad particular, ello no lo hace un ser humano más o menos triunfal.

Lo que lo hará más admirado y respetado será su capacidad de superarse a sí mismo y a los problemas que "casi" lo abalaron.

1. El texto NO permite afirmar que

a) todos retos deben ser considerados positivamente.
b) la preocupación con actividades profesionales o personales debe tener un límite.
c) no se debe admitir una incapacidad: sería negativo.
d) se debe tomar providencias si se pierde el sueño y el hambre constantemente.
e) en cualquier situación, debe haber siempre un buen relacionamiento humano.

2. El texto * una crisis nerviosa.

a) critica a las personas que tienen
b) muestra como evitar
c) es pesimista con relación a la cura de
d) analiza el origen de
e) presenta el optimismo como sinónimo de éxito en la cura de

3. Conforme diz o texto, um dos sintomas de crise nervosa é o tremor nas mãos,

a) coxas e joelhos.
b) pulsos e cotovelos.
c) tornozelos e barriga da perna.
d) joelhos e tornozelos.
e) coxas e barriga da perna.

4. A alternativa cuja palavra da coluna direita NÃO apresenta, de acordo com o texto, relação de sentido com a da esquerda é

a) contender - lucha.
b) desgana - hambre.
c) despacho - oficina.
d) problemas - líos.
e) rienda - calma.

5. A relação correta entre o singular e o plural dos verbos, no mesmo tempo, modo e pessoa, é

a) cerró - cerraron.
b) esté - estemos.
c) reconozcas - reconocéis.
d) impone - impongáis.
e) hace - haced.

6. Tienes síntomas de una crisis nerviosa, * debes relajar y descansar más.

a) mientras
b) con tal que
c) no también
d) conque
e) en cuanto

EMPLEO DE LOS TIEMPOS
FUTURO IMPERFECTO DE SUBJUNTIVO

Fue usado hasta el siglo XVIII. Su decadencia actual es tan completa que no se lo utiliza más en la lengua oral ni en la lengua escrita, salvo en algunas expresiones y modismos, como *sea lo que fuere*, y en titulares, para llamar la atención.

Se lo sustituye por el presente de subjuntivo en oraciones temporales y por presente de indicativo en oraciones condicionales. Ejemplos:

1. Si tengo la frase "Quando chegar, vamos ao cinema?", en español tendremos: *Cuando llegue, ¿vamos al cine*? Si se hiciera la traducción literal sería *cuando llegare ¿vamos al cine?*, pero ese tiempo no se lo usa más. Como la oración es temporal (cuando), se emplea el presente de subjuntivo *llegue*. Si, ahora, tenemos la frase "Se chegar cedo, vamos ao cinema?", la forma española será *Si llega temprano, ¿vamos al cine*? La diferencia es que aquí la oración es condicional (Si), entonces el verbo va al presente de indicativo *llega*.
2. La traducción de dos frases, siguiendo la regla estudiada.
   "Se *voltarmos* cedo, vamos estudar."
   Si *volvemos* temprano, vamos a estudiar.
   "Quando *voltarmos*, vamos descansar."
   Cuando *volvamos*, vamos a descansar.

EJERCICIOS

1. Completa las frases con el verbo entre paréntesis, haciendo la adecuada sustitución del futuro de subjuntivo.

a) Cuando __________ con dedicación, tendrás buena nota. (estudares)

b) Si __________ mucho, seguramente te aprobarás. (estudares)

c) Si él __________ el poder, será mejor para todos. (assumir)

d) Cuando ella __________ la dirección, la escuela crecerá. (asumir)

e) Cuando __________ la oralidad, hablarán mucho mejor. (praticarem)

f) Si __________ la oralidad, hablarán mucho mejor. (praticarem)

g) Si __________ todo rápido, ¿vamos a dar un paseo? (fizermos)

h) Sólo podremos salir, cuando __________ el relatorio. (fizermos)

i) Le haré el vestido, cuando me __________ la tela. (trouxer)

j) Le haré el pantalón, si me __________ la tela. (trouxer)

k) Tan pronto __________ la dirección te la daré. (souber)

l) Si __________ la dirección te la daré, ¿sí? (souber)

m) Si __________ a mi casa, podremos estudiar juntas. (vieres)

n) Te mostraré las fotos, cuando __________ a mi casa. (vieres)

ñ) Sólo les podré ayudar, cuando me __________ la verdad. (disserem)

PIÉNSALO

La belleza es un acuerdo entre el contenido y la forma.

Ibsen (1828-1906), dramaturgo noruego.

2. Observando la correspondencia de los tiempos verbales, traduce las siguientes frases al portugués.

a) Si me prestas el libro, lo leeré en tres días y ya te lo devuelvo.

b) Eres muy buena amiga, pues siempre me prestas tus libros.

c) Cuando nos digan la verdad, será doloroso pero preferible.

d) A que le digan la verdad, deben estar preparados.

e) Siempre que oigo esa música me emociono.

f) Cuando oigan esa música se van a emocionar.

g) ¿De qué adelanta hablarte? No nos oyes.

h) Si me oyes con atención, te contaré una gran novedad.

i) Cuando hagan este viaje aprenderán muchas cosas.

j) Hagan el favor de esperar sólo un ratito y ya serán atendidas.

k) Espero que vengan a visitarme muchas veces.

l) En cuanto vengan a encontrarme, planearemos la excursión.

m) Vengan siempre que quieran y serán tratados con cariño.

n) Quieren que quepamos en el autobús pero ya está con su lotación completa.

ñ) Cuando quepamos en este sitio, será maravilloso, pues querrá decir que estamos más delgadas.

COMERCIO RARO

Vaquero semialfabetizado, cansado de las lidias camperas, ofrece cambio de vida con doctor de la ciudad, dando ropa de campo, pingo, lazo, espuelas, cinturón, cuchillo... Exige traje completo, a la moda y lenguaje rebuscado. Tratar en la Hacienda de los Locos. Ciudad Perdida.

PORTALENGUA

Compartir/solicitar opiniones

Es muy bueno, ¿no le(te) parece?/
¿no cree(s)?
Me gusta mucho, ¿a ti no?
No me gusta (dice) nada, ¿y a ti?

Dar razón parcial a otros

Sí, quizás tenga(s) razón.
De acuerdo/Es posible/Ya, pero...

Argumentos en favor y en contra de una idea

Por una parte... pero por la otra...

Expresar acuerdo/desacuerdo

Estoy (completamente) de acuerdo.
No estoy de acuerdo.
La verdad (es) que...
En cierto modo sí, pero...
A mí también.
A mí no.
A mí tampoco.
Pues a mí sí/no.

Tranquilizar

Cálmate/Cálmese. Tranquilízate/Tranquilícese.

ComunicHABLE

DIÁLOGO. En un parque un poco alejado y no turístico

Abuelo: Es muy bueno aquí, ¿no te parece, Sole?

Sole: En verdad, abuelo, vine sólo para acompañarlo. No me imaginaba que era tan lindo, tan... tan reconfortante estar aquí, en contacto directo con la naturaleza. Estar lejos de la civilización... ¡Es regio!

Abuelo: Lo que pasa es que, por una parte, la ciudad fascina, seduce, hipnotiza, pero, por la otra, ____________________ naturaleza y lejos de cualquier persona, uno se siente realmente más cerca del paraíso. Esto es precioso e inolvidable.

Sole: Estoy completamente de acuerdo. Sabe, abuelo, ____________________ romántica y me gustaría que mi novio estuviera con nosotros.

Abuelo: Pues si lo quieres, llámalo por el móvil. ¿ ____________________ ? ¡Vamos!

Sole: ¿Verdad? ¡No lo creo! ¡Gracias, tata!

Poco tiempo después.

Sole: ¡Pepito, mi amor! ¡Ahora está completo y me siento en un paraíso!

Pepito: ____________________ , mi amor, pero... ¿Cómo es que uno se distrae y se divierte aquí? ¿No es aburrido?

Sole: ¿Qué? ¿Aquí? Quizá tengas razón, pero te voy a decir lo que pienso: en cierto modo es mucho mejor vivir en la ciudad, pero cuando nos ponemos en contacto más directo con la naturaleza, aprendemos a respetarla y a valorarla. Sentimos esa fuerza que desafía a los científicos.

Pepito: ¿Qué pasó? ¿Te has vuelto ecologista, mi amor?

Sole: Te equivocas. ____________________ diciendo lo que siento y veo. ¿No te gusta todo eso?

Pepito: Sí, sí, a mí también ____________________, y mucho. Como escribió Galeano, Sole, "Enséñame a ver" y a comprender.

Sole: No soy yo quien te enseñará. Mi gran maestra ha sido la naturaleza. Cuando la conocemos, la respetamos.

Pepito: Estoy completamente de acuerdo. ¿Vamos a conocer mejor la naturaleza? ¿Vamos a caminar?

Abuelo: ¡Ah! ¡La juventud...! ____________________, bella.

JUEGUITO

Fuga de consonantes

En la grilla encontrarás solamente las vocales pertenecientes a palabras relacionadas a la moda y a algunos complementos del vestuario. Pon las consonantes que faltan a fin de completar las palabras. Te damos, en portugués, una lista (desordenada) de las palabras que forman parte de este juego.

abertura da manga	casa do botão	gorro	sola
abotoaduras	colchete	lã	suspensórios
alfinete	cotoveleira	laço de fita	tamanho/manequim
alfinete de segurança/joaninha	couro	lapela	tiara
babado	decote	ombreira	velcro
bainha	faixa	prega	verniz
botão	fita	punho	véu
capuz	fivela	ruga	xale
	gola	salto	

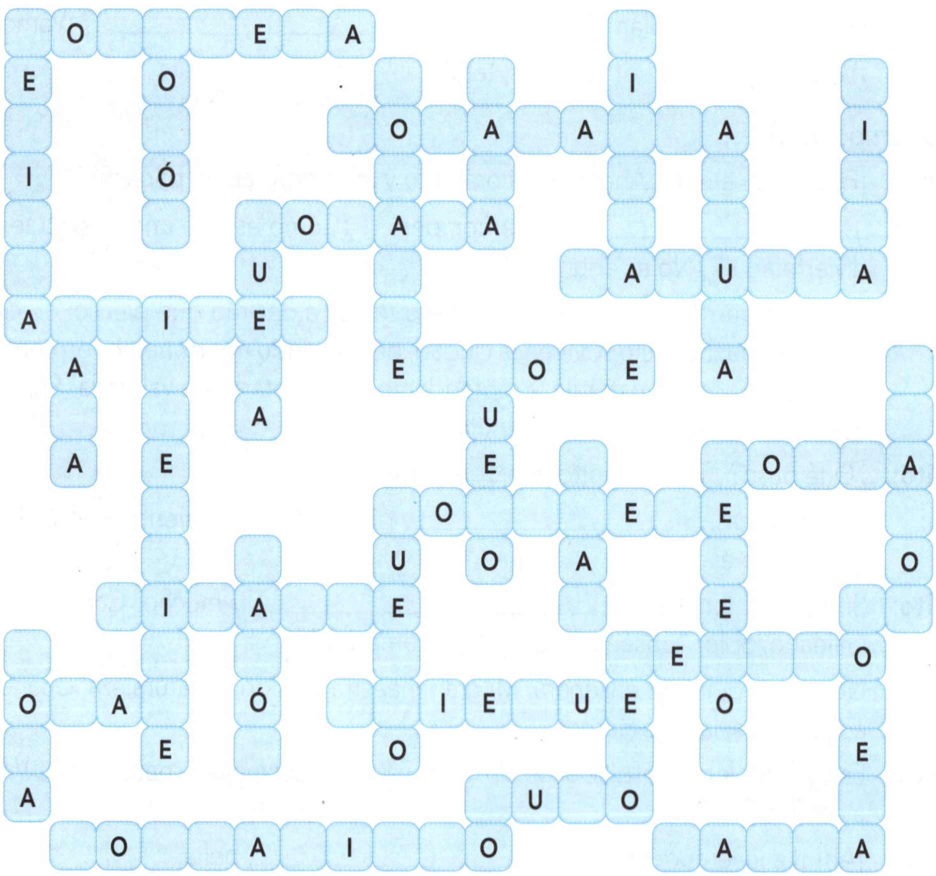

REPASÁNDOLO

Saca de la sopa de letras los adverbios que completan los diálogos. Fíjate que las palabras pueden venir en sentido horizontal, vertical, diagonal y en orden invertido.

E	D	R	A	T	A	N	S	I	E	N	Y	A	A	C	A
T	E	N	O	N	A	R	P	M	E	T	U	E	L	I	S
N	O	I	L	L	A	A	H	O	R	A	C	I	E	E	S
A	Q	U	E	L	E	Ñ	V	A	U	J	E	D	J	T	O
T	U	Q	D	E	S	P	A	C	I	O	R	N	O	T	T
S	I	A	Z	I	N	G	O	M	O	S	C	M	S	O	S
A	Z	H	O	R	R	E	H	C	O	N	A	B	A	O	E
B	A	N	T	A	Ñ	O	Z	M	E	S	I	N	U	N	U
M	U	C	H	O	O	T	S	E	U	P	U	S	R	O	P
D	E	T	R	A	S	M	A	C	N	U	N	N	E	I	B

DIÁLOGO 1 — Pablo, ven ____________.

— ____________ no puedo. Estoy ____________ en la piscina.

DIÁLOGO 2 — Sandra, ____________ llegues ____________, pues tenemos ____________ que estudiar para la prueba de ____________.

— ______________________________, llegaré ____________ y ____________ nos sobre algún tiempo para ver aquel video que muestra costumbres de ____________.

DIÁLOGO 3 — Yo vivo ____________ del colegio. ____________ en aquel edificio gris. ¿Y tú?

— Mi piso es ____________. Es el edificio ____________ del tuyo.

DIÁLOGO 4 — Te vi ____________. Parecías ____________ preocupada. Caminabas ____________ y con la mirada perdida. ¿Qué hubo?

— ____________ había tenido tanta materia para una sola prueba. Yo estaba repasando lo que había estudiado.

VENTANITA

¿Por qué se abotonan de diferente manera las prendas masculinas y femeninas?

El empleo de botones se limitaba prácticamente al aspecto decorativo hasta principios del siglo XVIII. Es entonces cuando aparecen los trajes abiertos y abotonados por delante, y lo primero que se aprecia es que las mujeres se los abotonan de derecha a izquierda en tanto que los hombres lo hacen en sentido contrario.

La explicación tradicional de esta divergencia radica en que la mujer, que solía colocarse al niño de pecho sobre el brazo izquierdo, debía guardar libre la mano derecha para abrir fácilmente su corpiño y así poder alimentar al hijo; mientras que el hombre podía, de esa forma, agarrar fácilmente, con la mano derecha, el arma que se coloca en el lado izquierdo.

Aunque los gestos que debían facilitar esas abotonaduras hayan prácticamente desaparecido, la costumbre sigue.

AUMENTATIVOS Y DESPECTIVOS

Siendo los aumentativos y diminutivos una de las mayores riquezas de la lengua castellana, usarlos con oportunidad y maestría es un privilegio de buenos y grandes escritores.

Ya vimos los diminutivos. Veremos, a continuación, los aumentativos y despectivos.

Las terminaciones más comunes del *aumentativo* son tres:

-ON, -ONA - libr*ón*, mujer*ona*

-AZO, -AZA - gat*azo*, barc*aza*

-OTE, -OTA - hombr*ote*, muchach*ota*

Hay terminaciones menos usuales y terminaciones más raras, las cuales pueden ser:

-acho	hombr*acho*	-ejón	pedr*ejón*
-erón	cas*erón*	-etón	pobr*etón*
(al)icón	bob*alicón*	-arrón	nub*arrón*

Los despectivos son terminaciones que dan idea de desprecio, aversión, repugnancia. Son más comunes:

-aco	libr*aco*	-ualla	gent*ualla*	-ucha	cas*ucha*
-astro	poet*astro*	-orrio	vill*orrio*	-ajo	latin*ajo*
-orro	vent*orro*	-uza	gent*uza*	-ejo	libr*ejo*

¡Fíjate!

Diminutivos y aumentativos pueden ser emplearse con sentido afectivo y despectivo.

Diminutivo afectivo: *Mamita,* tengo hambre.

Diminutivo despectivo: ¡Qué *calorcito* aburrido!

Aumentativo afectivo: Tengo un *profesorazo* de Física.

Aumentativo despectivo: Por ser un *cabezota* se dio mal.

Otra particularidad es: diminutivo de diminutivo, aumentativo de aumentativo, diminutivo de aumentativo y aumentativo de diminutivo.

Ejemplos:

Dim. de dim.: chiquitito (chico – chiquito)

Aum. de aum.: boconaza (boca – bocona)

Dim. de aum.: pobretoncito (pobre – pobretón)

Aum. de dim.: chiquitón (chico – chiquito)

Puede ocurrir que esas formaciones diminutivas, aumentativas y despectivas en la práctica no sean usadas o adquieran otra connotación. Ej.: *cucharón* no es una "colher grande", pero una "concha".

Ejercicios

1. Dar el aumentativo de las palabras:

a) mozo
b) hombre
c) casa
d) libro
e) vestido
f) vaca
g) animal
h) ojo
i) nariz
j) perro
k) mano
l) niña

2. Indica las voces primitivas de las siguientes palabras, subrayando los sufijos despectivos.

a) poblacho
b) capeja
c) antigualla
d) santurrón
e) asnejón
f) carnuza
g) camastro
h) sacristanejo
i) terminajo
j) medicastro

3. Dale a cada palabra primitiva su respectivo aumentativo y despectivo.

a) boca
b) carro
c) flaco
d) poeta
e) papel
f) vida
g) corazón
h) ladrón
i) madre
j) voz

LENGUACURIOSA

El arte de adivinar

La predicción del futuro ha sido una de las preocupaciones de mayor arraigo en la vida del hombre. El temor a la muerte y a lo desconocido, lo han impulsado siempre a escudriñar el mañana. Para esta tarea se ha valido, en algunos casos, del mago, en otros del profeta, del hechicero o del sacerdote. Aunque hubo quienes catalogaron como diabólicas tales prácticas, muchas de ellas subsisten hasta nuestros días. Damos, a continuación, algunas de esas artes.

Alectriomancia
Por medio de un gallo dentro de un círculo de granos de maíz configurado sobre las letras del alfabeto.

Aleuromancia
Por medio de la harina de trigo molido.

Antracomancia
Por el examen de los carbones incandescentes.

Aritmomancia
Por el estudio de los números o de las letras con valor numérico.

Astragalomancia
Por medio de huesecillos.

Brizomancia
Por medio de los sueños.

Capnomancia
Por medio del humo.

Cartomancia
Por medio de los naipes.

Casminancia
Por medio de los bostezos.

Causinomancia
Por el fuego.

Cefalomancia
Por medio de las características y forma de la cabeza.

Ceromancia
Por medio de la cera derretida en una vasija llena de agua.

Cibomancia
Por medio de los dados.

Cristalomancia
Por un cristal o espejo.

Dafnomancia
Por medio de la rama del laurel echado al fuego; si crepita, ello constituye buen presagio.

Demonomancia
Por medio de la invocación de los demonios.

Enomancia
Por el vino vertido en el fuego.

Filomancia
Por la quema de las hojas de árboles.

Glosomancia
Por medio del examen de la lengua.

Grafomancia
Por medio de la escritura de la persona.

Lecanomancia
Por medio del sonido que producen las piedras preciosas o cualquier otro objeto al caer en un balde.

Libanomancia
Por medio del incienso.

Licnomancia
Por medio de la llama.

Necromancia
Por medio del llamamiento a los muertos.

Nefelomancia
Por las nubes.

Onicomancia
Por medio del examen de las uñas, untadas previamente con aceite y hollín.

Oniromancia
Por medio de interpretación de los sueños.

Onomancia
Por el nombre de la persona.

Piromancia
Por un examen del color y disposición de la llama.

Quiromancia
Por medio de las líneas de la mano.

Almanaque Universal Navarrete. Lima, Perú, 1998.

ACTIVIDAD

✓ Lee el texto abajo, observa las ilustraciones y di, con el auxilio de un compañero tuyo, cómo harás para ejecutar cada nudo. Si puedes, ejecútalos y a la vez explica cada paso al grupo.

El primero nadie se lo olvida

Tras aprender a hacer el primer nudo de corbata, él terminará por ser usado por el resto de nuestras vidas. Pero los nudos cambian de estilo en función del cuello, de lo ancho de la corbata y del abotonamiento de americanas y sacos. Si no eres el Duque de Windsor, que inventó un nudo para usarlo por toda la vida, aprende las otras opciones para cada clase de cuello.

1º nudo — Four-in-hand (cuatro movimientos) o simple

El nudo utilizado por los conductores de carros del siglo dieciocho para sujetar la bufanda y protegerse del viento se ha mostrado como el más versátil con el paso del tiempo. Sirve para todos los anchos de corbatas y cuellos.

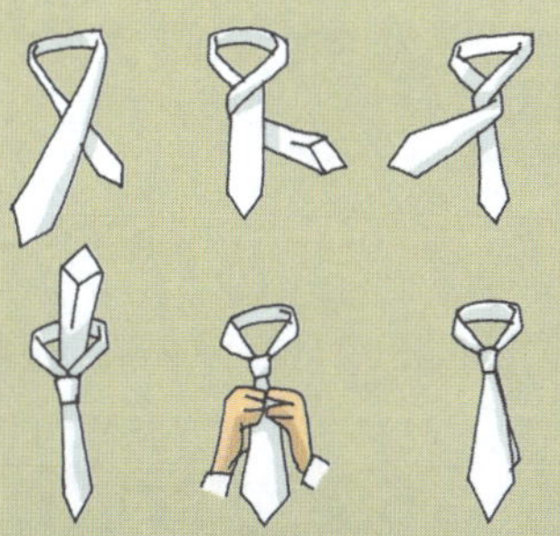

El nudo es delgado y se ajusta a cualquier estilo. Es el preferido en las pasarelas.

2º nudo — Semi-Windsor

Nudo de tamaño mediano, con resultado triangular. Ideal cuando la corbata es la reina del conjunto. Funciona mejor en cuellos abiertos, del tipo italiano, y abotonamientos más altos. Ideal para hombres de cara grande.

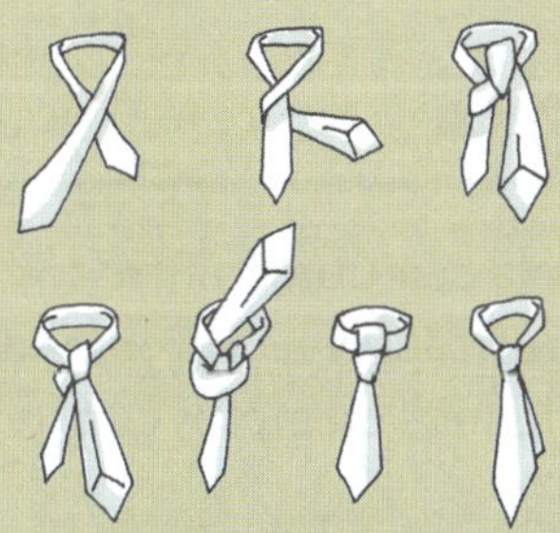

3º nudo — nudo WINDSOR

Más complejo, este nudo exige corbatas de seda. Por su volumen, se vuelve la prenda principal del conjunto y, en algunos casos, marca la personalidad. Que se lo diga el Duque de Windsor.

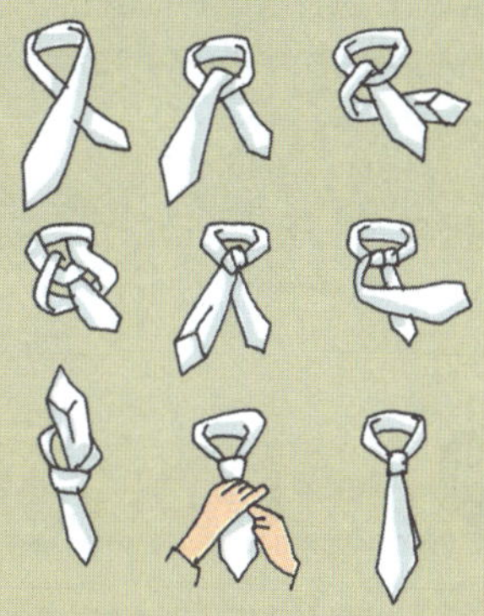

Corbatín

Los norteamericanos y europeos todavía lo utilizan mucho. Lo más fino es hacer su propio nudo. Pueden adornar trajes informales y smokings. Pero más difícil que aprender a hacer el nudo es encontrar la corbata.

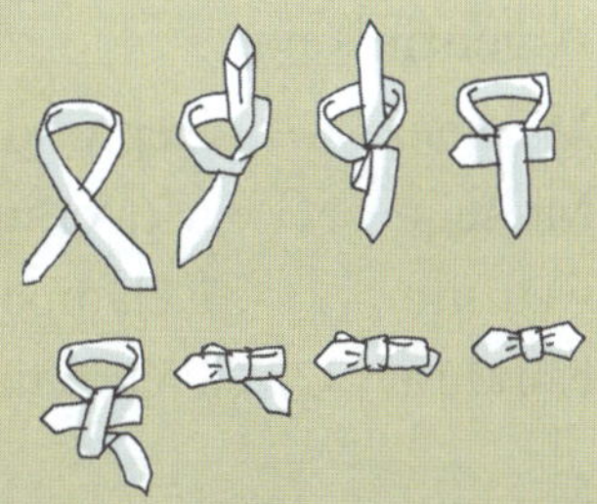

Zero Hora. "Caderno Dona". 26 abr. 1998. Adaptado.

Al diccionario

En un ideograma de la escritura egipcia que mostraba unos lotos (especie de flores) emergiendo de un lago, se encuentra el origen de la letra **S**. Los fenicios, después, simplificaron ese signo — le dieron una forma semejante a la **W** — y lo llamaron *samek*.

A su vez, cuando adoptaron el alfabeto fenicio, los griegos pusieron a esa letra el nombre de *sigma* y la viraron 90 grados hacia la izquierda: fue así como adquirió la forma parecida al número **3**, aunque con el paso del tiempo perdió la primitiva angulosidad y se hizo más redondeada. Los etruscos, que la escribían invirtiéndola hacia la derecha, la hicieron bastante parecida a la **S** que usamos hoy, aunque fueron los romanos quienes le dieron su aspecto definitivo.

Hasta 1763 todavía existían palabras en español grafadas con la doble **S** (**SS**), pero a partir de ese año hubo una reforma ortográfica y la Real Academia decidió simplificarlas haciendo con que se utilizara solamente una **S**, como sigue hasta hoy día.

Interdisciplinas

La letra S para los romanos también tenía un valor numérico. ¿Qué valor era ése? Puedes buscar esa información con tu profesor de Matemáticas o de Historia. ¿Qué otras letras valen números en el valor numérico romano?

Lenguacuriosa

Aunque la lengua española sea única entre los pueblos hispánicos, cada país tiene palabras con origen, significado y uso propios de dichas regiones. Veremos en esta unidad y en la próxima algunos ejemplos curiosos.

Argentinismos

Maltraer	Reprender a alguien severamente.
Muñequear	Mover influencia para obtener algo.
Refusilo	Relámpago.
Rundún	Pájaro mosca o colibrí.

Bolivianismos

Cauca	Bizcocho de harina de trigo.
Lacaya	Casa sin techo.
Obrajería	Depósito de maderas para la exportación.
Pascar	Acampar.

Peruanismos

Bejuqueda	Paliza.
Cancha	Rosetas de maíz.
Chirapa	Lluvia con sol.
Despapucho	Disparate, sandez.
Disfuerzo	Melindre, remilgo.
Juanillo	Propina, soborno.
Lisura	Atrevimiento, desparpajo, frescura.
Naricear	Olfatear, oler algo.

HUMOR

Un buen día, un señor advierte frente al espejo que le quedan tres pelos. Peina uno hacia cada costado y el tercero hacia atrás. Al día siguiente amanece con solamente dos pelos. Acomoda uno para cada lado y sale. El tercer día, al descubrir que sólo le queda uno, dice:
— No importa. Hoy salgo despeinado.

Chilenismos

Cachucha	Bofetada.
Despanzurro	Disparate.
Entrepiernas	Taparrabo, traje de baño.
Estiramiento	Orgullo, arrogancia.
Frica	Soba, tunda, zurra.
Gazuzo	Hambriento.
Huilhuil	Persona andrajosa, harapienta.
Malicia	Aguardiente, coñac u otro licor que se agrega a una bebida, como té, café, etc.
Maño	Hermano. Expresión cariñosa entre personas que se quieren bien.
Matoco	Diablo, demonio.
Meca	Excremento humano o de bestia.
Nunquitita	Nunca, en sentido cariñoso.
Pichulear	Engañar.
Pilucho	Desnudo, sin ropa.
Rochar	Sorprender a alguien en un delito.
Rurrupata	Nana, canto para arrullar a los niños.
Sabatina	Zurra, felpa, pela de azotes.
Santo	Remiendo que se echa a la ropa.
Tugar	Juego de niños que consiste en buscar un objeto escondido guiándose por algunas indicaciones que da el que lo escondió.

Colombianismos

Angarrio	Esqueleto.
Chagualón	Zapato viejo.
Escuelante	Escolar.
Mococoa	Mal humor, murria.
Morona	Borona, migaja de pan.
Muenda	Zurra, paliza.
Muérgano	Objeto inútil, antigualla.
Naco	Puré de patata.
Pichanga	Escoba de barrer.
Reverso	Marcha atrás en los automóviles.
Viringo	Desnudo, sin ropa.

Aspectos culturales de Chile

El habla chilena es un castellano despojado de audacias, más deseoso de claridad que de efectos verbales y con tendencia, por eso, a una cierta exactitud y precisión. Prefieren penetrar en la realidad antes que dar rodeos. En contraste con otros, el español usado en Chile es simple y sin atuendos, pero limpio y receloso de la innovación impremeditada.

Por ese mismo rigor ha permitido a Chile crear una literatura homogénea y pareja, que cultiva todos los géneros y se ha singularizado por aportar al idioma castellano dos influjos renovadores: el de Vicente Huidobro y el de Pablo Neruda, sin olvidar la aportación femenina de Gabriela Mistral.

La región chilena de mayor interés arqueológico es la de Atacama, al norte del País, que culturalmente está comprendida en el llamado Noroeste argentino, con influencia de Tiahuanaco y penetración incaica en la arquitectura y cerámica. Tanto el noroeste argentino como el norte chileno están considerados como una área de civilización desarrollada para atacameños y diaguitas que corresponden a Chile y Argentina. Al sur de ese territorio también se extiende la influencia cultural de los incas entre diversos pueblos araucanos conocedores de la metalurgia del oro, plata y cobre, y de una cerámica tosca sin decorar. Habitaban en chozas de madera, de planta circular, cubiertas de paja. Tallaron pobremente la madera y, entre sus restos prehistóricos, figuran hachas de mando.

Música. Entre 1553 y 1810, la corona está atenta al ejercicio musical; en 1600 hay autos sacramentales, gozos y estribillos, generando farsas, romances y música popular profana. En 1707 llegaron claves y hay música hogareña; a comienzos del siglo XIX en todo el país hay harpas, guitarras, claves, pianos, violines, violonchelos, instrumentos de viento y percusión.

Educación y enseñanza. La educación preescolar va destinada a los menores de seis años; también se han creado centros de

CLÁUDIO PEDROSO/ANGULAR

Universidad de Chile.

párvulos o jardines infantiles. La profesora de párvulos se prepara en cursos anexos de las escuelas normales y en una Escuela de Educadores de Párvulos de la Universidad de Chile, exigiéndose la licenciatura secundaria o bachillerato.

La educación primaria tiene sus estudios organizados en tres sesiones: contenidos, actividades y rendimientos. Los principios pedagógicos podrían resumirse en: autoactividad, socialización, globalización y organización científica del trabajo. Las promociones se hacen a base de calificaciones en totalidad de materias; para pasar de la enseñanza primaria a la media, el alumno debe tener 12 años de edad cumplidos y haber cursado satisfactoriamente el último año de primaria.

A partir del siglo XIX se han establecido dos tipos de enseñanza media: uno general, representado por el liceo, y otro técnico y profesional.

La universidad chilena está regida por la ley orgánica de mayo de 1931; posee autonomía académica, administrativa y financiera. La duración de los estudios universitarios es variable y oscila de cinco a siete años.

La Universidad de Chile, en Santiago, es la más importante y concentra casi la mitad de todos los estudiantes de nivel superior. Se ha creado un Instituto de Ciencias para la investigación y la enseñanza de Matemáticas, Física, Química y Biología, cuyo fin es promover la investigación científica y formar al futuro profesor universitario en el campo de las ciencias. Cursado el cuarto año de sus estudios, deben escoger una especialización y tomar parte en el programa investigador del centro durante el quinto año.

Información y Comunicación Social. Chile tiene uno de los más bajos índices de analfabetismo de Iberoamérica, poseyendo muchas casas editoriales.

El país cuenta con cuatro agencias nacionales de información con sede en Santiago y corresponsales en todo el país; tiene más de cien emisoras de radio, varias emisoras de televisión, muchísimas salas de proyección cinematográfica.

El traje. Su variedad está en función del clima: en el Altiplano los trajes típicos tienen varias polleras de lana de vicuña, alpaca o cabra, mantón grueso liso o a cuadros, cayendo cuadrado por la espalda. El peinado es de trenzas gruesas y se tocan con un sombrerito duro, redondo, puesto muy plano para librarse del frío; contra el calor usan sombreros de paja y de copa pequeña y ala ancha. En las regiones bajas se utiliza falda con vuelo, chambra o blusa y un mantoncillo de crespón.

DAVID W. HAMILTON/THE IMAGE BANK

Trajes típicos de Chile.

Alimentación. Es muy rica, con muchos pescados y mariscos de calidad, además de algas, carnes variadas, legumbres, verduras y frutas. Las bebidas son variadas; el mote con huesillo es un refresco hecho con maíz o de trigo metido en lejía y no faltan muy buenos vinos que produce el país.

Fiestas. Las religiosas son semejantes a las españolas. Es famosa la figura del Huaso (hombre a caballo por oficio), entre cuyas actividades se sobresale el rodeo, hecho en otoño y que se convierte en fiesta, de noche, con un programa concertado.

Creencias. La muerte da lugar a reuniones y curiosas prácticas. Durante el velorio juegan a la pandorga, el primero, las palmadas y sobre todo se narran cuentos; incluso acuden narradores de la familia o desconocidos. Esto da a entender que el cuento se mantiene vivo. Avanzada la noche toman chocolate o café con malicia (aguardiente). El velorio dura dos días; hay, pues, la necesidad de servir comidas. Cuando el difunto es un niño no sólo rezan, también cantan porque es un angelito que desde el cielo les protegerá. En las zonas rurales de difícil comunicación se conservan los *mingacos*, reuniones de vecinos para hacer un trabajo común, a cambio de comida y bebida. Dan lugar a narraciones de cuentos, cantos y bailes.

Gran Enciclopedia Rialp.
Madrid, Ediciones Rialp S.A., 1984.

DESCUBRIENDO CAMINOS 15

LUIZ FERNANDO RUBIO

Iglesia de Santo Domingo de La Calzada, La Rioja, España.

CID

Plaza de España, Barcelona.

CID

Salto Ángel, Auyan-Tepui, Venezuela.

La dignidad es el respeto de sí mismo y el que la tiene no puede hacer nada que le haga despreciable a sus ojos.

Concepción Arenal (1820-1893), escritora española.

La Rioja: un paraíso en Europa

La Rioja es la cuna del castellano, porque en la localidad riojana de San Millán de la Cogolla está situado el Monasterio de Yuso, a cuya biblioteca pertenecen las primeras palabras escritas en castellano, recogidas en las *Glosas emilianenses*.

Es tierra de incomparable belleza, de fascinio y de paisajes únicos y exóticos. Es tierra de uno de los mejores vinos españoles y mundiales.

La Rioja es tierra de fiestas diferentes e incomparables, es tierra de tradición y de ella quedan celebraciones arraigadas en un pasado en unos casos cercano y en otros perdido en las brumas del tiempo. De hecho, hay un extenso calendario de eventos, religiosos o no, que hace con que a cada mes del año se reúna la gente riojana — bien como de España y de Europa — por las calles de sus distintas ciudades para celebrar alguna fecha especial.

¡La Rioja te dejará huella!

ComunicHABLE

✓ A continuación encontrarás algunas fechas de algunos eventos riojanos. Escucha la cinta y da el nombre del evento y su descripción según esas fechas. Luego confirma con tus compañeros si las informaciones están completas.

a) 3 de marzo.
b) 12 de mayo.
c) 29 de junio.
d) 6 de agosto.
e) 22 de julio.
f) 21 de septiembre.
g) 27 de septiembre.

HUMOR

Bañándose

Un niñito roba un pollo y al lado del arroyo comienza a desplumarlo.

Cuando se acerca un policía, lo tira al agua.

— ¿Has robado un pollo?

— ¡Yo!... ¡Yo no!...

— ¿Y esas plumas en el suelo?

— ¡Ah! ¿Sabe? El pollito está bañándose y yo estoy cuidándole la ropita...

Filosofía

Una mosca pasea por la calva de un señor y comenta:

— ¡Cómo ha cambiado el mundo! Pensar que esto que es un desierto, en mi juventud era un bosque con un solo sendero...

LECTURA

La novela social

La *novela social* se refiere a las que se centran en las relaciones del hombre con su entorno. Todas tienen en común la preocupación con el modo como el hombre vive y como se relaciona con el mundo. Interesa, en definitiva, la conducta humana a través de la historia.

El texto que a continuación vamos a estudiar es un trozo de la obra de Benito Pérez Galdós, *Marianela*, la más difundida obra de Galdós, llena de ternura y emoción. Su protagonista, también llamada Nela, es una pobre muchacha ignorante, huérfana y nada bonita, que vive como una cenicienta en casa de la familia Centeno. Durante el día, oficia de lazarillo de un joven ciego, Pablo Penáguilas, que vive en un cortijo próximo a las minas de Socartes. La belleza espiritual de Marianela y su bondad exquisita, hacen que el joven ciego se enamore de ella. Ésta sabe que Pablo va a ser operado y que quizá recupere la vista. Temerosa de desilusionarlo con su fealdad física, huye y cae enferma. La recoge Florentina, prima de Pablo y después prometida de éste. El joven llega a ver a la pobre Marianela, ya moribunda, y se desilusiona por su fealdad, lo que acelera el triste fin de la huérfana".

GUTIÉRREZ, Estrella Fermín. *Historia de la literatura española.* Buenos Aires, Editorial Kapeluz, 1959. Resumen.

Marianela

[...]

VI. "Tonterías"

Pablo y Marianela salieron al campo, precedidos de Choto, que iba y volvía gozoso y saltón moviendo la cola y repartiendo por igual sus caricias entre su amo y el lazarillo de su amo.

— Nela — dijo Pablo —, hoy está el día muy hermoso. El aire que corre es suave y fresco, y el sol calienta sin quemar. ¿Adónde vamos?

— Echaremos por estos prados adelante — replicó la Nela, metiendo su mano en uno de los bolsillos de la chaqueta del joven —: ¿A ver qué me has traído hoy?

— Busca bien y encontrarás algo — dijo Pablo, riendo.

— ¡Ah, Madre de Dios! Chocolate crudo... ¡Y poco que me gusta el chocolate crudo!... Nueces... , una cosa envuelta en un papel...

— ¿Adónde vamos hoy? — repitió el ciego.

— Adonde quieras, niño de mi corazón — repuso la Nela comiéndose el dulce y arrojando el papel que lo envolvía —. Pide por esa boca, rey del mundo.

Los negros ojuelos de la Nela brillaban de contento, y su cara de avecilla graciosa y vivaracha multiplicaba sus medios de expresión, moviéndose sin cesar.

— Pues yo digo que iremos adonde tú quieras — observó el ciego —. Me gusta obedecerte. Si te parece bien, iremos al bosque que está más allá de Saldeoro. Eso si te parece bien.

— Bueno, bueno, iremos al bosque — exclamó la Nela, batiendo palmas —. Pero como no hay prisa, nos sentaremos cuando estemos cansados.

— Y que no es poco agradable aquel sitio donde está la fuente. ¿Sabes, Nela?, y donde hay unos troncos muy grandes, que parecen puestos allí para que nos sentemos nosotros, y donde se oye cantar tantos, tantísimos pájaros, que es aquello la gloria.

— Pasaremos por donde está el molino, de quien tú dices que habla mascullando las palabras como un borracho. ¡Ay!, qué hermoso día y qué contenta estoy!

— ¿Brilla mucho el sol, Nela? Aunque me digas que sí, no lo entenderé, porque no sé lo que es brillar.

— Brilla mucho, sí, señorito mío. ¿Y a ti qué te importa eso? El sol es muy feo. No se le puede mirar la cara.

— ¿Por qué?

— Porque duele.

— ¿Qué duele?

— La vista. ¿Qué sientes tú cuando estás alegre?

— Cuando estoy libre, contigo, solos los dos en el campo?

— Sí.

— Pues siento que me nace dentro del pecho una frescura, una suavidad dulce...

— ¡Ahí te quiero ver! ¡Madre de Dios! Pues ya sabes cómo brilla el sol.

— ¿Con frescura?

— No, tonto.

— Pues, ¿con qué?

— Con eso.

— Con eso... ¿Y qué es eso?

— Eso — afirmó nuevamente la Nela con acento de firme convicción.

— Ya veo que esas cosas no se pueden explicar. Antes me formaba yo la idea del día y de la noche. ¿Cómo? Verás: era de día, cuando hablaba la gente; era de noche cuando la gente callaba y cantaban los gallos. Ahora no hago las mismas comparaciones. Es de día cuando estamos juntos tú y yo; es de noche cuando nos separamos.

— ¡Ay, Divina Madre de Dios! — exclamó la Nela, echándose atrás las guedejas que le caían sobre la frente —. A mí, que tengo ojos, me parece lo mismo.

— Voy a pedirle a mi padre que te deje vivir en mi casa para que no te separes de mí.

— Bien, bien — dijo María, batiendo palmas otra vez.

Y diciéndolo, se adelantó saltando algunos pasos; y recogiendo con extrema gracia sus faldas, empezó a bailar.

— ¿Qué haces, Nela?

— ¡Ah, niño mío, estoy bailando! Mi contento es tan grande, que me han entrado ganas de bailar.

Pero fue preciso saltar una pequeña cerca, y la Nela ofreció su mano al ciego. Después de pasar aquel obstáculo, siguieron por una calleja tapizada en sus dos rústicas paredes de lozanas hiedras y espinos. La Nela apartaba las ramas para que no picaran el rostro de su amigo, y al fin, después de bajar gran trecho, subieron una cuesta por entre frondosos castaños y nogales. Al llegar arriba, Pablo dijo a su compañera:

— Si no te parece mal, sentémonos aquí. Siento pasos de gente.

— Son los campesinos que vuelven del mercado. Hoy es miércoles. El camino real está delante de nosotros. Sentémonos aquí antes de entrar en el camino real.

— Es lo mejor que podemos hacer. Choto, ven acá.

Los tres se sentaron.

— ¡Si está lleno de flores!... — Exclamó la Nela — ¡Madre, que guapas!

— Cógeme un ramo. Aunque no las veo, me gusta tenerlas en mi mano. Se me figura que las oigo.

— Eso sí que es gracioso.

— Paréceme que teniéndolas en mi mano me dan a entender..., no puedo decir cómo..., que son bonitas. Dentro de mí hay una cosa, no puedo decirte qué..., una cosa que responde a ellas. ¡Ay, Nela, se me figura que por dentro yo veo algo!

— ¡Oh!, sí lo entiendo...; como que todos lo tenemos dentro. El sol, las hierbas, la luna y el cielo grande y azul, lleno siempre de estrellas..., todo, todo lo tenemos dentro; quiero decir que, además de las cosas divinas que hay fuera, nosotros llevamos otras dentro. Y nada más... Aquí tienes una flor, otra, otra, seis: todas son distintas. ¿A que no sabes tú lo qué son las flores?

— Pues las flores — dijo el ciego, algo confundido, acercándolas a su rostro — son... unas como sonrisillas que echa la tierra. La verdad, no sé mucho del reino vegetal.

— ¡Madre divinísima, qué poca ciencia! — exclamó Nela, acariciando las manos de su amigo —. Las flores son las estrellas de la tierra.

— Vaya disparate. Y las estrellas, ¿qué son?

— Las estrellas son las miradas de los que se han ido al cielo.

— Entonces, las flores...

— Son las miradas de los que se han muerto y no han ido todavía al cielo — afirmó la Nela con entera convicción —. Los muertos son enterrados en la tierra. Como allá abajo no pueden estar sin echar una miradilla a la tierra, echan de sí una cosa que sube en forma y manera de flor. Cuando en un prado hay muchas flores, es porque allá... en tiempos atrás enterraron en él muchos difuntos.

— No, no — repuso Pablo con seriedad —. No creas desatinos. Nuestra religión nos enseña que el espíritu se separa de la carne y que la vida mortal se acaba. Lo que se entierra, Nela, no es más que un despojo de barro inservible que no puede pensar, ni sentir, ni tampoco ver.

— Eso lo dirán los libros, que, según dice la Señana, están llenos de mentiras.

— Eso lo dicen la fe y la razón, querida Nela. Tu imaginación te hace creer mil errores. Poco a poco yo los iré destruyendo y tendrás ideas buenas sobre todas las cosas de este mundo y del otro.

— ¡Ay, ay, con el doctorcillo! Ya... ¿pues no has querido hacerme creer que el sol está quieto y que la Tierra da vueltas a la redonda?... ¡Cómo se conoce que no lo ves! ¡Madre del Señor! Que me muera en este momento si la Tierra no se está más quieta que un peñón y el sol ya corre que corre. Señorito mío, no se la eche de tan sabio, que yo he pasado muchas horas de noche y de día mirando al cielo, y sé cómo está gobernada toda esa máquina... La Tierra está abajo, toda llena de islitas grandes y chicas. El sol sale por allá y se esconde por allí. Es el palacio de Dios.

— ¡Qué tonta!

— ¿Y por qué no ha de ser así? ¡Ay! Tú no has visto el cielo en un día claro, hijito. Parece que llueven bendiciones... Yo no creo que pueda haber malos; no, no los puede haber, si vuelven la cara hacia arriba y ven aquel ojazo que nos está mirando.

— Tu religiosidad, Nelilla, está llena de supersticiones. Yo te enseñaré ideas mejores.

— No me han enseñado nada — dijo María con inocencia —; pero yo, cavila que cavilarás, he ido sacando de mi cabeza muchas cosas que me consuelan, y así cuando me ocurre una buena idea, digo: "Esto debe ser así, y no de otra manera". Por las noches, cuando me voy sola a mi casa, voy pensando en lo que será de nosotros cuando nos muramos, y en lo mucho que nos quiere a todos la Virgen Santísima.

— Nuestra Madre amorosa.

— ¡Nuestra Madre querida! Yo miro al cielo, y la siento encima de mí como cuando nos acercamos a una persona y sentimos el calorcillo de su respiración. Ella nos mira de noche y de día por medio de..., no te rías..., por medio de todas las cosas hermosa que hay en el mundo.

— ¿Y esas cosa hermosas...?

— Son sus ojos, tonto. Bien lo comprenderías si tuvieras los tuyos. Quien no ha visto una nube blanca, un árbol, una flor, el agua corriente, un niño, el rocío, un corderito, la luna paseándose tan maja por los cielos, y las estrellas, que son las miradas de los buenos que se han muerto...

— Mal podrían ir allá arriba si se quedan debajo de la tierra echando flores.

— ¡Miren al sabihondo! Abajo se están mientras se van limpiando de pecados, que después suben volando arriba. La Virgen les espera. Sí, créelo, tonto. Las estrellas, ¿qué pueden ser, sino las almas de los que ya están salvos? ¿Y no sabes tú que las estrellas bajan? Pues, yo, yo misma las he visto caer así, haciendo una raya. Sí, señor; las estrellas bajan cuando tienen que decirnos alguna cosa.

— ¡Ay, Nela! — exclamó Pablo vivamente —. Tus disparates con serlo tan grandes, me cautivan, porque revelan el candor de tu alma y la fuerza de tu fantasía. Todos esos errores responden a una disposición muy grande para conocer la verdad, a una poderosa facultad tuya, que sería primorosa si estuviera auxiliada por la razón y la educación... Es preciso que tú adquieras un don precioso de que yo estoy privado; es preciso que aprendas a leer.

— ¡A leer!... ¿Y quién me ha de enseñar?

— Mi padre. Yo le rogaré a mi padre que te enseñe. Ya sabes que él no me niega nada. ¡Qué lástima tan grande que vivas así! Tu alma está tan llena de preciosos tesoros. Tienes bondad sin igual y fantasía seductora. De todo lo que Dios tiene en su esencia absoluta, te dio a ti parte muy grande. Bien lo conozco; no veo lo de fuera, pero veo lo de dentro, y todas las maravillas de tu alma se me han revelado desde que eres mi lazarillo... ¡hace año y medio! Parece que fue ayer cuando empezaron nuestros paseos... No, hace miles de años que te conozco. ¡Porque hay uma relación tan grande entre lo que tú sientes y lo que yo siento!... Has dicho ahora mil disparates, y yo, que conozco algo de la verdad acerca del mundo y de la religión, me he sentido conmovido y entusiasmado al oírte. Se me antoja que hablas dentro de mí.

— ¡Madre de Dios! — exclamó la Nela, cruzando las manos —. ¿Tendrá eso algo que ver con lo que yo siento?

— ¿Qué?

— Que estoy en el mundo para ser tu lazarillo, y que mis ojos no servirían para nada si no sirvieran para guiarte y decirte cómo son todas las hermosuras de la Tierra.

El ciego irguió su cuello repentina y vivísimamente, y, extendiendo sus manos hasta tocar el cuerpecito de su amiga, exclamó con afán:

— Dime, Nela, ¿cómo eres tú?

La Nela no dijo nada. Había recibido una puñalada.

GALDÓS, Benito Pérez. *Marianela*. In RIVERO, Ramona M. de y CONTRERAS, Cruz R. *Castellano y literatura*. Venezuela, Editorial Romor.

Benito Pérez Galdós. Español, nacido en 1845 y muerto en 1920. Novelista, dramaturgo y periodista. Es el maestro indiscutible, considerado el más grande novelista español del siglo XIX, que deja dichas las lecciones precisas para quienes intenten alcanzar el título de novelistas realistas. Fue, sin disputa, el escritor más fecundo de todo el siglo XIX español: más de cien volúmenes de novela, teatro, crítica y viajes. Su obra *Episodios Nacionales*, un conjunto de 46 volúmenes, constituye la obra más extensa de la literatura española. Obras: *Episodios nacionales, Doña Perfecta, Ángel Guerra, Marianela, Fortunata y Jacinta, El abuelo, Misericordia, La barraca*, entre otras.

Comprensión e interpretación del texto

1. Identifica en el texto:
   a) asunto;
   b) escenario;
   c) tipo de narración;
   d) los personajes;
   e) el lenguaje.
2. Haz un resumen del texto.
3. ¿Qué aspectos comunes tienen Pablo y Marianela?
4. Haz un cuadro comparativo de las diferencias entre los dos personajes.
5. En el texto hay un momento en que Marianela habla errado y Pablo la imita, pero cambiando un poquito el error. Señálalo.
6. ¿En qué momento el texto muestra más claramente que Marianela era ignorante?
7. ¿Dónde se percibe la religiosidad de Nela?
8. ¿Con qué palabras Pablo se refiere a la pureza de Nela?
9. ¿En qué frase aparece bien todo el sentimiento de Pablo por Marianela?
10. ¿ Por qué dice el texto, al final, que Nela había recibido una puñalada?
11. ¿Con qué expresiones Nela manifiesta su cariño por Pablo?
12. ¿En qué momento Nela muestra, sin decirlo, sus sentimientos por Pablo?
13. Poéticamente Nela explica las flores, el sol, las estrellas. ¿Cómo lo explicarías tú? Puedes hacerlo a través de metáforas.
14. Haz tu comentario personal del texto, diciendo qué te ha gustado más y por qué, y qué modificarías, si pudieras.

Ejercicios

1. Relaciona las metáforas del texto que te han llamado más la atención.
2. ¿Qué metáforas crearías tú para: una flor, un pájaro, el mar, las estrellas, los niños, la música, el árbol, el día, la noche y la fe?

   Ej.: Una flor es un cariño de la tierra.

> **Metáfora** es un tropo (empleo de palabra en sentido figurado) en que la significación natural de una palabra es sustituida por otra, en virtud de la relación de semejanza. Si, por ejemplo, digo que *Marianela es bondadosa como un ángel*, comparándola a la bondad de los ángeles, puedo decir también *Marianela es un ángel*. Tenemos aquí una metáfora, es decir, una comparación hecha de forma indirecta.

SELECTIVIDAD

(Universidade Federal do Espírito Santo)

Marketing de la emoción

MONTAGEM: LUIZ FERNANDO RUBIO/CID

La vida tiene momentos increíbles: el primer cruce de miradas entre un hombre y una mujer que se enamoran, el ruido del biberón o del chupete succionados por un bebé, un abrazo fuerte de amigo, una caricia maternal. Pasar por la vida sin conmoverse es como haber nacido muerto. Llorar, reír, alegrarse y entristecerse son tan naturales e imprescindibles para el ser humano como respirar, comer y dormir. Nos conectan con lo más vital que hay dentro nuestro, nos develan el sentido real de la vida.

Cuando una cámara de fotos o, mucho peor, una filmadora nos apunta, algo inevitablemente se trastoca: un rictus convierte en caricatura lo que hasta un segundo antes había sido fresco y espontáneo. El famoso "póngase bien para la foto" consigue el efecto inverso: sonrisas acalambradas y poses cargadas de afectación que dentro de cientos de años, si esta actitud generalizada logra ser erradicada, será motivo de curiosidad y estudio. Son excepcionales las veces que actores y directores mancomunados en una pieza artística logran conmovernos profundamente. La maldita cámara, por lo general, suele sustraerle el alma a esos momentos sublimes y sencillos de la vida reduciéndolos a almibaradas figuritas cursis o ridículas.

Y cuando la televisión entra en escena, la cosa empeora. El indisimulable hambre de rating, la incontinencia acelerada de animadores, la necesidad de impactar a cualquier precio echa a perder casi siempre hasta las mejores intenciones. La cultura del culebrón intenta ahora "abuenar" "talk-shows", reorientando sus conocidas perversiones amarillas, que ya relajan, hacia acostados más "humanos". Pero lo emotivo manufacturado industrialmente por la TV, suena falso, demagógico, impúdico.

SIRVÉN, Paulo. *Noticias*. Buenos Aires, 2 de mayo de 1998.

1. Os fragmentos "el primer cruce de miradas" (linhas 1 e 2), "el ruido del biberón" (linhas 3 e 4), "un abrazo fuerte de amigo" (linha 5), "una caricia maternal" (linhas 5 e 6) contêm ações que se relacionam entre si porque

a) apresentam um momento de solenidade.
b) despertam uma sensação inexplicável.
c) expressam situações de grande tensão.
d) indicam que o amor é inesquecível.
e) mostram a força da primeira impressão.

2. No texto, o enunciado "el ruido del biberón o del chupete" (linhas 3 e 4) refere-se à sensação experimentada diante do(a)

a) barulho de um brinquedo.
b) choro de um recém-nascido.
c) criança que se alimenta.
d) desabrochar de uma vida.
e) filho que se vê crescer.

3. Por "cultura del culebrón" (linha 24) entende-se o hábito de assistir a
   a) capítulos seriados de telenovelas.
   b) debates sobre temas educativos.
   c) documentários sobre a vida de animais.
   d) mesas-redondas sobre fatos esportivos.
   e) noticiários nacionais e internacionais.

PIÉNSALO

El mejor homenaje que puede tributarse a las personas buenas, es imitarlas.

Concepción Arenal (1820-1893), escritora española.

4. A idéia principal sobre televisão, que o texto fornece, é a de que ela
   a) apresenta entrevistas monótonas.
   b) é uma boa divulgadora de notícias.
   c) fornece emoção não autêntica.
   d) prefere programas que dão ibope.
   e) seleciona os melhores animadores.

5. A frase que mais se aproxima da mensagem fundamental comunicada pelo texto é
   a) "La vida tiene momentos increíbles: ..." (linha 1)
   b) "Pasar por la vida sin conmoverse es como haber nacido muerto." (linhas 6 e 7)
   c) (Llorar, reír, alegrarse y entristecerse) "Nos conectan con lo más vital que hay dentro nuestro, ..." (linhas 11 e 12)
   d) "... dentro de cientos de años, si esta actitud generalizada logra ser erradicada, será motivo de curiosidad y estudio." (linhas 17 e 18)
   e) "... lo emotivo manufacturado industrialmente por la TV, suena falso, ..." (linha 26)

6. Paulo Sirvén afirma que os(a)
   a) choros dos bebês são instantes incríveis na vida de um casal.
   b) emoção se inclui entre as necessidades vitais do homem.
   c) momentos bons da vida fazem as pessoas se enamorarem.
   d) necessidade básica dos seres vivos é respirar, comer e dormir.
   e) vida tem sentido quando passamos por ela sem nos comover.

7. Terminada a leitura do texto, conclui-se que a idéia principal comunicada pelo autor é a de que as emoções
   a) encontram, na televisão, o veículo ideal para se propagarem.
   b) perdem espontaneidade diante das máquinas que as registram.
   c) preenchem os momentos mais gratificantes da vida humana.
   d) são as mais importantes funções vitais básicas do homem.
   e) vão ser sempre artificiais ao se expressarem publicamente.

8. O título do texto
   a) apresenta linguagem conativa: sugere significados diferentes do habitual.
   b) causa estranheza no leitor ao utilizar palavra desconhecida, inventada.
   c) contém adjetivação valorizada, indicante de intenção de influenciar o leitor.
   d) dá uma visão parcial do assunto, destacando o que interessa que se compreenda.
   e) é um resumo preciso e completo da idéia principal desenvolvida pelo escritor.

PORTALENGUA

Sobre una noticia/hecho: contar

¿(No) Te has enterado de que...?
¿Sabes/Sabías/Has sabido que...?
¿(Ya) Te han dicho que...?

Dar la fuente de información

Lo he visto/oído/leído...
Lo han dicho por mi padre/el profesor...
Lo ha dicho mamá/Paco...
Me he enterado por Adelia.
Lo he sabido por Nina/la radio/la tele...

Sobre una noticia/hecho: reaccionar

¡No me diga(s)!
¡Qué barbaridad/horror/bien/suerte/lástima...!
(Eso) No puede ser...
¡No es posible! ¡Increíble! ¡Imposible!

Hablar de la programación de la televisión

¿Qué ponen? — Ponen el noticiero/una película...
— No lo sé.

Aconsejar/sugerir

Debe(s)/Debería(s) (ir al)...
¿Por qué no va(s) al/acepta(s)/hace(s)/compra(s)...?
Es/Será mejor que vaya(s)/venga(s)/haga(s)...

Buscar acciones

¿Qué hago/hacemos?
Lo que quiera(s)/quieran.
¿Qué le digo/decimos?
Lo que te/le(s) parezca (mejor).
¿Dónde te/le espero?
Donde quiera(s)/quieran.
¿Cómo lo hago/haré?
Como quiera(s)/quieran.
¿Cuándo nos vemos/veremos?
Cuando te/le(s) vaya bien.

Felicitar

¡Enhorabuena!
¡Felicidades!
¡Qué le/te vaya(s) bien!
Me congratulo contigo/con usted.

Opinar

Está claro/Es evidente/cierto/obvio que...
A mí me parece que...

ComunicHABLE

✓ Escucha, completa, lee y representa.

DIÁLOGO 1 Dos estudiantes de periodismo

Lini: ¡Nara! ¿Qué ponen ____________________?

Nara: ____________________. Creo que lo de siempre.

Lini: ¿No te has enterado? Es que ____________________ aniversario de la Televisión Cultural y la programación es especial.

Nara: ¿Cómo lo sabes, Lini?

Lini: ____________________. Me he enterado por Elsa. Y los periódicos están informando y elogiando la TVC. ¡Caramba! ¿No has leído nada?

Nara: No. ¿Sabes? ____________________ — por un amigo que trabaja allá — que la TVC está enfrentando dificultades financieras.

Lini: Es comprensible ____________________ propagandas. ¿De dónde les viene el dinero? ¿Del gobierno?

Nara: Está claro que sí. Y el gobierno ____________________ con las sociedades filantrópicas y grandes empresas para, con la ayuda de todos, ____________________ con la TVC.

Lini: ¿Y por qué no lo dices a tu padre? Tu idea puede ser la solución. Me congratulo contigo.

Nara: Lo intentaré. ____________________, no estarán pidiendo nada, pero, ____________________, la cultura. ¿No te parece?

Lini: ¡Por supuesto! ¡Qué te vaya bien, Nara!

Nara: Gracias, Lini, por la idea.

Lini: ¿ ____________________?

Nara: Mañana volverás a estudiar conmigo y te contaré todo.

Lini: ____________________. Hasta mañana.

Nara: ¡Hasta!

DIÁLOGO 2 El campeón

Darío: ¡Clara! ¡Clara!

Clara: ¡Sí! ¿ Qué pasa?

Darío: ¿Sabías que soy el campeón?

Clara: Y ¿me lo dices con ______________________________?

Darío: Campeón de ______________________________. Uno más y... adiós, Darío.

Clara: ¡Qué barbaridad! ¡No puedes ser ______________________________, pibe!

Darío: Es que soy un marmota... y sabes...

Clara: Eres un papanatas. ¿Por qué no te acuestas más temprano?

Darío: Tienes razón. Lo intentaré. Por amor ______________________________, lo intentaré.

Clara: ¡Es así que se habla! Cuenta conmigo, testarudo.

Darío: Siendo tú, puedes llamarme como quieras, hasta ______________________________, pues lo haces con cariño y por amistad.

Clara: Gracias, mi carísimo ______________________________.

Darío: Para servirte, ______________________________. ¡Chau!

Clara: ¡Chau! Te llamaré todas las mañanas.

Darío: ¡Sí, mi diosa!

ESTAMPALABRAS

Transportes

La moto

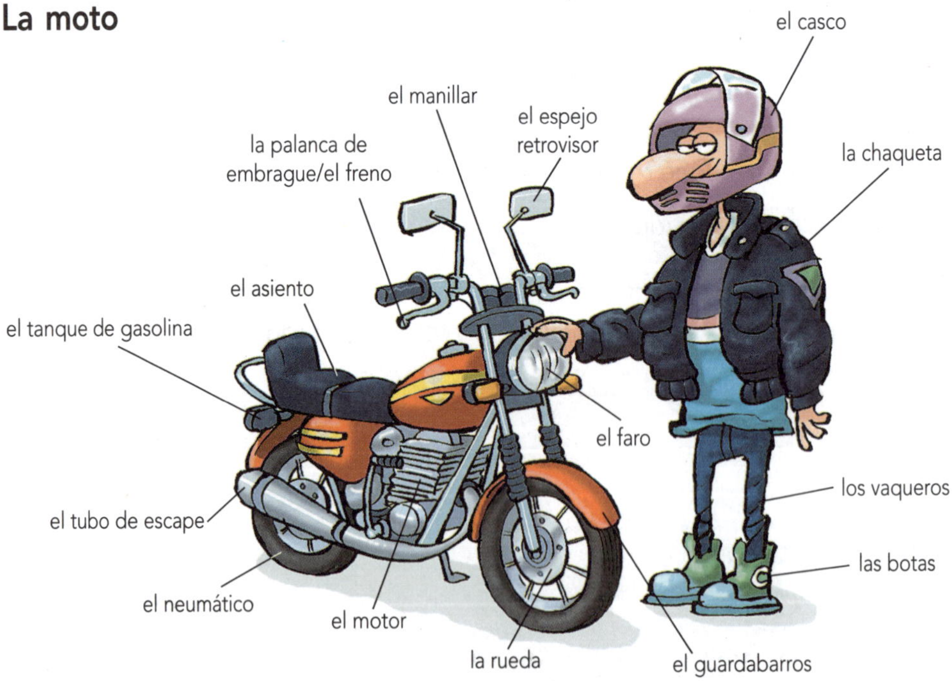

El coche

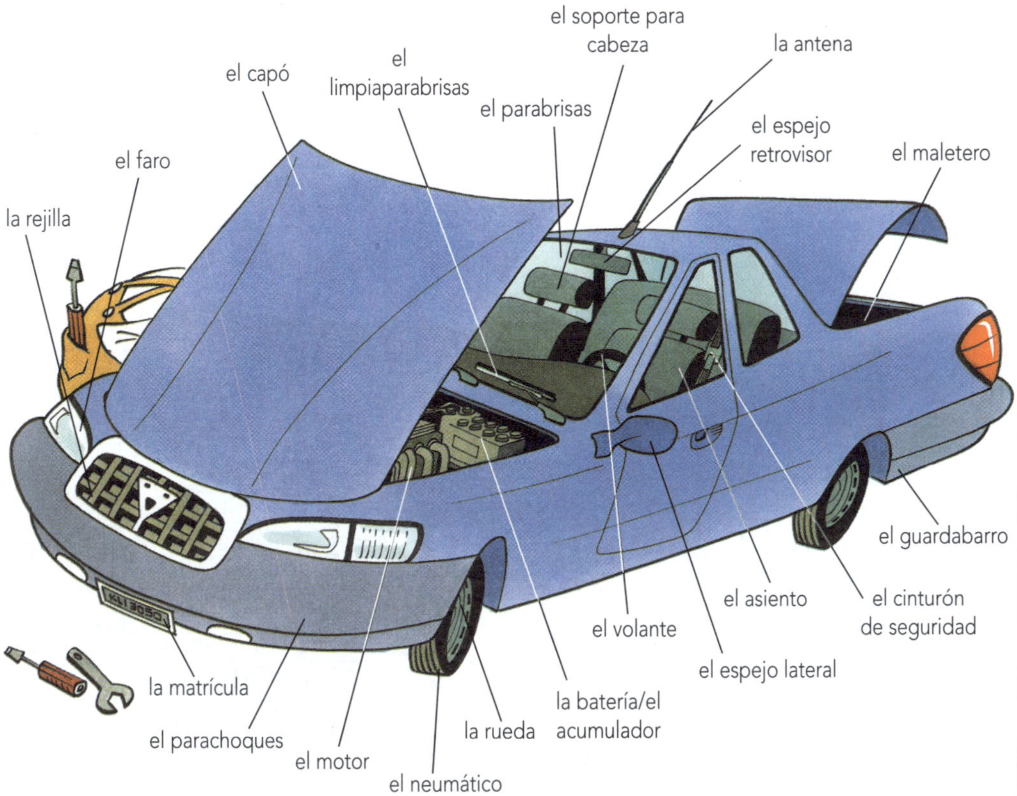

La bicicleta

La estación de trenes

Tren de mercancías/Tren de pasajeros

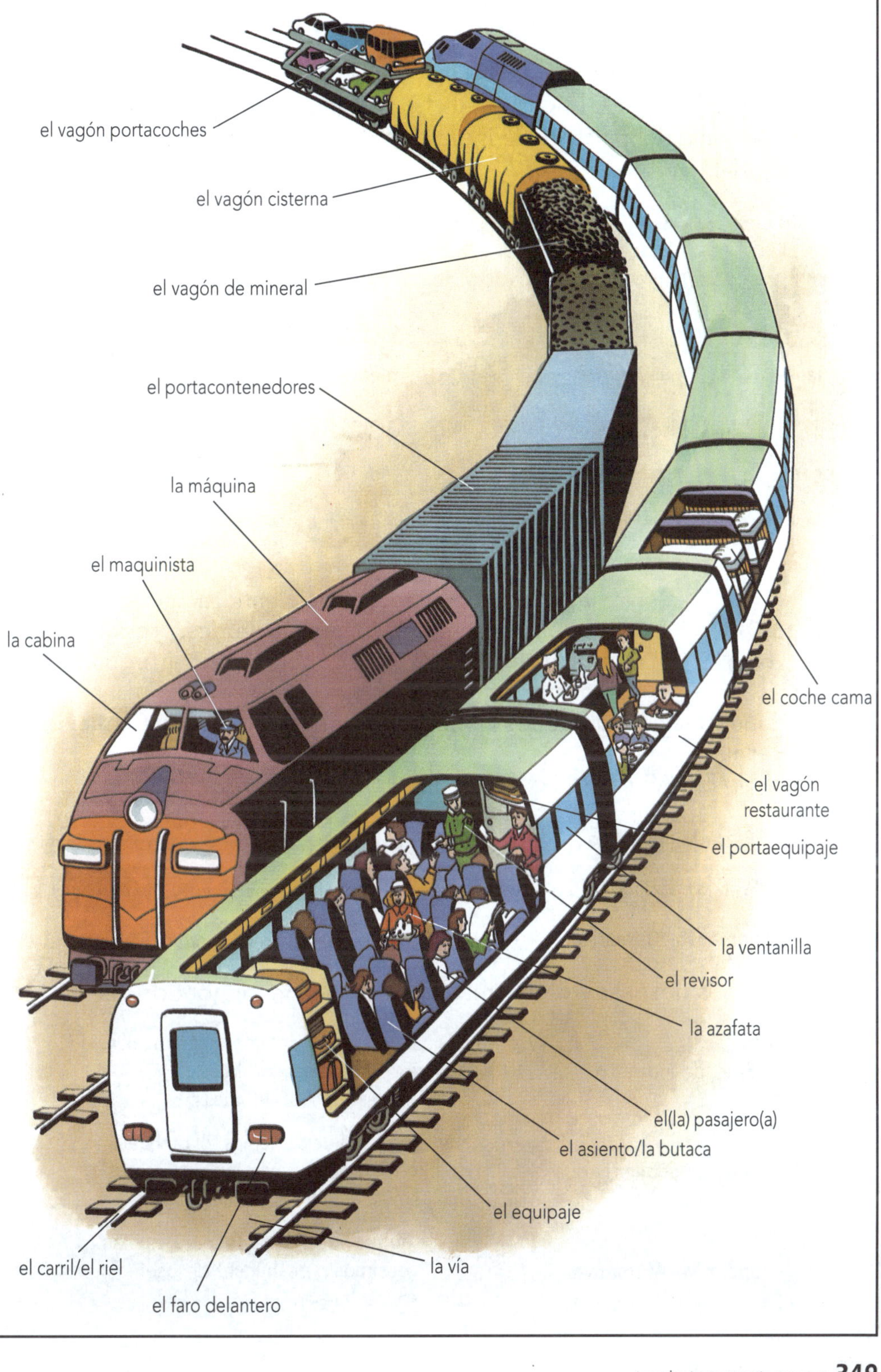

VERBOS IRREGULARES POR CAMBIO DE VOCALES

Muchos verbos – no todos – de 1ª y 2ª conjugación que tienen, respectivamente, E u O en la penúltima sílaba (como *pensar* y *mover*) cambian la E en IE y la O en UE, cuando dichas vocales son tónicas. Eso ocurre en cuatro personas del presente de indicativo y presente de subjuntivo y en tres personas del imperativo.

Pres. de Indicativo		Pres. de Subjuntivo		Imperativo Afirmativo	
pienso	m**ue**vo	**pie**nse	m**ue**va	———	———
piensas	m**ue**ves	**pie**nses	m**ue**vas	**pie**nsa	m**ue**ve
piensa	m**ue**ve	**pie**nse	m**ue**va	**pie**nse	m**ue**va
pensamos	movemos	pensemos	movamos	pensemos	movamos
pensáis	movéis	penséis	mováis	pensad	moved
piensan	m**ue**ven	**pie**nsen	m**ue**van	**pie**nsen	m**ue**van

¡Fíjate!

a) No hay una manera práctica de identificar un verbo regular o irregular. Por ejemplo, **entender** es irregular, pero **comprender** es regular; **concordar** es irregular, pero **conformar** es regular.

b) Pertenecen a este grupo los verbos de 3ª conjugación **cernir**, **concernir** y **discernir**.

c) El verbo ERRAR cambia en Y la I del diptongo -IE:

Pres. de Indicativo	**ye**rro, **ye**rras, **ye**rra, erramos, erráis, **ye**rran
Pres. de Subjuntivo	**ye**rre, **ye**rres, **ye**rre, erremos, erréis, **ye**rren
Imperativo Afirmativo	______ , **ye**rra, **ye**rre, erremos, errad, **ye**rren

d) Los verbos **desosar** y **oler** toman una H antes del diptongo -UE:

Pres. de Indicativo	**hue**lo, **hue**les, **hue**le, olemos, oléis, **hue**len des**hue**so, des**hue**sas, des**hue**sa, desosamos, desosáis, des**hue**san
Pres. de Subjuntivo	**hue**la, **hue**las, **hue**la, olamos, oláis, **hue**lan des**hue**se, des**hue**ses, des**hue**se, desosemos, desoséis, des**hue**sen
Imperativo Afirmativo	_____, **hue**le, **hue**la, olamos, oled, **hue**lan _____, des**hue**sa, des**hue**se, desosemos, desosad, des**hue**sen

EJERCICIOS

1. Según convenga al sentido, completa las frases con los verbos entre paréntesis en el presente de indicativo, presente de subjuntivo o imperativo.

   a) ______________ el puente y estarás en otro país. (atravesar)

   b) Por favor, ______________ la ventana que hace frío. (cerrar – tú)

   c) Nadie ______________ un caballo como Renán. (herrar)

   d) Soy feliz porque ______________ las tristezas y ______________ con mis futuras alegrías. (enterrar – soñar)

   e) Cuando ______________ me asusto, pero cuando ______________ me encanto con el paisaje. (tronar – nevar)

   f) Joven, ______________, ______________ tu imaginación y serás capaz de escribir una linda historia de amor. (pensar – soltar)

   g) Siempre (yo) ______________ bien la vajilla para sacar la grasa. (fregar)

   h) ______________ y no ______________, te haré compañía y eso no me ______________ nada. (sosegar – temblar – costar)

   i) Muchos adolescentes se ______________ a que sus padres les ______________. (negar – gobernar)

   j) ¿Cuándo ______________ tu curso de español? (empezar)

   k) Cuando no ______________ con algo ______________ mi opinión. (concordar – manifestar)

   l) ¡Aproveche! ______________ ahora su coche y ______________ a pagar tan sólo después de sesenta días. (encomendar – empezar)

   m) ______________ un rato, ______________ el texto y te ayudaré a interpretarlo. (sentarse – mostrar)

   n) No me ______________ nada, te ______________ la sopa ahorita. (costar – calentar)

   ñ) Será mejor que ______________ tus actividades ahora y te ______________ pues estás muchísimo cansada. (encerrar – acostar)

PIÉNSALO

Conocer a sí propio es el mayor saber.

Galileo Galilei (1564-1642), matemático, físico y astrónomo italiano.

2. Pasa al plural las frases del ejercicio 1.

MODOS ADVERBIALES

Modos adverbiales son conjuntos de dos o más palabras que hacen oficio de adverbios. Damos abajo los más usuales modos adverbiales.

A ciegas	Irreflexivamente
A cuerpo de rey	Con todo regalo y comodidad
A deshoras	De repente, intempestivamente, inoportunamente
A diestro y siniestro	Sin tino, sin orden; sin discreción ni miramiento
A duras penas	Con gran dificultad o trabajo
A fe mía	Sin mentir, de verdad
A gatas	A cuatro patas
A humo de pajas	Sin reflexión ni consideración
A hurtadillas	Furtivamente
A la bartola	Sin cuidado, libre de toda inquietud
A la carrera	A toda disparada
A la chita callando	Sin meter ruido, con mucho silencio
A la diabla	Sin esmero, de cualquier manera
A la postre	Al final
A la vez	Al mismo tiempo
A lo mejor	Quizá
A mares	Abundantemente
A más y mejor	Cada vez más
A menudo	Frecuentemente
A mi entender/a mi parecer	Según pienso, en mi opinión
A ojo de buen cubero	Más o menos
A ojos vistas	Perceptiblemente
A paso de carga	Precipitadamente, sin detenerse
A paso de tortuga	Muy lentamente
A pedir de boca	Lo mejor posible
A plazo	En pagos futuros
A regañadientes	De mala gana
A remo y sin sueldo	Con mucho trabajo y sin utilidad
A sabiendas	Con conocimiento y deliberación, conscientemente
A sangre y fuego	De cualquier manera y obligatoriamente

A tambor batiente	Con aire triunfal
A tientas	Con incertidumbre, sin tino, a ciegas (às apalpadelas)
A toda carrera	A toda disparada, muy rápidamente
A tontas y a locas	Desbaratadamente, sin orden ni concierto
A troche y moche	Disparatada e inconsideradamente
A tuertas o a derechas	Con razón o sin ella
Al azar	Sin rumbo ni orden (ao acaso)
Al borde	(À beira), al límite de algo
Al canto del gallo	Al amanecer
Al contado	Con moneda efectiva (à vista)
Al fin y al cabo	(Afinal de contas)
Al por mayor	(Por atacado) en gran cantidad
Al por menor	(A varejo) vender menudamente
Al revés	Al contrario, invertido
Cara de viernes (tener)	Estar triste
Cara de pascuas (tener)	Estar risueño, placentero
Cara de vaqueta (tener)	No tener vergüenza
Ce por be	Minuciosamente, en los mínimos detalles (tintim por tintim)
Como alma que lleva el Diablo	Con suma velocidad
Como boca de lobo	Muy oscuro
Como perros y gatos	En desacuerdo
Como quien no quiere la cosa	Disimuladamente
Como quien oye llover	Sin prestar atención
Con creces	Colmadamente, ampliamente, con ventajas
Con pies de plomo	Cautelosamente
Contra viento y marea	Arrostrando dificultades
Cuando la rana críe pelos	Nunca
De balde	Sin motivo, sin causa, sin precio, graciosamente
De buenas a primeras	A la primera vista/impresión, súbitamente
De burlas, de bromas	De broma, no de verdad, con poca o ninguna seriedad
De dientes afuera	Fingidamente

De hecho	Realmente, efectivamente
De hito en hito	(Mirar) atentamente, fijamente
De mal en peor	Cada vez peor
De mala/buena gana	(De má/boa vontade)
De mala manera	Con malos modos
De manos a boca	Repentinamente, de repente
De memoria	Retener lo que leyó o escuchó (de cor)
De pronto	De repente
De rato en rato	Con algunas intermisiones de tiempo
De tarde en tarde	Esporádicamente, de vez en cuando
De veras	Realmente
Donde el Diablo perdió el poncho	En lugar distante o extraviado
El día del juicio por la tarde	Nunca
En balde	En vano
En cuclillas	(De cócoras)
En cuerpo y alma	Completamente
En definitiva	A fin de cuentas, definitivamente
En el coche de San Francisco	A pie
En menos que canta un gallo	Rapidísimo, en un instante
En serio	Con seriedad, seriamente
En tiempo de Maricastaña	Muy antiguamente
En tiempo del rey/tío Perico	Muy antiguamente
En todo y por todo	Completamente
En un abrir y cerrar de ojos	En un instante
En un decir Jesús	En un instante
En un santiamén	Rapidísimo, en un instante
Entre la espada y la pared	En una situación difícil y sin saber qué hacer
(Estar) a dos velas	Estar sin dinero
(Estar) hasta la coronilla	(Estar) harto de alguna situación
(Estar) sin blancas	Estar sin dinero
La semana que no tenga viernes	Nunca
Por lo visto	Según se dice, aparentemente
Por lo general	Generalmente
Sin decir tus ni mus	Sin decir una sola palabra, sin hablar
Sin encomendarse ni a Dios ni al Diablo	Sin pensar, sin reflexión
Sin más ni más	Precipitadamente
Sin ton ni son	Sin motivo y causa

ACTIVIDAD

1. Eligiendo el modo adverbial que convenga al sentido, completa el diálogo.

Profe: ¡Clarita!

Clarita: ¡Sí, profe!

Profe: Ahora eres tú. Cuéntanos algo curioso. Es un ejercicio de imaginación y oralidad. Ponte ______________________ calma y habla, ¿sí?

Clarita: Profe, quiero contar un hecho que, ______________________, les gustará a Ud. y a mis colegas y no es ______________________, no, realmente me ha pasado.

Profe: ¡Vale! Cuéntanos todo ______________________ y te escucharemos ______________________. ______________________ será algo muy curioso, ¿no?

Clarita: La cosa ha sido así: como he salido de casa más temprano, vine ______________________, mirando todo ______________________.
Cuando pasaba por una casita una señora anciana me llama:
"Niña, por favor, ven acá."
"Sí, señora, ¿qué desea? ¿Ud. está bien?"
"Ay, niña, ______________________ la llave de la puerta ha roto en la cerradura. No tengo teléfono. Me puse ______________________, buscando la llave, pues pensé que tan sólo había caído. Cuando la encontré vi que era la mitad. ¡Ay...! Me siento ______________________ nerviosa. Esperaba que pasara alguien para pedir ayuda. Por favor, ¿me puede traer un cerrajero?"
"Cálmese, señora. Voy y vengo ______________________."
"Caminé rápido y ______________________ me choco con el cerrajero que vive cerca de mi casa. Le conté todo. Me acompañó a la casita y en diez minutos abría la puerta. La viejecita reía y lloraba ______________________. Nos abrazó a mí y al cerrajero. Después, ______________________ entró y volvió con dos tacitas de café y unas golosinas. ¡Pobrecita! Parecía una niña. El cerrajero agradeció y, ______________________, salió sin cobrar nada. Ella me asía las manos y hablaba ______________________.
______________________ salí después de media hora y vine ______________________ al colegio y entré en el aula ______________________ porque me sentía feliz por haber ayudado a una persona buena, sola y anciana.

Profe: ¡Bárbaro! ¡Enhorabuena! Es un hecho muy lindo.

2. Ahora tú, elabora pequeños diálogos en los que vas a emplear *modos adverbiales* que no han sido empleados en el ejercicio anterior. Pon atención en el sentido de cada expresión antes de construir tu texto.

Jueguito

Test de comprensión lectora

Para realizar este test, que es a la vez un juego, deberás seguir exactamente todas las instrucciones que se te dan. Harás tu test sin auxilio de nadie, en absoluto silencio, sin saltear tareas. No podrás llevar más que 10 minutos para realizarlo por entero.

Instrucciones

1. Lee atentamente todas las instrucciones abajo antes de hacer nada.
2. Toma una hoja de tu cuaderno. Quítala.
3. Escribe en ella tu nombre, apellidos paterno y materno y tu apodo.
4. Piensa en tres palabras con el mismo final y dilas en voz alta. (Ejemplo: mesa – Teresa – mayonesa)
5. Anota en la parte superior derecha tu fecha de nacimiento.
6. Ponte de pie y da un grito.
7. Dibuja un arbolito en el centro de la hoja.
8. Di a tu compañero de la izquierda "Yo soy lindo(a)".
9. En el reverso de la hoja multiplica 13 por 45.
10. Tira un papelito al suelo.
11. Silba "Atirei o pau no gato".
12. Dibuja un triángulo en la parte inferior izquierda de tu hoja.
13. Ponte de pie otra vez y da un brinco.
14. Si piensas que has realizado todas las tareas, escribe abajo de tu nombre: "todo lo he realizado correctamente".
15. Ahora que ya has leído cuidadosamente todas las instrucciones, sigue solamente la instrucción número 3 y da vuelta a la hoja.

Interdisciplinas

Historia. Como ya has podido ver, la región de La Rioja, en España, presenta, además de un calendario de eventos único en lo que toca a sus fiestas, una importancia histórica muy grande relacionada al idioma que estás estudiando. Con la ayuda de tu profesor de Historia, busca informaciones sobre el tema y di exactamente qué relación hay entre La Rioja y el castellano. ¿Castellano y español son cosas distintas?

Info

Con el auxilio de un programa de mapas, señala en el mapa de España y luego en el mapamundi los países que tienen el español como idioma oficial. ¿Cuántos países lo utilizan? ¿En cuántos continentes está presente el español? Eso te dará una visión de su importancia lingüística en el mundo.

Si tu escuela no tiene computadora, puedes hacer la misma tarea empleando un Atlas Geográfico, presentándola luego en clase.

Ventanita

Una originalísima costumbre española: el tapeo

Es algo increíble. Todos los días de la semana hay tapeo, pero con mucho menos personas que los sábados. El sábado por la noche, en lugar de la cena, sale un número incontable de personas a la calle. Parece que todas las casas están vacías. Salen con sus hijos a percorrer varias casas/bares de tapeo. En cada uno de esos bares comen una cosita y beben un poquito. Beben jugos, gaseosas, etc. El vino viene en pequeñas copas. Hay muchísima gente en cada bar. Unos esperan afuera para entrar. Pero nadie se aburre pues, mientras esperan, charlan y los niños juegan. Es una alegría. Parece una fiesta a los ojos del turista. Sin embargo es lo que ocurre todo fin de semana, feriados, días festivos. Ventajas del tapeo: 1) confraternización de la familia entre sí, con sus amigos, vecinos y conocidos; 2) es mucho más difícil que uno se emborrache porque en cada bar beben poquito y siempre comen algo. Aunque eso ocurra en varios, muchos bares, el caminar ya da un espacio de tiempo y alivia un poco el estómago y los efectos del alcohol; 3) el tapeo es un encuentro social, es alegre y aproxima a las personas, amigos, familias. No es raro verse tres generaciones de una misma familia saliendo de tapas.

Cuando vayas a España debes conocer esa extraordinaria costumbre. Es algo imperdible e inolvidable.

Adda-Nari M. Alves

Al diccionario

La letra N

La letra **N** aparece por primera vez en la escritura egipcia, donde se llamaba *nahasch*, que significaba serpiente. Ese nombre ha servido a algunos para especular sobre la clase de serpiente que incitó a Eva a comer la fruta del árbol prohibido, lo que, según la Biblia, supuso el final de las condiciones paradisiacas de la humanidad.

Los egipcios quizá le asignaron ese nombre porque la forma de la letra sugiere el desplazamiento en zigzag de los reptiles. No obstante, cuando los fenicios crearon su alfabeto, la denominaron de otro modo: la llamaron *nun*, que significaba "pez", con lo que, de alguna manera, la **N** siguió vinculada al medio acuático. Más tarde, los griegos le pusieron el nombre de *ny* y le dieron un aspecto semejante al que tiene hoy. Tras los retoques que le hicieron los etruscos y romanos, su forma ha permanecido prácticamente invariable hasta el presente.

Actividad

✓ ¿Por qué, en matemáticas, se usa la letra **N** para designar una cantidad imprecisa de cosas? Pide auxilio a tu profesor de Matemáticas.

En vacaciones ¿nos vamos de campamento?

CID

¿Qué debemos llevar? Si proyectamos pasar la noche al aire libre, lo primero es conseguir la carpa, con capacidad para quienes formen el equipo.

Viajar presupone, además de disposición, algún dinero, tiempo y un buen plan a fin de que se eviten trastornos de todo tipo. Cuando se va de campamento, no es diferente. Una vez que no hay la infraestructura del hotel, la planificación es la palabra clave para que todo tenga pleno éxito, sin apuros o imprevistos de cualquier especie.

Primero: hacer un plan. La mayor parte del éxito del campamento consiste en su preparación y es gran parte del disfrute de su buena organización previa. Para tanto lo ideal es no salir hacia cualquier lado. Elegir bien el lugar y dejarlo escrito al detalle, cada uno en su hogar, será importante en caso de imprevistos. Lo ideal es estar junto a un río pero en zona alta y con árboles para que tenga sombra y no se inunde. Averiguar cuál es el camino más conveniente y la distancia a que se estará de los medios de comunicación es tarea fundamental.

Cada uno debe proveerse de un sobre de dormir. Los mejores tienen el piso impermeable para que la humedad del suelo no pase a la espalda, siempre y cuando la carpa no venga ya provista con él. No vamos a mencionar las estacas para asegurar la carpa, los tensores, el mazo para hundirlos en el suelo, porque son elementos variables según el tipo de carpa y ya vendrán seguramente con ella. Cantimplora o botella plástica son útiles de primera necesidad. Alimentos envasados y el abrelatas correspondiente también. Ningún congelado porque no se dispondrá de conservador, ni alimentos perecibles pues si se va a instalar en carpa será por unos días y se pudrirán. Conseguir un planito o mapa de la zona elegida es tarea esencial. Una brújula, una cámara fotográfica, una radio a pilas y linterna juntamente con los elementos de cocina (de lo más viejo que hay en la casa) no pueden faltar. Aunque no se lo crea, serán necesarios algunos elementos de limpieza: jabón, esponja de cocina, caja de detergente y papel higiénico. Para alguna emergencia, un botiquín de primeros auxilios deberá resolver el problema desde que acompañado con el manual de instrucciones. Cuanto a la ropa, lo mínimo necesario (considerando la época del año y el sitio hacia donde se va), nada de cosas que no se usarán o que formen volumen o peso en la mochila (indispensable para poder tener las manos libres). Si alguno toca un instrumento, pues que lo lleve.

Algunos consejos útiles. Si va a caminar por una vía de tránsito, hacerlo en grupo y en sentido contrario al que vienen los coches. Colocarse encima de la ropa algo blanco y brillante (ahora se venden chalecos anaranjados fluorescentes para ciclistas y también luces para colocar en las mochilas). Esas precauciones garanten que los conductores que transitan por las rutas y vías identifiquen a larga distancia a los peatones.

Por fin, cuidar cierres y costuras de la carpa, mantenerla ordenada siempre. Jamás encender fuego dentro o muy cerca de ella y de modo alguno guardarla mojada garantirán pleno éxito en esa propuesta única de esparcimiento.

El País. Uruguay, 19 set. 1998. Adaptado.

COMPRENSIÓN E INTERPRETACIÓN DEL TEXTO

1. Explica por qué son necesarios los cuidados abajo a la hora de irse de campamento:
   a) Hacer un plan del sitio elegido y dejarlo en su hogar.
   b) Averiguar si hay medios de comunicación cerca.
   c) Llevar cantimplora o botella plástica.
   d) Llevar el manual de instrucciones junto al botiquín de primeros auxilios.
   e) Cuidar cierres y costuras de la carpa.
   f) Jamás guardar la carpa mojada.
   g) Tener siempre las manos libres durante el camino.
2. ¿Qué problemas se resolverían con el botiquín de urgencias?
3. Planifica ahora una salida al campo. Saldrás con otros dos compañeros de clase el viernes por la mañana y volverás el domingo por la tarde. Haz todo que te ha sugerido el texto (lista de cosas para llevar, itinerario, mapa, etc.).
4. Imagínate que vas a pasar una semana en otro país. Elige el sitio y busca informaciones en agencias de turismo sobre cómo llegar, precio del transporte, hoteles, previsión de gastos durante tu estancia, organización de tu maleta, paseos y sitios a visitar. Organiza toda esa información y preséntala al grupo.

REPASÁNDOLO

✓ Contesta positiva y negativamente las preguntas, según el modelo.

Modelo:	
¿Guardo la vajilla en el aparador?	Sí, guárdala./No, no la guardes. Sí, guárdela./No, no la guarde.
¿Podemos comprar el libro?	Sí, cómprenlo./No, no lo compren. Sí, compradlo./No, no lo compréis.

1. ¿Llevamos al niño al parque?
2. ¿Puedo regar las plantas, señora?
3. ¿Traemos los pasteles encomendados?
4. ¿Debo poner los platos en el fregadero?
5. ¿Hago la traducción?
6. ¿Podemos acostarnos?
7. ¿Pago la cuenta telefónica?
8. ¿Debo buscar los libros?
9. ¿Puedo dirigir el coral?
10. ¿Podemos empezar el espectáculo?

Lenguacuriosa

Aquí tienes la continuación de las palabras específicas de los distintos países de América que tienen el Español como su lengua oficial.

Mexicanismos

Atecomate	Vaso para beber agua.
Azolve	Lodo o basura que obstruye un conducto de agua.
Banqueta	Acera de la calle.
Barbear	Adular interesadamente.
Bigote	Croqueta.
Buscar	Irritar, provocar.
Cancel	Persiana.
Caquino	Risa muy ruidosa, carcajada.
Chipichipi	Llovizna.
Chita	Redecilla para el cabello.
Comisión	Especie de guardia civil.
Coscolino(a)	Arisco, inquieto, descontentadizo, gruñón, travieso.
Destripar	Abandonar los estudios, colgar los hábitos.
Exhibir	Pagar una cantidad.
Festejar	Azotar, golpear.
Fistol	Alfiler de corbata.
Guaje	Bobo, tonto.
Güero	Rubio.
Hilacho	Harapo.
Íntico	Idéntico.
Jitomate	Especie de tomate muy rojo.
Lapalapa	Llovizna.
Lipidiar	Importunar, fastidiar.
Llorido	Llanto.

Comercio raro

¡A quién le interese! Cambio una ciudad grande, bella, moderna por dos pequeñitas, tranquilas, con muchos árboles, flores y pájaros. Cartas para Intendencia de Puerto Infinito. Intendente desilusionado y soñador.

Manito	Forma amistosa de dirigirse en confianza a otra persona.
Moma	Juego infantil de la gallina ciega. Se usa más el diminutivo *momita*.
Ñengue	Débil.
Papacho	Caricia, en especial la que se hace con las manos.
Pasto	Césped.
Payacate	Pañuelo grande de colores vivos, pañuelo de nariz.
Suato	Tonto, necio.
Zócalo	Plaza más importante de una ciudad.

Ecuatorismos

Covacha	Tienda que vende comestibles, legumbres, etc.
Curco	Jorobado.
Guachar	Amelgar, hacer surcos para sembrar.
Guácharo	Huérfano.
Móloc	Puré de patatas.
Ñeco	Golpe que se da con el puño.

Venezolanismos

Bululú	Alboroto, escándalo.
Caramera	Dentadura mal ordenada, irregular.
Chucuto	Rabón, el diablo.
Gárgaro	Juego de escondite.
Orillero	Persona que vive en los arrabales de la ciudad.
Pichagüero	Especie de calabaza.
Sitar	Silbar para llamar a una persona.

Americanismos (de América en general)

Botar	Despedir a una persona de un empleo.
Chapín	Patituerto, que tiene las piernas o las patas torcidas.

Copetín	Aperitivo o copita de licor.
Diostedé	Tucán.
Difuntear	Matar.
Estrellón	Choque, encontrón.
Jalar	Emborracharse (América del Sur). Hacer el amor (América Central).
Refundir	Extraviar una cosa (América Central).
Vaquero(a)	Muchacho(a) que falta a las clases. Ajuar de mantillas para bautizar a los niños.
Velorio	Tertulia desanimada y poco concurrida.
Zafacoca	Contienda, riña.
Zoncera	Simpleza, tontería.
Zurdear	Hacer con la mano izquierda lo que se suele hacer con la derecha.

RECANTO

✓ Escucha, completa y canta.

Guantanamera

Martín/Ángulo

Guantanamera,
Guajira, guantanamera.

bis [______________________
______________________]
____
____

Guantanamera,
Guajira, guantanamera.

bis [______________________
______________________]
____
____

Guantanamera,
Guajira, guantanamera.

GIRANDO EL PASO 16

CID

Cancún, México.

Machu Picchu, Perú.

CID

CID

El secreto de la paz está en el respeto de los derechos humanos.

Juan Pablo II (1920), papa, desde 1978.

México: un paraíso en América

Descubre la magia de México, que es un país que te permite combinar tus vacaciones en la playa con una excursión a la montaña o al desierto y una visita a sus ciudades coloniales o indígenas; verás que te aguardan agradables sorpresas. Experimenta el cálido servicio de nuestros prestigiosos hoteles y zonas de recreo o prueba nuestra cocina tradicional e internacional; puedes hacer que las vacaciones con que sueñas se hagan realidad.

Es fácil viajar a México y recorrerlo

Es muy fácil llegar a México por aire. Existen varias líneas internacionales que efectúan frecuentes vuelos a los aeropuertos de las principales ciudades mexicanas. Además de las múltiples líneas comerciales, existe gran cantidad de viajes de fletamento (*charters*). Serás bienvenido en cualquiera de los 57 aeropuertos mexicanos, 32 de los cuales proporcionan servicio internacional.

Una vez que estés en el interior de México, es muy sencillo recorrer su territorio. Aeroméxico y Mexicana vuelan a 57 destinos nacionales. Una docena de líneas aéreas regionales se enlazan con otras ciudades. Ferrocarriles Nacionales de México te permite disfrutar el paisaje al recorrer el país o reposar durante la noche para llegar descansado a tu destino. También puedes utilizar la red de autobuses nacionales, que es extensa y accesible.

Las principales agencias de alquiler de vehículos tienen representaciones en las principales ciudades y aeropuertos más importantes del país. Abundan los taxis con tarifas muy accesibles, que ofrecen servicio por día, hora o trayecto.

Es fácil cumplir con los requisitos de entrada a México. Para entrar a México sólo se necesita presentar una tarjeta de turista y el pasaporte vigente con caducidad mínima de tres meses. Las tarjetas de turista se entregan gratuitamente en cualquier embajada, consulado u oficina de turismo mexicanos, en los aeropuertos o en cualquier punto de entrada al país.

En cuanto a la moneda, el peso mexicano, se puede comprar directamente al llegar al aeropuerto o cambiar dólares por pesos en cualquier banco. También existen casas de cambio que prestan este servicio.

Es conveniente tener en cuenta, a la hora de utilizar aparatos eléctricos, que el voltaje del país es de 110 V y que los enchufes están diseñados para clavijas americanas (planas).

Pasar la aduana es rápido y fácil

Puedes traer a México toda la ropa y objetos personales que necesites durante tu estancia: un cartón de cigarrillos, hasta 50 puros y una botella de licor por persona mayor de 18 años, raquetas de tenis, palos de golf, equipos de deportes acuáticos, libros, una cámara y hasta 8 rollos de película, todo esto sin pagar impuestos.

Sueñas con un clima como éste

Cualquier época del año es un buen momento para venir a México. Gran parte del país, incluyendo las principales ciudades y zonas arqueológicas, localizadas entre las cordilleras de la Sierra Madre, disfrutan de un clima templado en cualquier temporada.

Si prefieres un clima más tropical, lo hallarás en las ciudades y áreas de descanso que se extienden a lo largo de los 10.000 kilómetros de costa mexicana.

Descubre México

Descubre lo mejor de México: la magia del pasado y el presente, la magia de la historia y el arte, la comida, los paisajes y la cultura, servicio eficaz y amigable y el calor y la hospitalidad de su gente.

Te sorprenderás de los precios accesibles tanto de los hoteles, que gozan de un reconocido prestigio a nivel mundial, como de los artículos propios del país (joyería, cerámica, productos textiles y otros).

Para más información, llama, escribe o visita a tu agente de viajes o a cualquier oficina de turismo de México que esté cerca de ti.

Descubre la magia de México. Turismo de México 300, 1990.

COMPRENSIÓN E INTERPRETACIÓN DEL TEXTO

1. ¿Cuál es el objetivo del texto?
2. El texto señala argumentos básicos para lograr ese objetivo. ¿Cuáles son?
3. Apunta las ideas que refuerzan los argumentos básicos del texto.
4. Observa el mapa y señala verdadero (V) o falso (F) para cada información abajo, conforme el caso.
   a) Acapulco es una playa que está ubicada en el Golfo de México. ( )
   b) Durango da nombre a Estado y una ciudad de México. ( )
   c) La ciudad que se encuentra más a noroeste de México es Tijuana. ( )
   d) Cancún y Cozumel son dos islas que pertenecen al Golfo de México. ( )
   e) La capital de México es también conocida como Districto Federal. ( )
   f) Jalisco es un Estado de México y tiene por capital la ciudad de San Miguel de Allende. ( )
   g) México, por su forma, es considerado geográficamente una península. ( )
   h) México está bañado por dos mares y dos océanos. ( )
   i) Isla Mujeres es el punto más oriental de México y Tijuana el más occidental. ( )
   j) San Felipe, Loreto y Guaymas están ubicadas en una bahía. ( )

ComunicHABLE

✓ Escucha a estas personas y completa los textos que siguen.

1. Testimonios del pasado, evidencias de ______________________, relatos de ______________________, de ________________ valientes y civilizaciones ________________. Épocas que se pierden en el tiempo, pero conservan su espíritu por medio de sus magníficas obras de arte, pinturas y ________________, escalinatas que miran al cielo y ______________________. Todo esto es México. ____________.

2. ____________ y evoca tus recuerdos de la ______________________ península de Baja California, los miles de kilómetros de costa donde se encuentran algunos de los mejores lugares para pesca en el mundo. ______________________________ en forma de luna e ______________________ forman parte de este panorama que ______________________. ______________ conquistar por México.

3. ______________ de las culturas prehispánicas vive todavía en el ____________ de los mexicanos. En México ____________, la música y el baile te rodean. A lo largo de todo el país ______________________ tesoros milenarios. ______________________ precolombinos, ______________________________, joyería de oro, delicadas ______________________ extraídas de las antiguas tumbas, máscaras incrustadas con ____________ y exóticas ______________________, dan vida al pasado. México te espera.

4. Las ______________________________ los colores de las puestas del sol. Las ________________ despiden ________________ la luz de la luna. Las sonoras notas de una serenata ______________________. El romance y la riqueza de la influencia española permanecen en la magia del México colonial y ______________________________. Descubre el alma de México.

Ventanita

Vera Cruz

El puerto de Vera Cruz es de enorme importancia en la historia de México, ya que fue allí el primer sitio en donde desembarcó Hernán Cortés en su camino hacia la conquista de México, fundando el primer ayuntamiento del país.

Fuerte de San Juan de Ulúa, Vera Cruz, México.

Entre sus sitios históricos más notables figura el imponente Fuerte de San Juan de Ulúa, cuya construcción se inició en 1582. También es de singular importancia su Catedral, localizada frente a la Plaza de Armas y que fue consagrada en 1734. El Palacio Municipal, construido en el mismo sitio en que estuvo el Ayuntamiento de América, el Museo de la Revolución, alojado en el viejo y original edificio del faro, la Plaza Gutiérrez Zamora, frente a la cual está el Templo del Cristo del Buen Viaje, edificado en el siglo XVI, y el Baluarte de Santiago, que formaba parte de una muralla que rodeaba la ciudad y que actualmente alberga el Museo Histórico, son puntos interesantes y que no te puedes perder.

Lectura

La novela amorosa

El tema del amor ha sido una constante en la literatura mundial y probablemente el más tratado de todos los tiempos. El hecho de ser una de las actividades fundamentales de la vida humana ha despertado siempre el interés creativo de los escritores. De este modo la mayor parte de las obras literarias tratan del amor en uno y otro sentido: en ocasiones, como tema secundario, en otras como tema central al que se supeditan todos los demás asuntos de la obra.

A ese conjunto de relatos que desarrollan el amor como asunto central le damos el nombre de *novela amorosa*.

La complejidad de la sociedad contemporánea hace difícil el cultivo de la novela amorosa en sentido estricto; más bien se utiliza el tema en relación con múltiples factores sociales y humanos que permiten profundizar mejor en los sentimientos del hombre.

La palabra *novela* no existía en el castellano del siglo XVI: a las narraciones imaginativas se les llamaba historias o fábulas. Cervantes, en *El curioso impertinente*, la inserta en la primera parte de *Don Quijote* (1605), y en las *Novelas ejemplares* (1613), siendo probablemente el primero que trae de Italia el vocablo.

Rasgos caracterizadores

- Análisis detallado de aspectos emocionales y pasionales del proceso amoroso.
- La historia es compuesta por situaciones, estados y aventuras por las que pasan las relaciones amorosas.
- Marcado carácter de reciprocidad: los amantes dan su persona a cambio de la posesión de la otra.
- Estructura básica es del conflicto que provoca el cambio de estado que sufren los personajes: el paso de una situación a otra.
- La acción se desarrolla mediante el protagonismo compartido de la pareja o del trío, cuando en el juego amoroso entra un tercer miembro que suele ser el desencadenante del conflicto.
- Personajes caracterizados por su condición de amantes.
- Es frecuente la utilización de documentos personales y privados como cartas, diarios íntimos, confesiones, etc.

Piedra de mar

Carolina, Marcos y yo estábamos cogiendo sol. Teníamos un rato largo echados en la arena y yo me sentía muy bien. Creo que es muy fácil sentirse joven y feliz en la playa. Y junto a Carolina más todavía. Carolina me miraba sonreída y cuando yo cerraba los ojos, me echaba el bolso de plástico en la barriga y se ponía a reír. O si no, se te quedaba viendo, y tú no podías hacer otra cosa que mirarla hasta que ella te daba la espalda y volvía a echarse en la arena a coger sol. Estaba muy contento y es eso lo que quiero decir, pero el imbécil de Marcos llegó y dijo que:

— Oye, Carol, ¿qué tal si vienes a ver el carro?

Y Carolina se levantó y se fue con él. Tú sabes, José, que este tipo está loquito con el carro, ¿no? Pero, bueno. Lo cuento porque comencé a sentirme muy mal. Cerré los ojos y traté de olvidarme de ella, pero no podía. (...)

Después me fui caminando entre los paraguas de sol, y al llegar cogí la toalla de Carolina. Estaba seca y tibia, y me gustó sentirla en la piel. Cuando terminé de secarme me senté y cogí un cigarro de Marcos. Era difícil encenderlo contra la brisa, pero insistí y al fin le vi la cabeza roja. Aspiré hondo, boté el humo y cerré los ojos. Entonces me medio dormí. (...)

Yo no sé si tú lo has sentido alguna vez, José, pero cuando me eché en la arena, cuando me puse boca abajo, con el sol en la espalda, sentí que el calor me dilataba y me transformaba en una gota de aceite. Algo así como si tú fueras un pedazo de cera al fuego, y el fuego te derritiera hasta transformarte en un líquido hirviendo que se expande poco a poco hasta ganar la playa toda. Sientes que no tienes recuerdos ni ideas. Sólo imágenes borrosas, imágenes que se vuelven gritos de niño, o el latigazo de repente de una ola sobre la roca. Y esos latigazos revientan la memoria. Te asesinan. Y tú resucitas entre las olas, convertido tan sólo en el hilito delgado que abandona el mar en la orilla. Es una sensación maravillosa. Los brazos y las piernas te crecen y se vuelven pájaro, piedra, sol, risa de mujer que está cerca. Y sobre ti, sobre la playa, pasan los paraguas, los pies, la gente. El cielo mismo parece una máscara de acero azul al rojo.

Pero, bueno, ustedes deben haberlo sentido alguna vez y es inútil que yo se los recuerde. Y si, en todo caso, no lo han sentido, entonces estoy perdiendo el tiempo, porque es algo que hay que vivirlo, así como el sabor de una pera, de una uva que hay que morder para masticar y conocer su jugo. El jugo del sol. El jugo del mar. El jugo del sol, sobre todo, porque a veces parece una naranja exprimida sobre el horizonte, y en la tarde provoca morder el sol, beberse el mar. Levantar la liga que separa el mar del cielo y dejarla temblando en una vibración grave, que despierte millones de peces y los arroje al cielo. O comerse las estrellas que a las nueve parecen de fresa. O pasarle la lengua al cielo negro-azul, que debe tener un sabor a limón dulce buenísimo. O cantar a toda garganta Cielito Lindo, hasta quedarse mudo. (...)

Por fin llegaron. Por fin oí las risas y las carcajadas de Marcos y Carolina. Entonces abrí los ojos. Y entonces me senté. Bueno. Y entonces le pedí un cigarro a Marcos y me reduje, y volví a tener el tamaño de siempre, a pesar del sol y de la playa. Recuerdo las goticas de sudor que se resbalaban de su piel y manchaban la arena. Recuerdo que, acostado, la brisa nos envolvía en bolsas de calor y levantaba granitos que me mordían en la mejilla como hormigas dulces. Yo abría los ojos y Carolina me los cerraba con sus pupilas marrones, y escondía la cara en el cabello que le ondeaba, y me miraba con la cara apretada contra el codo, y sonreía, y el imbécil de Marcos que si bla-bla-bla y hablaba y hablaba, y para colmo terminaba sus frases con un *beibi* que supongo que lo sacó de su último viaje a Miami. (...) Estabas estorbándome, Marcos. Estabas impidiendo que yo le hablara a Carolina, y Carolina se dio cuenta porque llegó y le dijo:

— Por favor, Marcos, no hables tanto.

Y Marcos se perdió calientísimo. Estaba que comía tierra. Encontré el momento para entrar al ataque, respiré hondo, y cuando ya estaba a punto de echarme al agua, regresó el enano y se acostó entre los dos. Fue entonces cuando yo comencé a echarle arena a las piernas de Carolina. Sentía que en el jueguito me comunicaba con ella. Pero el idiota le dijo a Carolina:

— Oye, Carol — asimismo, que si: Oye, Carol —, ponme aceite en la espalda. (...)

Sabiendo perfectamente que yo en mil años, no me atrevería a pedírselo.

No soporté el espectáculo del cerdo y me largué. Me fui caminando hacia la orilla y me senté cerca de un niñito que estaba trabajando un castillo de arena. Tenía un balde y una pala, y con la pala metía la arena en el balde y se la llevaba al agua y ahí la mojaba. Supongo que mojaba la arena porque así la arena se endurecía y resistía a los soplos del aire. El castillo estaba aún muy pequeño y lo ayudé a construirle las torres. A veces el viento erosionaba un muro y el niñito decía:

— Oye... mira... se cayó.

Y buscaba más agua para humedecer la arena.

Casi terminado el castillo, me di vuelta con cara de matón para ver si Carolina entendía y se venía a ver el castillo, pero Carolina estaba acostada y no se daba cuenta de nada. Creo que hasta canté una ópera y el primer movimiento de la Quinta Sinfonía de Beethoven, pero nada. Lo único que conseguí fue una mirada de espía alemana por parte de la vieja del carricito, y se lo llevó. El pobre nené se quedó jipando entre las rodillas peludas del barrigón del papá, y yo me fui hacia las rocas. (...)

Te confieso, José, que cada vez que pensaba en Carolina y Marcos, ni el cielo ni los pájaros me importaban. Es una lástima que sea así. Es una lástima que las cosas que nos gustan, nos dejen de gustar por una ideíta, una mueca, o un diente roto. (...)

Cuando llegué, Marcos se me quedó mirando un rato.

— Te estábamos buscando — dijo el imbécil, y para colmo, Carolina lo miró y se puso a reír histéricamente.

— Oye, vale, ¿dónde te escondiste?

Fue lo único que se le ocurrió decir, ¿no? y me aguanté las ganas de matarlos. Lo que más me molestó fue la miradita de Marcos ¿Me entienden? (...)

Bueno. Por fin me quedé solo con Carolina, pero no pude sacarle en diez minutos una sola palabra.

Buscaba la forma de hacer una declaración seria, sin cursilerías. Eso es dificilísimo, y sé que ustedes consideran pasado de moda eso de que si te quiero mucho y lo que sigue, pero entonces, ¿cómo diablos, qué invento para saber si quiere o no ser mi novia? ¿La beso? ¿La abrazo? Palabra que no es nada fácil. Sobre todo si se es un tipo como yo. Porque, José, ni se hable. Este tipo levanta un dedo y listo. Lo he visto atacar a una muchacha en diez minutos y a los quince ya eran novios. (...)

Recuerdo que yo le miraba los pies, y las manos, y las piernas a Carolina, y ella me miraba de vez en cuando y yo seguía buscando una manera de entrarle a la cosa, y nada. No podía. No podía hablar. Lo único que hacía era mirarle los dedos de los pies, que por cierto se los pinta con cinco gorras rojas. Quiero decir, que sólo se pinta el pie derecho y no sé por qué diablos es así, ni se lo pregunté por miedo a meter la pata.

Por fin, desesperado, y con pánico a que el loco del enano apareciera en escena, le dije:

— ¿Te gustaría ser un pez?

Ella no me respondió. Me aguanté dos minutos más, y con una serenidad tan exagerada que ni se oía, le dije:

— El mar es una maravilla. ¿Verdad?

Y ella se sonrió. Eso me dio fuerzas, pero estaba seguro de que no lo había escuchado y que se había reído por puro reírse. Y hasta sentí que la condenada se estaba riendo de mí. Siempre que voy a la playa me dejo la bragueta abierta, y muy, pero muy disimuladamente, bajé los ojos, pero todo marchaba bien.

— ¿Cómo te fue en España?

Y ella me respondió con otra cosa. Me acuerdo que me respondió:

— ¿Y la novela?

Que no tiene nada que ver con mi pregunta, pero así fue. Yo le pregunté por España, a ver si me hablaba de sus amigos españoles, del viaje. De algo que pudiera estar relacionado conmigo o con mis cartas, ¿no? Pero, imagínense. Creo que temblaba porque sentía que había llegado el momento de hablarle. No sé si me explico. En clase, cuando por ejemplo estaba en clase y el profesor preguntaba algo, apenas terminaba la pregunta, se me nublaba de tal forma el coco, que olvidaba mi nombre y apellido. (...)

Ya desesperado, y con miedo a que el día terminara tan mal, cogí fuerzas, y casi llorando le dije:

— Carolina, por favor. Óyeme. Te lo ruego.

Y Carolina asustada.

— Te lo ruego, Carolina.

Temblando como un epiléptico:

— No te rías. Escúchame...

Con las piernas cansadas. Con la maldita tembladera:

— Carolina, te lo ruego. Óyeme bien una sola vez. En serio.

Pero Carolina pasaba de la risa al miedo, y no aguanté y le dije:

— Idiota... No entiendes nada.

Salí corriendo y como a cincuenta metros caí en la arena. Fue Marcos quien me levantó. Como si no tenía lo suficiente me gritó:

— Levántate, pues, que nos vamos.

Estaba tan débil que se me cayó la toalla. Carolina se fue con lo del grito, y Marcos decidió regresar a Caracas.

MASSIANI, Francisco. Fragmento.

Francisco Massiani. Venezolano nacido en 1944. Destacado narrador de la joven generación. Obras: Piedra de mar (1968); novela leída con fervor por un público joven y elogiada sin reserva por la crítica más diversa; Las primeras hojas de la noche (relatos), El llanero solitario tiene la cabeza pelada como cepillo de dientes, Los tres mandamientos de Misterdoc Fonegal (novela, 1976).

Comprensión e interpretación del texto

1. Identifica en el texto:
   a) escenario;
   b) tiempo;
   c) género;
   d) narrador;
   e) lenguaje.
2. Haz un resumen del texto.
3. ¿Cuál es el conflicto que se plantea en esta historia?
4. ¿Qué opinas de Carolina?
5. El personaje experimenta diversas emociones. ¿Cuáles eran y por qué se sentía así?
6. ¿Qué problemas de los jóvenes de hoy se plantea en esa obra?

PIÉNSALO

El fracaso es la oportunidad de comenzar nuevamente, de manera inteligente.

Henry Ford (1863-1947), industrial estadounidense.

7. ¿Esta historia y sus personajes tienen algo parecido contigo, con tu vida y con tus amigos? Coméntalo.
8. Cuenta alguna situación que hayas vivido y que provocó en ti los mismos sentimientos del narrador.
9. ¿Qué aspectos lingüísticos evidencian el lenguaje de Venezuela?
10. ¿Qué diferencia presentan la timidez del protagonista y la de Esteban, de "Memoria Electrónica", de la unidad 11?
11. Haz la paráfrasis de los dos párrafos: "Yo no sé si tú lo has sentido..." hasta "quedarse mudo".
12. Haz tu comentario personal del texto, justificando tus opiniones.

HUMOR

Optimista y pesimista

Si un sapo pesimista se cae en un vaso de leche... se ahoga. Si es optimista se mueve tanto hasta que termina parado sobre manteca.

Un pesimista que compra queso ve los agujeros. Un optimista, el queso...

El pesimista dice: "El teatro estaba medio vacio". El optimista dice: "El teatro estaba medio lleno".

Lamentando la dureza de los tiempos, con "Guerras, revolución y qué sé yo cuántos trastornos más", dice el optimista: "Si seguimos así, dentro de poco vamos a comer caca...". Dice el pesimista: "Pero no habrá...".

PORTALENGUA

Pedir ayuda

¿Se/Te importa(ría)(s) ayudarme?
¿Puede(s)/Podría(s) echarme una mano?

Ofrecer ayuda

¿Puedo/Podría ayudarte(le) (en algo)?
¿Quiere(s) que...?
¿En qué puedo/podría ayudarte(le)?

Dar instrucciones

Cuando termine(s), póngalas/ponlas en...
En cuanto vuelva(s), llena(e) la heladera/alacena (con)...

Animar

(Ya) Verá(s) como no es nada.
(Ya) Verá(s) como todo se arregla.

Emitir un juicio sobre los demás

(No) Me cae bien/mal.
(No) Me llevo bien/mal con...
Eres/Es/Son (de) lo más competente/cansador (que)...
(No) Sabe(s) vivir/elegir...
(Tan) Sólo piensa(s) en...

ComunicHABLE

✓ Escucha, completa y lee.

DIÁLOGO 1. ¡Qué susto!

Clara: Señor, por favor, ¿me puede echar una mano?

Sergio: ¡Cómo no, señora!

Clara: Hay que ver lo nerviosa que estoy. Mi coche tenía mucha gasolina y salí sin preocuparme. Uno de mis hijos debe de haber salido con él y aquí estoy, en medio a esta ruta sin nafta. Se importaría en ayudarme?

Sergio: Cálmese, señora. Negarme a atenderla sería inhumano y cruel. Esos jóvenes a veces sólo piensan en sí y no miden las consecuencias. Pero, por otro lado, cuando joven hice lo mismo.

Clara: Usted es muy comprensivo y extremamente amable. Me cayó muy bien encontrarlo. ¡Qué suerte he tenido! Muchas gracias.

Sergio: Por Dios, señora. Mañana puede pasar lo mismo conmigo. No sabe vivir el que no es solidario. Le cederé unos seis litros de gasolina. Eso le dará para llegar a una estación de servicio próxima, más o menos unos 30 km adelante.

Clara: ¡Qué Dios le bendiga! ¿Cómo se llama Ud.?

Sergio: Sergio, para servirle a Ud., señora...

Clara: Clara, don Sergio. Me llamo Clara. ¿Cuánto le debo?

Sergio: ¡Oh! Nada, nada, doña Clara. Tuve inmenso gusto en ayudarla.

Clara: Muchísimas gracias. Adiós, don Sergio.

Sergio: Adiós, doña Clara. ¡Que le vaya bien!

DIÁLOGO 2. En el despacho del señor Ramírez

Ramírez: Señorita Dulce, cuando termine de ordenar la correspondencia del exterior, póngalas en las carpetas, primer cajón de archivo.

Dulce: ¿Quiere que separe por países, señor?

Ramírez: Sí, sí, por supuesto. Cada país tiene su carpeta.

Dulce: ¿Algo más, señor?

Ramírez: En cuanto termine, vuelva aquí que le daré los datos a que elabore el acta de la reunión de ayer.

Dulce: Sí, señor Ramírez. ¿Nada más?

Ramírez: Gracias, señorita Dulce. Por ahora, nada más.

Volviendo a su sala

Dulce: ¡Ay! ¿que hago? Nunca escribí acta de cualquier tipo. ¿Qué hago, Amparo?

Amparo: Calma, Dulce. ya verás como no es nada.

Dulce: No me llevo bien con eso de correspondencias, relatorios, actas. Me gusta, eso sí, la literatura.

Amparo: Ya verás como todo se arregla. Te doy un modelo de acta y te será fácil. En caso de dudas, pregúntame, ¿de acuerdo?

Dulce: Gracias, Amparo. Yo, a cambio, ¿podría ayudarte en algo? Eres de lo más dedicada y competente que he vista.

COMERCIO RARO

Conductor experiente se ofrece para llevar y traer a gentes llenas de esperanza al País de las Maravillas. Boletos gratis. Recados con Mercedes Seat, teléfono 04012000.

VERBOS ACABADOS EN -ACER, -ECER, -OCER, -UCIR

Estos verbos toman una Z antes de la C radical, siempre que esta C va seguida de A o de O. Ello ocurre en la primera persona del singular del presente de indicativo, en todo el presente de subjuntivo y en el imperativo.

PRESENTE DE INDICATIVO			
Nacer	**Merecer**	**Conocer**	**Lucir**
na**z**co	mere**z**co	cono**z**co	lu**z**co
naces	mereces	conoces	luces
nace	merece	conoce	luce
nacemos	merecemos	conocemos	lucimos
nacéis	merecéis	conocéis	lucís
nacen	merecen	conocen	lucen

PRESENTE DE SUBJUNTIVO			
Nacer	**Merecer**	**Conocer**	**Lucir**
na**z**ca	mere**z**ca	cono**z**ca	lu**z**ca
na**z**cas	mere**z**cas	cono**z**cas	lu**z**cas
na**z**ca	mere**z**ca	cono**z**ca	lu**z**ca
na**z**camos	mere**z**camos	cono**z**camos	lu**z**camos
na**z**cáis	mere**z**cáis	cono**z**cáis	lu**z**cáis
na**z**can	mere**z**can	cono**z**can	lu**z**can

IMPERATIVO AFIRMATIVO			
Nacer	**Merecer**	**Conocer**	**Lucir**
nace	merece	conoce	luce
na**z**ca	mere**z**ca	cono**z**ca	lu**z**ca
na**z**camos	mere**z**camos	cono**z**camos	lu**z**camos
naced	mereced	conoced	lucid
na**z**can	mere**z**can	cono**z**can	lu**z**can

¡Fíjate!

a) El verbo *yacer* no sigue esta regla.
b) *Mecer* y *remecer* son verbos regulares.
c) *Cocer* y *escocer* no pertenecen a esta clase; se conjugan como *contar*.

VERBOS ACABADOS EN -DUCIR

Tienen las mismas irregularidades de los acabados en **-ACER**, **-ECER**, **-OCER** y **-UCIR**. Tienen, además, las siguientes irregularidades:

a) Cambian la **C** en **J** en el pretérito indefinido y sus derivados (imperfecto de subjuntivo, futuro de subjuntivo);

b) Toman desinencias irregulares — **E**, **O**, inacentuadas — en lugar de las regulares **Í**, **IÓ**, en la 1ª y 3ª personas del singular del pretérito indefinido (*conduje*, *condujo*, en vez de *conducí*, *condució*).

c) Pierden la I de las desinencias regulares, en la 3ª persona de plural del pretérito indefinido de indicativo y, consecuentemente, de sus tiempos derivados (pretérito imperfecto de subjuntivo y futuro imperfecto de subjuntivo (condujeron, condujera/condujese, condujere, y no conducieron, conduciera/conduciese, conduciere). Ejemplo:

Presente de Indicativo	Presente de Subjuntivo	Imperativo Afirmativo	Pretérito Indef. de Indicativo	Pretérito Imperf. de Subjuntivo
condu**z**co	condu**z**ca	—	condu**j**e	condu**j**era/condu**j**ese
conduces	condu**z**cas	conduce	condu**j**iste	condu**j**eras/condu**j**eses
conduce	condu**z**ca	condu**z**ca	condu**j**o	condu**j**era/condu**j**ese
conducimos	condu**z**camos	condu**z**camos	condu**j**imos	condu**j**éramos/condu**j**ésemos
conducís	condu**z**cáis	conducid	condu**j**isteis	condu**j**erais/condu**j**eseis
conducen	condu**z**can	condu**z**can	condu**j**eron	condu**j**eran/condu**j**esen

EJERCICIOS

1. Sigue el modelo.

> Modelo: Yo *reduzco* pero tú no *reduces* la velocidad. (reducir)
> Si *redujeras* la velocidad, sería muy bueno.

a) Yo ______________ pero tú no ______________ el problema. (deducir)
Si (tú) ______________ el problema, sería muy bueno.

b) Yo ______________ pero ellos no ______________ a sus padres. (obedecer)
Si ellos ______________ a sus padres, sería más tranquilo.

c) Yo ____________ pero Jorge no ____________ su coche con cuidado. (conducir)
Si Jorge ____________ su coche con cuidado, sería menos peligroso.

d) Yo ____________ pero mis hermanos no ____________ de anemia. (padecer)
Si (yo) no ____________ de anemia, sería maravilloso.

e) Tú ____________ pero yo no ____________ callado en clase. (permanecer)
Si (yo) ____________ callado en clase, sería más provechoso.

f) Yo ____________ pero vosotros no ____________ el inglés. (traducir)
Si vosotros ____________ el inglés, sería muy bueno.

g) Siempre (yo) ____________ pero él no ____________ música en las clases. (introducir)
Si él ____________ música en sus clases, sería bien mejor.

h) Yo ____________ pero tú no ____________ los errores de pronunciación. (reconocer)
Sería muy bueno si ____________ los errores de pronunciación.

i) Yo ____________ pero los pobres no ____________ el hambre. (desconocer)
¡Qué bueno sería si todos ____________ el hambre!

j) Me ____________ pero muchos no se ____________ con la violencia. (entristecer)
¡Qué bueno si todos se ____________ con la violencia!

k) Yo ____________ pero tú no ____________ tus dudas con buenos libros. (esclarecer)
Sería muy bueno si (tú) ____________ tus dudas con buenos libros.

l) Yo ____________ al coral del colegio pero tú no ____________ . (pertenecer)
Si ____________ al coral del colegio, sería óptimo.

m) Tú ____________ pero yo no ____________ a los amigos a no fumar. (inducir)
¡Qué bueno sería si yo ____________ a los amigos a no fumar!

n) Ustedes no se ____________ pero yo me ____________ de mis padres. (prevalecer)
Sería más correcto si yo no me ____________ de mis padres.

ñ) Ella ____________ pero yo no ____________ a todos con mi educación. (seducir)
Sería maravilloso si yo ____________ a todos con mi educación.

2. Aprovechando las frases del ejercicio anterior, sigue el modelo:

> Modelo: Yo *reduzco* pero tú no *reduces* la velocidad. (reducir)
> Yo *reduje* pero tú no *redujiste* la velocidad.

a) Yo ________________ pero tú no ________________ el problema. (deducir)

b) Yo ________________ pero ellos no ________________ a sus padres. (obedecer)

c) Yo ____________ pero Jorge no ____________ su coche con cuidado. (conducir)

d) Yo ______________ pero mis hermanos no ______________ de anemia. (padecer)

e) Tú ________________ pero yo no ________________ callado en clase. (permanecer)

f) Yo ____________ pero vosotros no ____________ el inglés. (traducir)

g) Siempre ____________ pero él no ____________ música en las clases. (introducir)

h) Yo ____________ pero tú no ____________ los errores de pronunciación. (reconocer)

i) Yo ________________ pero los pobres no ________________ el hambre. (desconocer)

j) Me ______________ pero muchos no se ______________ con la violencia. (entristecer)

k) Yo ____________ pero tú no ____________ tus dudas con buenos libros. (esclarecer)

l) Yo ______________ al coral del colegio pero tú no ______________ . (pertenecer)

m) Tú ______________ pero yo no ______________ a los amigos a no fumar. (inducir)

n) Ustedes no se ____________ pero yo me ____________ de mis padres. (prevalecer)

ñ) Ella ____________ pero yo no ____________ a todos con mi educación. (seducir)

SELECTIVIDAD

(Universidade Federal de Mato Grosso)

Los efectos terapéuticos de la risa

CID

Debe ser el estrés que provoca el actual ritmo de vida, o las preocupaciones que quien más, quien menos tiene en su cabeza, pero el caso es que cada vez nos reímos menos. Si nuestros abuelos, allá por los años 30 practicaban esta sana actividad alrededor de 20 minutos al día, el promedio bajó alarmantemente en la década de los 80, con unos ocho minutos y se ha reducido aún más en los últimos años. Ahora se calcula que cada individuo sólo ríe durante tres minutos cada 24 horas y, desde luego, hay más de uno que, en realidad, no lo hace nunca.

Una auténtica lástima, porque, a excepción de la patológica — que se produce en determinados estados y enfermedades mentales y aparece sin motivo alguno —, la risa reporta numerosas ventajas al ser humano. Por algo desde tiempo inmemorial la sabiduría popular ha considerado a las personas risueñas y de buen humor como sujetos felices e incluso rebosantes de salud. Esa idea tan extendida está respaldada por muchas y diversas razones en forma de beneficios concretos. El primero de ellos radica en el hecho de que una risa franca permite realizar una magnífica gimnasia, no sólo facial. Al abrir la boca se contraen los músculos de la cara, mientras que los del resto del cuerpo liberan las tensiones acumuladas y se relajan casi por completo. Se trata, por tanto, de un ejercicio suave y profundo, que apenas se requiere esfuerzo, indicado para todos y, muy especialmente, para aquellas personas nada partidarias de la gimnasia tradicional, que no suelen practicar nunca.

Está asimismo muy contrastado que reír es un poderoso antídoto contra el insomnio. Más de un insomne acostumbrado a pasar muchas noches sin pegar ojo ha comprobado cómo, tras una velada en la que abundó la risa, ha sido capaz de dormir casi a pierna suelta. Esto se explica porque, al fin y al cabo, ayuda a suprimir las tensiones ya que, después de reír, los músculos del individuo se sitúan en un estado de relajación, el cual favorece el paso del estado de vigilia al de sueño. Además, esa euforia evita la aparición de pensamientos obsesivos, que a su vez favorecen el insomnio.

Al reír se realiza también una gimnasia abdominal y un masaje en profundidad del aparato digestivo, con lo cual se ayuda a superar el estreñimiento. Por otro lado, al efectuarse la espiración característica de las carcajadas se ejerce otro efecto: el de combatir la aerofagia, ya que se expulsa todo el aire contenido en la parte alta del citado tubo digestivo.

PÉREZ-FAJARDO, Yoya. In Revista *Tribuna*, Madrid, España, 1º dic. 1997.

Señala en los paréntesis las cuestiones verdaderas (V) y las falsas (F).

Cuestión 1

( ) a) Devido ao estresse, as pessoas riem cada vez menos.

( ) b) É importante rir pelo menos 30 minutos ao dia.

( ) c) Na década de 80, as pessoas riam menos em relação à década de 30.

( ) d) É alarmante o fato da redução do riso nas pessoas.

Cuestión 2

( ) a) Há que rir pelo menos durante 3 minutos ao dia.
( ) b) O riso aparece quando se sofre de alguma patologia.
( ) c) A sabedoria popular considera as pessoas risonhas felizes e saudáveis.
( ) d) Está entendida a idéia de que o riso contribui na realização de uma magnífica ginástica.

Cuestión 3

( ) a) Com o riso, se contraem os músculos faciais.
( ) b) Com o riso, os músculos liberam as tensões acumuladas e permitem o relaxamento.
( ) c) Praticar o riso é aconselhável para pessoas que não costumam fazer ginástica tradicional.
( ) d) O riso atua ineficazmente contra a insônia.

Cuestión 4. Segundo o texto

( ) a) Depois de rir muito, pode-se dormir profundamente.
( ) b) O relaxamento dos músculos, com o riso, contribui para manter o estado de vigília.
( ) c) Com o riso, massageiam-se os músculos do aparelho digestivo.
( ) d) As gargalhadas produzidas como efeito do riso contribuem na expulsão de gases retidos no aparelho digestivo.

Cuestión 5. No texto

( ) a) *la risa reporta numerosas ventajas* (linha 16) se refere aos benefícios proporcionados pelo riso.
( ) b) *rebosantes de salud* (linha 18) se refere a ter uma saúde de ferro.
( ) c) *un ejercicio suave y profundo* (linhas 22 e 23) se refere à ginástica.
( ) d) *pasar muchas noches sin pegar ojo* (linha 26) se refere a passar várias noites sem dormir.

LENGUACURIOSA

En la relación que presentamos aquí las palabras adquieren distintos significados en diferentes países.

Bolero — Boliche (Costa Rica). Limpiabotas (México).

Camarón — Propina o gratificación (Costa Rica). Camaleón, persona que cambia con facilidad de pareceres o doctrina (Perú). Espía, persona que acarrea en secreto datos, noticias, para transmitirlos a quien interesa (República Dominicana).

Campirano Patán, rústico (Costa Rica). Campesino. Entendido en las faenas del campo, diestro en el manejo del caballo y en domar o sujetar a otros animales (México).

Canco Especie de olla hecha de greda (Chile). Maceta, tiesto (Chile). Nalga (Bolivia). Caderas anchas en la mujer (Chile).

Chévere Bonito, elegante, gracioso (Ecuador, Porto Rico, Venezuela). Benévolo, indulgente (Colombia, Venezuela). Elegante (Cuba, Puerto Rico, Venezuela). Valentón, guapo (Venezuela).

Chingo Animal rabón; corto (hablando de vestido) (América Central). Desnudo, en paños menores (Costa Rica, Venezuela). Deseoso, ávido (Venezuela). Pequeño, diminuto (Colombia, Cuba). De estatura baja (Nicaragua). Chato, romo, desnarigado (América Central, Venezuela).

Cipote Zonzo, bobo (Colombia). Rechoncho, obeso (Guatemala). Muchacho (Honduras, El Salvador, Venezuela).

Fajar Acometer a alguien, golpearle, pegarle (América del Sur). Obligar a alguien a prestar dinero (República Dominicana). Galantear (Cuba). Dedicarse con empeño a un trabajo, estudio, tarea (Costa Rica, Puerto Rico, República Dominicana).

Fifiriche Raquítico, flaco, enclenque, petimetre (Costa Rica, México).

Fletar Alquilar un animal de carga, carro o carruaje (América del Sur). Soltar o espetar acciones o palabras agresivas (Chile, Perú). Largarse, marcharse de pronto (Cuba, México). Colarse en una reunión sin ser invitado (Argentina).

Fogaje Fuego, erupción de la piel (Argentina, México). Bochorno, calor (Argentina, Colombia, Puerto Rico, Venezuela). Fogata, llamarada (Ecuador).

Frangollo Dulce seco hecho de plátano verde triturado (Cuba, Puerto Rico). Comida hecha sin esmero (México). Mescolanza, revoltijo (Perú). Trigo, cebada o maíz triturados (Chile). Locro de maíz muy molido (Argentina).

Gallo Hombre fuerte, valiente (Colombia, Costa Rica, Chile, México). Rehilete (Colombia). Papagayo, botella con forma especial, para recoger la orina de la persona que está en cama (Perú) (port. comadre). Serenata (México).

Guagua	Insecto pequeño que vive en los troncos de naranjos, limoneros, etc. y los destruye (Cuba). Ómnibus con un itinerario fijo (Cuba, Puerto Rico). Nene, rorro (Argentina, Bolivia, Chile, Ecuador, Perú).
Guaje	Especie de acacia (México). Calabaza vinatera (Honduras, México). Bobo, tonto (Honduras, México). Trasto, persona o cosa inútil (América Central).
Gurrumina	Pequeñez, fruslería (Cuba, México). Cansera, molestia (Ecuador, Guatemala, México). Persona lista, astuta (Honduras).
Julepe	Susto, miedo (América del Sur). Ajetreo, trabajo, fatiga, sufrimiento (México).
Macacoa	Murria, tristeza (Venezuela). Mala suerte (Puerto Rico).
Maletero	Cortabolsas, ratero (Chile). Criado que en los viajes lleva la maleta y caballería en que éste va montado (Honduras). Maletín de grupo (Ecuador). Maleta (Colombia).
Ñaña	Niñera (Chile, Puerto Rico). Hermana mayor (Argentina, Chile). Amiga preferida (Colombia, Chile).
Remoler	Molestar (Guatemala, Perú). Andar en diversiones (Chile).
Requintar	Terciar la carga en una caballería (Colombia). Levantar el ala del sombrero hacia arriba (Argentina). Poner tirante una cuerda (América Central, Colombia, México).
Resaca	Paliza (Cuba). Aguardiente de óptima calidad (Colombia). Limo empleado como abono (Argentina). Gente de baja clase social (Argentina).
Salar	Desacreditar a alguien (Cuba, Honduras, Perú). Desgraciar, malograr (Costa Rica., Ecuador, México, Puerto Rico). Dar o causar mala suerte (Costa Rica).
Terno	Aderezo de joyas compuesto de pendientes, collar y alfiler (Cuba, Puerto Rico). Traje femenino con falda y chaqueta (Ecuador, Perú).
Tibor	Orinal (Cuba). Jícara (México).
Timba	Cubo para sacar agua del pozo (Filipinas). Barriga, vientre (Guatemala, Honduras, México).

JUEGUITO

Abajo te damos dos palabras que presentan una relación específica entre sí. Al lado de dichos vocablos escribirás la relación observada y a seguir deberás construir otras "parejas" a partir de esa misma relación inicial.

Ejemplo: Joven – anciano ⇒ relación de oposición

Corto	Alto	Ancho	Entrada
Largo	Bajo	Angosto/Estrecho	Salida

1. Sábado – domingo ⇒ ______________________________

Anteayer	Anoche	Penúltimo	Septiembre
			octubre

2. Natación – piscina ⇒ ______________________________

Atletismo	Teatro	Peatón	Circo
pista			

3. Cerdo – animal ⇒ ______________________________

Destornillador	Cuchillo	Agua	Sandía
			fruta

4. Aristocracia – nobleza ⇒ ______________________________

Labor	Preludio	Insípido	Alumbrar
trabajo			

5. Caballo – equino ⇒ ______________________________

Gato	Cerdo	Cabra	Carnero
			ovino

6. Personas – multitud ⇒ ______________________________

Abejas	Perros	Peces	Ovejas
			rebaño

7. Milenio – mil ⇒ ____________________

Semana	Lustro	Siglo	Década
			diez

OBSERVACIONES SOBRE EL EMPLEO DE LAS PREPOSICIONES

Hay verbos y otras palabras que cambian la significación cuando vienen con preposiciones distintas. Pasamos a presentar algunos casos.

1. **Debe** - denota obligación. Ej.: *Debes* estudiar mucho para la prueba.
   Debe de - denota probabilidad. Ej.: Creo que *debo de* llegar tarde.
2. **Salir** alcalde/presidente, etc. = ser elegido. Ej.: Pedro *salió* alcalde del Club Playero y esperamos que realice muchas cosas.
   Salir de... = dejar de serlo. Ej.: Manuel *salió de* presidente del banco y ahora quiere descansar.
3. **Dar a** = entregarse con ahinco o por vicio a alguna cosa. Ej.: Para no perder la beca, me *daré al* estudio. Desilusionado, se *dio a* la bebida.
   Darse con uno = encontrarlo. Se *dieron con* Dora en la fiesta.
   Darse por = considerarse en alguna situación o peligro. Ej.: Ya *me doy por* perdido en esa competición.
   Dar por = considerar concluida aunque no esté. Ej.: Mi casa la *doy por* concluida, pues ya puedo vivir allí.
   Darse sobre uno = acometerle con furia. Ej.: El perro *se dio sobre* el niño y casi lo mató.
   Dar tras uno = perseguir, acosar con furia o gritería. Ej.: La policía *da tras* los que ofrecen peligro a la colectividad.
4. **Hacer** una cosa = ejecutar. Ej.: Mamá *hizo* unos ñoquis divinos.
   Hacerse con una cosa = obtenerla. Ej.: *Me hice con* el nuevo carné de conducir.
   Hacerse con una persona = dominarla, convencerla. Ej.: *Se hizo con* su hermano para que le prestara su coche.
   Hacer de = representar el papel. Ej.: Ella *hizo de* profesora y alfabetizó a los niños pobres del barrio.
   Hacer por + verbo en infinitivo = interesarse, cuidar por la ejecución. Ej.: *Haré por* no retrasarme, te lo prometo.
5. **Ir por** = seguir una carrera. Ej.: Mi nieto *va por* médico.
   Ir de = vestido a manera de. Ej.: *Va de* payaso a la fiesta infantil.
   Ir con = compañía. Ej.: *Voy con* papá al médico.

Ir con = convenir con alguien o algo. Ej.: *Voy con* Sergio en ese asunto.
Ir sobre alguno = seguirle de cerca, ir en su alcance. Ej.: *Iré sobre* él para descubrir qué hace para sobrevivir.

6. **Pasar por** = ser tenido como. Ej.: Ese niño *pasa por* estudioso pero no lo es.
   Pasar de = exceder en una calidad o propiedad. Ej.: Mario *pasa de* inteligente, es genial.
   Pasar sin = no necesitar. Ej.: Creo que podemos *pasar sin* coche algunos días.
7. **Poner a** + verbo en infinitivo = empezar a ejecutar la acción. Ej.: Feliz, Soledad se *puso a* cantar.
   Poner en + nombre = ejercer la acción del verbo a que el nombre corresponde. Ej.: No acepto que *pongas en* duda mis palabras. (No acepto que dudes de mis palabras.)
   Poner por + nombre = valerse para lo que el nombre significa, representa. Ej.: En la pieza teatral ella *puso por* pianista. (hizo el papel de pianista)
   Ponerse de + alimento = hartarse. Ej.: Los niños *se pusieron de* hamburguesas.
   Ponerse de + nombre = mancharse, llenarse de. Ej.: Mis hijos *se pusieron de* grasa.
   Ponerse con = comparar, competir. Ej.: Él *se pone con* el más guapo del grupo.

Ejercicio

✓ Completa las frases con la preposición que convenga al sentido.

1. A que venzas la competición, date _____ la lectura de los libros, ¿sí?
2. Papá se hará _____ la nueva computadora.
3. Voy a dar _____ encerrada esta discusión inútil.
4. Debes _____ ser el vencedor, pues no has hecho ningún error.
5. Daré _____ mis sueños y los volveré realidad.
6. En la fiesta yo me puse _____ pasteles y ahora me duele el estómago.
7. No entiendo mucho de economía, pero en eso de importación voy _____ el ministro.
8. Deberé _____ llegar temprano para no perder el tren.
9. Ya he decidido: iré _____ la profesión de mi padre.
10. ¡Caramba! Me hice _____ cocinera y todos elogiaron mi comida.
11. ¿Sabías? Mi tío salió _____ diputado. Estoy orgulloso con ello.
12. ¿Por qué saliste _____ policía? ¡Te gustaba tanto!...

13. ¡Ay! No sabes qué me pasó: mi gato dio _____ nuestra vecina y la hirió.

14. Sobre informática Bill Gates se pone _____ cualquiera.

15. Descubrieron un hombre que pasaba _____ médico y no lo era.

ESTAMPALABRAS

El puerto

El aeropuerto

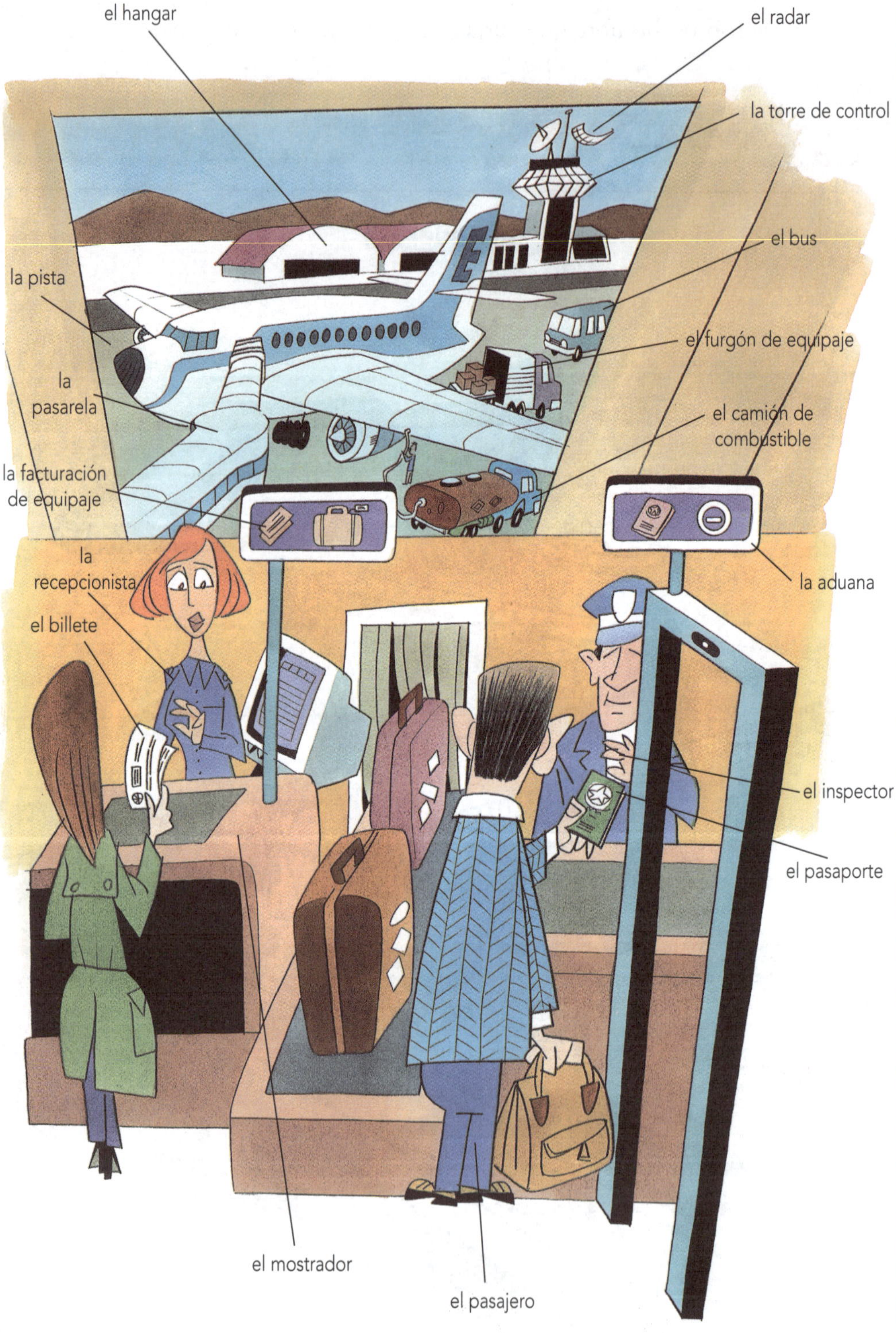

El navío/El buque

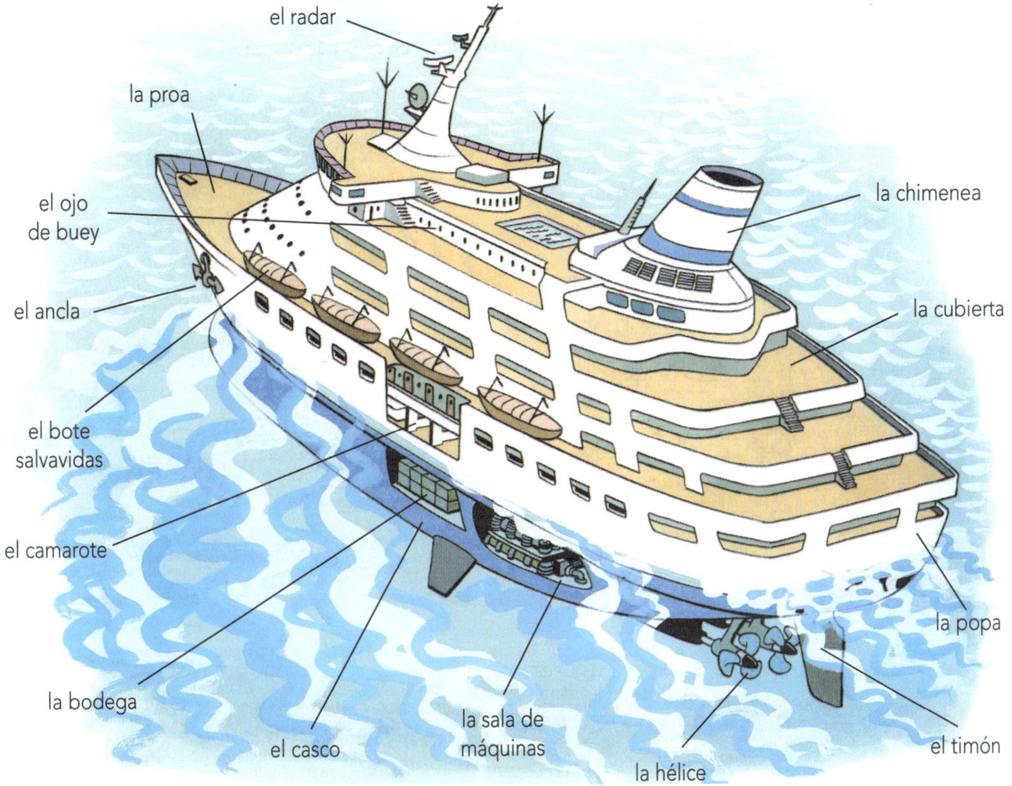

El avión

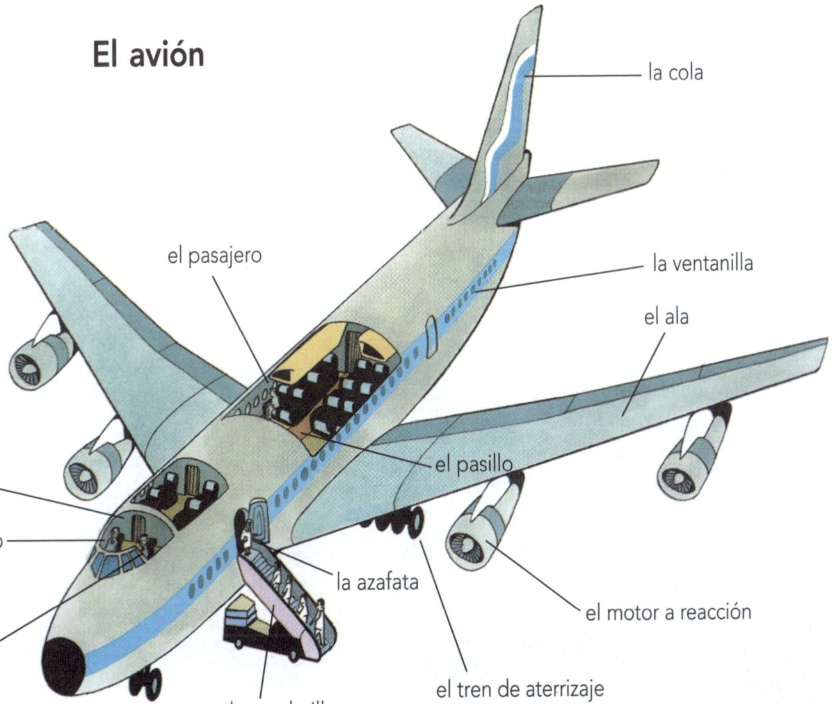

REPASÁNDOLO

✓ Completa el texto que sigue con las preposiciones adecuadas.

Las hormigas

Tracey era niña ______ un pueblo ______ Connecticut, y practicaba entretenimientos propios ______ su edad, como cualquier otro tierno angelito ______ Dios ______ el estado ______ Connecticut o ______ cualquier otro lugar ______ este planeta.

Un día, junto ______ sus compañeritos ______ la escuela, Tracey se puso ______ echar fósforos encendidos ______ un hormiguero. Todos disfrutaron mucho ______ este sano esparcimiento infantil; pero ______ Tracey la impresionó algo que los demás no veían, pero que ______ ella la paralizó y le dejó, ______ siempre, una señal ______ la memoria: ______ el fuego, ______ el peligro, las hormigas se separaban ______ parejas, y ______ dos ______ dos, bien pegaditas, esperaban la muerte.

Eduardo Galeano

Pasajeros "jet lag" de una pesadilla

Los largos trayectos en avión, sobre todo los que obligan a los pasajeros a cambiar de horario, producen severos desórdenes fisiológicos. Quienes cruzan rápidamente los meridianos deben adaptar su organismo a una hora diferente a la de su lugar de origen. Y eso no es fácil. Nuestros relojes interiores pueden adelantarse o retrasarse, pero con una gran lentitud. ¿Qué hacer? ¿Renunciar a la celeridad de los viajes en "jet" y volver al lento desplazamiento de trenes y transatlánticos, que posibilitan una adaptación gradual del viajero a la hora de destino?

Quien pega un brinco sobre el Ecuador para cambiar de hemisferio en pocas horas, puede pasar del verano más tórrido al invierno más riguroso sin demasiados problemas. Cuando mucho, sólo tendrá que realizar un oportuno cambio de ropas y cuidarse de los resfríos. Pero si un viajero cumple su vuelo siguiendo el mismo meridiano terrestre (que es casi lo que sucede en el ejemplo de Santiago de Chile a Nueva York) no tendrá ni siquiera que modificar su reloj: las 8 de la mañana o las 7 de la tarde no habrán cambiado para él. Es decir: no habrá abandonado su huso horario, la estrecha franja de planeta que se estira de norte a sur, afinándose en los polos, y que define la hora del lugar.

Hay 24 husos horarios en la Tierra, correspondientes a las 24 horas del día. Lo grave es cruzar esas franjas. Quien fuerza su organismo a cambiar, de pronto, de una hora del día a otra — y cuanto más alejadas sean esas horas, más brusco resultará el cambio — está alterando algo más importante que la temperatura exterior que su cuerpo recibe. Está cambiando de hora en sus relojes internos.

Y entonces aparecen las mayores molestias: pesadez, torpeza de movimientos, desórdenes gastrointestinales acompañados de desconcentración y depresión. En el caso de un viaje hacia el este — desde París a Tokio, en busca del sol naciente — las molestias son mayores que tras el mismo vuelo, pero cumplido en sentido contrario: un turista japonés en París, por ejemplo, se siente ya restablecido a los cuatro o cinco días de estar paseando junto al río Sena. Un diplomático francés recién llegado a Tokio, en cambio, necesitará una semana entera para encontrarse en pleno dominio de sus facultades físicas y mentales.

La razón es que el organismo humano, si bien no hunde raíces en la tierra como las plantas, tiene — lo mismo que éstas — regulaciones hormonales que lo ligan fuertemente al lugar donde habita. Y esas regulaciones dependen (también como en los vegetales) de la alternancia rítmica de luz y oscuridad, es decir, de la sucesión de los días y de las noches.

Estos ciclos resultan seriamente alterados cuando el organismo atraviesa de pronto cuatro o cinco husos horarios. El cuerpo humano, sometido de golpe a un nuevo régimen de luz y oscuridad, sigue funcionando en parte — todavía — de acuerdo con las órdenes recibidas antes de partir. De allí las perturbaciones que sufre el organismo.

Los profesionales de la aviación comercial — pilotos y azafatas — siguen apelando a sus recursos de siempre para amenizar esos efectos nocivos. Ellos saben que en los viajes con breves estancias en el lugar de llegada es inútil pretender aclimatarse: se siguen ateniendo, entonces, a la hora de su punto de partida, regulando sus descansos y comidas como si no hubieran despegado del aeropuerto de origen. La cosa se les complica, sin embargo, cuando saben de antemano que habrán de pasar más de una semana fuera de casa. En estos casos, la primera medida es cambiar la hora del propio reloj interno en el momento del despegue, ateniéndose desde ese instante — en comidas y descansos — al horario que se encontrará en el aeropuerto de llegada. De ese modo el organismo empieza a acostumbrarse a las nuevas condiciones.

Conozca Más. Argentina, 1994, nº 74. Adaptado.

COMPRENSIÓN E INTERPRETACIÓN DEL TEXTO

1. ¿Qué es el "jet lag" y qué causa tiene?
2. ¿Por qué solamente ocurre cuando se viaja en avión?
3. Según el texto, el ser humano tiene "relojes internos". ¿Qué regulan estos relojes?
4. ¿Por qué se dividió el planeta en 24 husos horarios?
5. El texto afirma que cuando se va rumbo a este el efecto del "jet lag" se hace sentir con mucho más fuerza que cuando se hace el camino al revés, rumbo oeste. ¿Por qué crees que sea así?
6. ¿Qué recursos utilizan los profesionales de la aviación comercial para no aquejarse del "jet lag"?
7. El "jet lag" es un problema de los tiempos modernos. ¿Verdadero o falso? Explica tu opinión.

INFO

Artes y Geografía. Con el *Composer*, de *Netscape*, podrás elaborar una página sobre tu ciudad. Para tanto, debes tomarle algunas fotos u organizar un conjunto de postales a las que se agregarán leyendas explicativas en español. Será interesante hacer un pequeño resumen de la historia de tu ciudad y adjuntar también informaciones geográficas y sobre cómo llegar hasta ahí.

INTERDISCIPLINAS

Artes. Partiendo también del mismo material que ya has buscado y organizado para la tarea anterior, vas ahora a hacer una serie de anuncios publicitarios cuyo tema es "Descubre a... (nombre de tu ciudad)". El trabajo podrá hacerse en forma de video, que será visto después por tu grupo de clase o, incluso, por toda la escuela. También podrá ser hecho por medio de carteles ilustrados con imágenes de tu ciudad. Para tanto, pide a tu profesor de Artes que te auxilie en esa tarea.

AL DICCIONARIO

La letra D

La **D** se encuentra en el alfabeto latino por casualidad. Los romanos adoptaron su escritura de los etruscos, quienes desconocían el sonido de esa letra. Pero, afortunadamente, un anónimo escribano etrusco la había tomado de la escritura griega que se utilizaba en el sur de Italia.

En lo referente a la forma, antiguamente la **D** era más o menos triangular, y la delta de la lengua griega se ha conservado prácticamente sin ningún cambio desde hace tres mil años. Fueron los romanos que escribían sobre material blando, como papiros y pergaminos, quienes le confirieron una barriga redonda.

EJERCICIOS

1. Como ya debes de haber notado, muchas palabras en español terminan con una **D** muda, al revés de lo que ocurre en portugués. Con el auxilio del diccionario, busca sustantivos comunes y abstratos que terminen con la **D** muda y luego pon al lado su forma en plural y la traducción de dichas palabras en portugués.
2. ¿Qué puedes concluir de lo que has apuntado en tu cuaderno?

Aspectos culturales de Paraguay

Lingüísticamente, no es propio decir que Paraguay fue conquistado por españoles; sino más bien que el elemento indígena (guaraní, cario) se fusionó con el invasor. De ahí su bilingüismo, respetado por los misioneros y practicado en todo el país desde el comienzo hasta ahora. En guaraní se han publicado periódicos como el *Cabichuí* de la Guerra Grande (1865-1870), versos de varios poetas, el teatro de Julio Corre y otras piezas teatrales, desde *Guariniro*, de Rufinelli, hasta *Aña-reta-í*, de Ernesto Báez.

Música. Es el país de la más localizada expresión musical de la América hispana. Los jesuitas españoles importaron música religiosa a partir de su llegada a comienzos del siglo XVII y formaron coros y orquestas de nativos. Problemas políticos aislaron el país y los jesuitas fueron expulsos en 1768. Finalmente la guerra de 1865-1870 privó al país de más de 800.000 habitantes, con lo que las posibilidades creativas quedaron reducidas al mínimo.

Los dos compositores más relevantes de la nación son José Asunción Silva, cultivador de elementos indígenas en su música vocal a través de la forma "guaraní", por él inventada y construida según modelos de técnica europea; y Juan Carlos Moreno, director del Ateneo y militante en la línea musical de inspiración romántica.

En las manifestaciones populares se destacan: la "polca", "galopa" y "guarania", este último creado por el compositor y arpista Asunción Flores. La música popular es interpretada por pequeños conjuntos instrumentales, generalmente de cuerdas punteadas, de timbre singular.

Educación y Enseñanza. La educación primaria, además de ser obligatoria, siempre fue gratuita y puede recibirse: a) en las escuelas públicas; b) en las escuelas privadas; c) en domicilio.

CHICO FERREIRA/ANGULAR

El palacio de López.

Hay centros de educación preescolar, jardines de infancia, pero hasta ahora esa fase de educación está poco desarrollada.

El plan de estudios en todas las escuelas de enseñanza primaria comprende las mismas materias que el de las escuelas oficiales y la enseñanza se imparte durante el tiempo establecido por el programa de estudios vigente para todas las escuelas de la nación.

CID

Ruinas jesuíticas.

La enseñanza secundaria está asegurada en los colegios que preparan el bachillerato. Hay también escuelas secundarias técnicas y profesionales, así como una escuela para la formación de técnicos industriales.

Paraguay tiene dos universidades: la oficial de Asunción y la Universidad Católica de Nuestra Señora de la Asunción.

Información y Comunicación. Existen algunos editoriales y es todavía alto el índice de analfabetismo. Muchos de los libros que se leen y se estudian en las escuelas, especialmente literatura, se importan de otros países, concretamente Argentina.

La radio tiene emisoras oficiales y privadas, buscando sus recursos en la publicidad, sin ningún control técnico por parte del Estado.

Traje. Siendo un país cálido, el traje es sencillo y de pocas piezas; en el hombre es esencial el poncho sobre camisa y pantalón, con faja y sombrero de paja o de paño. La mujer usa polleras amplias de tejido con flores de colores o bien de organdí blanco con encajes. Como prenda de busto el *tipoi*, especie de chambra o camisa de amplio escote blanco bordado en negro. En las fiestas se adornan con la *kyguá*, peineta de asta y oro con piedras, con la que sujetan alguna flor; como abrigo usan chales blancos o negros. Ese traje es difícil de encontrar por quien visite el país hoy.

Artesanías. Hacen con algodón un tejido fino, el *aó-poi*, o una tela gruesa y áspera, el *aó-pogbi*; de ésta hacen las hamacas. Es característico el *poncho pará*, de fondo marino con 160 listas blancas. Hacen cestas de mimbre claro y brillante con dibujos de líneas quebradas y simétricas, principalmente las tribus agricultoras de la zona de Caaguazú. Son famosas en Sudamérica el *ñandutí*, encaje, labor también practicada en Brasil y Venezuela.

El mate ocupa importante lugar. El consumo de maíz se hace en varias formas.

Las fiestas son casi todas católicas: Santos Patrones con rasgos fijos como los altares en la noche de San Juan. En las fiestas de Navidad hay muchas conmemoraciones. La muerte es festejada, ya que durante el velorio toman mate y caña y tocan instrumentos de música. Si el difunto es persona acomodada, sacrifican una res, que reparten entre los pobres. Si se trata de un niño, celebran el velorio del Angelito, vistiéndole y adornándole con flores, le acompañan con música y cantos, y en algunos lugares hasta tiran cohetes, ya que es motivo de alegría que un niño vaya al cielo.

Medicina. Sus procedimientos curativos más usuales son por simpatía (gualichos) o, los más naturales, a base de hierbas. Son muchos los consejos para la mujer embarazada. Si quiere que el niño sea blanco, debe tomar caña de azúcar, y si morocho, miel de caña. Sobarle la cabeza al recién nacido le inmuniza de la idiotez. Para curarse los granos de las piernas hay que saltar tres veces sobre el fuego. Hay enfermedades como el ojeo de viento, cuya curación es complicada, a base de hierbas, humos y rezos.

Gran Enciclopedia Rialp. Madrid, Ediciones Rialp, S.A., 1984.

CAMINOS DE LA CIENCIA 17

CID

CID

CID

El modo de valorar el grado de educación de un pueblo y de un hombre es la forma como tratan a los animales.

Berthold Auerbach (1812-1882), novelista inglés.

Las víctimas de la ciencia

Se estima que, en nombre de la ciencia, con la noble intención — o la excusa — de mejorar el bienestar y la calidad de vida de los humanos, se sacrifican en hospitales, universidades, laboratorios y centros de investigación repartidos por todo el mundo alrededor de ¡400 millones de animales! Esas víctimas de la ciencia — así calificadas por los ecologistas — son sometidas a todo tipo de experimentos, desde los más inocuos e inofensivos hasta los más aberrantes y dolorosos que podamos imaginar. Muchas de esas criaturas viven en jaulas lujosas a las que no les falta detalle de confort; son alimentadas con las mejores comidas, mimadas y tratadas con esmero por sus cuidadores. Otras — las menos agraciadas — viven en muy malas condiciones: amontonadas en viejas jaulas sobre sus propios excrementos. Pero tanto unas como otras, tras el experimento, acaban siendo sacrificadas — en el mejor de los casos sin dolor —, arrojadas al tacho de basura o incineradas en el crematorio de algún hospital.

Pero ¿con qué derecho el hombre de ciencia tiene en sus manos la libertad de decidir ejecutar o perdonar la vida a un ser vivo, hacerlo sufrir, torturarlo, modificar su patrimonio genético o manipularlo? ¿Es lícito o no utilizar seres vivos en los experimentos? Es fácil decir ¡no matarás!, pero ¿sería justificable siempre y cuando salvase vidas humanas? Es más, gracias a los 400 millones de animales que seguramente van a morir este año, ¿cuántas vidas humanas se van a salvar, o se salvarán en el futuro?

El avance en el conocimiento de las enfermedades, el desarrollo de revolucionarias técnicas quirúrgicas y el lanzamiento al mercado de nuevos medicamentos están ahora más que nunca vinculados al servicio que pueden prestar los animales de laboratorio. Ratones a los que se les provocan tumores para comprender mejor los mecanismos del cáncer; ratas a las que se les administra un medicamento hasta alcanzar las dosis letales; macacos a los que se infecta con el virus HIV para buscar una vacuna eficaz contra el SIDA. La lista no se hace corta: chimpancés a los que se hace enfermar de hepatitis para ensayar medicamentos antivirales; ratones sometidos a radiaciones, hasta su desintegración literal, para evaluar las dosis radiactivas mortíferas. Hay gatos que son descerebrados para descubrir cómo actúa la heroína o cocaína en el cerebro; perros con injertos de piel y órganos trasplantados para el estudio del rechazo; caniches que se envían en cápsulas al espacio exterior para estudiar la descalcificación de los huesos de los astronautas. Por no mencionar los cerdos y caballos operados una y otra vez para que los médicos noveles hagan manos y se adiestren en el arte del manejo del bisturí...

Desde hace algunos años, especialistas científicos, juristas, ecologistas, psicoanalistas y moralistas de los países más desarrollados vienen cuestionando la validez de los resultados obtenidos a través de la experimentación animal para luego ser extrapolados a los seres humanos. Una batalla a muerte se ha desatado entre los investigadores — que defienden a capa y espada el uso de animales en sus experimentos — y los grupos ecologistas, que no admiten, en ningún supuesto, el empleo de animales en ensayos y experimentos. Estos últimos abogan por que las técnicas alternativas — como las cromatografías de gases, la espectroscopia de masas, las simulaciones por ordenador y las pruebas *in vitro*, en las que se emplean cultivos de células animales, bacterias, hongos, huevos de pollo recién fecundados y embriones de reptiles — sustituyan definitivamente a los animales en los laboratorios. Incluso hay científicos que se han manifestado de forma abierta contra la vivisección, es decir, la utilización y disección en vivo para realizar experimentos y estudios.

Lo ideal para la investigación médica sería, sin lugar a dudas, ensayar en los propios humanos las nuevas técnicas quirúrgicas, medicamentos y soluciones a enfermedades, pero ¿quién se ofrece voluntario para que le inoculen el virus del SIDA, le levanten la tapa de los sesos para rebanarle un pedazo de cerebro o le pongan a flor de piel el sistema nervioso central para grabar las conversaciones entre las distintas partes del cuerpo?

Muy Interesante. Jul. 1990, nº 57. Adaptado.

COMPRENSIÓN E INTERPRETACIÓN DEL TEXTO

1. Dale un título a cada párrafo del texto, según la información que presenta.
2. ¿Qué argumentos utilizan científicos para la utilización de animales en experimentos de laboratorio?
3. ¿Qué dicen los ecologistas respecto a esa posición de los científicos?
4. ¿Qué opinas de esa discusión?
5. ¿En qué son incoherentes los ecologistas en su teoría a favor de los animales?
6. ¿Cuál crees sería la mejor solución para el problema?

LECTURA

La fábula

Fábulas son relatos cortos protagonizados generalmente por animales. Suelen estar escritas en verso y construidas mediante el diálogo de los personajes.

Tienen una clara *intención moralizadora*, que incluye una amplia gama de temas.

En España las fábulas fueron muy del gusto de los escritores del siglo XVIII por su carácter moralizante y pedagógico.

Texto 1

La Fe y las montañas

Al principio la Fe movía montañas sólo cuando era absolutamente necesario, con lo que el paisaje permanecía igual a sí mismo durante milenios.

Pero cuando la Fe comenzó a propagarse y a la gente le pareció divertida la idea de mover montañas, éstas no hacían sino cambiar de sitio, y cada vez era más difícil encontrarlas en el lugar en que uno las había dejado la noche anterior; cosa que por supuesto creaba más dificultades que las que resolvía.

La buena gente prefirió entonces abandonar la Fe y ahora las montañas permanecen por lo general en su sitio.

Cuando en la carretera se produce un derrumbe bajo el cual mueren varios viajeros, es que alguien, muy lejano o inmediato, tuvo un ligerísimo atisbo de Fe.

MONTERROSO, Augusto. *La oveja negra y demás fábulas.* Madrid, Santillana, 1998.

Texto 2

El burro y la flauta

Tirada en el campo estaba desde hacía tiempo una Flauta que ya nadie tocaba, hasta que un día un Burro que paseaba por ahí resopló fuerte sobre ella, haciéndola producir el sonido más dulce de su vida, es decir, de la vida del Burro y de la Flauta.

Incapaces de comprender lo que había pasado, pues la racionalidad no era su fuerte y ambos creían en la racionalidad, se separaron presurosos, avergonzados de lo mejor que el uno y el otro habían hecho durante su triste existencia.

MONTERROSO, Augusto. Op. cit.

Texto 3

El burro flautista

Esta fabulilla,
salga bien o mal,
me ha ocurrido ahora
por casualidad.
Cerca de unos prados
que hay en mi lugar,
pasaba un borrico
por casualidad.
Una flauta en ellos
halló, que un zagal
se dejó olvidada
por casualidad.
Acercóse a olerla
el dicho animal,
y dio un resoplido
por casualidad.
En la flauta el aire
se hubo de colar,
y sonó la flauta
por casualidad.
"¡Oh!"dijo el borrico:
"¡qué bien sé tocar!
¡Y dirán que es mala
la música asnal!"
Sin reglas del arte,
borriquitos hay
que una vez aciertan
por casualidad.

IRIARTE. In SÁNCHEZ, Rafael y otros. *Lengua castellana y literatura*.
Madrid, Ediciones del Orto, 1994.

COMPRENSIÓN E INTERPRETACIÓN DE LOS TEXTOS

1. ¿ Qué tipo de persona representa el borrico?
2. Haz, a continuación, un paralelo entre las dos fábulas del burro.
3. Explica eso de la racionalidad en la fábula de Monterroso.
4. ¿Cómo explicas el contrasenso de que los dos se avergonzaron de lo mejor que habían hecho en sus vidas?
5. ¿Cuál es la moraleja de la fábula de Monterroso?
6. Da un ejemplo que refuerce la moraleja (no explicitada) de Monterroso.
7. ¿Cuál es la moraleja de la fábula de Monterroso sobre la Fe?
8. ¿En qué momento Monterroso usa un lenguaje irónico? Justifícalo.
9. Haz una comparación entre la fábula de Iriarte y la de Monterroso sobre la Fe.
10. Explica la fábula de la Fe y las montañas, comparándola a la actualidad.

11. Buscando y uniendo las sílabas, encontrarás los sinónimos de las siguientes palabras de las fábulas.

Iriarte	zagal - casualidad - colar - prado - resoplido
Monterroso (burro)	presurosos - racionalidad - avergonzados
Monterroso (fe)	propagar - carretera - derrumbe - lejano - atisbo

di	fil	pas	dos	des	sue	a	rá
dir	re	zón	*	pas	dos	za	pis
ta	ri	tan	ra	ca	pi	trar	plo
dis	so	bo	tor	*	fun	ti	*
te	se	zal	*	ru	ñal	me	llo

SELECTIVIDAD

(Universidade Católica de Pernambuco)

Matones de 12 años

Son niños de clase media y alta, pegan a sus madres y aterrorizan a sus compañeros.

A Verónica le dieron una paliza a la salida del colegio. No le pilló por sorpresa. Ella ya había avisado a sus padres que unas chicas la querían pegar, pero pensaron que era cosa de niños y la obligaron a ir a clase. Cuatro chicas, dos de ellas de tan sólo doce años, la esperaban (...) La tiraron al suelo y le dieron patadas por todo el cuerpo (...) Después de la paliza, Verónica subió al autobús de vuelta a casa, pero en el trayecto quedó inconsciente y tuvo que ser hospitalizada con traumatismo craneal. Al Jefe de Reforma del Grupo de Menores GRUME (...) no le ha sorprendido el suceso, porque lo vive a diario en los colegios de la capital. Detenciones de chicas son los casos que más aumentan en los últimos años.

GRUME (...) es un dispositivo de control de las infracciones cometidas por menores de 16 años. Sus miembros no llevan uniforme (...) y cuando realizan una detención tratan de invitar más que obligar, y tratan de que no se entere el vecindario. El centro de detenciones (...) parece más un chalet familiar que una comisaría. Todo para traumatizar lo menos posible al menor; nada de fotografías ni de huellas dactilares.

El defensor del Menor de Madrid asegura que "ha habido un aumento de lo que llamamos de violencia gratuita, la violencia por el placer de demostrar a los demás y a uno mismo que se tiene poder para humillar al otro. Ocurre muchas veces en los casos de abuso sexual. Se trata de una humillación que se realiza en grupo para eludir responsabilidades y para que el daño _________ un juego.

Los jóvenes demuestran por lo que hacen una falta de responsabilidad, como si se tratara de una película de cienciaficción, de lo que ven por la televisión, sin valorar el daño.

Pero es que el cliché del joven marginal, pandillero, sin medios económicos, drogadicto y con mala pinta ya no sirve. La drogadicción y el alcoholismo han descendido en gran medida. El consumo de heroína entre los menores detenidos bajó y el de cocaína hoy es casi nulo. Además ha desaparecido del mapa algo que hace cinco años era habitual entre los más jóvenes: la inhalación de pegamento para colocarse, algo que ya sólo se produce en determinadas poblaciones marginales de ciudades del Tercer Mundo. Por contra, ha aumentado el número de chavales infractores de clase media. Educadores sociales _______ que "en las capas sociales medias-altas o altas, las infracciones y los delitos son más crueles. A lo mejor se debe a que ha habido una dejación de funciones, una educación del dejar hacer. Otros afirman que empezamos a ver en los estudios psicológicos que los niños que tienen muchos medios económicos también tienen muchos problemas en sus casas a veces más que los marginales. Son niños que tienen todos los medios materiales a su alcance, tienen su habitación, su ordenador, su aparato de música, van a un buen colegio, visten bien y comen bien, pero están sólos desde que nacen.

Tiempo. España. Adaptado.

1. De acordo com o texto:

a) Los niños de clase media y alta están muy apegados a sus madres.
b) A Verónica le dieron repetidos golpes.
c) Verónica no esperaba eso de sus colegas.
d) A Verónica la empujaron al suelo.
e) En realidad levantaron a Verónica del suelo.

2.

a) Los jóvenes veen las películas violentas en la televisión como puras fantasías sin valorar el daño.
b) La violencia gratuita se practica para probar preparo físico.
c) Demostrar poder de humillar a otro es un incentivo a la violencia.
d) El abuso sexual sólo se practica individualmente.
e) Entre los jóvenes el abuso sexual se toma como un juego divertido y no un desahogo de frustraciones.

3. De acordo com o texto, os delinqüentes menores de idade apresentam estas características:

a) Ya no son drogadictos, ni alcohólicos.
b) Los menores marginales de la clase baja pegan a sus madres.
c) Las niñas delincuentes deben dejar sus huellas dactilares en las oficinas encargadas de las detenciones.
d) Cuanto más alta la clase social mayor la crueldad del delito.
e) La inhalación de pegamento, habitual entre "los niños de la calle" del Tercer Mundo, ya no se da en España.

4. O perfil dos atuais infratores demonstra que:

a) Pertenecen a una clase social con un buen poder adquisitivo.
b) Tienen a su disposición modernos aparatos y muchas comodidades.
c) No son bien parecidos, no frecuentan buenos colegios, no se visten ni comen bien.
d) A pesar de pertenecer a una familia constituida en realidad están solos desde la niñez.
e) La dejación de las funciones formativas de los padres lleva a una educación de permisiva.

5. "Pandillero", no texto (linha 19), significa:

a) grupo ruidoso y alborotado.
b) conjunto de muchos panderos.
c) pandereteo.
d) que vende panderos.
e) joven que se liga a un grupo para hacer daño o divertirse.

6. No texto, "suceso" (linha 7) e "entere" (linha 11) significam

a) acontecimiento/darse cuenta.
b) brillo social/asustarse.
c) éxito/meterse.
d) herencia/completarse.
e) algo que se pasa/informarse.

7. As formas verbais das linhas 16 e 25 são respectivamente:

a) aparezca/creen.
b) parezca/creen.
c) pareza/cren.
d) apareza/crean.
e) parece/cre.

PIÉNSALO

Cada día ha de tener sus espacios huecos que el ideal ha de rellenar.

Julia Ward Howe (1819-1910), feminista, reformista y escritora estadounidense.

PORTALENGUA

Para colocar/localizar algo

¿Dónde pongo/dejo/está/ encuentro el/la/los/las/un...?
Ponlo/la... Déjalo/la... Está(n) en...

Expresar frecuencia

Juego al ajedrez	todos los días.
Trabajo en casa	dos días a la semana.
Voy al cine	tres veces al mes.
Como fuera de casa	los días de diario.

Información sobre transporte

¿A qué hora sale/llega?
¿Cuánto tarda?
¿ Me puede decir qué trenes/autobuses/barcos/ aviones hay para...?
Quería/Quiero (comprar) un billete para...

Énfasis sobre la proposición afirmada

Subrayo lo que he dicho./Insisto sobre el hecho...
Llamo su atención sobre.../Te digo (una y) otra vez que...
No hay que olvidar que.../Eso merece la atención...
No podemos dejar de señalar que...

ComunicHABLE

✓ Escucha, completa, lee y representa.

DIÁLOGO 1. Por la mañana

Madre: ¡Joselito! ¡Ya son las siete! ¡A ver! Rápido, a que no te pierdas las clases.

Joselito: ¡Vaya vida! Clases seis días de la semana. Dormir hasta mediodía sólo ______________________________ ...

Madre: ¡Joselito! ¡Qué no te pierdas las clases, hijo!

Joselito: ¡Sí, mami! Pero insisto sobre el hecho de que las clases deberían ser cuatro días a la semana y tres para divertirnos. Sería más justo, ¿no te parece?

Madre: ¿Sí? Yo ______________________________ y no me quejo. Si no te hubiera tenido, tendría más tiempo, más dinero y menos trabajo.

Joselito: Pero ______________________________ de que nada de eso te daría más felicidad que un hijo como yo, mamita.

Madre: ¡Niño pillo, hijito mío! ¡A desayunar! ¡Y qué sea rápido, señor don José!

Joselito: ¡Hmmmmmm! Cuando mamá me dice don José, es que la cosa no está para bromas... ¡Ya voy, mami!

DIÁLOGO 2

Daniela: ¡Abuela! ¿Dónde estás? ¡Tu cámara! ¿Dónde la pongo?

Abuela: ¡Ah, Dani! Si no fueras tú, me la olvidaría. Ponla ahí en la mesa. Después la guardo.

Diego: ¿______________________________?

Abuela: Dentro de una hora.

Abuelo: ¡Chicos! Vámonos. Ya está el taxi. Tenemos tan sólo 30 minutos.

Abuela: ¡Ay! ¡No estoy lista! No me he vestido. Vamos a perder el tren.

Daniela: Yo tampoco estoy lista, abuela.

Abuelo: Sí, y todo por tu culpa. Charlas... Cámara... Y ¡ya hemos perdido el tren!...

Diego: Bueno, hay tren todos los días.

Abuelo: Sí, pero hacia adonde vamos sólo los hay ____________________________. Por tu culpa y de Dani.

Daniela: ¡Vaya! Estaba recogiendo las cosas de viaje. Es muy fácil echar la culpa a los demás.

Abuela: ¡Caramba! No nos echen la culpa. Y si tomamos el taxi en diez minutos, no perdemos el tren. Eso merece su atención, señor mi marido.

HUMOR

Hablando de ángeles

Un ratoncito está en la puerta de su cueva. En eso pasa volando un murciélago. El ratoncito entra corriendo y grita:
— ¡Mamá, mamá, pasó un angelito!

Pedido imposible

Una mujer le dice a su marido:
— Felipe, quiero que me compres un vestido de noche.
— Imposible darte en el gusto, porque de noche las tiendas están cerradas.

Abuelo: Parece que Diego ha sido el más sensato. ¿Entonces? ¿ ____________________________ ?

Abuela: Ayúdame aquí, Dieguito. Pon todas estas ropas en la maleta, mientras me cambio el vestido. ¡Ah! La cámara también.

Diego: Sí, abuela. Los días de diario, con las clases y el colegio son menos divertidos que verse a esos dos viejecitos portándose como niños. ¡Dani! ¡ ____________________________ !

PRONOMBRES RELATIVOS

Establecen una relación entre dos oraciones, sustituyendo a un antecedente y evitando su repetición. Ej.: El alumno estudia y el alumno se aprueba.
El alumno que estudia se aprueba.

Son relativos: *que*, *quien*, *cuyo*, *cuanto*, *el cual/la cual*.

Que	Es invariable y se refiere a personas y cosas. Ej.: Los libros que compré son interesantes. La chica que me buscó es mi prima.
Quien/El cual	Tiene forma plural y *el cual* tiene también género. Ej.: Los colegas con quienes voy a la escuela son mis vecinos. Los libros los cuales leí son de Pablo Neruda.
Cuanto	Variable en género y número, implica el antecedente **todo**, expreso o no en la oración. Ej.: Que hablen (todos) cuantos tengan experiencia. (Todos) Cuantos vengan, recibirán un regalo.
Cuyo	Funciona como adjetivo antepuesto al nombre con el cual concuerda en género y número. Ej.: La película cuyo héroe es un león me gustó mucho.

EJERCICIOS

1. Subraya todos los relativos del texto "Las víctimas de la ciencia", página 394, con una raya y los indefinidos con dos.
2. Completa las frases abajo con el relativo adecuado.
   a) El autor de ______________ te hablé es peruano.
   b) Las niñas ______________ libros desaparecieron están llorando.
   c) El disco de ______________ me hablaste está agotado.
   d) Llegaron los conferenciantes sobre los ______________ comentamos.
   e) Los artistas a ______________ entrevistaste son franceses.
   f) No vendrán todos ______________ fueron invitados.
   g) Los cuentos con los ______________ trabaja son infantiles.
   h) Me ha impresionado lo ______________ me dijeron.
   i) No seremos nosotros ______________ te vamos a retar.
   j) Puedes tomarte ______________ frutas quieras.
   k) Los atlas en ______________ estudiamos son de la biblioteca.
   l) Las personas a ______________ os referíais no son de aquí.
   m) La facultad a ______________ pertenecemos es famosa.
   n) Tengo un primo enfermo sobre ______________ te hablé ayer.
   ñ) Tengo unos amigos en Bolivia sobre ______________ te hablé ayer.

JUEGUITO

Buscanombres

Dentro de algunas de las palabras escritas en el tablero se esconden los nombres de ciertos animales. Fíjate en el ejemplo y descúbrelas.

animar cartero enano encantador
regar regata tratar tatuaje tocar
nublado herm**oso** tremenda
trémula espuma resumir enfocar leonardo kimono
pelado mosaico pileta zapato palmera
moscatel sacerdote fronterizo mostrar cero
imploro membrana madeja vacaciones terreno tierra
calce atorarse atoro llamar globo cardenal
cabrá pulgar archivo cobrador

EMPLEO DE LOS TIEMPOS: INFINITIVO PERSONAL

Es un tiempo que sólo la Lengua Portuguesa lo tiene. En español se lo sustituye por el infinitivo o por el presente de subjuntivo.

1er caso. Si debemos pasar al español la frase "Para vencermos na vida, devemos lutar pelos nossos ideais", hay dos aspectos a considerar.

a) Puedo dejar el verbo *vencer* en el infinitivo porque el verbo *debemos* indica claramente la persona verbal: Para vencer en la vida, debemos luchar por nuestros ideales.

b) Sustituyo la forma verbal *vencermos* por el presente de subjuntivo: Para que venzamos en la vida debemos luchar por nuestros ideales. Sin embargo, por lo expuesto en el ítem "a" esta forma no es necesaria.

2º caso. En frases como "Ajudarmos aos desamparados é um dever e não um favor", el verbo deberá pasar al presente de subjuntivo. Si lo dejamos en el infinitivo, la persona verbal no estará indicada y la frase no estaría traducida con precisión:
Traducción correcta: Que ayudemos a los desamparados es un deber y no un favor.
Traducción incorrecta: Ayudar a los desamparados es un deber y no un favor.
"Ayudar" ¿se refiere a mí, a ti, a nosotros, a quién? No se sabe.

EJERCICIOS

1. Elija, entre paréntesis, la forma verbal que completa correctamente las frases.

a) Para no * uso el despertador. (retrasarme - me retrase - me retrasare)
b) * a nuestro hogar es lo mejor de todo. (volver - volviéremos - volviéramos)
c) Es urgente * con el director. (tú) (hablares - que hables - hablarmos)
d) No es correcto * al colega, sin antes darle la palabra. (Uds.) (criticaren - que critiquen - criticar)
e) Con nuestra unión será imposible * el primer puesto. (perdiera - que perdamos - perdiéremos)
f) Será indispensable * el texto con algunos grabados. (vosotros) (ilustrar - que ilustréis - ilustraréis)
g) Te ayudará en tu tratamiento * gimnasia. (practicar - practiques - que practicarás)
h) Necesitamos de mucha fuerza de voluntad para * del estudio. (no desistir - que no desistimos - no desistamos)

COMERCIO RARO

Amante de los animales ofrece buen precio a que él y sus familiares cambien de lugar con cobayas de laboratorio en experiencias científicas. Exige certificado de calidad. Tratar con Ángel, junto a la primera estrella, a la izquierda.

i) Lo mejor a los niños es * el amor de sus padres. (que tengan - tuvieran - que tuvieren)

j) El secreto de tu éxito será * todo con calma. (que enfrentes - enfrentarás - enfrentares)

2. Completa las frases, empleando adecuadamente la forma verbal entre paréntesis.

a) Es imposible ________________ una vida buena sin el cultivo de la amistad. (termos)

b) En Brasil hay muchísimos sitios imperdibles para ________________ visitados. (serem)

c) Para ________________ la situación actual es necesario mucho trabajo, salud y tenacidad. (enfrentares)

d) Para ________________ a tu padre basta que le digas la verdad, con coraje y dignidad. (tranquilizar)

e) Es una cruel realidad ________________ que la humanidad no tiene buenas perspectivas para los próximos años. (constatarmos)

f) ________________ que nuestro hijo es estudioso y un buen compañero de clase nos pone felicísimos. (Constatarmos)

g) Para ________________ a hablar español, hablen mucho, aunque equivocadamente, pues de a poquito se corregirán. (aprenderem)

h) El profesor dijo que para ________________ español será importante mucha práctica. (aprenderem)

i) ________________ todo lo más perfecto posible es una cuestión de principio. (Fazermos)

j) ________________ todo lo mejor posible será esencial para nuestro futuro profesional. (Fazermos)

k) ________________ algo en la vida significa ________________ por este ideal hasta que lo alcancemos. (Querermos - lutarmos)

l) ________________ algo en la vida determina una constante lucha por la búsqueda de ese ideal. (Querermos)

m) Para no ________________ el avión, debes estar en el aeropuerto al mediodía. (perderes)

n) Para ________________ independencia financiera es imprescindible trabajar con ahinco. (alcançarmos)

ñ) Para ________________ nuestra independencia financiera es fundamental trabajar y ahorrar. (alcançarmos)

3. Vierte al español las siguientes frases, empleando adecuadamente la forma del infinitivo personal.

a) Precisas estudar para teres boas notas.

b) Não será fácil, entre tantos candidatos, conseguires boa classificação.

c) Voltarmos para casa, depois de tantos anos, é uma felicidade.
d) Terem conseguido um bom emprego é sinal de que são competentes.
e) Nossa profissão nos obriga a estarmos sempre viajando.
f) Viajar é nosso maior sonho.
g) Conhecermos o mundo é um sonho quase impossível.
h) Seres honesto é uma obrigação e não uma qualidade.
i) Para pagarem seu curso, trabalham à noite.
j) Para pagarmos a faculdade, quanto sacrifício!

Estampalabras

Los animales

CID
el ratón

CID
el cocodrilo

CID
el mono

CID
el gorila

CID
el léon

CID
el tigre

CID
el leopardo

CID
el elefante

CID
el zorro

CID
el ciervo

CID
la gacela

CID
el antílope

CID
el búfalo

CID
el toro

CID
el buey

CID
la vaca

CID
el ternero

CID
el carnero

CID
la cabra

CID
la oveja

CID
el cerdo/el chancho

CID
el jabalí

CID
el puerco espín

CID
el dromedario

N.T.C./ANGULAR
el camello

CID
la jirafa

CID
el caballo

CID
el burro

CID
la cebra

CID
el rinoceronte

CID
el hipopótamo

CID
el oso

CID
el oso hormiguero

CID
el pato

CID
el loro

CID
el cisne

CID
el tucán

CID
el águila

CID
el cuervo

CID
la golondrina

CID
el pelícano

CID
la paloma

CID
la cigüeña

CID
el pavo real

CID
el escarabajo

CID
la cucaracha

CID
la avispa

CID
la mariposa

CID
el saltamontes

DELFIM MARTINS/PULSAR
la hormiga

CID
la mosca

CID
el mosquito

CID
la abeja

LENGUACURIOSA

Músicas, danzas y bailes hispanoamericanos

Atajaprimo	Baile popular de farsa, variedad de zapateado criollo. (Cuba)
Bambuco	Baile popular y tonada de este baile. (Colombia)
Calinda	Baile de estilo africano. (Cuba)
Calladito	Baile popular ejecutado sin emplear el canto. (Chile)
Caluyo	Baile indígena, zapateado y con variaciones. (Bolivia)
Cariaco	Baile popular que se caracteriza por doblar las piernas hacia atrás hasta tocar con las nalgas. (Cuba)
Cielito	Baile y tonada popular de los gauchos, que se hace entre muchas parejas asidas de las manos y quedando una en el centro del corro. (Argentina)
Gato	Cierta danza popular y música que acompaña este baile. (Argentina)
Guajira	Cierto canto popular de los campesinos. (Cuba)
Guaracha	Baile semejante al zapateado. (Cuba, Chile y Puerto Rico)
Huapango	Danza popular de ritmo muy vivo. (México)
Jaracolito	Baile típico de los primeros habitantes de Perú. (Perú)
Jarana	Baile de gente del pueblo. (México)
Joropo	Baile nacional venezolano. (Venezuela)
Kachampa	Danza guerrera de ritmo muy vigoroso. (Perú)
Manseque	Baile infantil. (Chile)
Manta	Cierto baile popular. (Colombia)
Marinera	Cierto baile popular. (Chile, Ecuador, Perú)
Pallas	Baile de los indígenas. (Perú)
Pericón	Baile popular en cinco partes, que ejercitan con acompañamiento de guitarras varias parejas en número par y que suele acompañarse con pausas para que un bailarín diga una copla o un dicho, al que replica su compañero de pareja. (Argentina)
Rumba	Juerga, baile desordenado, parranda. (Cuba y Puerto Rico)
Sandunga	De origen incierto, quizá gitano, es jolgorío, parranda, bureo, jarana. (Colombia, Chile y Puerto Rico) Baile popular de Tehuantepec. (México)
Sanguaraña	Cierto baile popular parecido a la jota aragonesa. (Perú)
Seis	Baile popular, especie de zapateado. (Puerto Rico)
Son	Ritmo musical popular de origen africano. Música de este baile. (Cuba)
Tamborito	Baile popular. (Panamá)
Telele	Baile popular. (México)
Tondero	Baile popular, propio de la costa. (Perú)
Zamba	Baile popular de Argentina. Música y canto de este baile. (Argentina)

AL DICCIONARIO

La letra U

La última vocal del alfabeto es uno de los signos que más tarde han adquirido carta de independencia. El hecho, en cierta forma, está relacionado a su propio origen, que comparte con la V y con la Y, y tuvo como consecuencia que durante mucho tiempo se escribiera igual que esta última letra.

Tanto la U como la Y y la V proceden de un signo de la escritura hierática egipcia que representaba una maza. Cuando crearon su alfabeto, los fenicios llamaron a esta letra *vau* y le dieron un aspecto parecido al que tiene la Y actual. Por su parte, los griegos apenas la cambiaron, con excepción, por supuesto, de la misma modificación que hicieron a todos los signos: girarla hacia la derecha.

Los etruscos la representaron ya como una V y así fue como la escribieron también los romanos, que no distinguían entre V vocal (U) y V consonante (V).

En efecto, a fines del siglo XVI, el tipógrafo Louis Elzevir, perteneciente a una célebre familia de impresores y libreros holandeses, fue el primero que estableció la diferencia tipográfica entre U y V mayúsculas, igual que también hizo entre la I y la J. Unos años más tarde, en 1619, el alemán Zetner distinguió las formas minúsculas u y v.

En español, la U a veces no representa ningún fonema (sonido), y actúa como simple relleno obligado por las normas ortográficas, al igual que en portugués. Así ocurre cuando forma los dígrafos *gu* y *qu*: es muda después de G y Q y antes de *E* y de *I*.

Y, aparte, tiene la particularidad de poder llevar diéresis, que en español y en portugués se coloca en los grupos *GUE* y *GUI* para indicar que ese sonido se pronuncia, como pasa en las palabras lingüística y antigüedad.

Muy Interesante. Argentina, oct. 1998, nº 156.

REPASÁNDOLO

1. A cada palabra de la relación que te damos, deberás crear un aspecto positivo y otro negativo, empleando siempre las palabras MUY y MUCHO.

   Ej.: Coche - Un coche nos trae mucho confort, pero con él caminamos muy poco, lo que es malo para la salud.
   Las palabras son: moto - periódico - ordenador - lluvia - ciudad - paraguas - baile - estudio - teléfono - perro - peluca - tacones.

2. Escribe tu misma opinión en el tiempo pasado y en el futuro.

   Ej.: pasado: Un coche nos trajo mucho confort, pero con él caminamos muy poco, lo que fue malo para la salud.
   futuro: Un coche nos traerá mucho confort, pero con él caminaremos muy poco, lo que será malo para la salud.

Huéspedes peligrosos

CID

Nuestro hogar no es un lugar tan vacío como parece. Pequeños animales viven en la casa del hombre hace un millón de años: ratas, moscas, arañas, cucarachas, hormigas, polillas, carcomas... una larga lista de visitantes indeseables cuya presencia supone un riesgo para la salud y provoca cuantiosos daños materiales.

Eliminar a esos indeseables compañeros no es tan fácil. Con el tiempo se han habituado a un ambiente hostil, carente de humedad, con temperaturas altas y con gran cantidad de productos químicos. Algunos, sin embargo, han conseguido, generación tras generación, inmunizarse contra determinados insecticidas. Por contra, los fabricantes de plaguicidas cada día descubren nuevas armas para ayudar al hombre en esta lucha que, al menos numéricamente, nos sitúa en clara inferioridad.

Conozca al enemigo y empezará a derrotarlo...

Arañas: se ubican en los rincones menos transitados de la casa, en donde tejen su red rápida y eficazmente. Unas pocas pueden ser hasta beneficiosas, ya que se alimentan de insectos.

Avispas: cuelgan sus nidos en zonas oscuras, de difícil acceso y ambiente húmedo. Se reproducen fácilmente y su presencia es tan molesta como preocupante. El dulce y en especial la carne, son como un imán. Su persistencia puede amargar la comida al más pintado y sus picaduras, muy dolorosas, pueden darle un disgusto a los alérgicos.

Carcomas y *Térmitas*: adoran todo lo que sea de madera; la devoran e, incluso, crían en ella dejando los muebles, vigas, etc., absolutamente inservibles.

Cucarachas: las reinas, las que más asco y temor provocan. Colocan sus nidos en lugares húmedos, oscuros, cálidos y recónditos, se reproducen con enorme facilidad, acceden a cualquier lugar sin dificultad y comen de todo. Son muy peligrosas ya que pueden transmitir varias decenas de enfermedades, incluidas la polio y la hepatitis.

Hormigas: pocos hogares están libres de estos tenaces insectos. Aunque no son peligrosos, pueden arrasar la despensa y perforar las entrañas del edificio. La batalla contra ella es larga.

Moscas: comen cualquier cosa. Les atraen los excrementos, sobre los que se posan con la infección que esto supone. Especialmente torpes, se dice de ellas que pueden entrar en una catedral por el ojo de la cerradura para luego ser incapaces de salir por la puerta.

Mosquitos: son habituales en las zonas húmedas, por lo que aquellos cuya casa esté situada al lado de un río, charca o estanque sufrirán su molesta presencia. Les gusta visitar los hogares por la noche para chupar la sangre a sus moradores, además de incordiarles el sueño con su trompeteo. Pueden cebarse con algunas personas y transmitir numerosas enfermedades, a veces graves. Colocar mosquiteras en las ventanas y las camas y frotarse con repelente son la mejor defensa.

Polillas: normalmente ponen sus huevos en el interior de los armarios, en la primavera y verano, por lo que suele destrozar las prendas de lana, seda y piel.

Ratas: prefieren los sótanos, garajes y alcantarillas para anidar. Les gusta hurgar en el cubo de basura y saquear despensas. Es un peligroso transmisor de enfermedades, entre ellas la rabia, y de parásitos. Prolífico, astuto y agresivo, es un enemigo peligroso.

Ratones: se reproducen como máquinas y lo mismo anidan en un cajón que en los entresijos de un sofá. Comen de todo — ropa, papel... — y les encanta asaltar la cocina. Su falta de higiene les hace portadores de gran número de infecciones.

Revista Clara. España, ago. 1995, nº 35. Adaptado.

PRÁCTICA ORAL

Vuelve a leer el texto de apertura de esta unidad y compara la posición allí presentada respecto a los animales con la expresa en el texto que acabaste de leer y opina sobre:

- visión que presentan sobre los animales;
- posibles motivos para que el hombre reaccione de distintos modos cuando se trata de determinados grupos de animales;
- el valor de todos los animales dentro del ecosistema en que viven.

VENTANITA

El cerdo

Los pueblos del mundo podrían dividirse en dos grandes bloques: los porcófilos, que aman y asumen su cría y consumo, y los porcófobos, que lo prohiben o sencillamente los desdeñan.

Entre los primeros: casi todos, porque saben apreciar las cualidades de su carne. Entre los que lo prohiben mediante prescripciones taxativas en el Corán o el Talmud, los mahometanos y judíos, para quienes el término marrano revela el sentido despreciable del animal, de la palabra *maram*, que quiere decir cosa ilícita o prohibida.

La carne de cerdo tiene un interés extraordinario, porque es una de las fuentes más importantes de proteínas y grasas saludables para el consumidor. Del cerdo cargado de tocino hemos pasado a otro de poca grasa, con predominio de las regiones anatómicas musculares más solicitadas, criado en instalaciones industriales que son auténticas factorías de carne.

A partir del hecho de que todo en él es aprovechable, no hay región ni pueblo que no se enorgullezca de la bondad y calidad de sus embutidos y chacinas.

Taco calendario del corazón de Jesus. Bilbao-España, Ediciones Mensajero S.A., 1999.

INTERDISCIPLINAS

Biología. Con base en el texto "Huéspedes peligrosos", busca las siguientes informaciones:

— sitios domésticos en que aparecen los animales señalados en el texto (incluso otros allí no apuntados);

— condiciones favorables a su desarrollo en el hogar;

— daños causados a los seres humanos y otros animales;

— métodos ecológicos/caseros para su eliminación.

¿Qué pasaría si se eliminaran de una vez por todas los animales considerados peligrosos al hombre? ¿Qué pasaría con la cadena alimentaria?

INFO

Con el auxilio de la Web, busca informaciones sobre los animales en extinción en los países que pertenecen al Mercosur. Para tanto puedes utilizar el Achei o el Altavista. Luego, averigua los motivos para ese desaparecimiento y lo que se está haciendo para que dichos animales sean preservados. Cuenta lo que has descubierto a tu grupo.

RECANTO

✓ Escucha, completa, lee y canta.

Alfonsina y el mar

F. Luna y A. Ramírez

Por la ______________________________
Su ______________________ no vuelve más
Y por ______________________________ y silencio llegó
______________ el agua profunda
Y un sendero sólo de penas mudas llegó
Hasta ______________

Sabe Dios qué angustia ______________
Qué ______________________ tu voz
Para recostarse ______________ en el fondo de la caracola marina
La canción que canta en el ______________ del mar
La caracola

Te vas Alfonsina con ______________
Qué poemas nuevos fuiste a buscar
Una voz ______________ de viento y de sal
Te requiebra el alma ______________________
Y te vas ______________ como un sueño
Dormida Alfonsina vestida de mar

Cinco sirenitas ______________
Por campos de algas y de coral
Y ______________________________ marinos harán
Una ronda a tu lado
Y los habitantes del agua ______________
Pronto a tu lado.

______________________________ un poco más
______________________________________ en paz
Y ______________________ no le digas que estoy ______________ que
Alfonsina no vuelve
Y si llama él no le digas nunca que estoy
______________________________.

¿AHORRO O DERROCHE? 18

CID

CID

CID

Sólo lo que hemos invertido en nuestro carácter podemos llevar con nosotros.

Karl Wilhelm Humboldt (1767-1835), filólogo, escritor y político alemán.

La fortuna es como un vestido: muy holgado nos embaraza y muy estrecho nos oprime.

Horacio (65-8 a.C.), poeta lírico latino.

sessão

Dime cómo gastas y te diré quién eres — retratos de familia

Los hay derrochadores, previsores, fanáticos de las oportunidades o de las tarjetas de crédito y hasta los míseros. Cuando se trata de gastar dinero, todo el mundo suele responder con bastante exactitud a alguno de estos tipos de personajes.

Los amigos de las oportunidades. "Estimados clientes, en estos precisos momentos se están poniendo a la venta 3.000 camisas de algodón para hombres en nuestra sección oportunidades. ¡A sólo 5 pesos cada una! ¡No se las pierda!" No bien oyen estas palabras por los parlantes del *shopping*, a la familia *oportunidades* le entra un hormigueo en todo el cuerpo y sale corriendo al encuentro de las camisas. Su pasión son las ofertas: "dos por una", "pague tres y llévese cuatro", "descuentos del 50 por ciento en los artículos de joyería", "los primeros cien clientes serán premiados con un cheque regalo"... Les encanta recibir correspondencia comercial e incluso suelen estar abonadas a asociaciones que facilitan sus domicilios y teléfonos para que puedan recibir publicidad por correspondencia. Gozan leyendo las ofertas. ¿Que no existen estas familias? Recientemente una pareja de recién casados durmió cuatro días en los umbrales de un famoso comercio londinense para poder recibir gratis una cama valorada en 1.200 pesos (argentinos).

La tribu fantasma. No saben lo que es el dinero en efectivo porque todo lo que ganan se lo lleva la cuenta del supermercado, la del *shopping*, la del comercio que les vendió los muebles, las tarjetas de crédito hipotecario, las cuotas del auto y el equipo de música, la librería y hasta el fiado del almacén de la vuelta... Es la familia virtual, porque gasta por encima de sus posibilidades y vive instalada en un constante déficit. Le debe a todo el mundo. Pero sigue en su loca carrera por comprar. Los miembros de esta familia van por la calle evitando los saludos porque pueden encontrarse con un prestamista. Es el peor ejemplo de la sociedad de consumo, pero lo más curioso es que a esta familia no le importa vivir así: ha nacido para gastar. Si sus ingresos anuales son de 20.000 dólares, sus gastos casi seguro serán de 25.000 dólares. Luego, inexorablemente, vienen los embargos, los desahucios, y el drama de los que salieron de garantes...

Los avaros de fin de siglo. Es una especie que ya no abunda: la familia de los avaros. No va al cine, no aprovecha las oportunidades, no cena afuera de su casa, apenas acude a espectáculos. ¿Para qué malgastar el dinero si puede estar dando beneficios en un buen fondo de inversión? En el armario de la casa tienen una pila de sobres donde guardan a principios de mes el dinero previsto para los gastos en cada capítulo: agua, luz, teléfono. ¡El teléfono! Tienen un candado por si la empleada de servicio llama a su novio. Viven apagando las luces y tienen lamparitas de 25 watios: las que menos iluminan, sí, pero las que menos consumen. Los hijos no sólo se pasan la ropa y los libros de año en año, sino también el calzado deportivo, con olor y todo. Prefieren pasar frío antes que encender la calefacción. Todas las noches sueñan con el dinero que tienen en el Banco, ignorando que un buen día ellos se pueden morir sin haber disfrutado de su riqueza.

La gente previsora. ¿Azar? ¿Casualidad? ¿Imprevistos? Jamás. La familia *previsora* se ha cubierto por todos los flancos. ¿Se incendia la casa? No importa: tenía seguro multirriesgo por 300 pesos anuales. ¿Le roban el auto? Sin problemas: estaba asegurado contra todo riesgo. ¿Un hijo necesita una ortodoncia? Nada de asustarse: está abonado a un plan que le costará la quinta parte. ¿No le llega la jubilación del Estado? ¡Qué importa!, si ya se adhirió a un plan de jubilaciones privadas. Además, buena parte de sus ahorros están invertidos en bonos del

Tesoro, pues lo más confiable es el Estado. Todo está previsto, hasta la muerte: se han hecho un seguro de vida. Si los progenitores fallecen, la compañía pagará lo que resta de la deuda de la casa y el colegio de los chicos. Más vale prevenir...

Los enganchados al plástico. VISA, Mastercard, American Express, Diners... La familia de *plástico* tiene todas las tarjetas en su billetera. Cuando viaja en avión, muestra la tarjeta de la empresa aérea. Cuando compra en una estación de servicio muestra la tarjeta de la empresa petrolera. Cuando compra en un supermercado presenta la tarjeta del supermercado. Para llamar por teléfono desde una cabina usa la tarjeta de la empresa telefónica. A esta familia le encanta hacer todas las operaciones con dinero plástico. El problema es que no controlan las facturas... sólo las meten en el bolsillo y, a fin de mes, siempre se pasan de revolución.

Muy Interesante. Abr., 1998, nº 138. Adaptado.

COMPRENSIÓN E INTERPRETACIÓN DEL TEXTO

1. Busca en el diccionario el significado de las palabras y de las expresiones subrayadas en el texto. Si puedes, explícalas sin la ayuda del diccionario.
2. Apunta las informaciones que se te piden.
   a) Justificativa dada para los nombres abajo:
      – amigos de las oportunidades;
      – tribu fantasma;
      – avaros;
      – previsores;
      – enganchados al plástico.
   b) Actividades características de cada grupo familiar presentado en el texto.
   c) Puedes reconocer a dichas personas por...
   d) Ventajas en ser como los miembros pertenecientes a cada grupo.
   e) Desventajas en ser como los miembros de los grupos presentados en el texto.
   f) ¿Perteneces a qué grupo familiar y por qué?
3. Elabora una pequeña lista de consejos para que cada familia pueda eliminar las desventajas presentadas por administrar sus ingresos financieros del modo como lo hace. Hazla a partir de acciones bien concretas.
4. ¿Qué se puede hacer para lograr vivir bien en términos financieros? ¿Qué fórmula propones para tal cosa?

COMERCIO RARO

Pordiosero derrochador ofrece su coche nuevo al primer ricachón y tacaño, que lo busque en una bicicleta. Comprobantes: cuenta bancaria, tarjetas de crédito, carnet de tacañería. Con César. Callejón de los Muertos.

LECTURA

Texto 1 — Si una espina me hiere...

Si una espina me hiere, me aparto de la espina,
pero no la aborrezco. Cuando una mezquindad
envidiosa en mí clava los dardos de su inquina,
esquívase en silencio mi planta, y se encamina
hacia más puro ambiente de amor y claridad.

¿Rencores? ¿De qué sirven? ¿Qué logran los rencores?
Ni restarán heridas ni corrigen el mal.
Mi rosal tiene apenas tiempo para dar flores,
y no prodiga sabias en pinchos punzadores;
se llevará las rosas de más sutil esencia;

y si notare en ellas algún rojo vivaz,
será el de aquella sangre que su malevolencia
de ayer vertió, al herirme con encono y violencia,
y que el rosal devuelve, trocada en flor de paz.

NERVO, Amado. In BLANQUET, Marina López. Lecciones de lenguaje. Montevideo, Editorial Talleres Don Bosco, 1990.

Amado Nervo (1870-1919), poeta mexicano. Destacado representante del Modernismo en las letras hispanoamericanas. Mostró marcada predilección por los temas amorosos y místicos. Autor de Perlas negras y Serenidad.

Diccionario Enciclopédico Ilustrado Vox. Barcelona, Bibliograf, 1995.

Texto 2 — Busca en todas las cosas...

Busca en todas las cosas un alma y un sentido
oculto; no te ciñas a la apariencia vana;
husmea, sigue el rastro de la verdad arcana,
escudriñante el ojo y aguzado el oído.

No seas como el necio que al mirar la virgínea
imperfección del mármol que la arcilla aprisiona,
queda sordo a la entraña de la piedra que entona
en recóndito ritmo la canción de la línea.

Ama todo lo grácil de la vida; la calma
de la flor que se mece, el color, el paisaje;
ya sabrás poco a poco descifrar su lenguaje...
¡Oh, divino coloquio de las cosas y el alma!

Hay en todos los seres una blanda sonrisa,
un dolor inefable o un misterio sombrío.
¿Sabes tú dónde son lágrimas las gotas de rocío?
¿Sabes tú qué secretos va contando la brisa?

Atan hebras sutiles a las cosas distantes:
al acento lejano corresponde otro acento...
¿Sabes tú dónde lleva los suspiros el viento?
¿Sabes tú si son almas las estrellas errantes?

No desdeñes al pájaro de argentina garganta
que se queja en la tarde, que salmodia a la aurora:
es un alma que canta y es un alma que llora...
¡Y sabrá por qué llora y sabrá por qué canta!...

Busca en todas las cosas el oculto sentido;
lo sabrás cuando logres comprender su lenguaje;
cuando escuches el alma colosal del paisaje
y los ayes lanzados por el árbol herido...

MARTÍNEZ, Enrique González.
In BLANQUET, Marina López. Op. cit.

Enrique González Martínez (1871-1952). Poeta, médico y diplomático mexicano. Su labor poética significa una oposición al modernismo de excesivo apego a lo superficial y exótico. Ha escrito: *Preludio*, *El romero alucinado*, *Poemas truncos*, *El diluvio de fuego*, *Tuércele el cuello al cisne*.

COMPRENSIÓN E INTERPRETACIÓN DE LOS TEXTOS

Texto 1

1. ¿Qué hay de común en este poema y en el de Enrique González Martínez los dos poemas?
2. Presenta ahora una diferencia entre los dos poemas sobre la relación autor-lector.
3. Haz la paráfrasis del poema.
4. Elige y junta los cinco versos del poema que resumen la poesía.
5. ¿En qué situaciones las palabras de Nervo no podrían ser seguidas? Preséntalo y justifícate.
6. Busca la palabra del texto antónima de

   a) generosa
   b) burdo
   c) enfrentar
   d) cariño
   e) nobleza
   f) perder
   g) altruismo
   h) débil
   i) razonamiento
   j) afecto
7. Saca de los dos poemas palabras heterogenéricas y palabras heterosemánticas.
8. Como repaso del empleo de los tiempos verbales, pon la acción de las dos primeras estrofas del poema al futuro (la última ya lo está).

Texto 2

1. ¿A quién es dirigida la poesía?

2. Relaciona las dos columnas según las ideas que el texto nos pasa.

1. Buscar	(	) rastro
2. No ceñir	(	) apariencia
3. Husmear	(	) necio
4. Seguir	(	) grácil
5. No ser	(	) pájaro
6. Amar	(	) alma
7. No desdeñar	(	) rastro

3. Transcribe ahora las palabras del poema que tienen lenguaje figurado.

4. Elabora diez frases con una palabra en sentido figurado. Las palabras serán sacadas del poema. Ejemplo: La flor es una sonrisa de los vegetales.

5. ¿Cuál es el mensaje del autor en el poema?

6. En tu opinión, ¿qué ventajas se tendrá?, ¿qué cosas buenas le pasarán a uno, siguiendo los consejos del autor?

7. ¿Qué lección de vida se puede deducir del poema?

8. Busca en el poema palabras sinónimas de:
   a) balancear
   b) sutil
   c) acento
   d) averiguar
   e) hilo
   f) averiguador
   g) despreciar
   h) atener
   i) ignorante
   j) sublime
   k) secreto
   l) pura

PIÉNSALO

La riqueza de un pueblo no es la del suelo, sino la del cerebro.

Emilio Lledó, 1927, filósofo español.

9. ¿Qué te ha gustado más en el poema? Haz tú un poema, por pequeño que sea, con el tema que prefieras.

SELECTIVIDAD

(Universidade Estadual do Rio Grande do Norte)

¿Qué es liberación?

¿Existen mujeres verdaderamente liberadas? Yo he conocido a muy pocas, pero tampoco he tenido la suerte de toparme con escuadrones de hombres liberados. Por liberación entiendo ante todo la decisión de ser una misma, de escucharse por dentro en lugar de guiarse por corrientes, expectativas ajenas, doctrinas; también esforzarse por apartar el asolador sentimiento de culpabilidad que nos persigue y de diferenciar la entrega del auténtico masoquismo. Menos tiene que ver con la ausencia de vergüenza, con los temblores de una sensibilidad que nos ha adjudicado el color rosa y la lágrima fácil. Existen mujeres azul cobalto que no parpadean ni en primera línea de fuego y que, en cambio, se derriten por un helado de chocolate. Y hay mujeres rojas, de verbo encendido y mirada incisiva, que se acurrucan en el hombro de quien no las quiere bien porque un freno imantado les impide de volar a otros brazos. También hay mujeres amarillo limón que enferman de celos hasta desconocerse a ellas mismas, y mujeres blancas que lloran en silencio ante la duda de ser malas madres, malas hijas. Todas ellas, a pesar de sus diferentes colores, más allá de sus porosas debilidades, de sus torpezas con el deseo o sus derrotas en las conquistas, son mujeres liberadas.

De nada vale el mito de una independencia que, a saber por qué, siempre la describen fría, escasa en afectos y vacía de emociones. A lo largo del gran viaje de la vida, que nos rodea como un viento centrífugo, de afuera adentro, y viceversa, vamos intimando con esa otra que llevamos en nuestro interior y reconciliando algunas diferencias. Conectar con nuestra conciencia y serle fiel, tener que elegir entre renunciar o transformar, aunque eso signifique ir a contracorriente de sólidos convencionalismos, pasear con orgullo el derecho a ser distintas, la libertad de construir nuestro cuerpo y nuestro cerebro, es el tramo más apasionante del viaje. Luego deberán llegar otros estados, la serenidad tal vez, cuando el viento ha dejado de ser torbellino y mece los árboles con benevolencia. Ser capaces de transformar el pasado fortalece la confianza. La verdadera liberación de las mujeres, como la de los hombres, es alcanzar esa parcela de paz con la vida y su equipaje. Abrazar el puzzle que nos conforma sin temor a sentirnos extrañas. Saber que la mayoría de las cosas son relativas, pero la libertad no, ni por supuesto el ejercicio de la misma.

CAMPRUBÍ, Joana Bonet. In: *Marie Claire*. Sept., 1998, nº 132.

1. De acuerdo con la información contenida en el texto, puede afirmarse que la autora
   a) considera que hay muchas mujeres liberadas.
   b) observa con pena la liberación de los hombres.
   c) cree que los hombres liberados están más organizados.
   d) opina que el número de hombres liberados es muy superior al de las mujeres.
   e) considera que el número de mujeres liberadas es pequeño, pero hay.

2. Según el texto, puede decirse que las mujeres liberadas

a) se sienten culpables por ello.
b) se esfuerzan para ser como son realmente.
c) se caracterizan por no sentir vergüenza de nada.
d) lloran fácilmente porque también tienen sentimientos.
e) nunca se visten de rosa porque les fue impuesto ese color.

3. En el texto se señala que

a) las mujeres liberadas no saben qué doctrina seguir.
b) el grado de liberación de las mujeres depende del color.
c) las mujeres auténticamente liberadas no tienen puntos flacos.
d) una mujer liberada puede tener ciertas debilidades.
e) las mujeres liberadas se dedican a luchar contra los convencionalismos.

4. El texto afirma lo siguiente:

a) Ser libre significa esforzarse por ser diferentes.
b) Absolutamente todo es relativo, pero no la libertad.
c) Estar realmente liberado consiste en estar en paz con el mundo.
d) Si para ganar en confianza debemos mentir sobre el pasado, hay que hacerlo.
e) Para ser libres, las mujeres deben ser fieles al movimiento de liberación.

5. Según la autora, ser una mujer liberada es ser

a) una mujer azul cobalto.
b) una mujer roja.
c) una mujer amarillo limón.
d) una mujer blanca.
e) cualquiera de ellas.

6. Las palabras que se relacionan con los colores de la izquierda, según la descripción del texto, son

a) roja	(B) valiente
b) azul	(A) apasionada
c) amarilla	(D) indecisa
d) blanca	(C) celosa

La secuencia correcta, de arriba abajo es

a) a d b c.
b) c a b d.
c) b a d c.
d) b a c d.
e) d b c a.

7. La palabra que tiene el mismo género que "viaje" (línea 25) es

a) leche.
b) sangre.
c) vergüenza.
d) puente.
e) nariz.

PORTALENGUA

Para comparar

Antes no trabajaba *tanto como* ahora.
Antes no tenía *tantos* libros *como* ahora.
Antes había *más/menos* sosiego *que* ahora.

Localizar lugar geográfico

Está al norte/sur/este/oeste de(del/de la)...
Está a... kilómetros de...

Contar una noticia

¿(No) Te has enterado de que...?
¿Sabes que...?

Reaccionar ante una noticia

¡No me digas!
¡Qué barbaridad/horror/bien/suerte...!
Eso no puede ser...

Dar la fuente de información

Lo he visto/oído/leído/escuchado...
Lo han dicho por...
Lo ha dicho...
Me he enterado por...

Programación de la televisión

¿Qué hora ponen? Ponen...

ComunicHABLE

✓ Escucha, completa, lee y representa.

DIÁLOGO 1. Vacaciones

Neusa: ¿____________________ estas vacaciones, Clara?

Clara: Espero visitar ____________________.

Neusa: ¡No me digas! ¡Bárbaro! Y ¿por qué India?

Clara: Por ____________________, sus costumbres, su cultura. ____________________ me parece muy atractivo.

Neusa: ¿Tú en India? ¡No puedo creer! ¡____________________! Qué realices tus sueños y me traigas un regalo.

Clara: Gracias, Neusa. Seguro que ____________________, amiga.

DIÁLOGO 2. La comunicación

Ana: ¿________________________ de que la comunicación comanda nuestras vidas?

Beto: Sí, ____________________ en el periódico y lo han dicho en la radio.

Ana: Y ¿ya sabes que, aunque lentamente, disminuye el analfabetismo en Brasil?

Beto: Lo supe ____________________. ¡Caramba! Ahora __________________________: periódico, radio, televisión... Hoy día no se comprendería al mundo y ________________________ sin la comunicación en nuestra vida.

Ana: Con todos ________________________ uno no puede prever el futuro y ________________ prevenir desgracias.

Beto: ¡Por supuesto! ¿____________________ tendría la vida si pudiéramos prever todo?

VERBOS IRREGULARES POR CAMBIO DE VOCALES

Como vimos en la unidad 4, muchos verbos que tienen la E o la O en la penúltima sílaba, dichas vocales se diptongan, respectivamente, en IE y UE.

Ej.: pensar = pienso; contar = cuento.

Vamos a ver, a continuación, algunas observaciones.

1. Los verbos acabados en *-irir* — como adquirir — diptongan la I en IE cuando sea tónica. Ejemplo:

Verbo Adquirir						
Pers. → Tiempos ↓	1ª singular	2ª singular	3ª singular	1ª plural	2ª plural	3ª plural
Pres. de Indic.	adquiEro	adquiEres	adquiEre	adquirimos	adquirís	adquiEren
Pres. de Subj.	adquiEra	adquiEras	adquiEra	adquiramos	adquiráis	adquiEran
Imperativo	—	adquiEre	adquiEra	adquiramos	adquirid	adquiEran

2. Los verbos *servir* y todos los terminados en *-ebir*, *-edir*, *-egir*, *-eguir*, *-emir*, *-enchir*, *-endir*, *-estir* y *-etir* — como *concebir*, *pedir*, *regir*, *seguir*, *gemir*, *henchir*, *rendir*, *vestir*, *repetir* —, que también tienen E en la penúltima sílaba, en vez de diptongarse, cambian la E en I en los siguientes casos:

1. cuando dichas vocales son tónicas;
2. cuando la desinencia empiece por A o diptongo. Ejemplo:

Verbo Pedir							
Pers. → Tiempos ↓		1ª singular	2ª singular	3ª singular	1ª plural	2ª plural	3ª plural
Pres. de Indic.		pido	pides	pide	pedimos	pedís	piden
Pres. de Subj.		pida	pidas	pida	pidamos	pidáis	pidan
Imperativo		—	pide	pida	pidamos	pedid	pidan
Pret. Imperf. de Subjuntivo	1ª forma	pidiera	pidieras	pidiera	pidiéramos	pidierais	pidieran
	2ª forma	pidiese	pidieses	pidiese	pidiésemos	pidieseis	pidiesen
Fut. Imperf. de Subjuntivo		pidiere	pidieres	pidiere	pidiéremos	pidiereis	pidieren
Gerundio	pidiendo						

3. Los verbos *hervir*, *rehervir* y los terminados en *-entir*, *-erir*, *-ertir* — como *sentir*, *herir y divertir* — tienen las siguientes observaciones:
a) diptongan la E en IE cuando sea tónica;
b) cambian la E en I cuando sea átona y la desinencia empiece por A o diptongo.
Ejemplo:

Verbo Sentir							
Pers. → Tiempos ↓		1ª singular	2ª singular	3ª singular	1ª plural	2ª plural	3ª plural
Pres. de Indic.		siEnto	siEntes	siEnte	sentimos	sentís	siEnten
Pres. de Subj.		siEnta	siEntas	siEnta	sintamos	sintáis	siEntan
Imperativo		—	siente	sienta	sintamos	sentid	siEntan
Pret. Indef. de Indic.		sentí	sentiste	sintió	sentimos	sentisteis	sintieron
Pret. Imperf. de Subjuntivo	1ª forma	sintiera	sintieras	sintiera	sintiéramos	sintierais	sintieran
	2ª forma	sintiese	sintieses	sintiese	sintiésemos	sintieseis	sintiesen
Fut. Imperf. de Subjuntivo		sintiere	sintieres	sintiere	sintiéremos	sintiereis	sintieren
Gerundio	sintiendo						

4. Los verbos *dormir* y *morir* diptongan la O en UE cuando sea tónica y la cambian en U cuando sea átona y la desinencia empiece por A o diptongo. Ejemplo:

Verbo Dormir							
Pers. → Tiempos ↓		1ª singular	2ª singular	3ª singular	1ª plural	2ª plural	3ª plural
Pres. de Indic.		d**ue**rmo	d**ue**rmes	d**ue**rme	dormimos	dormís	d**ue**rmen
Pres. de Subj.		d**ue**rma	d**ue**rmas	d**ue**rma	d**u**rmamos	d**u**rmáis	d**ue**rman
Imperativo		—	d**ue**rme	d**ue**rma	d**u**rmamos	dormid	d**ue**rman
Pret. Indef.		dormí	dormiste	d**u**rmió	dormimos	dormisteis	d**u**rmieron
Pret. Imperf. de Subjuntivo	1ª forma 2ª forma	d**u**rmiera d**u**rmiese	d**u**rmieras d**u**rmieses	d**u**rmiera d**u**rmiese	d**u**rmiéramos d**u**rmiésemos	d**u**rmierais d**u**rmieseis	d**u**rmieran d**u**rmiesen
Fut. Imperf. de Subjuntivo		d**u**rmiere	d**u**rmieres	d**u**rmiere	d**u**rmiéremos	d**u**rmiereis	d**u**rmieren
Gerundio	d**u**rmiendo						

¡Fíjate!

El participio de *dormir* es regular: *dormido*; el de *morir* es irregular: *muerto*.

5. El verbo *jugar* cambia la U en UE cuando tónica. Ejemplo:

Verbo Jugar						
Pers. → Tiempos ↓	1ª singular	2ª singular	3ª singular	1ª plural	2ª plural	3ª plural
Pres. de Indic.	j**ue**go	j**ue**gas	j**ue**ga	jugamos	jugáis	j**ue**gan
Pres. de Subj.	j**ue**gue	j**ue**gues	j**ue**gue	juguemos	juguéis	j**ue**guen
Imperativo	—	j**ue**ga	j**ue**gue	juguemos	jugad	j**ue**guen

LOS VERBOS IRREGULARES *VALER* Y *SALIR*

Tienen las siguientes irregularidades:

1. Toman una **G** después de la L radical ante las vocales **O** y **A** de las desinencias (valgo, salgo, etc.).
2. Cambian la **E** o **I** del infinitivo radical en **D** (valdré y saldré en lugar de "valeré" y "saliré", valdría y saldría en lugar de "valería" y "saliría", etc.).
3. En la segunda persona de singular del imperativo, *salir* pierde la **E** (sal) y *valer* tiene las formas (val o vale), siendo las dos formas siempre empleadas con los pronombres me , te , nos: valme/váleme, valte/válete, valnos/válenos (según la Real Academia Española).

EJERCICIOS

1. Del texto "Dime cómo gastas y te diré quién eres...", págs. 414 y 415, copia y analiza los verbos irregulares que fueron estudiados en esta unidad.
2. Completa las frases con el verbo en el pretérito indefinido y después modifícalas según el modelo.

> Modelo: Paco adquirió práctica.
> Sabía que Paco adquiriría práctica.
> Espero que Paco adquiera práctica.

a) _______________ la pena estudiar mucho. (valer)
b) El profesor _______________ al alumno perezoso. (advertir)
c) El padre _______________ al hijo. (reñir)
d) El tren no _______________ retrasado. (salir)
e) El perro _______________ a su dueño. (seguir)
f) Ella _______________ con elegancia. (vestirse)
g) Los alumnos _______________ la lección. (repetir)
h) La dirección _______________ el gimnasio. (concluir)
i) El cachorro no _______________. (morir)
j) El gobierno _______________ en escuelas. (invertir)
k) Él _______________ de su violencia. (arrepentirse)
l) La bebita _______________ tranquila. (dormir)

3. Completa las frases con el verbo sacado del verbograma, en el presente de indicativo.

	1	2	3	4	5	6	7	8	9	10	11	12
1	A	S	E	N	T	I	R	J	U	G	A	R
2	C	A	D	Q	U	I	R	I	R	U	A	F
3	O	S	A	L	I	R	A	M	E	D	I	R
4	N	I	E	L	E	G	I	R	M	O	R	E
5	C	A	P	R	E	F	E	R	I	R	H	I
6	L	D	I	V	E	R	T	I	R	M	E	R
7	U	S	P	C	O	N	C	E	B	I	R	E
8	I	N	O	S	O	N	R	E	I	R	V	I
9	R	R	E	T	R	I	B	U	I	R	I	R
10	V	E	S	T	I	R	C	E	Ñ	I	R	A

a) Perdón, señor, pero no me _______________ bien.
b) Niño, ¿no _______________ nunca? Con el deporte uno se _______________ y es benéfico a la salud.
c) Ellos no _______________ una reforma ministerial.
d) El agua _______________ a los 100 grados.
e) ¿Siempre te _______________ el pelo con una cinta morada?
f) Cuando les doy caramelos, me _______________ y _______________ el cariño con un "Gracias, profe".
g) En el carnaval Pilar se _______________ de india.
h) ¿Por qué no _______________ un color azul como tus ojos?
i) _______________ que me visites el domingo.
j) Renán _______________ hasta las siete de la mañana.
k) Todos los días _______________ a caminar al amanecer.
l) Yo siempre _______________ mis tareas escolares al atardecer.
m) Junto a sus padres los niños _______________ confianza.
n) Ellos no _______________ esfuerzos para ayudar al compañero.
ñ) Rita _______________ albóndigas para la cena.

REPASÁNDOLO

✓ Siempre siguiendo el modelo, completa las frases, observando que una tiene el complemento directo con preposición y otra no lo tiene.

> Modelo:
>
> Esta música me hace acordar *mi infancia.*
> Esta música me hace acordar a mi *padre.*

1. Con mi bici podré visitar a diario el/la ____________________.
   Con mi bici podré visitar a diario al/a la ____________________.
2. Me parece difícil que encuentres tu ____________________.
   Me parece difícil que encuentres a tu ____________________.
3. Con la cultura es más fácil comprender los/las ____________________.
   Con la cultura es más fácil comprender a los/a las ____________________.
4. La lengua es un arma para conquistar el/la ____________________.
   La lengua es un arma para conquistar al/a la ____________________.
5. Una persona de carácter honra el/la ____________________.
   Una persona de carácter honra al/a la ____________________.
6. Los jóvenes siempre admiran los/las ____________________.
   Los jóvenes siempre admiran a los/a las ____________________.
7. Siempre defenderé mis ____________________.
   Siempre defenderé a mis ____________________.
8. Busco el/la ____________________ que desapareció.
   Busco al/a la ____________________ que desapareció.
9. El juego destruye los/las ____________________.
   El juego destruye a los/a las ____________________.
10. La necesidad transforma los/las ____________________.
    La necesidad transforma a los/a las ____________________.

HUMOR

El donativo

Un empresario millonario y famoso por su tacañería concurre a una importante fiesta, organizada por una institución benéfica. Uno de los representantes de la institución, tras intentarlo durante largo rato, lo convence para que aporte una donación. El millonario, con mala cara, saca un cheque por una importante suma de dinero y se lo da. A la mañana siguiente suena el teléfono de su oficina. Alguien de la institución benéfica le hace notar, amablemente, que se olvidó de firmar el cheque que dejó el día anterior. El millonario dice:
— No importa, prefiero que mi donativo sea anónimo.

Lenguacuriosa

Tiendas de España

En esta Lenguacuriosa tienes palabras que se refieren a distintas tiendas encontradas en España. Como desafío, debes descubrir qué cosas se venden en cada una de ellas. Puedes consultar tu diccionario.

VIVIAN VERGAL

Baguetería
Bocadillería
Cacharrería
Cafetería
Carnicería
Charcutería
Chupitería
Copistería
Corsetería
Croissantería
Cuchillería
Destilería
Droguería
Freiduría
Frutería
Gofrería
Heladería
Herboristería
Herretería
Horchatería
Hostelería
Jamonería
Joyería
Lavandería
Lechería
Lencería
Librería
Mantequería
Mediería
Mercería
Panadería
Pañería
Papelería
Paquetería
Pastelería
Peletería
Peluquería
Perfumería
Platería
Relojería
Repostería
Revistería
Salchichería
Sanduichería
Solaría
Sortijería

VIVIAN VERGAL

AL DICCIONARIO

Abajo encontrarás en la primera columna diez tiendas. Al lado de cada una están cuatro posibilidades de cosas que se pueden comprar. Deberás elegir solamente una alternativa adecuada en cada línea. Consulta el diccionario para realizar esta tarea.

Cacharrería	cachete	cacharros	cachorros	cacheo
Copistería	copa	copete	copias	copina
Corsetería	raquis	corso	cotilla	remaches
Chupitería	chupeta	chupito	chupete	caramelo
Gofrería	estampería	gofio	ornamento	flojera
Horchatería	horcate	corcho	horcón	horchata
Mediería	zuecos	calceta	medievo	medias
Mercería	mercenario	merced	accesorios	botón
Pañería	sedas	paños	pañal	pañol
Repostería	póster	postre	reposte	postigo

LOS DISTRIBUTIVOS

Tienen la función de señalar la distribución de las partes de un todo por elementos individuales. Son tres formas: *cada*, *sendos*(*as*), *tal*(*es*).

Cada es invariable. Se refiere a nombres en singular o en plural, cuando vengan acompañados dc un numeral. Ej.:

Cada vez que te veo, estás más hermosa.

Cada treinta alumnos tiene(n) un instructor.

Sendos señala la distribución de lo mencionado entre personas o cosas. Significa uno/una para cada cual de dos o más personas o cosas.

Ejemplos:

Los alumnos salieron con sendos libros. (cada alumno con sus libros)

Los profesores llevaron sendos alumnos al jardín botánico. (cada profesor llevó a sus alumnos)

Tal(*es*) se aproxima al valor de los demostrativos y puede ser sustituido por ellos. Ej.:

Tal conducta es deplorable. (esa conducta es deplorable)

EJERCICIOS

1. Completa las frases con *cada*, *sendos(as)*, *tal(es)*.
   a) No me conformo con ______________ situación.
   b) Creo que ______________ contribución será enriquecedora.
   c) Guarden ______________ vestidos para la fiesta navideña.
   d) ______________ niño salió del aula con ______________ mochilas.
   e) ______________ declaración emocionó a todos.
   f) ______________ error no se puede admitir.
   g) Era ______________ la confusión que ______________ participante salió con ______________ ideales y ______________ decepciones.
   h) Las madres salieron con ______________ hijos.
   i) Era ______________ la satisfacción que a ______________ rato se oían gritos de alegría.
   j) Los pueblos tienen ______________ costumbres.
2. Elabora frases empleando los distributivos y léelas a tus compañeros.

ESTAMPALABRAS

Comercio y comunicación

la guía telefónica (España)/el directorio telefónico (América)

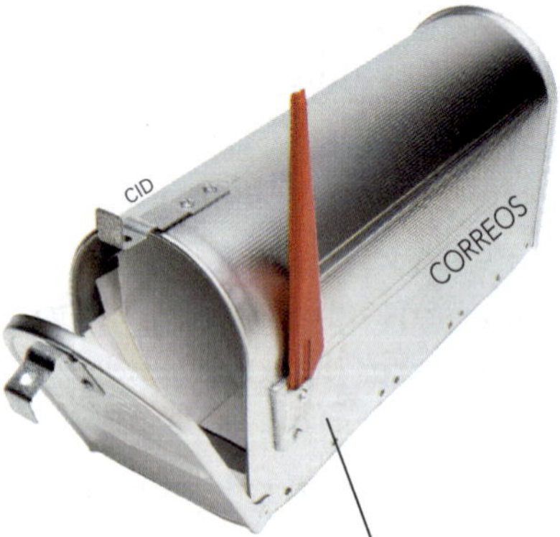

el buzón

la tarjeta postal

la aduana

LUIZ FERNANDO RUBIO

el paquete

el sobre

el sello/la estampilla

la dirección

el cheque

la tarjeta de crédito

el talonario/la chequera

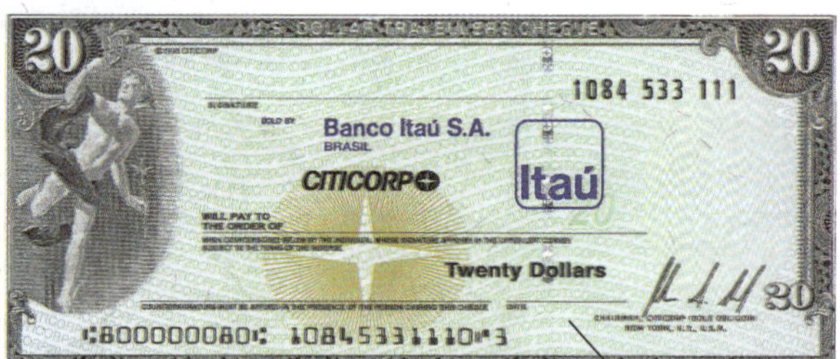

los billetes

el cheque viajero

las monedas

la billetera

el monedero

Despilfarro a domicilio

CID

España es el país más árido de Europa, lo que significa que sus recursos de agua son más escasos. Y, a pesar de eso, es el tercer país del mundo que más consume y derrocha. Esa situación, a la que hay que sumar las periódicas sequías que padece la Península Ibérica, ha llevado al gobierno a presentar proyectos para terminar con el problema de abastecimiento. Pero, a la vez, también han surgido expertos para aclarar que la única forma de acabar con la crisis de agua es economizar el consumo, tanto en el sector agrícola — que utiliza la mayor parte de los recursos — como en los hogares, donde el ahorro es mucho más sencillo.

En números, el problema se traduce así:

En el cuarto de baño: un grifo abierto deja salir unos 10 litros de agua por minuto; para llenar una bañera se necesitan 300 litros de agua; una ducha de cinco minutos supone 100 litros de agua; no cerrar el grifo al lavarse los dientes representa desperdiciar 20 litros de agua; la cisterna del inodoro consume 10 litros de agua cada vez.

En la cocina: mantener el grifo abierto mientras lavamos los platos supone gastar unos 100 litros de agua; una lavadora precisa hasta 200 litros de agua cada vez; un grifo que gotea puede perder hasta 150 litros diarios de agua.

Fuera de casa: lavar un coche con manguera supone consumir unos 500 litros de agua; lavar el coche en un túnel de lavado representa consumir tan sólo unos 35 litros de agua; lavar el coche con un cubo y una esponja supone un gasto de 50 litros; cada metro cuadrado de césped precisa de 25 litros de agua semanales.

En la industria y en la agricultura: para fabricar un kilo de plástico son necesarios 2.000 litros de agua; para fabricar un kilo de papel se necesitan 250 litros; un kilo de arroz ha necesitado 4.000 litros de agua durante su cultivo; una vaca necesita 9.800 litros de agua antes de servir de alimento en nuestras mesas.

Conocer. España, jun., 1994, nº 137. Adaptado.

PRÁCTICA ORAL

Haz una pequeña lista de otras maneras de malgastar el agua, distintas de las que te presentamos en el texto y luego propón acciones concretas para evitar el derroche de ese bien tan precioso.

INTERDISCIPLINAS

Busca informaciones sobre el gasto de energía eléctrica en los cuatro momentos presentados en el texto anterior. Infórmate con tu profesor de Geografía sobre esos datos. ¿Es también el brasileño un despilfarrador de energía eléctrica? En caso positivo, ¿de qué modo lo hace? Presenta soluciones para el problema.

Jueguito

El testamento loco

Abajo tienes el texto del testamento de Juan Pesos, encontrado bajo el sofá de su cuarto de estar, mientras su sirvienta intentaba limpiar la moqueta. Al parecer, nadie pudo recibir su parte por absoluta falta de entendimiento. Tras leerlo con atención, intenta realizar las cuatro situaciones abajo, cambiando solamente los signos de puntuación. No podrás agregar, quitar o cambiar el orden original del texto. Así que deberás pensar mucho antes de reescribirlo nuevamente las cuatro veces solicitadas.

> "Dejo mis bienes a mi sobrino no a mi hermano Luis tampoco jamás se pagará la cuenta del sastre nunca de ningún modo para los jesuitas todo lo dicho es mi deseo."
>
> *Juan Pesos*

1º Pasar todos los bienes a su sobrino.
2º Pasar todos los bienes a su hermano Luís.
3º Pagar la cuenta del sastre.
4º Pasar todo a los jesuitas.

Al diccionario

La letra M

La letra **M** procede de un antiguo signo jeroglífico egipcio que consistía en una línea ondulada semejante a la que suelen dibujar los niños para representar una ola del mar.

Cuando los fenicios crearon su sistema de escritura, tomaron ese signo y lo llamaron *men*, palabra que significa "agua", pero, al adoptarlo, sufrió una rotación y se transformó de horizontal en vertical.

En el alfabeto griego había dos M — o MY, como denominaron a esta letra —: una, característica de las islas orientales, era exactamente igual que la fenicia y se reencuentra después en el alfabeto etrusco y, más tarde, en el latino hasta el siglo III de nuestra era, en que desapareció definitivamente; la otra, que se utilizó en la Grecia occidental, era muy semejante a nuestra actual **M**. Ya en Roma, en tiempos del emperador Augusto, los latinos dieron la forma definitiva a esta segunda M, que es la que usamos hoy.

En español sólo hay dos palabras que actualmente terminan con **M**. Las demás terminadas en nasal lo son con **N**. Hay algunos vocablos empleados en castellano que conservan su forma latina (*referéndum, memorándum*) y, por lo tanto, con **M** al final, pero no están incorporados al idioma como palabras nativas.

Muy Interesante. Ene, 1998, nº 147.

Actividad

✓ Te proponemos un desafío. Consulta el glosario de este libro y descubre qué palabras son las que terminan con M en español.

VENTANITA

¿Sabes de dónde viene la palabra *mercado*? De su raíz deriva el nombre del dios romano Mercurio. Y no sólo esa palabra nace de allí, sino otras que mucho tienen que ver, como ejemplo, *comerciar*, *mercantil* e, incluso, "mercenario", el que lucha una guerra cuando le paguen. Los romanos, al conquistar a Grecia, adoptaron a los dioses de los vencidos cambiándoles el nombre, pero no lo que representaban. Mercurio era el dios del comercio y su homólogo griego había sido Hermes. Lo curioso es que ambos eran además unos terribles y traviesos ladrones. Cuenta la mitología que Hermes le robó 50 cabezas de ganado a otro dios griego, Apolo, en un descuido de ése. Al llevarse las vaquitas las hizo caminar marcha atrás para despistar al dueño y, además, calzó unas sandalias muy grandes para dejar huellas falsas ya que cuando sucedió eso, Hermes era un chiquillo. Cuando creció mejoró aún más sus robos, al punto de ser, como luego Mercurio, una suerte de patrono de los ladrones. Las pequeñas alas en el casco y los talones no parecen ser símbolos de agilidad comercial sino una ayudita para escapar más rápidamente.

INFO

Utilizando el PowerPoint de la computadora de tu escuela, organiza en cada diapositiva informaciones sobre la producción agrícola e industrial de los países que componen el Mercosur. Luego, compara esos datos y discute con tus compañeros los siguientes aspectos:

¿Con qué productos es posible que cada país aumente su balanza comercial de importación y por qué?

¿Qué productos ofrecidos por los países que forman el Mercosur pueden exportarse a Europa y demás continentes?

¿Qué ventajas y qué desventajas presenta el Mercosur para los países que lo componen?

Mercosur

El mundo moderno se caracteriza por la abundancia de medios de comunicación y de transporte. Ellos son capaces de llevar y traer enormes cargas desde los lugares más lejanos de la Tierra. El intercambio es muy importante.

América del Sur participa de esta actividad comercial con su rica producción y variedad de servicios. El comercio que desenvuelve una nación con otras se llama comercio exterior. Dentro de ese comercio se distingue: *la importación*, que es la compra de productos que nos son útiles como petróleo, y *la exportación*, que es la venta a otros países de nuestros productos, por ejemplo: automóviles, minerales, etc.

¿Qué es el Mercosur?

El 26 de marzo de 1991 se firmó en Asunción, capital del Paraguay, con la presencia de los cuatro presidentes, el *Tratado de Asunción* para la formación del Mercosur.

El 29 de octubre del mismo año quedó definitivamente aprobado por Brasil, Argentina, Paraguay y Uruguay.

Mercosur es sigla formada de las palabras Mercado Común del Sur.

- Mercado es un lugar donde se comercia, se vende, se compra, se permuta.
- Común porque en ese espacio los cuatro países que lo forman, participan de una serie de facilidades para intercambiar productos y servicios como si no existieran fronteras entre ellos.
- Del Sur pues corresponde a cuatro países americanos que están en el sur de Sudamérica y que se han asociado.

El Mercosur tiene como propósito principal formar un gran espacio de libre intercambio comercial en América del Sur. Por ese camino se ampliarán las posibilidades de venta y compra de lo que produce cada país, aprovechando mejor los recursos disponibles e impulsando el progreso de las industrias nacionales.

En ese mercado común se llegará a la libre circulación de:

- productos — trigo, arroz, combustibles, automotores, etc.;
- servicios — los relacionados con la banca, los transportes, las comunicaciones, el turismo, etc.;
- personas — ya sea viajeros, trabajadores, personal especializado y profesional.

Para ello:

a) se eliminan las cargas en dinero (aranceles) que recaen sobre los productos que entran o salen por las aduanas de los cuatro países;
b) se establece un arancel común (para los cuatro países) que se aplicará a todo lo que provenga de otros países;
c) se tomarán en común otras medidas para enfrentar el comercio con otros países, así como las actividades relacionadas con la agricultura, la ganadería, las industrias, las comunicaciones, la educación, la defensa del entorno, entre otras más. Lentamente el impuesto entre los cuatro países llegará a cero.

Presentamos abajo los cambios inmediatos que ya han sido notados:

a) mayor facilidad en los viajes hacia uno u otro país del Mercosur;
b) mayor presencia de artículos de los países en comercios, supermercados y ferias;
c) libre pasaje de vehículos sin mayores trámites en las aduanas;
d) validad del pasaporte o documento de identidad en cualquier de los cuatro países.

Brasil interviene en el intercambio del Mercosur de manera importante por el poderío de sus industrias y el tamaño de su producción agrícola y ganadera y por la riqueza de sus variados recursos naturales.

Algunas de sus principales exportaciones dentro del Mercosur son: vehículos, minerales, combustibles, soja, café, frutas, comestibles y bebidas envasadas.

Argentina participa en el Mercosur con su rica producción agrícola: trigo, maíz, soja; con productos de la ganadería, con petróleo, productos químicos y con cantidad de artículos industriales como electrodomésticos, automotores, textiles.

Paraguay, a diferencia de los demás países del Mercosur es un país interior. El país participa en el Mercosur con su producción de algodón, soja, maderas, carne.

Uruguay participa en el Mercosur con su producción agrícola ganadera, con los productos derivados de la industria láctea, con su riqueza pesquera, con productos de las industrias químicas, con material de transporte. Exporta: vehículos, vestimentas, géneros, prendas de punto, calzado, leche y derivados, papel, alimentos, productos químicos.

A partir del primero de enero de 2006 dejará de ser "incompleta", o sea, habrá libre comercio entre los cuatro países y un impuesto (arancel) externo común hacia otros países.

Chile, Bolivia y Venezuela también han mostrado interés en participar del Mercosur y hay indicios de que otras naciones hagan lo mismo.

DI LORENZO, Santa. *El mercosur escolar.* Montevideo, A. Monteverde, 1995.

LA PALABRA 19

CID

CID

La palabra es la alarma de los humanos para aproximarse unos a otros.

Ana María Matute (1926), escritora española.

Conferencia de Federico García Lorca

Cuando alguien va al teatro, a un concierto o a una fiesta de cualquier índole que sea, si la fiesta es de su agrado, recuerda inmediatamente y lamenta que las personas que él quiere no se encuentren allí. "Lo que le gustaría esto a mi hermana, a mi padre", piensa, y no goza ya del espectáculo sino a través de una leve melancolía. Ésta es la melancolía que yo siento, no por la gente de mi casa, que sería pequeño y ruin, sino por todas las criaturas que por falta de medios y por desgracia suya no gozan del supremo bien de la belleza que es vida y es bondad y es serenidad y es pasión.

Por eso no tengo nunca un libro, porque regalo cuantos compro, que son infinitos, y por eso estoy aquí honrado y contento de inaugurar esta biblioteca del pueblo, la primera seguramente en toda la provincia de Granada.

No sólo de pan vive el hombre. Yo, si tuviera hambre y estuviera desvalido en la calle, no pediría un pan; sino que pediría medio pan y un libro. Y yo ataco desde aquí violentamente a los que solamente hablan de reivindicaciones económicas sin nombrar jamás las reivindicaciones culturales que es lo que los pueblos piden a gritos. Bien está que todos los hombres coman, pero que todos los hombres sepan. Que gocen todos los frutos del espíritu humano porque lo contrario es convertirlos en máquinas al servicio del Estado, es convertirlos en esclavos de una terrible organización social.

Yo tengo mucha más lástima de un hombre que quiere saber y no puede, que de un hambriento. Porque un hambriento puede calmar su hambre fácilmente con un pedazo de pan o con unas frutas, pero un hombre que tiene ansia de saber y no tiene medios, sufre una terrible agonía porque son libros, libros, muchos libros los que necesita, ¿y dónde están esos libros?

¡Libros! ¡libros! He aquí una palabra mágica que equivale a decir: "amor, amor", y que debían los pueblos pedir como piden pan o como anhelan la lluvia para sus sementeras. Cuando el insigne escritor ruso, Fedor Dostoievsky, padre de la revolución rusa mucho más que Lenin, estaba prisionero en la Siberia, alejado del mundo, entre cuatro paredes y cercado por desoladas llanuras de nieve infinita, pedía socorro en carta a su lejana familia, sólo decía: "¡Enviadme libros, libros, muchos libros para que mi alma no muera!" Tenía frío y no pedía fuego, tenía terrible sed y no pedía agua, pedía libros, es decir, horizontes, es decir, escaleras para subir a la cumbre del espíritu y del corazón. Porque la agonía física, biológica, natural de un cuerpo por hambre, sed o frío, dura poco, muy poco, pero la agonía del alma insatisfecha dura toda la vida.

Ya ha dicho el gran Menéndez Pidal, uno de los sabios más verdaderos de Europa, que el lema de la República debe ser: "Cultura". Cultura, porque sólo a través de ella se pueden resolver los problemas en que hoy se debate el pueblo lleno de fe, pero falto de luz.

Y no olvidéis que lo primero de todo es la luz.

LORCA, Federico García.
Alocución al pueblo de Fuente Vaqueros.
Septiembre, 1931.

Óleo de Serrano, 1935.

Federico García Lorca (1898-1936).
Poeta español. Fundó el teatro universitario La barraca, que influyó grandemente en el arte escénico español. En 1918 publicó su primer libro, *Impresiones y paisajes*. En 1921 publicó su primer libro de poemas bajo el título de *Libro de poemas*. En 1928 consiguió su primer éxito literario con *Romancero gitano*. La clave de su éxito se explica por el tratamiento original de los temas gitanos y andaluces. En 1929 hizo un viaje a EUA, y el contacto con la civilización estadounidense fue para él un verdadero revulsivo espiritual que dio como fruto su libro *Poeta en Nueva York*. Su obra dramática consta de comedias poéticas de una exquisita delicadeza (*Doña Rosita la soltera*, 1935) y dramas (*Bodas de sangre*, 1933; *Yerma*, 1934; *La casa de Bernarda Alba*, 1936). Murió fusilado en Granada.

Diccionario Enciclopédico Ilustrado Vox.
Barcelona, Bibliograf, 1995.

COMPRENSIÓN E INTERPRETACIÓN DEL TEXTO

1. ¿Cuáles son los objetivos del texto?

2. Busca en el texto las explicaciones que nos da el autor para:
   a) no tener nunca un libro;
   b) pedir medio pan y un libro, si estuviera desvalido en la calle;
   c) criticar a los hombres que sólo tratan de reivindicar bienes materiales y no culturales.

3. Vuelve a leer el texto y di a qué se refieren las palabras subrayadas en los trozos abajo.
   a) Lo que le gustaría esto a mi hermana...
   b) Ésta es la melancolía que yo siento...
   c) ... sin nombrar jamás las reivindicaciones culturales que es lo que los pueblos piden a gritos.

4. Al fin del 4º párrafo el autor compara al hombre que padece de hambre al que necesita de información. Explica en qué se basa dicha comparación.

5. ¿Dónde están en realidad los libros a que se refiere el autor al final del 4º párrafo?

6. Según tu opinión, ¿por qué tienen que pedir a gritos los pueblos sus reivindicaciones culturales?

7. En la afirmación "Bien está que todos los hombres coman, pero que todos los hombres *sepan*" ¿a qué se refiere el autor con el verbo destacado?

8. "Cultura, porque sólo a través de ella se pueden resolver los problemas que hoy se debate el pueblo lleno de fe, pero falto de luz."
   a) En la frase arriba, hay una oposición de ideas. ¿Cuál es?
   b) ¿En qué te parece que el pueblo tiene fe?
   c) ¿Qué significa *luz* en ese trozo?

9. Según el texto, ¿ a qué nombres pertenecen las relaciones hechas? ¿Qué relación harías con "libro"?
   a) libro - vida
   b) libro - cultura
   c) libro - alimento

10. ¿Qué problemas crees que se resolverían hoy con la cultura?

LECTURA

El libro

De los muchos instrumentos inventados por el hombre, creo que ninguno puede compararse, siquiera de lejos, con el libro, porque los otros instrumentos son extensiones, son mecanismos de ese otro mecanismo que, como dijo Samuel Butler, es nuestro cuerpo. El telescopio, el microscopio, son extensiones de nuestros ojos. Las armas, el arado, son extensiones de nuestro brazo; los vínculos, digamos, de nuestro cuerpo. En general, y aun pensando en las últimas innovaciones técnicas, por ejemplo las que han permitido la mayor hazaña de este siglo —el hecho de que los hombres lleguen a la mitológica luna— casi todos ellos, digamos, proceden de uno, y ese uno es el libro; y la diferencia entre el libro y los demás instrumentos es que los demás son, como he dicho, extensiones del cuerpo: han extendido las posibilidades del cuerpo humano. En cambio el libro es la extensión de algo más íntimo; el libro es una extensión de la memoria y la imaginación, y esto es muy importante porque qué sería de nuestra identidad personal frente al hecho de que cada uno fuese su yo, sin la memoria personal. Sin la memoria seríamos, simplemente, percepciones actuales.

BORGES, Jorge Luis. Fragmento del discurso "Bibliotecas, libros y lectura", pronunciado en la apertura del Cuarto Congreso Mundial de Lectura. Argentina, 1972.

MARCOS GUIÃO/ABRIL IMAGENS

Jorge Luis Borges (1899-1986). Escritor argentino. Se educó en un ambiente influido por la cultura inglesa y estudió en Ginebra. Explorador de la irrealidad, construyó un lenguaje y con éste unos mundos donde la realidad se confunde con el sueño. Su obra es completamente personal: Inquisiciones (1925), Evaristo Carriego (1930), Discusión (1932), Historia universal de la infamia (1935), Historia de la eternidad (1936), Laberinto (1941), Ficciones (1944), El Aleph (1949), Manual de zoología fantástica (1957), El libro de los seres imaginarios (1967), El informe de Brodie (1970), El libro de arena (1975), La cifra (1982). En 1980 le fue concedido el premio de literatura Miguel de Cervantes.

Diccionario Enciclopédico Vox. Barcelona, Bibliograf, 1995.

COMPRENSIÓN E INTERPRETACIÓN DEL TEXTO

1. ¿Cuáles son los tres argumentos de Borges para comprobar la superioridad del libro sobre los demás inventos?
2. Según Borges, el libro actúa en tres áreas del ser humano. Nómbralas y explícalo.
3. Explica la relación de las tres áreas de la cuestión anterior con la memoria personal.
4. ¿Qué quiere decir ser "simplemente percepciones actuales"?
5. ¿Qué mensaje nos pasa el autor en el presente texto?

La casa de las palabras

A la casa de las palabras, soñó Helena Villagra, acudían los poetas. Las palabras, guardadas en viejos frascos de cristal, esperaban a los poetas y se les ofrecían, locas de ganas de ser elegidas: ellas rogaban a los poetas que las miraran, que las olieran, que las tocaran, que las lamieran. Los poetas abrían los frascos, probaban palabras con el dedo y entonces se relamían o fruncían la nariz.

Los poetas andaban en busca de palabras que no conocían, y también buscaban palabras que conocían y habían perdido.

Eduardo Galeano (1940),
escritor uruguayo.

Eduardo Galeano nació en Montevideo, Uruguay, en 1940. Vivió muchos años en el exilio, por motivos políticos, primero en Argentina y luego en España. Ensayista, novelista y periodista. Su libro *Las venas abiertas de América Latina*, traducido a más de veinte idiomas, está considerado como uno de los reportajes históricos más brillantes de la década de 1970.

COMPRENSIÓN E INTERPRETACIÓN DEL TEXTO

1. ¿Por qué se puede decir que el texto de Galeano es una alegoría? ¿Qué nos transmite?
2. ¿Por qué el texto habla de los poetas?
3. Relaciona los textos de Borges, de Galeano y de Lorca.
4. ¿A qué conclusión has llegado después de haber leído y trabajado esta unidad que estudia la palabra?

HUMOR

Celebración de la desconfianza

El primer día de clase, el profesor trajo un frasco enorme: — Esto está lleno de perfume — dijo a Miguel Brun y a los demás alumnos. Quiero medir la percepción de cada uno de ustedes. A medida que vayan sintiendo el olor, levanten la mano. Y destapó el frasco. Al ratito nomás, ya había dos manos levantadas.

— ¿Me permite abrir la ventana, profesor? — suplicó una alumna, mareada de tanto olor a perfume, y varias voces le hicieron eco. El fuerte aroma, que pesaba en el aire, ya se había hecho insoportable para todos.

Entonces el profesor mostró el frasco a los alumnos, uno por uno. El frasco estaba lleno de agua.

Eduardo Galeano

✓ ¿Ya te has dado cuenta de cómo sería nuestra vida sin la palabra? ¿Qué sería de nuestra vida si no tuviéramos una palabra para identificarnos - nuestro nombre -, para dar nombre a las cosas, a los sentimientos, a todo en nuestra vida?
Bueno, tienes abajo quince pensamientos sobre las palabras. Ordénalos, según te parezca mejor. Podrás enlazar un pensamiento a otro con alguna palabra tuya, pero ¡atención! Cuanto menos palabras utilices, mejor será tu trabajo. También encontrarás los respectivos autores de dichos pensamientos, cada cual debidamente numerado.

Las palabras abren puertas sobre el mar. (1)	Yo no tengo ideas; sólo tengo palabras y silencios. (6)	Estar desnudo es estar sin palabra. (11)
Las palabras me han salvado siempre de la tristeza. (2)	Puedes acariciar a la gente con palabras. (7)	Las palabras no sólo se ven o se oyen, sino que además brillan. (12)
Las palabras, material formal de la literatura, no tienen el mismo valor en cada instante, y los conceptos y situaciones a cuyo servicio se ponen no son piedras inertes. (3)	Gracias a las palabras hemos sido capaces de ascender por encima de los brutos; y gracias a las palabras, a menudo nos hemos sumergido al nivel de los demonios. (8)	La palabra hablada es como una abeja: tiene miel y tiene aguijón. (13)
Cada palabra lleva consigo una vida, un estado, un sentimiento. (4)	¡Oh, palabras, cuántos crímenes se cometen en vuestro nombre! (9)	¡Qué tiempo enorme una palabra encierra! (14)
Las palabras son la cárcel del tiempo. Cuando llegan a él se apoderan de un fragmento debido, se funden con él e intentan perpetuarlo más allá de sí mismo. (5)	Para mí los preferidos son... aquellos que escogen cuidadosamente entre las palabras las más armoniosas, las más claras, las más bellas, aquellos que en sus escritos saben poner el alma. (10)	Palabra y piedra suelta no tienen vuelta. (15)

ALBAIGÈS, Josep M. & HIPÓLITO, M. Dolors. *Siglo de Citas*. Barcelona, Enciclopedia Planeta, 1996.

1. Rafael Alberti	**4.** Carmen Conde	**7.** Francis Scott Fitzgerald	**10.** Renée Mauger-Kauffman	**13.** del Talmude
2. Truman Capote	**5.** Rafael Conte	**8.** Aldous Huxley	**11.** Ogotemmeli	**14.** Shakespeare
3. Camilo José Cela	**6.** Marguerite Duras	**9.** Eugène Ionesco	**12.** Alfonso Sastre	**15.** Benito Pérez Galdós

COMPRENSIÓN E INTERPRETACIÓN DEL TEXTO

1. Saca de los pensamientos palabras relacionadas a tiempo y sonido.
2. Da el pensamiento que:
   a) presenta contraste;
   b) adorna la palabra;
   c) tiene la palabra practicando acciones humanas.
3. Da el pensamiento que se relaciona a:
   a) manos;
   b) difamación;
   c) vestuario;
   d) insecto;
   e) tiempo.
4. Da el pensamiento en que la palabra puede ser comparada a:
   a) psiquiatra;
   b) abogado;
   c) portero.
5. Justificando tu elección, saca del texto una palabra que te parezca:
   a) sabrosa;
   b) alegre;
   c) triste;
   d) bella;
   e) fea;
   f) grandiosa;
   g) buena;
   h) contrastante;
   i) creativa.

SELECTIVIDAD

(Universidade de Brasília)

Entrevista a Fernando Lázaro Carreter, Director de la Real Academia de la Lengua Española, por Joaquín Vidal

J.V. ¿Por qué el español de las grandes urbes evoluciona?

F.L.C. Porque hay un tipo de civilización que exige cosas nuevas, mayor fluidez en la comunicación. El habla tan rica y tan sencilla que hubo en las reservas rurales de España va desapareciendo a medida que acceden a las novedades del progreso. Lo cual no quiere decir que se expresen mejor. Cada vez son más los ciudadanos que confunden oír con escuchar. Los indios de Centroamérica cuando hablan, por ejemplo, llegan al alma de sus interlocutores, con una emocionante sencillez en el uso de esa lengua antigua que posee gran fuerza expresiva.

J.V. Luego podría darse la paradoja de que la evolución y el desarrollo vayan acompañados de un empobrecimiento expresivo.

F.L.C. Sí. Y el empobrecimiento se produce por falta de matices, por una apresurada incorporación de formas novedosas. Hay un rechazo al sentido de la precisión, un qué más da... Curiosamente, el empobrecimiento de la expresión coincide con el aumento de los medios: continuamente aparecen más objetos para nombrar. La sociedad está perdiendo matices, pintando con brocha gorda la realidad, recurriendo al "ya me entiendes", al empujón, al gesto. Por eso, cuando se recupera la simplicidad del habla, que ha sido característica del castellano, uno se da cuenta de que todo tiene su expresión.

J.V. ¿Esto no será porque la sociedad está experimentando una pérdida de sentimiento o de ideas?

F.L.C. Es, desde luego, una homogeneización de los sentimientos y un rebajamiento de las ideas. Pero a veces me pregunto si no habrá ocurrido siempre así. ¿No será que ahora oímos mucho y antes oíamos poco? Todo ciudadano tiene en cualquier momento un micrófono delante. Hay una especie de superpoblación de palabras flotando a nuestro alrededor. Cuando yo era chico oía al profesor en la escuela, al cura en la iglesia, al político en un mitin. En cambio ahora estamos rodeados de lenguaje, hay una acumulación de gente que se atreve a hablar por la radio. Éste es un cambio notable en la sociedad actual: la falta de vergüenza para exhibir la ignorancia.

El País digital. http://www.elpais.es/p/d/19981129/cultura/lazaro.htm

1. Según Lázaro Carreter,

a) el progreso trae consigo una mejoría en el habla de la gente que vive alejada de las grandes metrópolis.
b) la gente, cuando sufre la mala influencia de la comunicación moderna, no usa ni se preocupa con la variedad y diversidad de las expresiones que la lengua española le ofrece.
c) los medios de comunicación, en su generalidad, aturden y desorientan.
d) la radio ensancha las posibilidades de oír y escuchar a cualquiera.

2. Se observa en el texto que el Director de la Real Academia, preocupado con la comunicación moderna,

a) compara dos situaciones análogas, una en la Península Ibérica y otra en Hispanoamérica.
b) afirma que los indios en Centroamérica conservan el poder expresivo y la simplicidad del castellano antiguo.
c) se enoja con los jóvenes que modernizan rápidamente sus modos de hablar.
d) quiere hacer un control severo de los medios.

3. En el texto, son equivalentes las expresiones

a) "*acceden*" (línea 4) y **aíslan**.
b) "*rechazo*" (línea 11) y **estreno**.
c) "*precisión*" (línea 11) y **necesidad**.
d) "*chico*" (línea 23) y **niño**.

4. En el texto, es correcto sustituir, sin que haya pérdida de significación, la expresión "*desde luego*" (línea 19) por

a) ahora.
b) evidente.
c) dentro de poco.
d) sobretodo.

PIÉNSALO

Ninguna otra fragata nos lleva a todas partes como el libro.

Emily Dickinson (1830-1886), poeta estadounidense.

PORTALENGUA

Refrescar la memoria

¿(No) Te acuerdas de...?

Juicio sobre los demás

Me cae(n) bien/mal...
Me llevo bien/mal...
No sabe(n).../Sólo piensa(n) en...
Es/Son (de) lo más.../Hay que ver lo... que es/son.

Mantener interés en una conversación

¿... sabes?
Ah, ¿sí?
¡No me digas!

Hablar de intenciones

¿Qué piensa(s) hacer?
Pienso.../Voy a... /Espero... /Tengo que... /Necesito...

Malestar físico

Me mareo./No me siento bien./Me ha sentado mal...
Me duele.../Tengo molestias.

Para unir las partes de una historia

Al empezar:
— Pues mira...
Para continuar:
— Bueno, pues/entonces...
Expresar una consecuencia:
— Así que...
Para terminar:
— Y (finalmente/por fin) todo/todos...
Expresar consecuencia:
— Así que.../De este modo...

ComunicHABLE

✓ Escucha, completa, lee y representa.

DIÁLOGO 1. Un viaje

Arnaldo: ¡Perdón! ¿No eres Tania?

Tania: Sí, ¿________________? ¿Quién eres tú?

Arnaldo: ¿No te ____________________? Soy Arnaldo.

Tania: ¡Ah! Me acuerdo. Fuiste mi compañero ____________________ al Ecuador.

Arnaldo: ¡Perfecto!

Tania: Pero... ¿Sabes? Antes ____________ el pelo ____________ y ahora está bien corto. ____________ no te reconocí.

Arnaldo: Es que yo era ____________. Ahora... el pelo largo ____________ para mí.

Tania: ____________, ¿ ____________? ¡No me digas! ¿Y por qué?

Arnaldo: Porque era un adolescente y ahora ____________ casado y papá. Y ____________ cambiado nada, ¿sabes? Ha sido muy bueno reverte.

Tania: Gracias. Pienso que eres muy ____________ con ____________. Ha sido una alegría hablar contigo. Saludos ____________ y mucho éxito para ti.

Arnaldo: Gracias. ¡Qué te vaya bien! ¡Adiós!

Tania: Gracias. ¡Adiós!

DIÁLOGO 2. El mareo

Chica: ¿Qué tiene Ud., ____________?

Señora: No sé... No me siento bien. ____________...

Chica: Algo que comió ____________ mal.

Señora: Creo que fue la ____________.

Chica: Venga, ____________. Siéntese y le traeré un té.

Señora: Gracias, ____________. Lo acepto. Creo ____________ muy bien.

GRADOS DEL ADJETIVO

<table>
<tr><td rowspan="4">Grados del adjetivo</td><td colspan="2">Positivo → expresa tan sólo la cualidad: claro, triste</td></tr>
<tr><td>Comparativo</td><td>superioridad → más triste que...
igualdad → tan triste como...
inferioridad → menos triste que...</td></tr>
<tr><td rowspan="2">Superlativo
(cualidad en sumo grado)</td><td>Absoluto → muy/sumamente triste, tristísimo</td></tr>
<tr><td>Relativo → el más triste de/entre...
el menos triste de/entre...</td></tr>
</table>

CASOS ESPECIALES DEL GRADO DEL ADJETIVO

<table>
<tr><th rowspan="2">Positivo</th><th rowspan="2">Comparativo</th><th colspan="2">Superlativo</th></tr>
<tr><th>Forma latina</th><th>Forma regular</th></tr>
<tr><td>bueno</td><td>mejor</td><td>óptimo</td><td>bonísimo</td></tr>
<tr><td>malo</td><td>peor</td><td>pésimo</td><td>malísimo</td></tr>
<tr><td>grande</td><td>mayor</td><td>máximo</td><td>grandísimo</td></tr>
<tr><td>pequeño</td><td>menor</td><td>mínimo</td><td>pequeñísimo</td></tr>
<tr><td>alto</td><td>superior</td><td>supremo</td><td>altísimo</td></tr>
<tr><td>bajo</td><td>inferior</td><td>ínfimo</td><td>bajísimo</td></tr>
</table>

SUPERLATIVOS IRREGULARES

acre	acérrimo	amable	amabilísimo
áspero	aspérrimo/asperísimo	fiel	fidelísimo
célebre	celebérrimo	fuerte	fortísimo
íntegro	integérrimo	noble	nobilísimo
libre	libérrimo	notable	notabilísimo
mísero	misérrimo	tierno	ternísimo
pobre	paupérrimo/pobrísimo	agradable	agradabilísimo
pulcro	pulquérrimo	cruel	crudelísimo
negro	nigérrimo/negrísimo	nuevo	novísimo
magro	macérrimo	sabio	sapientísimo

EJERCICIOS

1. Sigue el modelo, poniendo los adjetivos en el grado superlativo absoluto y relativo.

> Modelo: María es bella. (familia)
> María es bellísima.
> María es la más bella de la familia.

a) Su hijo es inteligente. (grupo)
b) Cervantes es un escritor célebre. (España)
c) Daniel es fuerte. (equipo)
d) Tu regalo es caro. (todos)
e) Es un profesor amable. (escuela)
f) La biblioteca es espaciosa. (ciudad)
g) Sonia es elegante. (fiesta)
h) Es un sofá confortable. (casa)
i) Este ejercicio es largo. (libro)
j) Esta obra es valiosa. (museo)

2. Pasa las frases abajo al grado comparativo, eligiendo entre las palabras la que, por su sentido, mejor se adapta.

madrastra	avión	iglesia	muerte	hermanos
hormiga	parque	catedral	novia	tesoro

a) Esta casa es grande.
b) Es un libro valioso.
c) Blancanieves era bella.
d) La vida a veces es cruel.
e) Su vestido es rico.
f) Esta maceta está florida.
g) Este coche es potente.
h) El castillo es antiguo.
i) Leonardo es listo.
j) Esta niña es trabajadora.

NUMERALES ORDINALES

Los numerales ordinales presentan las siguientes características:

- Indican sucesión y orden y se pueden emplear antes o después del sustantivo. Ejemplo: Lean el capítulo *primero*, *cuarto* módulo.
- Modifican el sustantivo que acompañan, concordando con él en género y número. Ejemplo: Es su *segundo* día de clase. Es su *segunda* visita a la ciudad.
- Pueden sustantivarse. Ejemplo: Serás la *séptima* en hablar.
- Después del 10º su uso no es obligatorio y se suele sustituirlo por el cardinal. Ejemplo: Vivo en el *vigésimo* piso o Vivo en el piso *veinte*.

- Los ordinales primero o tercero pierden la o delante de nombre masculino singular. Ejemplo: En el primer poema, tercer verso hay una alusión al amor. (v. pág. 62)
- Se escriben en una sola palabra del primero al vigésimo. Ejemplo: Éste es mi decimocuarto viaje de negocios.
- Los compuestos de décimo pueden alterar su primer elemento en el femenino. Ejemplo: Edición decimosegunda o decimasegunda.

Cifras arábigas	Cifras romanas	Ordinales	Cifras arábigas	Cifras romanas	Ordinales
1	I	primero(a)	28	XXVIII	vigésimo octavo
2	II	segundo(a)	29	XXIX	vigésimo nono o noveno
3	III	tercero(a)	30	XXX	trigésimo(a)
4	IV	cuarto(a)	31	XXXI	trigésimo primero
5	V	quinto(a)	40	XL	cuadragésimo(a)
6	VI	sexto(a)	41	XLI	cuadragésimo primero
7	VII	séptimo(a)	50	L	quincuagésimo(a)
8	VIII	octavo,(a)	51	LI	quincuagésimo primero
9	IX	noveno o nono(a)	60	LX	sexagésimo(a)
10	X	décimo(a)	61	LXI	sexagésimo primero
11	XI	undécimo(a)	70	LXX	septuagésimo(a)
12	XII	duodécimo(a)	71	LXXI	septuagésimo primero
13	XIII	decimotercero(a)	80	LXXX	octogésimo(a)
14	XIV	decimocuarto(a)	81	LXXXI	octogésimo primero
15	XV	decimoquinto(a)	90	XC	nonagésimo(a)
16	XVI	decimosexto(a)	91	XCI	nonagésimo primero
17	XVII	decimoséptimo(a)	100	C	centésimo(a)
18	XVIII	decimoctavo(a)	101	CI	centésimo primero
19	XIX	decimonoveno o decimonono(a)	200	CC	ducentésimo(a)
20	XX	vigésimo(a)	300	CCC	tricentésimo(a)
21	XXI	vigésimo primero(a)	400	CD	cuadringentésimo(a)
22	XXII	vigésimo segundo(a)	500	D	quingentésimo(a)
23	XXIII	vigésimo tercero o tercio	600	DC	sexcentésimo(a)
24	XXIV	vigésimo cuarto	700	DCC	septingentésimo(a)
25	XXV	vigésimo quinto	800	DCCC	octingentésimo(a)
26	XXVI	vigésimo sexto	900	CM	noningentésimo(a)
27	XXVII	vigésimo séptimo	1.000	M	milésimo(a)

EJERCICIOS

1. Según le convenga al sentido, escribe los números entre paréntesis en ordinales o cardinales.
   a) El ______________ (4) capítulo tiene ______________________ (72) páginas.
   b) Conmemoramos el ______________ (5) centenario del descubrimiento del Brasil.
   c) El capítulo __________________ (9) tiene __________________ (19) errores de impresión.
   d) La ________________________ (16) letra del alfabeto es la P y el alfabeto tiene ________________________ (27) letras.
   e) Vivo en el ________________________ (12) piso del edificio Jardín.
   f) He cantado en público ________________________ (10) veces; hoy será la ________________________ (11) vez.
   g) Hoy ocurrió la ________________________ (100) víctima de accidente de tránsito este año en el país.
   h) El ________________________ (2) mes del año tiene el carnaval y el ________________________ (10) se conmemora el día de los niños en Brasil.
   i) Ocurre algo curioso conmigo: en mi familia soy el ______________ (1) nieto, el ______________ (2) hijo, el ______________ (3) bisnieto y el ______________ (4) de la familia que estudia en el Colegio Don Pedro.
   j) Su ________________________ (80) cumpleaños será muy festejado por la familia.

2. Escribe los cardinales y los ordinales correspondientes a los números.

	Número	Cardinal	Ordinal
a)	19		
b)	27		
c)	53		
d)	84		
e)	99		
f)	207		
g)	500		
h)	631		
i)	1.000		
j)	1.001		

3. Construye frases, empleando *primer*, *primero*, *tercer*, *tercero*. Ejemplo: Éste es el *tercer* capítulo del libro *primero*.

VENTANITA

La vanidad

La cicatrización es otra forma de decorar la piel. Ese sistema consiste en hacer intensos cortes en la piel y después mantener las heridas durante mucho tiempo, para que las cicatrices sean más profundas. Los cortes generalmente se hacen siguiendo un modelo muy decorativo. Hasta hoy se los practica en África, Malasia, Sudamérica, islas del Pacífico y otros lugares. Muchas veces, los indígenas llevan su cuerpo casi totalmente cubierto de cicatrices.

Los indios Guaymi de Panamá emplean para pintarse el rostro un gran número de dibujos, cada uno con un determinado significado. Tienen la señal de la tribu, la del nombre individual, la del rango y posición y la que indica si es soltero o casado, además de otras que expresan la ceremonia en la que se va a tomar parte, propósito de un viaje, visita o misión determinada.

Quizá el pueblo indio más tatuado de Sudamérica es el guerrero del Amazonas llamado mundrucus. El cuerpo de estos indios aparece completamente tatuado. Frecuentemente, entre los indios, el tatuaje y la pintura son una forma de magia, ya que a ciertos colores y dibujos se les atribuye un poder sobrenatural.

VERRIL, A. Hyatt. *Costumbres y creencias raras*. Barcelona, Ediciones Destino, 1958.

AL DICCIONARIO

La letra Z

El origen de la letra **Z** se encuentra en la escritura jeroglífica egipcia, donde se representaba mediante el dibujo de un carro, según unos, o el de una hoz, según otros. Los fenicios la llamaron *ZAIN* (arma) y le dieron una forma semejante a nuestra actual **I** mayúscula. Para los griegos era una letra doble, ya que expresaba el sonido de la unión de la *delta* y la *sigma*. Los romanos sólo la usaban para transcribir algunas palabras griegas, pero dejaron de emplearla a fines del siglo IV a.C. Tres siglos más tarde fue nuevamente introducida en el alfabeto romano, junto con la Y, para transcribir palabras griegas como Zeus o Zodíaco y se la ubicó en el último lugar del abecedario, y así llegó a nosotros.

En español ha ido ganando terreno a la **C** y sobre todo a la **Ç**, a la que hizo desaparecer. Y es que el castellano antiguo diferenciaba entre **Z** y **Ç** — la primera era sonora y la segunda, no —, pero hacia el siglo XIII se empezaron a confundir ambos sonidos y, en 1726, la Real Academia resolvió suprimir la **Ç** y sustituirla siempre por **Z**.

En español, la **Z** representa un sonido interdental fricativo sordo, es decir, no hay vibración de las cuerdas vocales, de maneras que no se la puede pronunciar de forma sibilante o sonora, como si fuera una **S**.

Muy Interesante. Argentina, feb., 1999, nº 160.

Medios de comunicación

la radio

la televisión

el cine

el teatro

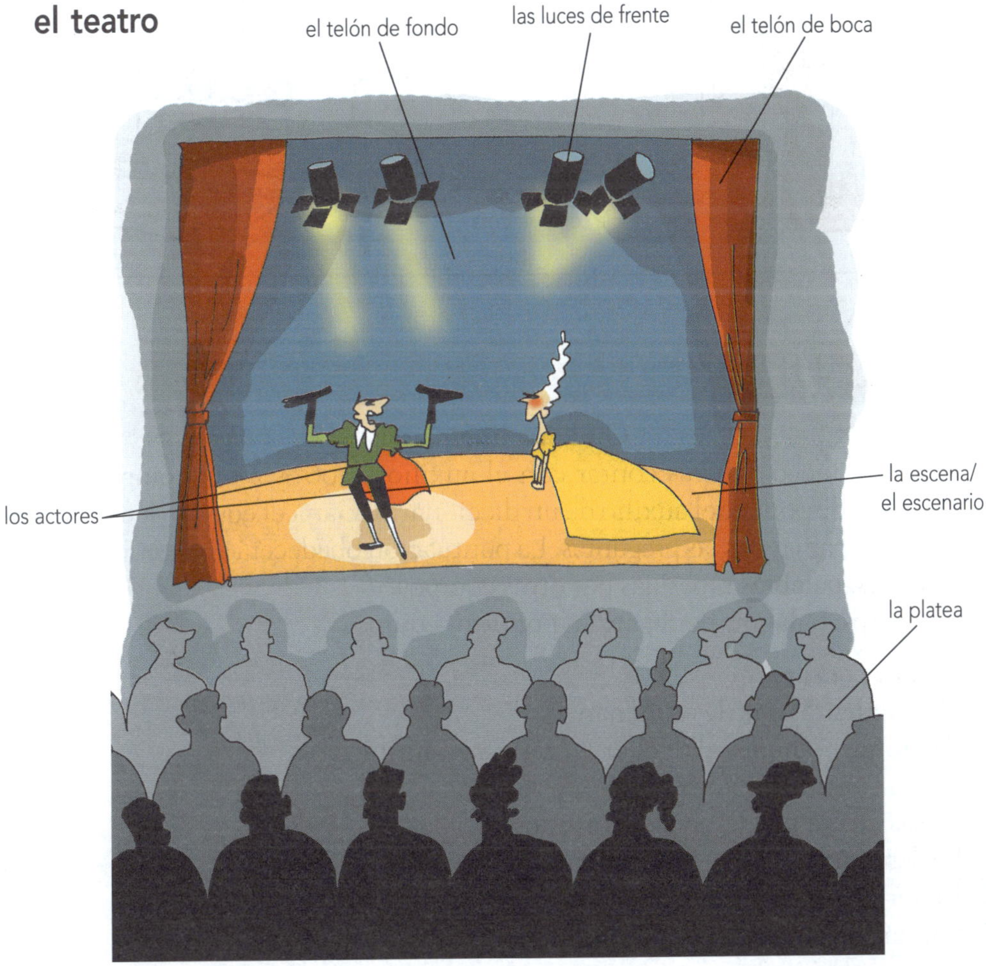

Jueguito

Ginkana lingüística

Para este juego deberás contar con el auxilio de otros 2 ó 3 compañeros. Tu equipo podrá disponer del auxilio de un diccionario. Gana el equipo que encuentre las respuestas para todas las preguntas. La puntuación obedecerá al criterio que sigue:

5 puntos: palabras repetidas por otros equipos.

10 puntos: palabras no repetidas por otros equipos.

Cosas para pensar

1. Herramientas o útiles con mango.
2. Acciones comunes al ducharse (verbos en infinitivo).
3. Cosas con color rojo (totalmente rojas).
4. Cosas que se pueden hacer con papel.
5. Útiles empleados para borrar errores.
6. Materiales utilizados en el maquillaje femenino.
7. Formas de saludar a alguien.

8. Útiles empleados para guardar cosas.
9. Animales que andan a rastras.
10. Dulces hechos con chocolate.
11. Útiles necesarios para preparar un café negro.
12. Objetos utilizados por los humanos para adornarse.
13. Instrumentos utilizados para hacer medición.
14. Prendas de vestir comunes a hombres y mujeres.
15. Ritmos musicales.

REPASÁNDOLO

Según las reglas de acentuación, acentúa el siguiente texto del escritor peruano Abraham Valdelomar (1888-1919) y completa los espacios con la preposición o contracción que convenga.

El vuelo de los cóndores

Un estremecimiento recorrio todos mis nervios. Dos hombres ______ casaca roja pusieron ______ el circo, uno frente ______ otro, unos estrados altos, altisimos, que llegaban ______ tocar la carpa. Dos trapecios colgados ______ centro mismo ______ este oscilaban. Sono la tercera campanada y aparecio ______ dos artistas Miss Orquidea, ______ su apacible sonrisa; llego ______ centro, saludo graciosamente, colgose ______ una cuerda y la ascendieron ______ el estrado. Parose ______ el, delicadamente, como una golondrina ______ un alero breve. La prueba consistia ______ que la niña tomase el trapecio, que pendiendo ______ centro le acercaban ______ unas argollas ______ la mano, y colgada ______ el, atravesara el espacio, donde otro trapecio la esperaba, debiendo ______ la gran altura cambiar ______ trapecio y detenerse nuevamente ______ el estrado opuesto.

Se dieron las voces, se solto el trapecio opuesto, y ______ el suyo la niña se lanzo mientras el bombo — detenia la musica — producia un ruido siniestro y monotono. ¡Que miedo, que dolorosa ansiedad! ¡Cuanto habria dado yo ______ aquella niña rubia y triste no volase! Serenamente realizo la peligrosa hazaña. El publico, silencioso y casi inmovil la contemplaba, y cuando la niña se instalo nuevamente ______ el estrado y saludo, segura ______ su triunfo, el publico la aclamo ______ vehemencia. La aclamo mucho. La niña bajo, el publico seguia aplaudiendo. Ella, ______ agradecer, hizo unas pruebas dificiles ______ la alfombra, se curvo, su cuerpecito se retorcia como un aro, y enroscada, giraba como un extraño monstruo, el cabello despeinado, el color encendido. El publico aplaudia mas, pero el hombre que la traia ______ el muelle ______ la mano hablo algunas palabras ______ los otros. La prueba iba ______ repetirse.

Nuevas aclamaciones. La pobre niña, obedeciendo ______ hombre adulto casi inconscientemente. Subio. Se dieron las voces. El publico enmudecio, el silencio se hizo ______ el circo, y yo hacia votos ______ los ojos fijos ______ ella, ______ saliese bien ______ la prueba... Sono una palmada y Miss Orquidea se lanzo... ¿Que le paso ______ la pobre niña? Nadie lo sabia. Cogio mal el trapecio, se solto ______ destiempo, titubeo un poco, dio un grito profundo, horrible, pavoroso y cayo como una avecilla herida ______ el vuelo, sobre la red ______ circo que la salvo ______ la muerte.

VALDELOMAR, Abraham. El vuelo de los cóndores. In *Para disfrutar la literatura*. Lima-Perú, Editorial Navarrete, Tomo I.

PARÓNIMOS

Son elementos fonéticamente próximos y que, por consiguiente, se pueden confundir. A continuación te damos algunos ejemplos. Encontrarás los significados en el glosario de este libro.

abertura/apertura	lasitud/laxitud
actitud/aptitud	lección/lesión
accesible/asequible	mistificación/mitificación
alusión/elusión/ilusión	óbice/óbito
alcaide/alcalde	óbolo/óvalo
azar/azahar	paladino/palatino
cesión/sección/sesión	patrón/patrono
colisión/colusión	placa/plaga
comprensión/compresión	premisa/primicia
despensa/dispensa	prescribir/proscribir
deferencia/diferencia	relevar/revelar
especia/especie	retracción/retractación
espiar/expiar	salsa/zarza
infligir/infringir	sociedad/suciedad
intersección/intercesión/intercepción	sugestión/sujeción

HOMÓFONOS

Son elementos fonéticamente coincidentes, pero diferentes en la ortografía. A continuación te damos algunos ejemplos. Encontrarás los significados en el glosario de este libro.

abrasar/abrazar	cebo/sebo
acecinada/asesinada	cegar/segar
asada/azada	cerrar/serrar
asiendo/haciendo	cien/sien
aya/haya	cocer/coser
barón/varón	cima/sima
basto/vasto	cidra/sidra
bazo/vaso	concejo/consejo
bello/vello	desecho/deshecho
botar/votar	grabar/gravar
cacería/casería	masa/maza
casa/caza	sueco/zueco
cenador/senador	sabia/savia
ciervo/siervo	sumo/zumo

EJERCICIO

✓ Se trata de una competición con parónimos y/o homófonos. Cada alumno o grupo recibe una o más de esas palabras. Deberán elaborar frases las cuales serán evaluadas, según la corrección y originalidad. El mejor ganará alguna forma de premio. Ejemplos de frases: Pese a su gran aptitud para el canto, mantiene una actitud modesta. Los suecos no llevan zuecos como los holandeses.

COMERCIO RARO

¡La novedad! Venga a visitar nuestra fábrica de palabras. Tenemos modelos, colores, perfumes, estilo para cualquier ocasión. Hay palabras redondas o angulosas, secas o mojadas, niñas o adultas, simples o complicadas. Calle del Abecedario, nº 1001. Hablar con Sr. Palabroma Sinfín.

LENGUACURIOSA

Una investigación

En 1998, en visita a países hispanohablantes de Sudamérica, hicimos preguntas a jóvenes nativos, en cada capital. Las preguntas admitían como respuesta una única palabra o expresión. Las respuestas fueron a veces iguales, otras distintas. Lo curioso es que ocurrió también de una misma palabra tener significados distintos en diferentes países. La recomendación que dimos, antes que hiciéramos las preguntas, era de que deberían contestar con el lenguaje popular, vivo, de la comunicación oral.

Presentamos, a continuación, algunos resultados de ese interesante y sorprendente trabajo.

¿Cómo denominaría Ud. a una persona con las características abajo?

1. No le gusta gastar dinero, sólo lo quiere guardar.

Argentina	codito de oro, tacaño, amarrete
Bolivia	amarrete, tacaño
Chile	apretao
Colombia	tacaño, cagatintas
Ecuador	coño, muco
Paraguay	tacaño, mezquino
Perú	coñete
Uruguay	amarrete, tacaño
Venezuela	pichirre

2. Es muy astuto y usa de ardid para lograr sus intentos.

Argentina	vivo
Bolivia	suertudo
Chile	movido, cuentero
Colombia	avión, avivato
Ecuador	pilas, vivo, sabido
Paraguay	ingenioso, pícaro
Perú	pendejo
Uruguay	zorro
Venezuela	vividor

3. Persona de mucha edad.

Argentina	vejestorio
Bolivia	gato
Chile	tata, veterano, abuelo
Colombia	cucho
Ecuador	checho
Paraguay	viejo
Perú	tío, tía
Uruguay	veterano
Venezuela	cacorra

4. Le gusta mucho decir palabrotas.

Argentina	guarango, mal hablado
Bolivia	malcriado
Chile	chuchetero
Colombia	guache, vulgar
Ecuador	mal hablado
Paraguay	desbocado, torpe
Perú	lisuriento
Uruguay	boca sucia
Venezuela	grosero, vulgar

5. Pide cosas o dinero, sin intención de devolverlos.

Argentina	vivo, avivado, chanta
Bolivia	tramposo
Chile	machetero
Colombia	malapaga, tramposo
Ecuador	lambón, chiro
Paraguay	ñembotavy
Perú	conchudo
Uruguay	jodedor
Venezuela	malapaga

6. Gasta todo dinero, sin ahorrar o guardar nada.

Argentina	derrochón, despilfarrador
Bolivia	ocioso
Chile	derrochador
Colombia	derrochón
Ecuador	despilfarrador
Paraguay	sogué
Perú	despilfarrador
Uruguay	despilfarrador
Venezuela	botao

7. Vive a costa de los demás.

Argentina	avivado, zángano
Bolivia	vivo
Chile	cafiche
Colombia	parásito
Ecuador	esbirro
Paraguay	acostado, garrapato
Perú	ladilla (masc. y fem.)
Uruguay	vividor
Venezuela	mantenido

Adda-Nari M. Alves

RECANTO

✓ Escucha, completa y canta.

Moliendo café

José Manzo

________________________ languidece,

________________________,

y ________________________

____

el son tristón,

________________________,

____

parece decir:

____

__________ el sambo Manuel ________________;

________________________.

________________________...

... ____________________,

que ________________________

____________________.

INFO/INTERDISCIPLINAS

Lingüística. Empleando algún *chat* de conversación con España (terra.es) haz una pequeña investigación en búsqueda de respuestas a las preguntas hechas en la Lenguacuriosa. Se puede también pedir a las personas entrevistadas que digan de qué parte de España son. Luego, relatar al grupo los resultados de esa investigación.

Si no es posible estar conectado a la Web, se puede también hacer el mismo trabajo empleando diccionarios o preguntando a personas conocidas que sepan bien el español.

CARTAS

Parlamás - Escuela de Idiomas
Gaboto, 1112 - 41001 Montevideo

3 de marzo de 2000.
D. Fernando Pérez
Av. República Argentina, 97
Montevideo

Estimado cliente,

Tenemos el gusto de dirigirnos a usted para comunicarle que nuestra escuela de idiomas, siguiendo su política de atendimiento personalizado, acaba de inaugurar sus nuevas instalaciones muy cerca a la rambla, junto a la Embajada de Estados Unidos.

Todo el equipo humano que formamos esta escuela queremos expresarle nuestro más cordial saludo e invitarlo a visitar nuestras nuevas salas y laboratorios de idiomas, equipados con lo que hay de más moderno para la enseñanza de idiomas, donde nos encontrará a su entera disposición, para informarle sobre nuevos cursos y métodos para el aprendizaje del idioma que usted quiere o necesita.

Esperamos que nuestros servicios puedan seguir siendo de su interés.

Quedamos a su entera disposición y aprovechamos la ocasión para saludarlo muy cordialmente.

Joaquín Parlamás
Director

MODELOS

Saludos (para empezar la carta)

— Señor/Señores
— Muy señor mío/Muy señores nuestros
— Distinguido señor/Distinguidos señores
— Estimado señor/Apreciado señor (cuando se tiene una cierta amistad)

Para contestar una carta

— Con esta fecha acusamos recibo de su escrito...
— En contestación a su atento escrito de fecha...
— De acuerdo con las especificaciones hechas en su carta de fecha...

Para hacer un pedido

— Agradecemos se sirvan remitirnos a la mayor brevedad...
— Con fecha 3 de marzo hemos recibido la mercancía nº...

Para hacer una reclamación

— Lamentamos sinceramente lo ocurrido...
— Nos vemos en la necesidad de solicitar una aclaración sobre...
— Lamentamos manifestarle que devolveremos la mercancía...

Para reclamar a un pago

— Le agradecemos se sirva enviarnos un cheque por...
— Con esta fecha giraremos a su cargo una letra pagadera el...
— Informamos el no recibimiento del valor referente a la mercancía...

Para solicitar una información

— Nos servimos de la presente para solicitar informaciones sobre la beca para...
— Solicitamos enviarnos informaciones sobre el curso...
— Nos sería grato recibir mayores informaciones sobre la Universidad...

Fórmula de despedida para el último párrafo de la carta

— Quedamos a su entera disposición...
— Esperando sus prontas noticias...
— Con el deseo de haberles complacido...
— Le damos gracias por su deferencia y...

Fórmulas para la despedida

— Les saludamos muy atentamente.
— Atentamente, les saludan.
— Reciban mis atentos saludos.
— Saludos cordiales.

Fórmulas de tratamiento

Para personas amigas o conocidas: **tú/vosotros**.
Para personas con las que se mantiene solamente relaciones de carácter comercial o laboral: **usted/ustedes**.

EJERCICIO

✓ Partiendo de esas informaciones y de la carta presentada, elabora otras dos. En la primera contestarás la carta enviada por el director de la escuela de idiomas Parlamás; en la segunda enviarás una carta a un posible cliente tuyo, ofreciendo los servicios de tu empresa (debes crear una).

COSTUMBRES 20

CID

CID

LAMBERT ORLAM/THE IMAGE BANK

Dios, dame la serenidad para aceptar las cosas que no puedo cambiar y el valor para cambiar aquellas que puedo.

Liza Minelli (1947), actriz y cantante estadounidense.

Del casamiento a la jubilación: asunción de diferentes roles según pasan los años

Los avances de la tecnología y la ciencia le han dado al ser humano la posibilidad de prolongar su existencia sobre el planeta. Así es protagonista y testigo de diferentes etapas en el curso de su vida en la que asumirá diversos roles. Las costumbres, los problemas, las responsabilidades y la economía cambian al pasar de una etapa a la otra.

1ª etapa: matrimonio (el compromiso). El primer paso es la unión de la pareja, haya o no compromiso matrimonial. En los últimos años, se dio un fenómeno particular en la sociedad occidental: muchos novios decidieron ir a vivir "en pareja", pero sin formalizar la relación ante la ley. La nueva costumbre de mantener relaciones prematrimoniales — algo impensado hace algunos años — y la creciente libertad que experimentan los jóvenes dejaron un poco en el olvido la vieja ilusión que tenían las chicas de "casarse de blanco". Aunque la edad para casarse aumentó, sigue siendo complicado conseguir una pareja estable pasados los 30 años.

2ª etapa: el primer hijo: (¿división de tareas?). Hace veinticinco años, los matrimonios tenían su primer hijo al año de casados. Esto hacía que se dividieran automáticamente las tareas: la mujer dejaba el trabajo o los estudios y se dedicaba a sus quehaceres de ama de casa mientras el hombre salía a trabajar. Si bien esto sigue ocurriendo en la actualidad, muchas parejas deciden esperar algunos años antes de tener un hijo. Una vez que han sido padres, muchas tareas se comparten aunque la madre sigue siendo pieza fundamental en la crianza de los chicos.

3ª etapa: los hijos crecen (para ser feliz, hay que pelear). Ésta es la época en la que padres e hijos son dos grupos más diferenciados. Los chicos adquieren sus hábitos sociales y necesitan la atención física y afectiva de sus padres, que también tienen en esos momentos las mayores exigencias económicas y laborales. La pareja dejó de vivir su período de aprendizaje. Por eso, en este punto se producen muchos conflictos y separaciones.

4ª etapa: todos mayores (generación en lucha). La adolescencia trae aparejadas situaciones conflictivas que se transforman en otras cuando llega la juventud, tales como la falta de empleo o perspectivas laborales.

Los padres son muy poco valorados por los hijos, que los ven como una molestia en muchos casos. Si bien los padres están abiertos al diálogo, los hijos prefieren confiar sus más íntimos problemas a sus amigos, con la creencia de que ellos los van a comprender más por tener la misma edad.

5ª etapa: abuelos y nietos (otra familia, pero con nuestro apoyo). Las generaciones antes se sucedían, pero ahora se superponen: hijos, nietos y abuelos conviven largo tiempo, y la continuidad social ya no se basa en la herencia.

Hoy día, a los 30 años (y un poco más también) todavía se vive con los padres sin ningún tipo de complejos.

Los que sí pueden irse a vivir solos, en la mayor parte de los casos, siguen vinculados a su hogar materno, no sólo afectivamente: la ayuda económica también se hace necesaria.

En nuestro país, dados los grandes índices de desempleo y precarización de las condiciones laborales, las nuevas parejas cada vez son más dependientes de la ayuda que puedan recibir de sus padres y amigos.

Muy Interesante.
Oct., 1998, nº 156.

COMPRENSIÓN E INTERPRETACIÓN DEL TEXTO

1. El texto establece una estrecha relación entre la vida del ser humano en sociedad, el paso de los años y estabilidad económica. Explícalo.
2. En tu opinión, ¿por qué hoy día se nota el fenómeno de parejas que van a vivir juntas, sin formalizar la relación ante la ley?
3. ¿Cuáles son los aspectos positivos y negativos de esa manera de vivir en pareja?
4. ¿Cómo estaban divididas las tareas entre hombres y mujeres cuando nacían los hijos hace algunos años? ¿Cómo está hecha esa división hoy?
5. ¿Por qué se ha puesto entre interrogantes la expresión "división de tareas" en el tercer párrafo?
6. ¿A qué se refiere el texto cuando habla que en la tercera etapa la pareja dejó de vivir su período de aprendizaje?
7. ¿Qué clase de exigencias económicas hacen los hijos cuando crecen?
8. Explica la expresión "Todos mayores: generación en lucha".
9. ¿Por que se afirma que en la 4ª etapa los padres son vistos como una molestia?
10. ¿Qué entiendes por "la continuidad social ya no se basa en la herencia", afirmada en la 5ª etapa?
11. ¿A qué se debe la salida de casa cada vez más tarde? ¿Por qué las familias modernas están cada vez más vinculadas al hogar de los padres?

AL DICCIONARIO

A continuación, te presentamos una lista de palabras. Da el sinónimo más apropiado para la palabra, teniendo en cuenta su posible antónimo ubicado al lado. Pequeña dificultad: de cada palabra falta una letra y cabrá a ti completarla.

Palabra principal	Antónimo posible
ca_to	impr_dente
_orroborar	de_mentir
dilu_idar	c_nfundir
espo_ádico	_recuente
f_lacia	ver_ad
insóli_o	usua_
irremisi_le	perdona_le
p_rfido	_eal
pl_usible	ina_misible
só_dido	limp_o

LECTURA

Texto 1

Sexa

— Papá...

— ¿Hummm?

— ¿Cómo es el femenino de sexo?

— ¿Qué?

— El femenino de sexo.

— No tiene.

— ¿Sexo no tiene femenino?

— No.

— ¿Sólo hay sexo masculino?

— Sí. Es decir, no. Existen dos sexos. Masculino y femenino.

— ¿Y cómo es el femenino de sexo?

— No tiene femenino. Sexo es siempre masculino.

— Pero vos mismo dijiste que hay sexo masculino y femenino.

— El sexo puede ser masculino o femenino. La palabra "sexo" es masculina. El sexo masculino, el sexo femenino.

— ¿No debería ser "la sexa"?

— No.

— ¿Por qué no?

— ¡Porque no! Disculpá. Porque no. "Sexo"es siempre masculino.

— ¿El sexo de la mujer es masculino?

— Sí. ¡No! El sexo de la mujer es femenino.

— Y ¿cómo es el femenino?

— Sexo también. Igual al del hombre.

— ¿El sexo de la mujer es igual al del hombre?

— Sí. Es decir... Mirá. Hay sexo masculino y sexo femenino, ¿no es cierto?

— Sí.

— Son dos cosas diferentes.

— Entonces, ¿cómo es el femenino de sexo?

— Es igual al masculino.

— Pero, ¿no son diferentes?

— No. O, ¡sí! Pero la palabra es la misma. Cambia el sexo, pero no cambia la palabra.

— Pero entonces no cambia el sexo. Es siempre masculino.

— La palabra es masculina.

— No. "La palabra"es femenino. Si fuera masculino sería "el pal..."

— ¡Basta! Andá a jugar.

El muchacho sale y la madre entra. El padre comenta:

— Tenemos que vigilar al gurí...

— ¿Por qué?

— Sólo piensa en gramática.

VERÍSSIMO, Luis Fernando.
Cuentos tradicionales literarios.
Buenos Aires, Ediciones Colihue, 1989.

ADOLFO GERCHMANN/ABRIL IMAGENS

Luis Fernando Veríssimo (1936). Escritor y periodista brasileño, se ha celebrizado como humorista. Colaborador en periódicos como *Zero Hora, O Estado de S. Paulo* y *Jornal do Brasil*, redactor del programa *TV Pirata* y caricaturista del periódico *Jornal da Globo*. Entre sus obras se destacan *O popular* (dibujos, 1973), *A grande mulher nua* (crónica, 1975), *Amor brasileiro* (crónica, 1977), *O analista de Bagé* (1981), *Outras do analista de Bagé* (1982), *Peças íntimas* (1990), *Traçando New York* (1991), con Joaquim da Fonseca, *O suicida e o computador* (1992), *Traçando Roma* (1993), *Comédias da Vida Privada* (1994) y *América* (1995).

Grande Enciclopédia Larousse Cultural.
São Paulo, Nova Cultural, 1998. Adaptado.

Texto 2

Maluco

Y cuando no había nada de qué hablar inventábamos juegos. Juegos tontos como el que llamábamos "¿Qué es?". También denominado: "Tautología del hambre" o, si prefieres: "Maluco-diálogo sobre la esencia de algunas cosas y de otras no".

— ¿Qué es para ti una nave? — dice alguien.

— Un cuenco — contesta otro.

— Un cuenco de vida — dice un tercero.

— Un cuenco de madera — repite el primero.

— Árboles. Todo un bosque.

— Un montón de maderas.

— Una puerta abierta.

— Un ataúd.

— La muerte.

— ¿Y qué es la muerte para ti?

— Una nave. La última.

— Otra puerta — dice el capellán Balderrama.

— No podemos saber qué es, hasta haber pasado por ella — interviene Rodrigo, que es muy dado a especulaciones. Y cuando lo sabemos ya no podemos contarlo a nadie. Pero me inclino a definirla como un momento de tránsito; ya sabéis, entre este mundo de prueba y la verdadera vida. Tanto, que se podría decir que la muerte es la vida, ¿no, padre?

— Todo depende — contesta el capellán, estimulado. Todo depende. Puede ser la vida eterna o la eterna condenación, que es la verdadera muerte, la del alma.

—¡Oh, vamos! — digo irritado por tanta palabrería. La muerte es una porquería. Un olor hediondo, el zumbido de las moscas, los gusanos; una porquería.

— Y la soledad — agrega alguien.

— ¿Y qué es la soledad para ti?

— Una casa cerrada.

— Una cuna vacía.

— Eso es la muerte — digo.

— Y también la soledad. Son la misma cosa.

— La soledad es una planta que te crece en el pecho y echa raíces tan fuertes que no puedes quitártela.

— Un gesto o un aroma que no podemos recuperar. Un sabor para siempre perdido.

— Un camino que se aleja.

— Eso es una nave.

— No, es la libertad.

— ¿Y qué es para ti la libertad?

— Una nave.

— Muchas puertas.

— Un animal indómito.

— Un niño jugando.

— El oro y las especias.

— Un río que se abre camino a pesar de los obstáculos.

— La muerte es un río.

— No, la vida.

— ¿Y qué es la vida para ti?

— Un cuenco.

— Quedamos en que eso era una nave.

— El aroma de un buen guisado.

— Una mujer que pasa y nos seduce un instante.

— Pues yo creo que es la tierra.

— La semilla.

— El arado y los bueyes.

— Eso es el trabajo.

— ¿Y qué es el trabajo?

— Hablábamos de la vida. ¿Qué cosa es la vida?

— El puerto que nos aguarda al final de cada viaje.

— Eso se parece a la muerte.

— La mujer que nos echa de menos.

— Eso también.

— El niño que pregunta por su padre.

BACCINO, Napoleón. In ACQUARONE, C., AGRAS, S., FRIONI, G. *Idioma español.* Montevideo, Editorial Fin de Siglo, 1997.

COMPRENSIÓN E INTERPRETACIÓN DE LOS TEXTOS

Texto 1

1. ¿Cómo se siente el padre con la pregunta de su hijo y por qué?
2. ¿Por qué hubo tanta confusión?
3. ¿Cómo se respondería con precisión a la pregunta "¿Cómo es el femenino de sexo?"?
4. ¿En qué momento el padre dio la explicación correcta y por qué el hijo no la comprendió?
5. ¿En qué momento se observa que el hijo estaba realmente preocupado sólo con el aspecto gramatical? Justifica tu respuesta.
6. ¿Por qué el padre perdió la calma?
7. Explica las palabras del padre a la madre.
8. ¿Con qué elemento se puede probar que el texto de Veríssimo fue traducido al español por un uruguayo o argentino y no por un español?
9. ¿Qué habrá querido el autor comentar con ese texto ingenuo e inconsecuente?
10. Tomando como modelo el diálogo de Veríssimo, elabora otro diálogo que, basado en alguna situación ingenua, critique a la sociedad.

Texto 2

1. ¿Qué información aporta la introducción que antecede el diálogo?
2. ¿En qué consiste el juego?
3. El narrador usó distintas expresiones para referirse a los que participan del diálogo. Transcríbelos.
4. Relacionar las palabras-preguntas a las respuestas.

Respuestas

1. nave **2.** muerte **3.** soledad **4.** libertad **5.** vida **6.** trabajo

cuenco ( )
gesto o aroma ( )
otra puerta ( )
muchas puertas ( )
árboles ( )
aroma ( )
casa cerrada ( )
niño jugando ( )
arado y bueyes ( )
momento de tránsito ( )

nave ( )
mujer ( )
cuna vacía ( )
semilla ( )
puerta abierta ( )
tierra ( )
animal indómito ( )
camino ( )
mujer que nos hecha de menos ( )
ataúd ( )

puerto (   ) | oro y especias (   )
planta (   ) | muerte (   )
maderas (   ) | porquería (   )
río (   ) | gusanos (   )
zumbido de las moscas (   ) | niño que pregunta por sus padres (   )
olor hediondo (   ) | vida (   )

5. Compara los textos de Baccino y de Veríssimo, considerando:
   a) presentación;
   b) vocabulario;
   c) personajes;
   d) originalidad;
   e) objetivo del autor.

6. Desafío: Elabora, con un grupo de tres a cinco personas, un diálogo que sea también el juego "¿Qué es?", pero con la condición de que ninguna palabra-pregunta y palabra-respuesta sean iguales a las de Baccino.

ADIVINANZA

En una casa se encuentran un padre, una madre, un tío, una tía, una hermana, un hermano, dos sobrinos y dos primos. ¿Cuántas personas hay como mínimo?

REPASÁNDOLO

Grado de los adjetivos

✓ Sigue el modelo:

> —¿Te parece muy fuerte?
> —Más que fuerte, fortísimo (a).

1. ¿Picasso es célebre?
2. ¿Te sientes libre en el campo?
3. ¿Sus padres son tiernos?
4. ¿Es nuevo este libro?
5. ¿Te parece sabia la naturaleza?
6. ¿Tus dibujos están malos?
7. ¿Es bueno este colegio?
8. ¿Le parece íntegro este personaje?
9. ¿Es negra la envidia?
10. ¿Son pequeños los microbios?
11. ¿Están bajos los sueldos?
12. Tienes unos profesores notables, ¿no?
13. ¿Entre los nigerianos hay pobres?
14. ¿La obra de Cervantes es superior?
15. ¿Eres fiel a tus principios?

(Universidade Federal do Pará)

Úselo y tírelo

> La sociedad de consumo consume fugacidades. Cosas, personas: las cosas fabricadas para no durar, mueren al nacer; y hay cada vez más personas arrojadas a la basura desde que se asoman a la vida. Los niños abandonados en las calles de Colombia, que antes se llamaban gamines, ahora se llaman desechables y están marcados para morir. Los numerosos nadies, los fuera de lugar, son "económicamente inviables", según el lenguaje técnico. La ley del mercado los expulsa, por superabundancia de mano de obra barata. El norte del mundo genera basura en cantidades asombrosas. El sur del mundo genera marginados. ¿Qué destino tienen los sobrantes humanos? El sistema los invita a desaparecer, les dice: "Ustedes no existen".

CID

El mundo de fin de siglo viaja con más náufragos que navegantes y los técnicos denuncian los "excedentes de población" en el sur, donde las masas ignorantes no saben hacer otra cosa que violar el sexto mandamiento día y noche. ¿"Excedentes de población" en Brasil, donde hay 17 habitantes por kilómetro cuadrado, o en Colombia, donde hay 29? Holanda tiene cuatrocientos habitantes por kilómetro cuadrado y ningún holandés se muere de hambre; pero en Brasil y en Colombia un puñado de voraces se queda con todos los panes y los peces.

Cada vez son más los niños marginados que, según sospechan ciertos expertos, "nacen con tendencia al crimen y a la prostitución". Ellos integran el sector más peligroso de los "excedentes de población". El niño como amenaza pública, *la conducta antisocial del menor en América*, es el tema recurrente de los Congresos Panamericanos del Niño desde 1963.

Lelia tiene catorce años. Se ha criado a la buena de Dios, en las calles de Rio de Janeiro. Ella nunca llora. O llora hacia adentro, mejor dicho, y las lágrimas guardadas le han hecho un charco de veneno en el alma. "Todos roban", dice, "Yo robo y me roban." Si trabaja, la roban. Si no trabaja, los policías le roban lo que roba y además le roban el cuerpo.

A muchos niños les roban la vida. Según el arzobispado de San Pablo, cinco niños caen asesinados cada día en las calles de las ciudades brasileñas. Según la organización Justicia y Paz, son niños buena parte de los cuarenta *desechables* que cada mes caen asesinados en las calles de las ciudades colombianas.

Los escuadrones de la muerte, casi siempre integrados por policías sin uniforme, no dejan huellas. Nadie se entera; a los asesinos se los traga la tierra, y a las víctimas también. Muy raras veces se rompe la regla de la impunidad de los grupos de exterminio y muy raras veces se rompe el silencio. Los trece policías que habían asesinado a sesenta indigentes en la ciudad colombiana de Pereira no fueron nunca sometidos a la justicia penal, pero excepcionalmente sufrieron "sanciones disciplinares"; y la matanza de los niños que la policía ametralló en los portales de la iglesia de la Candelaria, en Rio de Janeiro, excepcionalmente sacudió por un instante a la opinión pública.

GALEANO, Eduardo.
Adaptado de *Nuestra América*.

Lea atentamente el texto “Úselo y tírelo” y marque la opción correcta.

1. Según el texto, en la sociedad de consumo, cosas y personas son
- a) duraderas.
- b) insustituibles.
- c) aprovechables.
- d) desechables.
- e) imperecederas.

2. “El mundo de fin de siglo viaja con más náufragos que navegantes...” (1er párrafo). Esto equivale a decir que en el mundo
- a) desaparecen los sobrantes humanos.
- b) no se excluye a nadie.
- c) crece la población marginal.
- d) disminuyen las desigualdades sociales.
- e) aumenta el grupo de privilegiados.

3. El fragmento del texto donde está presente la idea de abuso sexual es
- a) “A muchos niños les roban la vida.” (línea 24)
- b) “... y además le roban el cuerpo.” (línea 23)
- c) “... no saben hacer otra cosa que violar el sexto mandamiento...” (líneas 5, 6, 7)
- d) “... un puñado de voraces se queda con todos los panes y los peces.” (línea 15)
- e) “Se ha criado a la buena de Dios, en las calles de Rio de Janeiro.” (línea 20)

4. En el tercer párrafo del texto, la expresión “a la buena de Dios” indica que Lelia se ha criado
- a) al azar.
- b) sin dificultades.
- c) en buena situación.
- d) con la ayuda de amigos.
- e) al amparo de la sociedad.

PIÉNSALO

Haz que las buenas acciones se hagan costumbre en tu vida.

Rolando Escardón (1925-1960), poeta cubano.

5. En el tercer párrafo del texto, la expresión “mejor dicho” denota
- a) deducción.
- b) digresión.
- c) énfasis.
- d) atenuación.
- e) rectificación.

6. A partir del texto, se infiere que los numerosos nadies son generados por el(la)
- a) comportamiento antisocial del menor.
- b) pequeña extensión de algunos países.
- c) impunidad de los grupos de exterminio.
- d) desigual reparto de los bienes.
- e) falta de mano de obra en el sur del mundo.

7. En el fragmento “... que antes se llamaban gamines...” (recuadro del texto) el “que” se refiere a
- a) niños.
- b) gamines.
- c) personas.
- d) basuras.
- e) calles de Colombia.

FORMACIÓN DE PALAVRAS

Observando las palabras *útil - inútil - utilidad - inutilidad*, notamos que hay un elemento común: *útil*. Es la *raiz* o morfema, es decir, la mínima forma lingüística con significado. El elemento antepuesto (que viene antes del morfema) es el **prefijo** y el pospuesto (que viene después del morfema) es el **sufijo**. Veamos el esquema abajo.

Formación de Palabras	Simple	1) Primitiva: raiz + desinencia: *útil*
		2) Derivada: palabra primitiva + sufijo: *utilidad*
	Compuesta	3) Prefijo: palabra simple + prefijo: *inútil*
		4) Palabra simple + otra palabra simple: *rompecabezas*
	Parasintética	5) Prefijo o voz simple + palabra derivada que no se emplea suelta: (en)*terrado*
	Compuesta y Derivada	6) *inutilidad*

Si la palabra tiene **prefijo** y **sufijo**, no siempre será **parasintética**. Veamos las palabras *inutilidad* y *enterrado*. Si separamos el prefijo IN-, tenemos la palabra *utilidad*; por otro lado, si separamos el prefijo EN- tenemos la palabra *terrado*, que nada significa. Entonces, *enterrado* es una palabra parasintética e *inutilidad* es compuesta y derivada.

EJERCICIOS

1. Clasifica las siguientes palabras, poniéndoles el número correspondiente, de acuerdo con la tabla de explicación sobre la formación de palabras.

( ) Realista	( ) Abrecartas	( ) Sacapuntas
( ) Renacer	( ) Desigual	( ) Emparentado
( ) Renombrado	( ) Espíritu	( ) Indio
( ) Recto	( ) Perezoso	( ) Indecente
( ) Airosa	( ) Inesperado	( ) Enladrillados
( ) Desunión	( ) Abrazados	( ) Invento

( ) Sobrecamas
( ) Reunir
( ) Preocupación
( ) Hábil
( ) Trabalenguas
( ) Enriquecer
( ) Alejado
( ) Soterrar
( ) Librero
( ) Descubridor
( ) Grandeza
( ) Misterio
( ) Milhoja
( ) Malestar
( ) Desaparecido

( ) Patria
( ) Juego
( ) Deformación

( ) Conformidad
( ) Limpiabotas
( ) Campesino

HUMOR

Error sin importancia

— Hola, querida Susy. ¿Puedo ir a verte esta noche?
— Por supuesto, querido Juan.
— Pero yo no soy Juan.
— No importa, porque yo tampoco soy Susy.

TABLAS DE PREFIJOS

Prefijos castellanos	Ejemplos
a-	acortar
ante-	anteayer
co-, con-	cooperar, contratar
contra-	contrabando
de-	decantar
en-	envirar
entre-	entretela
para-	paracaídas
por-	pormenor
sin-, so-	sinrazón, socavar
tras-	trasponer

Prefijos latinos		
Prefijo	**Significado**	**Ejemplos**
ad-	cerca de, a	adjunto
bi-, bis-	dos	bienio, bisabuelo
circum-	alrededor	circunnavegar
des-, dis-	no, sin	desigual, disgusto
ex-	fuera de	expatriar
in-, im-, i-, ir-	no, sin, falta de, sobre, entre, dentro de	injusto, impiedad, ilimitado, irradiar
inter-	entre	intercalar
pos-, post-	después, detrás	posponer, postguerra
pre-	antes	previsión
pro-	en vez de	pronombre
re-	de nuevo	recaer
semi-	medio	semicírculo
sub-	debajo, inferior	subordinar, subrayar
super-	sobre, muy	superamigo
trans-, tras-	del otro lado, a través de	transporte, trascoro
tri-	tres	tricolor
uni-	uno	unicornio
vice-, vi-, viz-	en vez de, inferior	vicecónsul, virrey, vizconde

Prefijos griegos		
Prefijo	**Significado**	**Ejemplos**
a-	sin	afónico
anti-	contra	antisocial
arc-, arch-, arce-, arz-	principal	arcángel, archiduque, arcipreste, arzobispo
deca-	diez	decálogo
foto-	luz	fotografía
hecto-	ciento	hectogramo
kilo-	mil	kilómetro
miria-	diez mil	miriámetro
mono-	solo, uno	monólogo
neo-	nuevo	neoclásico
poli-	muchos	polisílabo
proto-	primero, principal	prototipo
pseudo-, seudo-	supuesto, falso	pseudónimo, seudojuez

TABLAS DE SUFIJOS

Sufijos castellanos		
Sufijo	**Significado**	**Ejemplos**
-ado	empleo, dignidad, semejanza	abogado, principado, españolado
-ada	golpe	puñalada
-al	relación o pertenencia, lugar en que se tiene	occidental, nacional, pastizal, naranjal
-ario, -a	profesión, persona a quien se cede algo	comerciario, destinatario
-ato	dignidad, oficio	generalato
-azo	golpe	pelotazo
-ble	es lo que expresa el verbo primitivo	adorable
-ero	empleo	mesero, cartero
-ía	dignidad, empleo, cualidad	abadía, cortesía
-ido	sonido, voz	ladrido, gemido
-ismo	doctrina, sistema, partido	cristianismo, idealismo
-ista	profesión, oficio	modista, tractorista
-izo	propensión, semejanza	enfermizo, plomizo
-oso, -a	abundante en	amoroso
-ura	cualidad, dignidad, cargo o acción o su resultado	ternura, prefectura, picadura, lectura

Sufijos latinos		
Sufijo	**Significado**	**Ejemplos**
-cida	que mata	insecticida, uxoricida
-ficar	hacer lo que indica el primitivo	rectificar
-fico, -fice	que hace y obra	científico, artífice
-forme	con forma de	arboriforme
-sono	que suena	unísono
-voro	que come, devora	herbívoro, carnívoro

Sufijos griegos		
Sufijo	**Significado**	**Ejemplos**
-filo	que ama	bibliófilo
-itis	inflamación	bronquitis
-manía	pasión, capricho	piromanía, cleptomanía
-metría	medida	audiometría
-metro	medida	gasómetro
-oide	semejanza	esferoide

EJERCICIOS

1. Añadiendo sufijos distintos, forma palabras castellanas de estos morfemas:

a) ros ________	f) pasion ________
b) industri ________	g) profesor ________
c) temi ________	h) armad ________
d) maull ________	i) pec ________
e) feudal ________	j) art ________

2. Con las formas primitivas forma una palabra parasintética.

rico	pasión	onerar
duro	capu	balanza
noche	fama	producir
cadena		

3. Empleando prefijos latinos o griegos diferentes, forma palabras compuestas con las primitivas siguientes:

venir	ingreso	sintético	vocal	gramo
labial	lateral	clásico	cavar	artrosis
crítica	grado	litro	poner	grabar
vatio	social	visión	tipo	reino
abundante	pirata	parar	grafía	

4. Elige cinco palabras con las cuales formarás vocablos como el siguiente modelo.

	coger	
RE	coger	
	cog	IDO
RE	cog	IDO

PORTALENGUA

Pedir explicaciones/aclaraciones

Perdona(e), no te/le entiendo.
O sea que.../¿Es decir que...?
Pero entonces.../Supongo que.... ¿no?

Insistir

Le estoy diciendo que...

Para aclarar una idea

No sé si me explico.../Lo que quiero decir es...

Ordenar ideas

En primer lugar.../Además.../Por otro lado.../Hay que tener en cuenta...

Pedir consejo/ayuda

¿Tú qué harías? ¿Qué crees que debo/debía hacer?

Aconsejar

¿Por qué no...? Yo en tu/su lugar.../Yo (creo) que tú/ud....
Te/Le aconsejo que.../Lo mejor es que...

Insistir con irritación

Pero, ¿no te/le estoy diciendo que...?

Expresar irritación

Estoy hasta las narices de.../¡Esto es el colmo!
¡Debería darle vergüenza!/¡Es indignante que...!
¡Cómo que él pudo...!

Expresar comprensión

¡Cuánto/Cómo lo siento!
No te preocupes, ya verás como...
Ud./Tú no podía(s) saberlo.

Reprochar algo/regañar a alguien

Debería(s)/Podría(s) haber...
¿Por qué (no)...?/Me parece mal que...
¿No te/le he dicho (mil veces) que...?
Te/Le he dicho (mil veces) que...?

Expresar decepción

Me ha/he decepcionado./No es tan... como...

Es más... de lo que [pensaba. / dicen. / me imaginaba.]

Expresar incomprensión

¡Quién te manda...!/Eso te pasa por...
A mí me da igual./Ése es tu problema (no el mío).
No es mi problema./Es problema tuyo.

COMUNICHABLE

✓ Escucha, completa, lee y representa.

DIÁLOGO 1. Dudas

Sergio: ¿_______________, prof. Enrique?

Enrique: Sí. ¡Ah! ¿eres tú, Sergio? ¡Pasa! ¡Pasa!

Sergio: Profesor, tengo muchas dudas sobre _______________. ¿Me podría Ud. orientar?

Enrique: ¡_______________! En primer lugar debes pensar en algo que te guste realmente y que, _______________, sea rentable.

Sergio: ¿Qué haría Ud. _______________ en mi situación?

Enrique: Antes de contestarte, hay que _______________ lo siguiente: ¿_______________ que te mantengan parado o en movimiento?

Sergio: ¿Cómo así, profesor?

Enrique: Lo que quiero decir es que _______________ están muy _______________ al siglo XXI: informática y turismo.

Sergio: ¿Qué cree ______________________________?

Enrique: ¡Ahí está la ______________________________! Con informática te mantienes físicamente muy parado ______________________________ y en el turismo estarás caminando, hablando, ______________________________, orientando a otras personas.

Sergio: Bueno, por mi (temple), el turismo ______________________________, pero, por otro lado, con informática ganaría más dinero.

Enrique: Muchacho, ______________________________ mal del siglo XX: pensar más que todo en dinero y en ____________________. Una carrera es para toda la vida. ______________________________ a que te dediques al turismo. Y ¿sabes? Es tenida como una de las más promisoras carreras del siglo XXI.

Sergio: ¿Verdad? ¡Vale! ¿Es decir que puedo hacer ______________________________ me gusta y tener mi futuro ____________________?

Enrique: Garantizado y promisorio.

Sergio: ¡Profe! ______________________________ por el turismo. No tengo palabras para agradecerle. Lástima que ______________________________ buscado antes. ¿Cómo pagarle?

Enrique: Estoy regiamente compensado con haberte ayudado. ______________________________ me regalarás un viaje. ¿Qué te parece?

Sergio: Se lo prometo. Gracias, ______________________________. Adiós.

Enrique: Hasta pronto, niño, y qué te vaya bien.

Sergio: Gracias. Le deseo lo mismo.

DIÁLOGO 2. Los colores

Marco: ¿Sabes qué me gustaría ______________________________ en la Navidad?

Miguel: Ni idea. ¿Algo muy caro?

Marco: No. Quería tener una ______________________________, una comida amarilla, junto a mis amigos azules.

Miguel: ¿Estás ____________________? ¿____________________ de colores?

Marco: Una noche de esperanzas, una comida rica y mis amigos felices como ____________________ en el cielo.

Miguel: Nada mal, ¡señor Don Quijote! ______________________________ blanco con tantos colores.

Marco: La vida es colorida. Hay que saber ______________________________ esos colores.

Miguel: De acuerdo, ¡Picasso!

Las fiestas

CID

la Navidad/la Nochebuena

IVAN SHAW/TONY STONE-GETTY IMAGES

la Pascua

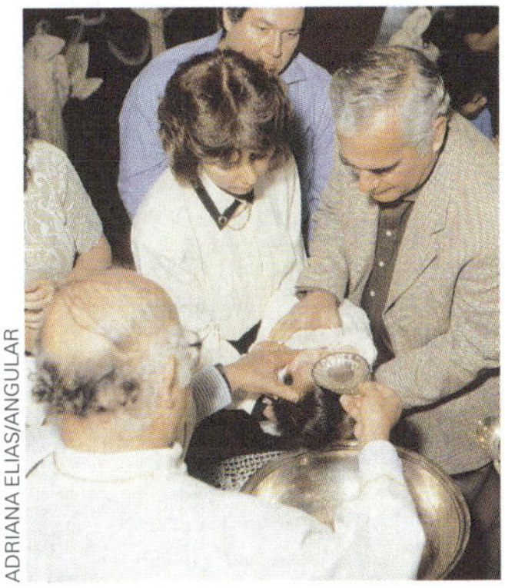
ADRIANA ELIAS/ANGULAR

el bautizo

CID

el casamiento, las bodas

CID

el cumpleaños/el santo

HIRES CHIP/GAMMA-KEY

el aniversario (día en que cumple años de un suceso, una empresa, una ciudad...)

VIVIAN VERGAL

día de las madres

CID

día de los niños

Una historia de siglos: el anillo de bodas y sus símbolos

Con la llegada de la primavera, muchas jóvenes parejas deciden unir sus vidas y comenzar juntas a recorrer un nuevo camino.

Es usual, anhelado y sumamente común que en ese día tan especial los novios se hagan mutua entrega de una sortija de bodas, que simboliza el compromiso y, esencialmente, el deseo de pertenencia y común unión. Pero ¿dónde nace esa costumbre?, ¿cómo se generaliza y llega a imponerse en diversas culturas del mundo entero?...

El anillo, con toda su simbología propia, es el centro de una innumerable cantidad de leyendas que le relacionan con el poder mágico: el anillo de Nibelungos, que multiplicaba la riqueza; anillos de protección, para hacerse invisible; anillo de compromiso, *alianza*, que significa precisamente pacto, son un ejemplo de ello. De esta forma, y con sus muchas cualidades y atributos, llegó a los dedos de los contrayentes de la Roma Imperial, anterior a Cristo, seguramente como una herencia de ceremonias mucho más antiguas. Era el sello que garantizaba un convenio entre los contrayentes, a la vez que simbolizaba el ciclo de la vida y de la muerte.

Desde entonces, y hasta nuestros días, el anillo matrimonial se lleva en el dedo anular porque se creía que un nervio partía de ese dedo y terminaba en el corazón, órgano que era considerado el más importante del cuerpo.

El tiempo ha pasado desde que aquel tan lejano y sencillo aro romano, totalmente construido en hierro, unió "para toda la vida" a millares de jóvenes amantes. Desde ese ayer tan remoto hasta nuestros días, el preciado objeto nupcial ha sufrido notables modificaciones.

Versa la historia que cambios notorios comienza a sufrir la curiosa sortija cuando, en el siglo II de nuestra era, los cristianos adoptan la costumbre de incorporar en sus rituales matrimoniales el anillo de bodas y se introduce el oro en su elaboración. Los cristianos, a su vez, sacralizan la colocación del aro en el anular, al tocar tres dedos de la mano izquierda con el anillo, "en el nombre del Padre, del Hijo y del Espíritu Santo", para terminar colocándolo en el cuarto dedo. Durante siglos se mantuvo vigente esa costumbre, aunque sólo los más ricos podían permitirse utilizar el oro en sus anillos de esponsales.

Un nuevo cambio sufre la sortija de compromiso en el siglo XV cuando, los más pudientes de la época, incorporan en la elaboración de tan valioso anillo el diamante, convirtiéndolo así en alianza nupcial. Esa piedra preciosa aportaba al anillo de bodas sus propias leyendas y ambos propiciaban para el feliz poseedor una vida de dicha y felicidad.

A finales del siglo XV, el diamante se utilizaba con su estructura cristalina natural, mientras que los orfebres ponían el acento en el trabajo de la montura, llegando a ser ésta muy elaborada: rosetas, letras del alfabeto, la flor de lis eran los emblemas más utilizados para la inocente novia.

En el siglo XVI comenzó a aplicarse a esta gema preciosa, la primera técnica de pulido, conocida como el tallado de tabla. La piedra así tallada se incrustaba en monturas con una fina laminilla de plata (para resaltar el blanco de la gema) sobre aros cincelados y adornados con esmalte. Así elaboradas, esas costosísimas sortijas marcaron una época y acompañaron un acontecer. No había boda real en la que estos anillos faltasen.

Un nuevo tipo de anillo de matrimonio surge en el Renacimiento, acompañando así las luces y brillos de este glorioso período. Dos aros unidos entre sí por un eje le dan vida. Cuando éstos se deslizan simultáneamente, sólo permiten ver un anillo. A este fenómeno debe su nombre esta alhaja tan peculiar que se conoce como "gemelo".

En el siglo XVII cobra vigor el anillo de esmalte con inscripciones.

El siglo XVIII es pródigo en descubrimientos. Con el hallazgo de las minas de diamante en Brasil resurge un nuevo gusto por esta piedra preciosa.

En plena época de refinamiento, el más apreciado de los anillos era el de los esponsales. Para protegerle, surgió el "anillo guardián" para llevar sobre aquél.

En el siglo XIX nace una fuerte clase media adinerada que favorece que el anillo de diamantes se popularice. La novia de entonces esperaba con naturalidad dos anillos: el de compromiso (noviazgo) y el de bodas.

La renovación más reciente es la del alemán Neissing que, en 1981, inventó el anillo con montura de tensión de platino. Un diseño que permite que el diamante se encuentre, airosa y mágicamente, entre las dos mitades del aro. Es la belleza y la técnica al servicio de una de las joyas que más aprecia la mujer de cualquier tiempo: su anillo de bodas.

La mañana. Montevideo, oct., 1990.

Comprensión e interpretación del texto

1. ¿De qué trata el texto?
2. ¿Por qué, según el texto, se utilizó el anillo como símbolo de la unión de dos personas?
3. ¿Qué relación hay entre el dedo anular y la utilización de la sortija en él?
4. ¿A qué leyendas se refiere el tercer párrafo?
5. Dale un título a cada párrafo del texto, observando, para tanto, el contenido de cada uno.
6. Indica la palabra a qué se refieren los términos abajo, de acuerdo con el texto.
   a) ello (línea 35)
   b) desde entonces (línea 49)
   c) desde ese ayer (línea 66)
   d) esa costumbre (línea 93)
   e) ésta (línea 119)
   f) éstos (línea 152)
   g) a este fenómeno (líneas 154-155)
   h) aquél (línea 176)
   i) la del (línea 188)

JUEGUITO

Para cada grupo de palabras abajo hay rasgos comunes que las unen y características que las diferencian. Indica esos puntos comunes y distintos.

> Modelo:
>
> A) Perro – gato – hombre – vaca. B) Gallina – pavo – paloma – pato.
>
> Común: Animales
> Distinto: A = mamíferos/B = aves.

1. A) Gallina - pato - pavo - faisán.
   B) Gorrión - pingüino - golondrina - buitre.
2. A) Febrero - mayo - junio - marzo.
   B) Julio - septiembre - octubre - agosto.
3. A) Enero - abril - julio - octubre.
   B) Marzo - junio - septiembre - diciembre.
4. A) Abril - junio - septiembre - noviembre.
   B) Enero - diciembre - agosto - marzo.
5. A) Pensamiento - clavel - nardo - amapola.
   B) Col - coliflor - lechuga - espinaca.

VENTANITA

Curiosas ceremonias nupciales

En Chile, los indios araucanos raptan a sus novias con falsa violencia antes de que comiencen las ceremonias nupciales. La novia sale de casa para darse un paseo por la aldea y después de recorrer algunas calles se dirige a un lugar determinado, donde sabe que el novio y sus amigos la esperan escondidos. Irrumpen éstos repentinamente y la "obligan" a subir a la grupa del caballo que monta el novio, a cuya casa se dirigen y donde ya están reunidos los familiares de las dos partes dispuestos a celebrar la boda con fiestas y banquetes.

INFO/INTERDISCIPLINAS

Artes

1ª Etapa: Para esta tarea necesitarás de fotos tuyas de cuando eras niño(a) — mínimo 3 pertenecientes a edades distintas. Deberás traerlas a la clase sin mostrarlas a tus compañeros.

2ª Etapa: Utilizando el *Netscape - Composer*, elabora una página en la que colocarás las fotos, pero sin leyenda.

3ª Etapa: Elaborarás un texto de leyenda para cada foto a fin de redactar un texto en el que contarás algo sobre el niño de las fotos. ¡Pero atención! Trabajarás con las fotos indicadas por el profesor, que obviamente no serán las tuyas. Podrás imaginar la historia solamente tomando como referencia las fotos.

4ª Etapa: Visitación a las distintas páginas creadas: concluida la tarea, todos tendrán acceso a las demás páginas para leer lo que han escrito sobre nosotros. No se debe revelar a quiénes pertenecen las fotos. Cada página estará firmada por el autor del texto.

5ª Etapa: Revelación de los personajes de las historias. En esta etapa los autores dirán a quién imaginan pertenecer las fotos de su texto. Los dueños de las fotos se apuntarán y dirán las reales situaciones en que fueron tomadas las fotos.

Observación: Si tu escuela no está conectada, puedes hacer lo mismo utilizando sobres (en los que se pondrán las fotos para entregarlas al profesor), y carteles para la exposición de las fotos y del texto creado. Cada etapa se dará en una clase distinta, incluso como tarea de casa.

LENGUACURIOSA

Aquí tienes la conclusión de nuestra investigación lingüística. Estos cambios prueban que la lengua es un elemento vivo, presentando entre sus pueblos las mismas peculiaridades que tiene una familia, en la cual cada miembro es distinto, aunque con igual educación y ambiente.

1. Es ridículo, sirve de diversión a los demás.

Argentina	chistoso, payaso
Bolivia	chupamedias
Chile	payaso
Colombia	estúpido
Ecuador	fantoche
Paraguay	cuesta larga
Perú	huachafa
Uruguay	payaso
Venezuela	payaso

2. Persona muy crédula y tonta.

Argentina	pajarón, crédulo
Bolivia	chacra
Chile	pájaro/se la cree toa(toda)
Colombia	inocente
Ecuador	lorenzo
Paraguay	bobo, edad del pavo
Perú	pavo, pánfilo
Uruguay	gil/bobo
Venezuela	creído

3. Es muy valiente y audaz.

Argentina	corajudo
Bolivia	macho
Chile	groso, bacán
Colombia	bareto
Ecuador	arrecho, arreto, arretado
Paraguay	corajudo, valiente
Perú	guerrerazo
Uruguay	corajudo
Venezuela	valiente

4. Presume saber más que todos.

Argentina	metiche, sabihondo
Bolivia	sabelotodo
Chile	levantao
Colombia	sabelotodo
Ecuador	sabihondo
Paraguay	creído
Perú	sabihondo
Uruguay	sabihondo
Venezuela	sabelotodo

COMERCIO RARO

¡La fiesta de su sueño! Damos a su fiesta de bodas, cumpleaños, Navidad, aniversarios, el ambiente con que Ud. ha soñado. Transportamos su fiesta al lugar de su sueño. Venga a ver y confiera, sin recargos ni compromisos. Teléfono 3210123. Hablar con Festivoso Juguetón.

5. Es informal y de poco juicio.

Argentina	desubicado
Bolivia	sonso
Chile	mequetrefe
Colombia	desjuiciado, guache
Ecuador	orate
Paraguay	despelotudo
Perú	alocado
Uruguay	desubicado/tilingo
Venezuela	testarudo

6. Persona muy dormilona.

Argentina	marmota, lirón
Bolivia	dormilón
Chile	pestañero
Colombia	dormilón, vago
Ecuador	plancha orejas, está de ruca
Paraguay	haragano, vago
Perú	jetero
Uruguay	dormilón
Venezuela	dormilón, burro con sueño

RECANTO

✓ Escucha, completa y canta.

Adelita

Dominio público

En ______________________________
Acampado ______________________________
Y ______________________________
______________________________ del sargento.
______________________________,
______________________________.
______________________________.
______________________________.

Y si oía... que decía...
Aquel que tanto la quería:

______________________________,
______________________________.
______________________________;
______________________________.
______________________________,
______________________________,
____
______________________________.

Una noche ______________________________
Conduciendo ______________________________
______________________________,
______________________________.

Y se oía... que decía...
Aquel que tanto la quería:

Y si Adelita se fuera con otro,
La seguiría por tierra y por mar.
Si por mar, en un buque de guerra;
Si por tierra, en un tren militar.

______________________________,
______________________________,
____
______________________________.

VOCABULARIO

Abreviaturas empleadas en este Vocabulario

adj.	adjetivo
Amér.	América
Amér. Mer.	América Meridional
Arg.	Argentina
com.	sustantivo común de dos
depor.	deporte
f.	sustantivo femenino
Fam.	familiar
Fig.	figurado o figurada
m.	sustantivo masculino
m. inv.	masculino invariable
Parag.	Paraguay
port.	portugués
v. i.	verbo intransitivo
v. prnl.	verbo pronominal
v. t.	verbo transitivo

A

Abertura: *f*. Acción de abrir; hendidura, grieta, agujero.

Accesible: *adj*. Que tiene acceso, de fácil acceso o trato.

Acechar: *v.t*. Observar, aguardar cautelosamente.

Acecinar: *v. t*. Salar las carnes y ponerlas al humo y al aire para que, enjutas, se conserven.

Acera: *f*. Orilla de la calle, banqueta, vereda.

Acíbar: *m*. Amargura, disgusto.

Acicatear: *v.t*. Estimular, incitar.

Actitud: *f*. Postura del cuerpo humano cuando expresa algo con eficacia.

Afueras: *f. pl*. Alrededores de una población.

Aguijón: *m*. Punta aguda con que pican ciertos insectos; punta del palo con que se aguija; acicate, espuela; estímulo.

Alcaide: *m*. El que tenía a su cargo la guarda y defensa de una fortaleza o de una cárcel.

Alcalde: *m*. Presidente de un Ayuntamiento.

Alelado: *adj*. Persona tonta o lela.

Alero: *m*. Parte del tejado que sale afuera de la pared (beiral); guardabarros.

Alquitrán: *m*. Producto obtenido de la destilación de materias orgánicas, principalmente maderas resinosas y hullas. Es líquido, viscoso, de color oscuro y fuerte olor, y tiene distintas aplicaciones industriales.

Alusión: *f*. Acción de aludir; referencia.

Anillo: *m*. Aro pequeño de metal. Sortija.

Ano: *m*. Orificio del recto.

Antojarse: *v. prnl*. Desear mucho una cosa.

Apertura: *f*. Acción de abrir asambleas, corporaciones, teatros, empresas: inaugurarlos.

Apresado, a: *adj*. Aprisionado.

Aptitud: *f*. Cualidad que hace con que un objeto sea apto para cierto fin; suficiencia e idoneidad para obtener y ejercer un empleo.

Arancel: *m*. Tarifa oficial de derechos o precios; tasa, valoración.

Arrabal: *m*. Barrio contiguo a una población.

Arribo: *m*. Llegada.

Asequible: *adj*. Que se puede conseguir.

Asignatura: *f*. Materia que se enseña en un centro docente.

Asunción: *f*. Acción y efecto de asumir.

Atacameño: *adj*. Natural de Atacama, provincia chilena.

Atasco: *m*. Impedimento que no permite el paso. Embotellamiento de coches.

Atrapar: *v. t*. Coger, asir, agarrar, tomar. apoderarse. Coger al que huye. Fam. Conseguir alguna cosa de provecho. Engañar.

Autraño: *m*. El otro año, el año siguiente.

Avatar: *m*. Reencarnación; fase, cambio, vicisitud.

Ayunar: *v. i*. Abstenerse de comer. Privarse de algún gusto.

Azahar: *m*. Flor de naranjo o limonero.

Azar: *m*. Hecho fortuito; casualidad; desgracia inesperada; mala suerte.

B

Bache: *m*. Hoyo en la cerretera. Momentos difíciles.

Bachillerato: *m*. Grado que se concede a la persona que termina la segunda enseñanza.

Bajá: *m*. Gobernador en el antiguo imperio otomano. Dignatario turco.

Basura: *f*. Desperdicio, inmundicia. Desecho.

Beatnik: *f*. Voz inglesa. Personas que se portan y se visten inconvencionalmente, propensas a teorías extranjeras; son autoexpresivos y pacifistas.

Berro: *m*. Planta comestible. (*port*., agrião.)

Birome: *f*. Lapicero de bolígrafo cuyo inventor fue el húngaro Ladislao José Biro.

Bizco: *adj*. Que tuerce los ojos al mirar.
Bolígrafo: *m*. Lápiz estilográfico cuya punta es una bolita de acero. Birome.
Bolillo: *m*. Palito torneado para hacer encajes y pasamanería. (*port*., bilro.)
Bribón: *adj*. Haragán, pícaro, rufián, bellaco.
Broma: *f*. Bulla; diversión; burla; chanza; dicho o hecho gracioso.
Bromear: *v. int*. Usar de bromas.
Brujo: *m*. Hechicero.
Bruñir: *v. t*. Sacar el lustro o brillo a una cosa; afeitar el rostro con varios ingredientes.
Burbuja: *f*. Glóbulo de aire o de otro gas formado en los líquidos.

C

Caca: *f*. Excremento; porquería, inmundicia; cosa de poco valor.
Cachorro: *m*. Cría de perro, león y otros mamíferos.
Calambre: *m*. Contracción espasmódica y dolorosa de ciertos músculos. (*port*., caimbra.)
Callejón: *m*. Calle pequeña.
Calzada: *f*. Parte de la calle entre las aceras. Parte de la carretera/calle reservada a los vehículos.
Cana: *f*. Cabello blanco.
Candil: *m*. Lamparilla de aceite. Pico de sombrero.
Cantimplora: *f*. Sifón, turbo encorvado para sacar líquidos; frasco aplanado y revestido de cuero, paja o bejuco, para llevar la bebida.
Capa: *f*. Prenda o abrigo. Lo que cubre, revestimiento. Clase, categoría. Las capas sociales.
Carpa: *f*. *Amér*., tienda de campaña. Toldo de circo. Caseta de playa.
Cartel: *m*. Anuncio que se fija en un sitio público.
Casería: *f*. Casa aislada en el campo.
Cebo: *m*. Comida que se da a los animales.
Cenador: *m*. Espacio cercado y adornado con plantas, en los jardines.
Cesión: *f*. Renuncia de alguna cosa, posesión, acción o derecho que una persona hace a favor de otra.
Chapucero: *adj*. Hecho tosco, grosero; persona que trabaja de este modo; vendedor de hierro viejo, chatarra.
Charla: *f*. Conversación; conferencia.
Chavo: *m*. Término de jerga que significa chico, pibe, muchacho.
Chiflado: *adj*. Que tiene algo perturbada la razón.
Chillar: *v. i*. Dar gritos agudos y desapacibles, desagradables.
Chispeante: *adj*. Que chispea; agudo, ingenioso.

Chispear: *v. i.* Echar chispas.
Cicatero: *adj.* Mezquino, miserable, que escatima lo que debe dar.
Cimiento: *m.* Parte del edificio/casa debajo de la tierra. (*fig.* origen.)
Clase: *f.* Conjunto de personas que tienen la misma función o intereses. De la misma condición social. Enseñanza dada por un profesor.
Clavel: *m.* Planta de flores. (*port.*, cravo.)
Colusión: *f.* Acuerdo entre varios.
Comedor: *m.* Habitación para comer; casa de comidas.
Comensal: *com.* Cada una de las personas que comen en la misma mesa.
Comics: *m.* Tebeos.
Conllevar: *v. tr.* Sufrir, soportar las impertinencias o el genio de alguien, o cualquier otra cosa adversa y penosa. Implicar, suponer, acarrear. Contener, comprender, abarcar.
Copa: *f.* Vaso con pie para beber. Parte superior de las ramas de un árbol o de un sombrero. Competición deportiva para lograr este premio.
Cordura: *f.* Juicio, sensatez.
Crespón: *m.* Tela de gasa en que la urdimbre está más retorcida que la trama
Crianza: *f.* Acción de criar.
Criollo: *m.* Descendiente de padres europeos nacidos en la Hispanoamérica y en algunas colonias europeas.
Cubo: *m.* Recipiente de diversas formas y materias para contener líquidos.
Culebrón: *m.* Pieza teatral o romance en capítulos, generalmente muchos, presentados en la radio o en la televisión.
Cursi: *adj.* De mal gusto, que presume fino y elegante sin serlo.

D

Dandi *m.* (de la voz inglesa Dandy). Hombre que se distingue por su extremada elegancia y buen tono.
Deferencia: *f.* Respeto, cortesía.
Derrochar *v. t.* Malgastar.
Desaforado: *adj.* Excesivo. Muy grande, desmedido. Villento.
Desahuicio: *m.* Acción de despedir a un inquilino.
Desecho: *m.* Residuo; lo que se desecha.
Desgano: *m.* Desgana, inapetencia, falta de gana de comer.
Deshecho: *adj.* Extenuado, abatido; violento, impetuoso.
Despilfarro: *m.* Gasto excesivo y superfluo; derroche.
Desvalido: *adj.* Desamparado, sin ayuda.
Desván: *m.* Parte más alta de una casa inmediata al tejado.

E

Echar: *v. t.* Lanzar, arrojar, tirar, tender. Despedir. Expulsar. Acostar. Pronunciar. Suponer, conjeturar. Atribuir.

Elusión: *f.* Acción y efecto de eludir, de salir de la dificultad, huir de ella con algún artificio.

Enarbolar: *v. t.* Levantar en alto estandarte, bandera o cosa análoga.

Encaje: *m.* Ajuste de dos piezas. Dinero o valores en caja. Cierto tejido que se hace con bolillos, agujas de coser o gancho, etc., o bien a máquina. (*port.*, renda.)

Enchufar: *v. t.* Ajustar la boca de un caño a otro. Establecer conexión eléctrica, encajando las dos piezas. Acoplar las partes salientes de una pieza en otra.

Enchufe: *m.* Acción de enchufar.

Encina: *f.* Árbol de madera dura cuya fruta es la bellota. (*port.*, carvalho.)

Encuesta: *f.* Averiguación. Averiguación de una opinión dominante sobre una materia por medio de preguntas hechas a muchas personas.

Enganchado: *adj.* Atraído, agarrado a una cosa o persona.

Enojado: *adj.* Disgustado.

Entorno: *m.* Medio ambiente.

Entramparse: *v. prnl.* Endeudarse, contraer deudas.

Eructar: *v. i.* Expeler con ruido por la boca los gases del estómago.

Escudriñante: *adj.* Que examina, averigua cuidadosamente una cosa y sus circunstancias.

Esparcimiento: *m.* Diversión, ocio.

Especia: *f.* Sustancia aromática usada como condimento.

Estanco: *m.* Tienda donde venden cerillas, tabacos, sellos, etc.

Estrafalario: *adj.* Desaliñado en el vestido o en el porte. Extravagante.

F

Farraguista: *com.* Persona que tiene la cabeza llena de ideas confusas y mal ordenadas.

Feligrés: *m.* Parroquiano; persona que acostumbra a comprar siempre en un mismo establecimiento comercial.

Ferrocarril: *m.* Camino con dos vías o rieles paralelos sobre los cuales ruedan los vagonesdel tren.

Fruslería: *f.* Insignificancia, cosa de poco valor.

Frutal: *adj.* Que se presta a hechos ridículos, escandalosos. *m.* Dícese del árbol que lleva fruta.

Fugacidad: *f.* Calidad de breve, fugaz.

G

Gamín: *m. Amér.* Golfillo, pilluelo.

Ganga: *f.* Cosa apreciable que se adquiere a poca costa; rebaja.

Garante: *adj. y com.* Que da garantía.

Glotonería: *f.* Gula, voracidad. Calidad del glotón.

Gofrería: *f.* Estampería (del francés "gaufrer").

Golondrina: *f.* Ave. (*port.*, andorinha.)

Grilla: *f.* Cosa que no es lo que parece y, por extensión, mentira.

Guapo: *adj.* Bien parecido, buen aspecto; bravucón, fanfarrón. *Fam.* Apodo cariñoso.

Guisar: *v. t.* e *i.* Someter los alimentos a diversas manipulaciones utilizando el fuego, haciéndolos aptos para consumirlos.

Guiso: *m.* Manjar guisado.

H

Halago: *m.* Alabanza, lisonja.

Hallar: *v. t.* Encontrar. Descubrir la verdad de algo. Dar con una persona o cosa sin buscarla.

Hebra: *f.* Porción de hilo que se pone en la aguja; filamento de las materias textiles; hilo del discurso.

Hiel: *f.* Bilis; amargura, aspereza, disgusto, adversidad.

Huesillo: *m. Amér. Merid.* Durazno secado al sol.

Humo: *m.* Vapor que se desprende de un líquido caliente. Producto gaseoso de la combustión de materias orgánicas. Soberbia.

Husmear: *v. t.* Rastrear, olfatear; indagar cautamente.

I

Ilusión: *f.* Concepto o representación sin verdadera realidad, sugerido por la imaginación.

Incorporar: *v. t.* Unir dos o más cosas; sentar o reclinar el cuerpo que estaba tendido; corregir su postura.

Ingrávida: *adj.* Sin peso, que parece no tener peso. Ligero, suelto y tenue como la niebla.

Inquina: *f.* Aversión, ojeriza.

Interés: *m.* Provecho, utilidad. Beneficio del dinero prestado. Renta que un dinero invertido puede proporcionar.

Iracundia: *f.* Ira, cólera.

J

Jipar: *v. t.* Hipar, jadear.

Jirón: *m.* Pedazo desgarrado de una tela. Rotura en la ropa, desgarrón.

Jubilación: *f.* Acción y efecto de jubilarse de un empleo, es decir, eximir del servicio a un empleado por antigüedad o enfermedad.

L

Ladrillo: *m.* Arcilla cocida, en forma de paralelepípedo rectangular, utilizado para construir paredes.

Largo: *adj.* Que tiene longitud considerable. Que dura mucho. A *lo largo* (*port.*, ao longo de).

Lasitud: *f.* Desfallecimiento, falta de vigor.

Lata: *f.* Hoja de lata. Envase de lata. Cosa fastidiosa. Persona pesada. *Sin una lata* (*port.*, sem dinheiro).

Laxitud: *f.* Calidad de flojo, de poca tensión.

Lazarillo: *m.* Guía de un ciego.

Lechada: *f.* Masa fina de cal, yeso, usada en albañilería.

Lograr: *v. t.* Conseguir, conquistar o alcanzar algo.

Lucífero: *adj.* Resplandeciente, que da luz; el lucero de la mañana.

M

Maceta: *f.* Recipiente de barro cocido que, lleno de tierra, sirve para criar plantas, generalmente de adorno.

Manejar: *v. t.* Manipular, tocar con las manos; conducir un automóvil.

Mango: *m.* Parte por donde se ase un instrumento o utensilio. En América también es dinero.

Manojo: *m.* Lo que se coge con la mano; hacecillo de cosas que se puede coger con la mano.

Marear: *v. t.* Turbarse la cabeza, revolviéndosele el estómago; averiarse los géneros en el mar.

Matasello: *m. inv.* Marca hecha en los sobres por el servicio de correos para inutilizar los sellos. Instrumento con que se hace esa marca.

Mayordomo: *m.* Criado principal.

Maza: *f.* Arma antigua.

Mella: *f.* Hueco, rotura, hendidura en el filo de un arma.

Mistificación: *f.* Acción y efecto de mistificar, engañar, deformar.

Mita: *f*. Trabajo pagado al que estaba obligado durante cierto tiempo el indio americano.

Mitayo: *m*. *Amér*., indio sorteado por el trabajo. Indio que llevaba lo recaudado en la mita.

Mitificación: *f*. Acción de convertir en mito; rodear de extraordinaria estima.

Mitin: *m*. Reunión pública donde se exponen y discuten asuntos de caráter político o social.

Mitón: *m*. Guante de punto que deja al descubierto los dedos.

Mohíno: *adj*. Triste, disgustado, amargado.

Mondadientes: *m. inv*. Palillo para limpiarse los dientes.

Monigote: *m*. Persona o cosa rara, fea y ridícula. Desatinado. Absurdo.

Moraleja: *f*. Enseñanza de un cuento, fábula.

Morboso: *adj*. Enfermo.

Mosto: *m*. Zumo exprimido de la uva, antes de fermentar y hacerse vino.

Motín: *m*. Sedición. Agitación de una muchedumbre, generalmente contra una autoridad constituida.

N

Niebla: *f*. Nube en contacto con la tierra.

Nostalgia: *f*. Pena de verse ausente de personas o cosas queridas.

Nublar: *v. t*. Ocultar, cubrirse de nubes. Volverse poco claro.

O

Óbice: *m*. Obstáculo, embarazo.

Óbito: *m*. Fallecimiento de una persona.

Óbolo: *m*. Cantidad exigua con que se contribuye para un fin determinado.

Órgano: *m*. Parte del cuerpo animal o vegetal que ejerce una función; medio, conducto.

Oruga: *f*. Larva vermiforme de los insectos lepidópteros o mariposas.

P

Paladino: *m*. Público, claro y patente.

Palatino: *m*. Del paladar o del palacio.

Pancho: *m*. En Argentina, bocadillo de pan y chorizo asado o frito.

Pañuelo: *m*. Pedazo de tela pequeño y cuadrado para limpiarse la nariz.

Parado: *adj*. Remiso, flojo, poco activo. Desocupado o sin empleo.

Paraguas: *m*. Utensilio portátil para protegerse de la lluvia.

Pargo: *m*. También llamado pagro, es un pez. (*port*., capatão.)

Parlanchín: *adj*. Hablador.
Patrón: *m*. Dueño de una casa de huéspedes; santo titular en la iglesia.
Patrono: *m*. Defensor, protector.
Pavada: *f*. Manada de pavos; grosería.
Peñón: *m*. Peña (roca) grande.
Percatar: *v.i*. Advertir, considerar, darse cuenta de algo.
Percha: *f*. Pieza o mueble de madera o metal con colgaderos en que se pone ropa, sombreros y otros objetos. Alcándara.
Pereza: *f*. Repugnancia al trabajo, al esfuerzo.
Periódico: *adj*. Que se repite a intervalos. *m*. Publicación periódica, diario.
Perrillo: *m*. Puñalada, navajazo.
Pileta: *f*. Pila o fuente pequeña. Pila de cocina o de lavar. *Amér*., piscina
Pillo: *adj*. Astuto, ladino, sagaz.
Piltrafa: *f*. Persona de ínfima consistencia física o moral.
Pincho: *m*. Punta aguda.
Plantar: *v. tr*. Meter en tierra una planta para que produzca. Poblar de plantas un terreno. Asentar o colocar una cosa en el lugar en que debe estar para ser usada. Establecer alguna cosa, fundar. *Fig*. Pararse un animal o persona en un determinado sitio, sin intenciones de moverse.
Plenilunio: *m*. Luna llena.
Pollo: *m*. Cría de aves. *fam*. Muchacho joven.
Polvo: *m*. Conjunto de partículas de tierra fina que se levanta en el aire. Sustancia pulverizada.
Poroto: *m*. *Amér*., judía, frijol, alubia.
Prenda: *f*. Alhajas, muebles o enseres de uso doméstico. Parte del vestuario o del calzado. Buenas cualidades de una persona.
Presumido: *adj*. Que se presume; vano, fatuo, jactancioso.
Promedio: *m*. Término medio.
Puntualizar: *v. t*. Precisar; grabar profundamente las cosas en la memoria.

Q

Quiosco: *m*. (kiosko). Pabellón pequeño donde se venden periódicos, flores, etc.
Quitar: *v. t*. Separar una cosa de otra. Despojar, suprimir; robar; apartar; privar de algo; impedir, obstar.

R

Rango: *m*. Clase, categoría. *Amér*., generosidad.
Rasguño: *m*. Arañazo.

Raso: *m*. Tela de seda lustrosa; plano, liso, libre de estorbos.

Ratón: *m*. Mamífero roedor. (*port*., rato).

Rechazar: *v. t*. Rehusar, no aceptar, no atender; no ceder, apartar; obligar a retroceder.

Recolección: *f*. Acción de recolectar; recopilación; cosecha; cobranza, recaudación.

Remate: *m*. Lo que termina una cosa, final, término; postura última de una subasta. (*depor*., tiro a gol).

Remilgado: *adj*. Que tiene delicadeza afectada en palabras y acciones.

Reto: *m*. Desafío; amenaza.

Retoño: *m*. Brote de planta; hijo pequeño.

Riel: *m*. Carril de una vía férrea.

Roble: *m*. Encina.

Rollo: *m*. Carrete de una película; objeto cilíndrico formado por una cosa arrollada. *Fam*. Discurso, conversación larga y aburrida; labia, verbosidad, cuento, embuste.

Roto: *adj*. Destrozado, desecho; que ha sufrido rotura.

Rozagante: *adj*. Espléndido.

Ruin: *adj*. Vil, bajo, despreciable; pequeño, desmedrado; que tiene malas costumbres; mezquino, tacaño.

S

Salmodiar: *v. t*. Cantar algo con cadencia monótona; cantar salmodia (canto que se usa en la iglesa, para los salmos).

Salsa: *f*. Mezcla de varias sustancias para aderezar los guisos. (*port*., molho.)

Sección: *f*. Cortadura, división hecha por un cuerpo cortante; cualquier parte de la división de un todo.

Sencillo: *adj*. Simple, fácil; desprovisto de artificio, claro.

Sesión: *f*. Junta o reunión de concilio, congreso u otra asamblea.

Silueta: *f*. Figura, línea general del cuerpo; imagen de un objeto o persona.

Sima: *f*. Abismo.

Sobrante: *adj*. Una cosa que sobra.

Sobrecama: *f*. Colcha.

Sorbo: *m*. Líquido que se bebe de una vez.

Suceso: *m*. Acontecimiento; cosa que sucede; éxito; triunfo.

Suciedad: *f*. Calidad de sucio.

Sujeción: *f*. Ligadura, unión firme de algo en un paquete. Dependencia.

T

Taco: *m.* Tarugo de madera; cuña; palo con que se impulsan las bolas en el billar; lío; confusión.

Taitai: *m.* Nombre que se da, en América, a las personas en señal de respeto.

Talón: *m.* Parte posterior del pie; cheque.

Terquedad: *f.* Obstinación, perseverancia, firmeza, constancia.

Testigo: *com.* Persona que, por haber presenciado un hecho, puede dar testimonio de ello. Prueba material.

Timbre: *m.* Aparato de llamada; timbre eléctrico; sello que indica el pago de derechos fiscales en documentos.

Tirar: *v. t.* Soltar algo de la mano; arrojar, lanzar, disparar; derribar; arrastrar; disparar un arma. *v. pr.* Arrojarse, precipitarse.

Tirita: *f. Amér.* parche.

Tulipán *m.* Planta y flor. (*port.* tulipa.)

V

Valido: *adj.* Que vale legalmente, firme; favorito.

Valva: *f.* Pieza que constituye la concha de los moluscos.

Vela (en): *adv.* Estar despierto.

Vello: *m.* Pelo corto en algunas partes del cuerpo.

Viñeta: *f.* Dibujo o estampita puesta como adorno al principio o final de un libro o capítulo. Dibujo o escena humorística impreso en un libro, revista, periódico, etc.

Y

Yuppies: *m.* Voz inglesa, jerga aplicada al joven rico y con éxito profesional.

Z

Zancos: *m.* Cada uno de los dos palos altos y dispuestos con sendas horquillas, en que se afirman los pies para andar por sitios pantanosos y en ciertos juegos de agilidad y equilibrio.

Zanja: *f.* Excavación larga y estrecha para echar los cimientos de un edificio. *Amér.* Surco que la corrente de un arroyo abre en la tierra.

Zanjón: *m.* Zanja grande y profunda por donde corre el agua. (*Arg.*, *Cuba*, *Chile* y *Parag.*, precipicio, despeñadero.)

Zapping: *m.* Cambio frenético (aplicado a la moda o a la utilización del mando a distancia de la televisión o cadena de sonido).

Zócalo: *m.* Parte ligeramente saliente en la base de una pared, que suele pintarse de un color diferente del resto.

Zueco: *m.* Zapato de madera de una sola pieza.